AF616959

EXPLOTACIÓN SEXUAL DE MUJERES Y MENORES Y DELITOS AFINES: CONSIDERACIONES POLÍTICO-CRIMINALES Y CRIMINOLÓGICAS

ELENA BOZA MORENO
JUANA DEL-CARPIO-DELGADO
Coordinadoras

EXPLOTACIÓN SEXUAL DE MUJERES Y MENORES Y DELITOS AFINES: CONSIDERACIONES POLÍTICO-CRIMINALES Y CRIMINOLÓGICAS

AUTORES/AS

ELENA BOZA MORENO

JUANA DEL-CARPIO-DELGADO

ANA ISABEL GARCÍA ALFARAZ

ALBA LANCHARRO CASTELLANOS

CARLOS JAVIER MARTÍNEZ MUÑOZ

ROSMARI MORENO ACEVEDO

LAURA PASCUAL MATELLÁN

Primera edición, 2024

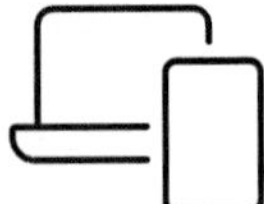

Incluye soporte electrónico

Trabajo realizado en el marco del Proyecto de Investigación PID2020-117403RB-100, *Criminalidad organizada transnacional y empresas multinacionales ante las vulneraciones a los derechos humanos* y del Grupo de Investigación en Ciencias Penales y Criminológicas, CIPEC (SEJ 047), del Plan Andaluz de Investigación, Desarrollo e Innovación.

Editorial Aranzadi, S.A.U.
C/ Collado Mediano, 9
28231 Las Rozas (Madrid)
ISBN Versión impresa: 978-84-1162-435-0
ISBN libro electrónico: 978-84-1162-436-7
DL NA M-6261-2024
Printed in Spain. Impreso en España
Fotocomposición: Editorial Aranzadi, S.A.U.

Índice General

Página

Página

Presentación

Tengo la gran satisfacción de presentar el libro dirigido por Elena Boza y Juana del Carpio «Explotación sexual de mujeres y menores y delitos afines: consideraciones político-criminales y criminológicas», que se enmarca en proyectos de investigación con financiación pública. Se trata del Proyecto de Investigación PID 2020-117403RB-100, *Criminalidad organizada transnacional y empresas multinacionales ante las vulneraciones a los derechos humanos* y del Grupo de Investigación en Ciencias Penales y Criminológicas, CIPEC (SEJ 047), del Plan Andaluz de Investigación.

Las diversas formas de explotación sexual de mujeres y menores suelen ser fenómenos considerados delitos invisibles, que en los últimos años han despertado el interés por parte del legislador y la doctrina. Muchas veces amparada por la prostitución, el tráfico de inmigrantes y el eterno «mirar para otro lado», la explotación sexual ha sido olvidada por la agenda político-criminal. No obstante, los datos de la realidad revelan que se trata de un fenómeno persistente, tristemente arraigado en zonas donde los seres más vulnerables de la tierra, normalmente mujeres y niños, son presas de organizaciones criminales y de sujetos inescrupulosos que pretenden lucrarse aprovechando la vulnerabilidad de los seres humanos. Cambian sus caras, sus manifestaciones, pero sigue siendo un negocio altamente lucrativo que atrae a los desalmados que venden a las personas y los que compran el cuerpo de seres indefensos.

Se trata de un tema que toca las fibras esenciales de lo humano, el proteger a los seres más débiles de la tierra, que no se imponga la ley del más fuerte, en un mundo donde todo vale para los negocios y la falta de límites éticos campan a sus anchas.

Es preciso recordar las palabras del ex Secretario de Naciones Unidas Koffi Annan cuando subrayaba la importancia de luchar contra esta lacra por representar una de las mayores violaciones a los derechos humanos. Inaugurado el siglo XXI declaró en su informe «Un concepto más amplio de libertad: (2005): "En la Cumbre del Milenio los dirigentes de todo el mundo proclamaron que la liberación del temor y de la miseria era uno de los valores esenciales del siglo XXI. No obstante, en todo el mundo hay millones de personas a quienes todavía se niega el derecho a vivir con dignidad y liberados del temor y de la miseria. Se niega ese derecho al niño que trabaja bajo contrato de cumplimiento forzoso, sometido a explotación, al padre que tiene que dar soborno para conseguir atención médica para su hijo o hija, a la mujer condenada a una vida de prostitución forzosa"». En el mismo informe el Secretario General de Naciones Unidas en ese entonces, insistía: «Considero que la trata de personas, especialmente de mujeres y niños, para someterlos a trabajos forzosos y a la explotación, incluida la explotación sexual, es una de las violaciones más atroces de los derechos humanos a que hacen frente las Naciones Unidas en la actualidad. Se trata de un fenómeno muy difundido que se agrava cada vez más. Tiene sus raíces en las condiciones sociales y económicas de los países de origen de las víctimas y se ve facilitado por las prácticas discriminatorias contra la mujer e impulsado por la cruel indiferencia ante el sufrimiento humano de parte de los que explotan los servicios que las víctimas están obligadas a prestar. El destino de esas personas más vulnerables es una afrenta para la dignidad humana y un grave problema para todo Estado, todo pueblo y toda comunidad»[1].

En estas palabras quedan patentes los aspectos sustanciales de este fenómeno sangrante: violaciones atroces a los derechos humanos, aprovechamiento de la vulnerabilidad de las víctimas (marginalidad, pobreza), crueldad e indiferencia ante el sufrimiento humano, negación de la dignidad y la libertad humanas. En un informe impecable conecta los grandes conceptos de seguridad y libertad con el desarrollo humano, señalando que no habrá libertad sin desarrollo humano y no habrá seguridad sin respeto a los derechos humanos.

Pero por qué ha habido tanta indiferencia en el mundo ante esta lacra social. Tradicionalmente los grandes desposeídos de la tierra son seres olvidados, invisibles, indiferentes. Por tanto, ha habido gran olvido de la política criminal ante este fenómeno criminal. No solo la tradicional indiferencia ante los seres sin voz, sino hay otros aspectos que se agregan para abonar la invisibilidad. Camuflada la explotación sexual bajo otros fenómenos tolerados socialmente como la prostitución, existen serios problemas para identificarla, no solo en la realidad, sino también muchas veces conceptual-

1. NACIONES UNIDAS, *Un concepto más amplio de libertad: desarrollo, seguridad y derechos humanos*, Informe del Secretario General, 2005.

mente. Encubiertas dentro del tráfico de inmigrantes, las víctimas no pueden denunciar porque pierden la posibilidad de quedarse en el país al que han pretendido emigrar (la mayoría de las veces por razones de pobreza o guerras). También puede decirse que estamos ante los llamados delitos consensuados, donde hay supuestos acuerdos entre autor y víctima, acuerdos sinuosos, difíciles, normalmente entre una parte fuerte y otra parte débil. Por eso la cuestión del consentimiento, de la libertad en estos supuestos es ciertamente vidrioso.

Para abordar estos diversos aspectos del fenómeno de explotación sexual de mujeres y menores, un grupo de profesores de diversas universidades y diversas especialidades, se ha reunido para un tratamiento holístico del asunto.

El libro se estructura en tres bloques. En el primero de ellos, relacionado con el Derecho Penal Internacional, la profesora Juana del Carpio Delgado, Profesora Titular de Derecho Penal de la Universidad Pablo Olavide, aborda «La prostitución forzada como crimen internacional». En este trabajo la profesora del Carpio desarrolla como el fenómeno de la violencia sexual contra las mujeres y niñas en las guerras ha sido tradicionalmente soslayado de los juzgamientos internacionales. Ni el Tribunal de Nuremberg, ni los tribunales internacionales se han ocupado de la violencia sexual en la guerra, y en la Corte Penal Internacional, aunque sí se consideran crímenes internacionales, su procesamiento se ve opacado por los otros crímenes. De ahí la importancia de analizar los elementos distintivos de los crímenes de prostitución forzada en la guerra (Capítulo I). A continuación, Alba Lancharro Castellanos, Becaria de Investigación de la Universidad Pablo Olavide, realiza el trabajo «La trata de mujeres y menores como forma de explotación sexual en zonas de conflicto armado». En este estudio se analiza el desarrollo de la violencia sexual en zonas de conflicto armado, señalando la situación de vulnerabilidad de las víctimas, mujeres y niños, que propician la trata. Se trata del uso de la violencia sexual como estrategia o táctica de guerra, incluso de terrorismo. El estudio destaca los mecanismos de cooperación internacional existentes para hacer frente a tan execrables crímenes (Capítulo II).

En el segundo bloque dedicado a la política criminal y criminología, Elena Boza Moreno, Profesora Contratada Doctor del Centro Universitario San Isidoro, adscrito a la Universidad Pablo de Olavide, aborda las «Cuestiones de política criminal sobre la prostitución: ¿autodeterminación sexual o explotación?» Sin duda estos son algunos de los aspectos más controvertidos de la discusión sobre la explotación sexual: si existe autodeterminación, es decir, si existe un espacio para la prostitución libre. La autora destaca que negar este espacio de libertad para algunas mujeres supone que «no se les reconoce autonomía, ni se respeta su propia subjetividad, ni su dignidad, ni su integridad, ni mucho menos su libertad» (Capítulo III). Posteriormente, Alba Lancharro Castellanos, aborda la «Perspectiva criminológica y político-criminal de la trata de mujeres y menores con fines de explotación sexual». En esta ocasión Lancharro se enfoca en los aspectos criminológicos de este fenómeno y la necesaria mejora de mecanismos para su detección e identificación, así como la modernización del conocimiento del *modus operandi* de las redes criminales. Esta información constituye la base para una política criminal coordinada a nivel nacional e internacional (Capítulo IV).

Desde la perspectiva del Derecho positivo, en el tercer bloque, Laura Pascual Matellán, Profesora Contratado Doctor de la Universidad de Salamanca, aborda el tema: «El cuerpo de las mujeres como objeto material del delito. De la trata de seres humanos con fines de explotación sexual a la prostitución forzada». Desde la cosificación del cuerpo de las mujeres, la profesora Pascual finalmente defiende un discurso abolicionista sobre la prostitución, considerando que «la prostitución voluntaria lleva implícito un debate moral que trasciende lo jurídico y, por esta razón, las herramientas que brinda el Derecho no son suficientes para resolver los problemas éticos derivados de esta práctica, práctica que debe ser repensada por la trascendencia que tiene para las propias mujeres que se prostituyen y para el resto de mujeres al contribuir a la desigualdad sexual» (Capítulo V).

Elena Boza Moreno, estudia la «Delimitación del concepto de trata de seres humanos. Especial referencia al fenómeno de la prostitución». En esta ocasión la autora se centra en establecer la difícil delimitación de conceptos tan próximos como explotación sexual, trata y prostitución, estudiando su relación con explotación sexual, explotación laboral y tráfico de personas. Especialmente destaca las consecuencias de la equiparación / confusión entre trata y prostitución, impidiendo así entender esta actividad merecedora de tratamiento laboral (Capítulo VI).

Ana Isabel García Alfaraz, Profesora Ayudante Doctor de la Universidad de Salamanca, escribe «Atrapadas e invisibles: mujeres víctimas de trata con la finalidad de explotación sexual». En este trabajo la autora se centra en la consideración social y jurídica de las víctimas de trata que, siendo objeto de una grave vulneración a sus derechos humanos, se encuentran invisibilizadas, especialmente por el estigma de su relación con la prostitución. Propone una visión victimocéntrica, holística y de género del tema para un tratamiento más acorde con el respecto de los derechos humanos (Capítulo VII).

Rosmari Moreno Acevedo, Letrada y Profesora de Derecho Penal de la Universidad Pablo de Olavide, aborda «La trata de menores con fines de explotación sexual a través de la pornografía infantil». En este trabajo la autora se centra en el carácter global de estos fenómenos y de la necesidad de un tratamiento por parte de la Comunidad Internacional con instrumentos internacionales, lo cual ha llevado a trasponer directivas que no siempre son congruentes con los tipos penales existentes. Especialmente se detiene en los problemas sistemáticos del art. 117 bis CP de trata y la inclusión del elemento material pornográfico infantil de la reforma de 2015 en al art. 189.1 *in fine* (Capítulo VIII).

Y, por último, Carlos Javier Martínez Muñoz, Investigador de la Universidad Pablo de Olavide, escribe sobre «La trata con fines de explotación sexual: aproximación desde una perspectiva de género con especial referencia al procedimiento de asilo y refugio y la protección frente a la expulsión». El autor destaca la necesidad del tratamiento de la trata como una vulneración a los derechos humanos y, por tanto, cobran relevancia instrumentos de apoyo a las víctimas como el derecho de asilo y refugio. Sin embargo, la realidad legislativa es compleja y no siempre se protegen los derechos humanos de estas víctimas con un tratamiento especial como la situación merece (Capítulo IX).

No cabe duda que quien pretenda adentrarse en el estudio de este fenómeno criminal tendrá que tener en consideración todos estos trabajos que muestran el carácter poliédrico de sus manifestaciones, conceptuación y regulación. Dado que ha sido un fenómeno tradicionalmente invisible, hoy toca visibilizar y dar toda la luz posible para hacer frente a comportamientos intolerables que cosifican especialmente a las mujeres y menores y que afectan gravemente sus derechos humanos, en aras del lucro insaciable de seres sin alma.

En Salamanca, a 22 de enero de 2024.

Fdo. LAURA ZÚÑIGA RODRÍGUEZ
Catedrática de Derecho Penal
Universidad de Salamanca

1. La prostitución forzada como crimen internacional

JUANA DEL-CARPIO-DELGADO*

Profesora Titular de Derecho penal

Universidad Pablo de Olavide

jcardel@upo.es

SUMARIO: I. INTRODUCCIÓN. II. PRECEDENTES. 1. Primera Guerra Mundial. 2. Segunda Guerra Mundial. 3. Los Convenios de Ginebra y sus Protocolos. Los Tribunales Penales Internacionales *ad hoc* y el Tribunal Especial para Sierra Leona. III. LA PROSTITUCIÓN FORZADA EN EL ESTATUTO DEL TRIBUNAL PENAL INTERNACIONAL. 1. Proyecto de código de crímenes contra la paz y la seguridad de la humanidad. 2. Negociaciones del Estatuto del TPI. 3. Elementos del crimen. IV. CONSIDERACIONES FINALES. V. BIBLIOGRAFÍA.

I. INTRODUCCIÓN

La historia de los conflictos bélicos está plagada de manifestaciones de violencia sexual contra las mujeres, pero no ha sido hasta hace poco que la comunidad internacional ha tomado consciencia sobre la magnitud de esta situación[1]. Tras la finalización de la Segunda Guerra Mundial las potencias

---

* Trabajo realizado en el marco de las actividades del Proyecto PID2020-117403RB-I00, Criminalidad organizada transnacional y empresas multinacionales ante las vulneraciones a los derechos humanos, y del Grupo de Investigación en Ciencias Penales y Criminológicas (SEJ-047). Agradezco a la Becaria de Investigación, Alba Lancharro Castellanos, su valiosa ayuda en la configuración del texto.

1. Véanse, por ejemplo, Naciones Unidas, 2023, Consejo de Seguridad, *Violencia sexual relacionada con los conflictos,* Informe del Secretario General, 22 de junio de 2023. S/2023/413. Disponible en https://unric.org/en/conflict-related-sexual-violence-un-report-highlights-alarming-trends-and-calls-for-urgent-action/; última visita: 11.11.2023. En este Informe se da cuenta que la Misión de Apoyo de las Naciones

vencedoras tenían pruebas suficientes que pudieron ser utilizadas para juzgar estos actos, pero obviaron cualquier consideración al respecto[2]. Quizá porque, tal como se ha denunciado, sus tropas también cometieron actos de violencia sexual contra las mujeres de los lugares que iban «liberando» o se aprovecharon de la situación de especial vulnerabilidad en la que muchas de ellas se encontraban como consecuencia de la guerra para someterlas sexualmente[3].

El Tribunal Internacional de Núremberg no procesó a nadie por las violaciones y torturas sistemáticas de mujeres y niñas que se produjeron en el interior de los campos de concentración y exterminio. El Tribunal Penal Militar Internacional para el Lejano Oriente tampoco juzgó a los responsables del drama de miles de mujeres que fueron trasladadas desde distintas partes del continente para ser esclavizadas sexualmente en el sistema de «burdeles» que habían establecido para sus soldados[4]. Sí fueron juzgados otros delitos de violación como, por ejemplo, las violaciones de mujeres, niñas de corta edad y ancianas cometidas por soldados japoneses cuando invadieron Nanking. En la sentencia quedó probado que estos sujetos tras violarlas de forma sádica, asesinaban a sus víctimas y mutilaban sus cuerpos. Aproximadamente 20.000 casos de violación ocurrieron dentro de la ciudad durante el primer mes de ocupación[5].

Unidas en Libia (UNSMIL) verificó 23 casos de violencia sexual relacionada con el conflicto, incluidas violaciones y prostitución forzada, contra 11 mujeres libias (6 de las cuales eran migrantes), así como contra 5 hombres y 7 niñas (párr. 41). United Nations, 2021, Office of the Special Representative of the Secretary-General on Sexual Violence in Conflict, *In Their Own Words: Voices of Survivors of Conflict-Related Sexual Violence and Service-Providers. Disponible en* https://www.un.org/sexualviolenceinconflict/in-their-own-words-voices-of-survivors-of-conflict-related-sexual-violence-and-service-providers/; última visita: 30.03.2023.

2. Tanaka, 2002, Japan's Comfort Women: The Military and Involuntary Prostitution During War and Occupation, pp. 84 y ss.
3. Véase al respecto, Grossmann, 1995, Question of Silence: The Rape of German Women by Occupation Soldiers, pp. 42 y ss.; Tanaka, 2002, pp. 111 y ss.
4. La bibliografía existente sobre el drama de las mujeres de solaz es inabarcable. Para la elaboración de este artículo ha sido de especial relevancia el trabajo de Tanaka, 2002, en el que, sobre informes oficiales y pruebas por él descubiertas, analiza cómo se utilizó y abusó del sexo para mantener la moral y la disciplina militar del ejército japonés. Revela la historia de las «mujeres de solaz» que fueron esclavizadas sexualmente antes y durante la Segunda Guerra Mundial y sus devastadores efectos sobre las vidas de decenas de miles de mujeres víctimas.
5. International Military Tribunal For The Far East. Judgment of 4 November 1948. Volume II. Part B. Chapter VIII. Conventional War Crimes (atrocities). Disponible en https://www.loc.gov/item/2021692613/; última visita: 03.03.2023.

El establecimiento de los Tribunales Penales Internacionales *ad hoc* para la antigua Yugoslavia (TPIY) y para Ruanda (TPIR), y el Tribunal Especial para Sierra Leona supuso un cambio de perspectiva porque se vislumbran los esfuerzos por juzgar a los responsables de crímenes de violencia sexual[6].

Lo mismo cabe decir de la Corte Penal Internacional, aunque la doctrina es especialmente crítica porque considera que su actividad no aborda ni prioriza adecuadamente los procesamientos por violencia sexual[7].

La prostitución forzada es uno de los primeros crímenes de guerra reconocidos a nivel internacional al incorporarse en el Informe que presentó la Comisión sobre la responsabilidad de los autores de la guerra y sobre la ejecución de las penas por la violación de las leyes tras concluir la Primera Guerra Mundial[8].

Con posterioridad, fue incorporado en el IV Convenio de Ginebra y en los Protocolos al mismo, como crímenes que atentan contra la dignidad personal. También fue incluido dentro del Estatuto del TPIR y del Tribunal Especial para Sierra Leona.

Tras la adopción del Estatuto de Roma aparece como crimen de lesa humanidad, crimen de guerra en conflicto armado internacional y crimen de guerra en conflicto armado de naturaleza interna. Cabe resaltar que el tratamiento que recibe, al igual que el resto de crímenes de naturaleza sexual, no es el de crimen que atenta contra la dignidad de las personas. La labor del caucus de mujeres por la justicia de género en la Corte Penal Internacional sería trascendental para incorporar la violencia sexual y de género como crímenes en sí mismos[9].

El Informe de la Relatora especial sobre la violación sistemática de 1998, sostenía que en las situaciones de conflicto armado la mayor parte de los

---

6. Tal como se ha puesto de manifiesto en numerosos trabajos, el TPIR sería el primer Tribunal Penal Internacional que reconocería a la violación como crimen de guerra en el caso contra Jean-Paul Akayesu.
7. Así, entre otros, Altunjan, 2021, The International Criminal Court and Sexual Violence: Between Aspirations and Reality, pp. 883 y ss.
8. Commission on the Responsibility of the Authors of the War and on Enforcement of Penalties. Report Presented to the Preliminary Peace Conference, 29 March 1919. Disponible en https://www.legal-tools.org/doc/63159c/; última visita: 05.03.2023.
9. Alrededor del conocido «caucus de mujeres» cerca de 200 Organizaciones No Gubernamentales defensoras de los derechos de las mujeres trabajaron para hacer propuestas y recomendaciones que giraban en torno a la necesidad de que el Estatuto del Tribunal Penal Internacional incluyera las cuestiones relativas al género y no discriminación.

hechos que podrían describirse como casos de prostitución forzada también podrían calificarse de esclavitud sexual y «perseguirse de manera más fácil y apropiada» como casos de esclavitud[10].

En la misma línea, el caucus de mujeres destacaba que la gravedad de la esclavitud sexual se había disminuido al llamarla solo prostitución forzada. Este término amortigua el grado de violencia, coerción y control característico de la esclavitud sexual. Sugiere que los servicios sexuales son proporcionados como parte de un intercambio, aunque forzado por las circunstancias, y que estos se ofrecen en lugar de exigirse brutalmente. Oculta el hecho de que esto es violación, violación en serie, físicamente invasiva y psicológicamente debilitante en extremo[11].

La misma perspectiva se observa en los magistrados que formaron parte del Tribunal Internacional de Mujeres para Crímenes de guerra[12] quienes consideraron que debía corregirse la mala caracterización de la esclavitud sexual como si se tratara de prostitución forzada[13]. Desde su punto de vis-

10. Naciones Unidas, 1998, Comisión de Derechos Humanos. Subcomisión de Prevención de Discriminaciones y Protección a las Minorías. Formas contemporáneas de la esclavitud. La violación sistemática, la esclavitud sexual y las prácticas análogas a la esclavitud en tiempo de conflicto armado. Informe final presentado por la Sra. Gay J. McDougall, Relatora Especial. 22 de junio de 1998. E/CN.4/Sub.2/1998/13, párr. 33 (en adelante: Informe final presentado por McDougall, Relatora Especial, 1998).

11. Women's Caucus for Gender Justice in The International Criminal Court, 1997, Recommendations and Commentary For December 1997 PrepCom On The Establishment of an International Criminal court United Nations Headquarters December 1-12, 1997 (en adelante, Recomendaciones del caucus de mujeres).

12. Fue un Tribunal popular que, según se establece en sus estatutos, tuvo competencia sobre los crímenes cometidos contra las mujeres como crímenes de guerra, crímenes de lesa humanidad y otros crímenes de derecho internacional dentro de los que se incluyen esclavitud sexual, violación y otras formas de violencia sexual, esclavitud, tortura, deportación, persecución, asesinato y exterminio. Se trataba de determinar la responsabilidad del Gobierno japonés y sus militares antes y durante la Segunda Guerra Mundial. Dentro de sus objetivos específicos estaba el recopilar pruebas que destaquen la gravedad de los crímenes cometidos contra las denominadas mujeres de solaz y arrojar luz sobre la naturaleza de estos, poner fin a la impunidad con la que se ha cometido violencia sexual contra las mujeres en tiempos de guerra y evitar que tales crímenes vuelvan a ocurrir en el futuro, entre otros. Toda la información se encuentra disponible en la web The Women's International War Crimes Tribunal For the Trial of Japan's Military Sexual Slavery, https://archives.wam-peace.org/wt/en/; última visita: 12.03.2023.

13. The Women's International War Crimes Tribunal For the Trial of Japan's Military Sexual Slavery. The prosecutors and the peoples of the asia-pacific region v. Hirohito Emperor Showa, Ando Rikichi, Hata Shunroku, Itagaki Seishiro, Kobayashi Seizo, Matsui Iwane, Umezu Yoshijiro, Terauchi Hisaichi, Tojo Hideki, Yamashita Tomoyuki

ta, el crimen históricamente denominado «prostitución forzada» debe ser más apropiadamente denominado «esclavitud sexual»[14]. De esta forma se respondería a la preocupación manifestada por las victimas sobrevivientes del «sistema de confort», en el sentido de que el término «prostitución forzada» oscurece la terrible gravedad de los hechos de los que fueron víctimas, sugiere un nivel de voluntariedad y las estigmatiza como inmorales o bienes usados[15]. Calificar estos hechos como prostitución forzada proporciona argumentos a los japoneses que niegan su responsabilidad por las atrocidades sistemáticas perpetradas contra estas mujeres y niñas al caracterizarlas como «prostitutas» y «seguidoras de campamentos» para afirmar tanto la voluntariedad como la inmoralidad de las «mujeres de solaz» y, por ende, la inocencia de Japón[16].

Estando de acuerdo con las anteriores apreciaciones, consideramos que el crimen de prostitución forzada no debería ser letra muerta en tanto que, puede abarcar supuestos que no puedan ser subsumidos en el crimen de esclavitud sexual. Por ello, este trabajo tiene como objetivo el análisis de los elementos de este crimen.

II. PRECEDENTES

1. PRIMERA GUERRA MUNDIAL

Tras la finalización de la Primera Guerra Mundial, la Conferencia de Paz Preliminar de Paris creó en 1919 la Comisión sobre la responsabilidad de los autores de la guerra y sobre la ejecución de las penas por la violación de las leyes[17]. Dentro de los aspectos que la Comisión debía investigar e informar estaban la responsabilidad de los autores de la guerra, los hechos relativos a las infracciones de las leyes y usos de la guerra cometidos por las fuerzas del Imperio alemán y sus aliados, en tierra, mar y aire durante la presente

---

and the Government of Japan. Judgement. Case No. PT-2000-1-T. 4 December 2001. Disponible en https://archives.wam-peace.org/wt/en/judgement; última visita: 12.03.2023 (en adelante, Sentencia del Tribunal de Mujeres).

14. Sentencia del Tribunal de Mujeres, párr. 634.
15. En la sentencia se destaca la vehemente objeción de muchas víctimas sobrevivientes de los «centros de confort» a que los crímenes cometidos contra ellas sean calificados como prostitución forzada, Sentencia del Tribunal de Mujeres, párr. 606.
16. Sentencia del Tribunal de Mujeres, párr. 634.
17. Commission on the Responsibility of the Authors of the War and on Enforcement of Penalties. *Report Presented to the Preliminary Peace Conference*, 29 March 1919. Disponible en https://www.legal-tools.org/doc/63159c/; última visita: 05.03.2023.

guerra y la constitución y procedimiento de un tribunal apropiado para el juzgamiento de estos delitos[18].

Aunque este tribunal nunca se creó, en el Capítulo II del Informe, la Comisión daba cuenta de un total de 32 clases de hechos que Alemania y sus aliados habían cometido y que representaban violaciones de leyes y costumbres de la guerra y de las leyes de la humanidad[19]. En el Informe se destaca que, a pesar de las regulaciones explícitas, de las costumbres establecidas y de los claros dictados de la humanidad, los actos han supuesto una acumulación de indignación tras indignación. Dentro de estos crímenes aparece expresamente el secuestro de niñas y mujeres con fines de prostitución forzada. Así, pues, esta sería la primera vez que la prostitución forzada aparece como un crimen de guerra[20].

2. SEGUNDA GUERRA MUNDIAL. EL CONSEJO DE GUERRA HOLANDÉS

Tras la finalización de la Segunda Guerra Mundial, las autoridades de las Indias Orientales Neerlandesas conocían que, durante la ocupación japonesa, las autoridades militares y los miembros del ejército japonés también habían establecido burdeles en los que habían obligado a prostituirse a mujeres y niñas originarias de cada una de estas islas y también europeas. El gobierno de las Indias orientales consideró que obligar a las mujeres y niñas a prostituirse era un crimen de guerra y, por lo tanto, consideró incluirlo como tal dentro de la normativa que regulara el Tribunal de Guerra Temporal o Consejo de Guerra en Batavia que tendría competencia para procesar a los responsables de crímenes de guerra. Según el art. 1 Decreto n.º. 46 de 1946[21]:

---

18. También tenía que investigar e informar sobre el grado de responsabilidad por estos delitos que incumbe a determinados miembros del grupo y fuerzas enemigas, incluidos miembros del Estado Mayor General y otros individuos.
19. En esta lista, que no se consideraba completa ni exhaustiva, se incluyen los asesinatos y masacres, el terrorismo, ejecución de los rehenes, violación, tortura, deportación o internamiento de civiles en condiciones inhumanas, devastación y destrucción de propiedad sin sentido, bombardeo deliberado de lugares indefensos, envenenamiento de pozos, entre otros.
20. Véase en este sentido, Demleitner, 1994, Forced Prostitution: Naming an International Offense, nota 97.
21. Statute Book Decree No. 46 of 1946 concerning the «Legal Competence in respect of War Crimes». Disponible en https://www.legal-tools.org/doc/8a2831/; última visita: 12.03.2023.

«Se entenderá por crímenes de guerra los actos que constituyen una violación de las leyes y usos de la guerra cometidos en tiempo de guerra por sujetos de una potencia enemiga o por extranjeros al servicio del enemigo».

Tras esta definición, se describen 39 crímenes de guerra, entre los que se encuentran todos los crímenes descritos por la Comisión de Responsabilidades de 1919, los de la Comisión de Crímenes de Guerra de las Naciones Unidas de 1944 y cinco más que ya estaban previstos en la legislación de la Indias Orientales Holandesas. Dentro de estos se encuentra:

«7. Secuestro de niñas y mujeres con fines de prostitución forzada».

Esta sería la base sobre la cual se juzgarían, entre otros, los siguientes casos.

2.1. Caso Washio

Washio fue un japonés propietario de un burdel llamado Sakura-Club acusado de prostitución forzada como crimen de guerra[22]. Con la ayuda de su pareja, contrataba a niñas holandesas para servir como camareras y luego, gradualmente, las obligaba a prostituirse con los clientes. Se trataba de niñas que en su mayoría se encontraban en circunstancias de extrema de pobreza. Quienes manifestaban su oposición eran amenazadas, directa o indirectamente, por la policía japonesa con la prisión o deportación y, en algunos supuestos, fueron brutalmente golpeadas. En varios casos, quienes persistieron en marcharse del prostíbulo fueron entregadas a la policía y deportadas a otros lugares. Las niñas, con edades comprendidas entre los 12 y 14 años, eran conminadas a recibir al menos tres visitas y a ninguna de ellas se les permitía recibir menos de dos visitas cada noche.

Washio fue declarado culpable de «prostitución forzada». El Tribunal de Batavia puso el acento en la «prostitución forzada» en sí mismo y no sobre el secuestro o deportación con ese fin. En el caso juzgado no hubo secuestro, y habría sido injustificado considerar que por este motivo la prostitución

22. Case nº. 76. Trial of Washio Awochi. Nethealands Temporary Court-Martial at Batavia (Judgment Delivered nn 25th October, 1946) (en adelante, Sentencia caso Washio). La información sobre este caso ha sido obtenida de los Informes Jurídicos de la Comisión de Crímenes de Guerra de las Naciones Unidas (UNWCC, sus siglas en inglés). Law Reports of Trials of War Criminals. Selected and Prepared by The United Nations War Crimes Commission. Volume XIII. London: Published for The United Nations War Crimes Commission by his Majesty's Stationery Office, 1949, pp. 122 y ss. (Disponible en https://unwcc.org/unwcc-publications/; última visita: 01.03.2023).

forzada no era un acto punible. El Tribunal examinó las manifestaciones de lo que se consideraba prostitución «forzada» y se describieron las siguientes:

Las mujeres y las niñas «destinadas a la prostitución debían establecerse en una parte del club cerrada a tal efecto y de la que no tenían libertad para moverse».

Cuando querían abandonar el burdel, las mujeres y las niñas «fueron amenazadas por la Kempei», amenazas que, dada la naturaleza de la policía japonesa, «se consideraron con razón sinónimo de malos tratos, pérdida de libertad o algo peor».

Las amenazas eran «de un carácter tan grave» que «las mujeres y niñas se vieron obligadas a través de ellas a entregarse a los visitantes japoneses del Sakura-Club en contra de su voluntad».

Estas circunstancias son ilustrativas de los principales elementos de la «prostitución forzada», que equivalen a coacción en todas sus formas posibles[23].

2.2. Caso Semarang

El caso Semarang es un ejemplo de cómo la prostitución forzada fue una práctica habitual puesta en marcha por el ejército japonés para el beneficio de sus militares o civiles destinados en los territorios ocupados. Se trataba de establecer burdeles de distinta categoría según los usuarios de cada uno de estos. Las víctimas, mujeres que se encontraban en los campos de internamiento, eran seleccionadas con el pretexto de que tendrían que realizar trabajos de oficina para las autoridades japonesas. Los japoneses decidieron no desvelar que serían trasladadas a burdeles porque eran sabedores de que habrían encontrado una fuerte y considerable resistencia para su traslado[24].

Ya en los burdeles asignados, las víctimas fueron obligadas a tener relaciones sexuales y cuando se negaban eran golpeadas, amenazadas de muerte, con represalias contra sus familiares que se habían quedado en los campos de internamiento o con ser trasladadas a otro burdel destinado específicamente para los soldados en el que la situación era mucho peor

23. Law Reports of Trials of War Criminals, vol. XIII, p. 123.
24. Judgment No. 72/1947. 14-2-48. The Temporary Court Martial [Temporaire Krijgsraad] in Batavia in the case of the Army Prosecution Officer [Auditeur-Militair], ex officio, against: (...) (en adelante, Sentencia caso Semarang). Disponible en https://www.law.cuhk.edu.hk/en/research/crj/document/Batavia-Judgment-No-72-1947.pdf; última visita 05.03.2023.

porque tendrían que recibir a 15 hombres cada día. Quedó probado que, dependiendo del tipo de burdel, las víctimas eran obligadas a recibir una media de 3 a 8 japoneses.

En la sentencia también se destaca que es posible que algunas de estas mujeres y niñas seleccionadas, motivadas por el deseo de ser liberadas de los campos de internamiento a cualquier precio, aprovechasen esta oportunidad y se resignaran a ejercer la prostitución en los burdeles. Sin embargo, esto no supone que consintieran libremente a ello porque tal actitud fue consecuencia del internamiento ordenado por los japoneses y de las condiciones y circunstancias pobres y a veces inhumanas que se habían creado en los campos de internamiento.

De los doce acusados, civiles y militares, dos fueron absueltos y ocho condenados a penas de prisión que oscilaban entre los 2 a 20 años; otro de ellos, mayor del ejército japonés, fue declarado culpable de secuestro de niñas o mujeres con fines de prostitución forzada, prostitución forzada y violación, y condenado a pena de muerte.

2.3. Caso Ikeda

En el caso Semarang también estaba imputado el coronel Shoichi Ikeda, pero no pudo ser juzgado porque alegó problemas mentales y el tribunal decretó su internamiento en un psiquiátrico[25]. Habiéndose establecido como probados los hechos en el caso Semarang, la cuestión era determinar la responsabilidad de Ikeda que, como oficial al mando, era responsable de las conductas de sus subordinados, tanto civiles como militares. En la sentencia quedó probado que permitió que civiles y soldados se llevaran a las mujeres que se encontraban recluidas en los campos de internamiento a cuatro burdeles y las obligasen a prostituirse y a ser violadas. En su posición jerárquica, «debería hacer sido consciente de que las mujeres y niñas holandesas, no estarían dispuestas, en general y en principio, a abandonar los campos de internamiento para trabajar como prostitutas en burdeles japoneses y que solo lo hicieron como resultado del engaño y/o fuerza». Fue declarado culpable por los crímenes de secuestro de niñas o mujeres con fines de prostitución forzada, prostitución forzada y violación y condenado a 15 años de prisión.

25. Judgment No. 72A/1947. 30 Mar 1948. The Temporary Court Martial [Temporaire Krijgsraad] in Batavia in the case of the Army Prosecution Officer [Auditeur-Militair], ex officio, against (...). Disponible en https://www.legal-tools.org/doc/205dfb/; última visita, 06.03.2023.

Como hemos visto, tras el fin de la Segunda Guerra Mundial, estos sujetos pudieron ser condenados por prostitución forzada como crimen de guerra previsto en una legislación nacional. Sin embargo, ni en los Principios de Núremberg ni en la Ley n.° 10 del Consejo de Control Aliado se incluyó este crimen.

3. LOS CONVENIOS DE GINEBRA Y SUS PROTOCOLOS

El crimen de prostitución forzada sí fue incluido en el IV Convenio de Ginebra de 1949 relativo a la Protección debida a las personas civiles en tiempo de guerra[26]. El art. 27 establece que todas las personas tienen derecho, en todas las circunstancias, a ser tratadas con humanidad y protegidas especialmente contra cualquier acto de violencia o intimidación; y las mujeres «serán especialmente protegidas contra todo atentado a su honor y, en particular, contra la violación, la prostitución forzada y todo atentado a su pudor». Ahora bien, cabe destacar que de acuerdo con lo previsto en el art. 147, este hecho no se considera grave por lo que[27], en principio los Estados parte no tienen la obligación de tipificar estos hechos como crimen, de detener, procesar o extraditar a sus autores, ni menos tomar las medidas necesarias para su cese[28].

En el Protocolo I adicional aplicable a los conflictos internacionales, dentro de las medidas en favor de las mujeres y de los niños, el art. 76 prevé expresamente que las mujeres serán objeto de un respecto especial y protegidas en particular contra la violación, la prostitución forzada y cualquier

26. IV. Convenio de Ginebra relativo a la protección debida a las personas civiles en tiempo de guerra, 1949. Aprobado el 12 de agosto de 1949 por la Conferencia Diplomática para Elaborar Convenios Internacionales destinados a proteger a las víctimas de la guerra, celebrada en Ginebra del 12 de abril al 12 de agosto de 1949. Entrada en vigor: 21 de octubre de 1950. Disponible en https://www.icrc.org/es/doc/resources/documents/treaty/treaty-gc-4-5tdkyk.htm; última visita: 07.03.2023.
27. Según el art. 147, son infracciones graves: el homicidio intencional, la tortura o los tratos inhumanos, incluidos los experimentos biológicos, el hecho de causar deliberadamente grandes sufrimientos o de atentar gravemente contra la integridad física o la salud, la deportación o el traslado ilegal, la detención ilegal, el hecho de forzar a una persona protegida a servir en las fuerzas armadas de la Potencia enemiga, o el hecho de privarla de su derecho a ser juzgada legítima e imparcialmente según las prescripciones del presente Convenio, la toma de rehenes, la destrucción y la apropiación de bienes no justificadas por necesidades militares y realizadas a gran escala de modo ilícito y arbitrario.
28. Cfr. art. 146 del IV Convenio de Ginebra. Véase al respecto, Demleitner, 1994, p. 184.

otra forma de atentado al pudor[29]. Igualmente, en el Protocolo II adicional aplicable a conflictos no internacionales, dentro de las garantías fundamentales de trato humano se prevé la prohibición, en todo tiempo y lugar, de «los atentados contra la dignidad personal, en especial los tratos humillantes y degradantes, la violación, la prostitución forzada y cualquier forma de atentado al pudor»[30].

Como podrá observarse, en el Convenio de Ginebra y en los Protocolos los crímenes de naturaleza sexual, dentro de los que se encuentra la prostitución forzada, son considerados simplemente como atentados contra el honor o pudor de las mujeres. Más adelante, los informes que daban cuenta del uso de la violencia sexual contra las mujeres como arma de guerra y las denuncias de las Organizaciones No gubernamentales, contribuirían a cambiar esta perspectiva.

4. LOS TRIBUNALES PENALES AD HOC Y EL TRIBUNAL ESPECIAL PARA SIERRA LEONA

La prostitución forzada como crimen internacional volvió a surgir con ocasión del establecimiento de los Tribunales Penales Internacionales *ad hoc* para la antigua Yugoslavia y Ruanda. El Secretario General de las Naciones Unidas en el Informe presentado en 1993, para el establecimiento de un Tribunal Internacional para el enjuiciamiento de los presuntos responsables de las violaciones graves del derecho internacional humanitario cometidas en el territorio de la antigua Yugoslavia, mencionó expresamente a la prostitución forzada como crimen de lesa humanidad[31]. Sin embargo, en el art. 5 de la Propuesta de Estatuto, que regula estos crímenes, se mencionan la esclavitud y violación, pero no así la prostitución forzada[32]. Aunque Francia sugirió su inclusión[33], en la versión final del Estatuto del Tribunal Penal Internacional para la antigua Yugoslavia (ETPIY) solo parece la violación,

29. Protocolo I adicional a los Convenios de Ginebra de 1949 relativo a la protección de las víctimas de los conflictos armados internacionales. 08.07.1977. Disponible en https://www.icrc.org/es/document/protocolo-i-adicional-convenios-ginebra-1949-proteccion-victimas-conflictos-armados-internacionales-1977; última visita: 08.03.2023.

30. Protocolo II adicional a los Convenios de Ginebra de 1949 relativo a la protección de las víctimas de los conflictos armados sin carácter internacional, 1977. 08-06-1977. Disponible en https://www.icrc.org/es/doc/resources/documents/misc/protocolo-ii.htm; última visita 08.03.2023.

31. Informe presentado por el Secretario General de conformidad con el párrafo 2 de la Resolución 808 (1993) del Consejo de Seguridad. 20 de mayo de 1993. S/25704, párr. 48.

32. *Ibidem*, párr. 49.

33. En este sentido, Demleitner, 1994, p. 184.

aunque podía considerarse incluido dentro de los «otros actos inhumanos»[34] previstos en el art. 5.i), tal como lo había calificado el Secretario General en su Informe[35] o dentro de los crímenes constitutivos de violación de las leyes o usos de la guerra contemplados en el art. 3 del ETPIY.

Por el contrario, el Estatuto del Tribunal Penal Internacional para Ruanda (ETPIR) sí contempla la prostitución forzada dentro de las violaciones del art. 3 común a los Convenios de Ginebra y al Protocolo adicional de los Convenios. Según este precepto, el Tribunal Internacional para Ruanda tendrá competencia para enjuiciar a las personas que cometan u ordenen la comisión de graves violaciones del artículo 3 común a los Convenios de Ginebra de 12 de agosto de 1949 relativos a la protección de las víctimas de los conflictos armados y al Protocolo Adicional II de los Convenios, de 8 de junio de 1977. «Dichas violaciones comprenderán los actos siguientes, sin que la lista sea exhaustiva: (...) e) Los ultrajes a la dignidad personal, en particular los tratos humillantes o degradantes, la violación, la prostitución forzada y cualquier otra forma de agresión indecente»[36].

Lo mismo cabe decir del Estatuto del Tribunal Especial para Sierra Leona, si bien se le considera como un crimen de lesa humanidad y como crimen de guerra. Así, por un lado, el art. 2 contiene una lista de crímenes de lesa humanidad que, aunque se basa en lo previsto en los Estatutos del TPIY y del TPIR, es un poco más amplia al incluir expresamente en su letra g), además de la violación, esclavitud sexual, embarazo forzado, la prostitución forzada o cualquier otra forma de violencia sexual. Por otro lado, se definen como crímenes de guerra las violaciones del art. 3 comunes a los Convenios de Ginebra, de 12 de agosto de 1949, relativas a la protección de las víctimas de los conflictos armados y del Protocolo Adicional II de los Convenios de

34. De otra opinión, O'Brien, quien considera que está implícito en el art. 3 del Estatuto del TPIY, que prevé los crímenes constitutivos de violación de las leyes o usos de la guerra. O'Brien, 2016, p. 396 y s.

35. Artículo 5. «Crímenes de lesa humanidad. El Tribunal Internacional tendrá competencia para enjuiciar a los presuntos responsables de los crímenes que se señalan a continuación, cuando hayan sido cometidos contra la población civil durante un conflicto armado, interno o internacional: a) Asesinato; b) Exterminio; c) Esclavitud; d) Deportación; e) Encarcelamiento; f) Tortura; g) Violación; h) Persecución por motivos políticos, raciales o religiosos; i) Otros actos inhumanos». Estatuto del Tribunal Internacional para la ex Yugoslavia— Aprobado el 25 de mayo 1993. Disponible en https://www.ohchr.org/es/instruments-mechanisms/instruments/statute-international-tribunal-prosecution-persons-responsible; última visita: 06.03.2023.

36. Estatuto del Tribunal Internacional para Rwanda. Aprobado el 08 noviembre 1994. Disponible en https://www.ohchr.org/es/instruments-mechanisms/instruments/statute-international-criminal-tribunal-prosecution-persons; última visita: 06.03.2023.

8 de junio de 1977, dentro de las que incluye expresamente en la letra e) los ultrajes contra la dignidad personal, en particular los tratos humillantes y degradantes, la violación, la prostitución forzada y cualquier forma de atentado contra el pudor[37].

Sin embargo, ninguno de estos Tribunales ha tenido la oportunidad de pronunciarse específicamente sobre el crimen de prostitución forzada. Aunque aparece en la lista de cargos presentados por la acusación en un caso ante el TPIR, no existe ninguna sentencia condenatoria[38].

III. LA PROSTITUCIÓN FORZADA EN EL ESTATUTO DEL TRIBUNAL PENAL INTERNACIONAL

1. PROYECTO DE CÓDIGO DE CRÍMENES CONTRA LA PAZ Y LA SEGURIDAD DE LA HUMANIDAD

En 1994, el mismo año que se aprobó el Estatuto del TPIR, la Comisión de Derecho Internacional presentó el Proyecto de Código de crímenes contra la paz y la seguridad de la humanidad en el que se incluye el establecimiento de un tribunal penal internacional[39]. El art. 20, en el que se determinan los crímenes que son de la competencia de la Corte, no contiene ninguna referencia a los crímenes de naturaleza sexual[40]; solo enumera, además del genocidio, el crimen de agresión, las violaciones graves de las leyes y usos aplicables en los conflictos armados, crímenes de lesa humanidad y crímenes definidos en los tratados sin determinar el contenido de cada uno de estos. En el anexo que contiene los crímenes previstos en los tratados, dentro de los que se incluyen a los Convenios de Ginebra y sus Protocolos, no se encuentra prevista expresamente la prostitución forzada[41].

37. El Estatuto del Tribunal Especial para Sierra Leona aparece como un apéndice del Acuerdo entre las Naciones Unidas y el Gobierno de Sierra Leona acerca del establecimiento de un Tribunal Especial para Sierra Leona. 04 de octubre de 2000. S/2000/915.
38. Informe sobre la conclusión del mandato del Tribunal Penal Internacional para Rwanda al 15 de noviembre de 2015. 17 de noviembre de 2015. S/2015/884, p. 52.
39. Informe de la Comisión de Derecho Internacional sobre la labor realizada en su 46° periodo de sesiones, 2 de mayo a 22 de julio de 1994. Suplemento No. 10 (A/49/10). Disponible en https://www.legal-tools.org/doc/4581d1/; última visita: 05.03.2023.
40. Véase al respecto, Bou Franch, 2015, El crimen internacional de esclavitud sexual y la práctica de los «matrimonios forzados», p. 67.
41. Esta decisión podría deberse a que de acuerdo con el IV Convenio de Ginebra, la prostitución no era calificada como una infracción grave. Según se destaca en el comentario a la propuesta de art. 20, el Comité utiliza la frase «violaciones graves» para evitar la confusión con las «infracciones graves» utilizadas en las Convenciones de Ginebra y en sus Protocolos. Esto supone que, aunque una infracción sea calificada como grave,

El Proyecto de Código presentado en 1996 daría un vuelco en este aspecto porque sería la primera vez que, en un texto de esta naturaleza, el crimen de prostitución forzada se tipificaba como un crimen de lesa humanidad[42]. Así el art. 18, que contiene los Crímenes contra la humanidad, dispone que se entiende por tales la comisión sistemática o en gran escala e instigada o dirigida por un gobierno o por una organización política o grupo de cualquiera de los actos siguientes: «(...) j) Violación, prostitución forzosa y otras formas de abuso sexual». En los comentarios al art. 20 se destacaban especialmente los informes sobre violaciones cometidas de forma sistemática o en gran escala en la antigua Yugoslavia y en Haití. De acuerdo con el Comité, estos hechos son formas de violencia que pueden dirigirse específicamente contra la mujer y, por lo tanto, constituyen una infracción de la Convención sobre la eliminación de todas las formas de discriminación contra la mujer[43].

2. NEGOCIACIONES DEL ESTATUTO DEL TPI

Durante las negociaciones en 1995 sobre el establecimiento de una corte penal internacional llevadas a cabo por el Comité preparatorio, algunas delegaciones solicitaron incluir a la violación y otros crímenes similares dentro de la lista de crímenes que constituían violaciones graves de las leyes y usos aplicables en los conflictos[44] y crímenes contra la humanidad[45].

En el período de sesiones de 1996, se dio un paso más allá al identificar los «delitos similares» a la violación. Dentro de los crímenes de lesa humanidad se propuso añadir, como un supuesto de ultraje de la dignidad personal,

---

debe constituir también una «violación grave». Esta decisión se tomó partiendo de la premisa de que la competencia del Tribunal solo debería abarcar a los crímenes especialmente graves.

El Proyecto de Estatuto de una Corte Penal Internacional presentado en 1996 por Francia, seguía esta línea. El art. 32 solo se refería a las infracciones graves de los Convenios de Ginebra. Comité preparatorio sobre el establecimiento de una corte penal internacional. *Proyecto de estatuto de una corte penal internacional.* Documento de trabajo presentado por Francia. 06 de agosto de 1996. A/AC.249/L.3.

42. Informe de la Comisión de Derecho Internacional sobre la labor realizada en su 48.° período de sesiones (6 de mayo-26 de julio de 1996). Suplemento No. 10, documento A/51/10.
43. *Ibidem,* Comentario al artículo 18, párr. 16, p. 54.
44. Informe del Comité Especial sobre el establecimiento de una corte penal internacional. Asamblea General. Quincuagésimo período de sesiones. 6 de septiembre de 1995. Suplemento No. 22 (A/50/22), párr. 76.
45. *Ibidem,* párr. 78, además consideraron que no debía incluirse la persecución que se calificó de excesivamente vaga.

entre otros, la prostitución forzada[46]. Como consecuencia, en el proyecto de Estatuto la prostitución forzada aparece como un crimen de guerra, dentro de las otras violaciones graves de las leyes y costumbres. Así, se prevé expresamente: «j) Cometer ofensas contra la dignidad personal, en particular la humillación y el trato degradante, la prostitución forzada y cualquier forma de atentado contra el pudor»[47]. Sin embargo, como crimen de lesa humanidad solo aparece como una propuesta de adición sobre la que no se había llegado a un acuerdo generalizado para incluirla dentro de estos[48].

En diciembre de 1997, se presentó una propuesta en la que los delitos relacionados con la violencia sexual eran considerados al margen de los atentados contra la dignidad, honor o pudor, tal como aparecían anteriormente[49]. En esta decisión influirían enormemente las recomendaciones de la Organización No Gubernamental conocida como el Caucus de mujeres por la justicia de género en la Corte Penal Internacional[50].

---

46. Así la propuesta consistía en hacer referencia a la violación cometida por razones de nacionalidad o religión; a la violación u otros ataques graves de naturaleza sexual, como el embarazo forzoso o los ultrajes de la dignidad personal, especialmente el tratamiento humillante y degradante, y la violación. Se incidió, además, que este tipo de actos cometidos recientemente, son parte de una campaña de depuración étnica. *Informe del Comité Preparatorio sobre el establecimiento de una corte penal internacional.* Actuaciones del Comité Preparatorio en los períodos de sesiones de marzo y abril y de agosto de 1996. Volumen I. Documentos Oficiales. Quincuagésimo primer período de sesiones. 13 de septiembre de 1996. Suplemento No. 22 (A/51/22), párr. 98.
47. Informe del Comité Preparatorio sobre el establecimiento de una corte penal internacional. Actuaciones del Comité Preparatorio en los períodos de sesiones de marzo y abril y de agosto de 1996. Volumen II (Compilación de propuestas). Quincuagésimo primer período de sesiones. 13 de septiembre de 1996. Suplemento No. 22 (A/51/22), p. 61. Vid., también p. 63 en la que se contiene la propuesta de adición.
48. La letra g) establecía expresamente lo siguiente: [Las ofensas a la dignidad personal, en particular la humillación y los tratos degradantes,] la violación; [la prostitución forzosa]; *Ibidem,* p. 66.
49. La Santa Sede propuso suprimir «esclavitud sexual, prostitución forzada y embarazo forzado» y agregar una nueva subsección que incluya «la esclavitud o cualquier otra forma de servidumbre involuntaria que surja del teatro de guerra o conflicto armado». Preparatory Committee on the establishment of an international criminal court. 1-12 December 1997. Working Group on Definitions and Elements of Crimes. *Proposal submitted by the Holy See.* 9 December 1997. A/AC.249/1997/WG.1/DP.12. Disponible en https://www.legal-tools.org/doc/b00a30/; última visita: 10.03.2023.
50. Women's Caucus for Gender Justice in The International Criminal Court. Recommendations and Commentary For December 1997 PrepCom On The Establishment of an International Criminal court United Nations Headquarters December 1-12, 1997.

En sus Recomendaciones y Comentarios para la Comisión Preparatoria de diciembre de 1997, el caucus de mujeres consideraba que el tratamiento que la Convención de Ginebra daba a la violación y otras formas de violencia como simples «ataques contra el honor» y «tratos degradantes y humillantes» y no como formas de violencia más grave es discriminatorio y un profundo insulto a las mujeres[51]. Continuar vinculando la violación o la prostitución forzada, que suele ser al menos una «violación en serie», con la ridiculización, la calumnia o el ser obligado a realizar actos degradantes cuando lo que se castiga es la imposición de alguna de las formas más extremas y traumatizantes de violencia física y psicológica, que equivalen a tortura sexual o esclavitud, «es en sí misma humillante y degradante para las mujeres»[52].

Por este y otros motivos, el caucus de mujeres propuso que la violencia sexual y de género debía ser reconocida explícitamente como una de las formas de violencia más graves de la jurisdicción de la Corte, si pretende ser una institución de justicia universal[53]. Recomendaban que el Estatuto no considerase a los crímenes de violación y otros tipos de violencia sexual como simples supuestos de atentados contra el honor o dignidad[54]. También recomendaron que la lista de los crímenes de guerra, tanto en el ámbito interno como en los conflictos internacionales, debería incluir un apartado específico en el que aparezca la violación, la esclavitud sexual, la prostitución forzada, la esterilización forzada y otras formas de violencia sexual y de género como crímenes de guerra en sí mismos[55].

Así pues, en la sesión de diciembre de 1997, se presentó una propuesta para incluir dentro de las «otras violaciones graves de las leyes y costumbres aplicables en los conflictos armados internacionales» una relación de crímenes de violencia sexual separados de los crímenes que atentan contra la dignidad personal, incluidos los tratos inhumanos y degradantes. En esta relación, la Comisión incluía la violación, actos de esclavitud sexual, prostitución forzada, embarazo forzado o esterilización forzada o cualquier otra forma de violencia sexual que constituya también una violación grave de los Convenios de Ginebra[56].

51. *Ibidem*, WC.5.2.
52. *Ibidem*, WC.6.2.
53. *Ibidem*, Introductory note.
54. *Ibidem*, Recomendación 6.
55. *Ibidem*, Recomendación 7. Véanse al respecto, Altunjan, 2021, pp. 880 y s.
56. Comité preparatorio sobre el establecimiento de una corte penal internacional. Decisiones tomadas por el Comité preparatorio en su período de sesiones celebrado del 1° al 12 de diciembre de 1997. 18 de diciembre de 1997. A/AC.249/1997/L.9/

Todo este proceso desembocó en la aprobación del Estatuto de Roma de la Corte Penal Internacional, adoptado en Roma, el 17 de julio de 1998, durante la Conferencia Diplomática de plenipotenciarios de las Naciones Unidas sobre el establecimiento de una Corte Penal Internacional.

En este, la prostitución forzada aparece, en primer lugar, como crimen de lesa humanidad [art. 7.1.g)] junto con los crímenes de violación, esclavitud sexual, embarazo forzado, esterilización forzada o cualquier otra forma de violencia sexual de gravedad comparable; en segundo lugar, como como crimen de guerra en conflicto armado internacional [art. 8.2.b),xxii)], entre los que se incluyen también actos de violación, esclavitud sexual, embarazo forzado, esterilización forzada y cualquier otra forma de violencia sexual que también constituya una infracción grave de los Convenios de Ginebra; y, en tercer lugar, como crimen guerra en conflicto armado de naturaleza interna [art. 8.2.e), vi)], junto con los actos de violación, esclavitud sexual, embarazo forzado, esterilización forzada o cualquier otra forma de violencia sexual que constituya también una violación grave del artículo 3 común a los cuatro Convenios de Ginebra.

3. ELEMENTOS DEL CRIMEN

En el Informe de 1996, el Comité preparatorio sobre el establecimiento de una Corte Penal Internacional proponía adicionar el concepto de prostitución forzada en los siguientes términos:

> «h) Por prostitución forzosa se entenderá poner o mantener a una persona en circunstancias en las que se le haga realizar repetidos actos sexuales a lo largo del tiempo o se espere que los realice y se vea anulada esencialmente la capacidad o libertad de negarse de esa persona debido al uso de la fuerza o a la amenaza de usarla, a las circunstancias, a la pérdida de libertad física, a un trastorno mental o a los graves abusos mentales o físicos de que es víctima durante largos períodos».[57]

Rev.1. Véase también, Comité préparatoire pour la création d'une cour criminelle internationale. Document de travail officieux sur les crimes de guerre. 5 décembre 1997. A/AC.249/1997/WG.1/CRP.8 (Disponible en https://www.legal-tools.org/doc/e1c0b2/; última visita: 10.03.2023), p. 4. Dentro de las otras violaciones graves de las leyes y costumbres aplicables en conflictos armados que no son de carácter internacional, también se incluyen los crímenes que aparecen descritos en el texto, *ibidem*, p. 6.

57. Informe del Comité Preparatorio sobre el establecimiento de una corte penal internacional Volumen II (Compilación de propuestas) Asamblea General Documentos Oficiales Quincuagésimo primer período de sesiones. 1996. Suplemento No. 22A (A/51/22). A/51/22, p. 70.

Dos años después, la relatora especial McDougall, sobre la violación sistemática, en el Informe sobre La violación sistemática, la esclavitud sexual y las prácticas análogas a la esclavitud en tiempo de conflicto armado, definió la prostitución forzada como el «control ejercido sobre una persona obligada por otra a realizar actividades sexuales»[58].

Ya en el proceso de las negociaciones sobre los elementos del crimen, fue EE.UU. el primer Estado que presentó una propuesta en febrero de 1999[59], según la cual la prostitución forzada, como crimen de guerra, debiera contener los siguientes elementos:

> «a) Que el imputado haya tenido la intención de agredir a una o más personas incitándolas a realizar actos de naturaleza sexual.
>
> b) Que el imputado, en cumplimiento de este propósito, privó de su libertad a una o más personas y las obligó a realizar actos de naturaleza sexual con una o más personas.
>
> c) Que el imputado recibió algún beneficio pecuniario u otro beneficio material a cambio de o en conexión con los actos sexuales de la persona o personas»[60].

Poco después Costa Rica, junto con otros Estados, presentaban una propuesta alternativa a la de EE.UU. que incidía en el control que se ejerce sobre la persona que es obligada a participar en la actividad sexual. Así se decía expresamente que, en la prostitución forzada, además de que tuviese lugar en el contexto de un conflicto armado internacional y estuviese relacionada con él:

---

58. Informe final presentado por McDougall, Relatora Especial, 1998, párr. 31. Según la Relatora, las definiciones más antiguas de la prostitución forzada se refieren en términos vagos a agresiones «inmorales» contra el «honor» de una mujer, o prácticamente no se distinguen de otras definiciones que más bien parecen describir la condición de esclavitud.
59. Esta propuesta difería sustancialmente a la que presentó en 1998. En un Documento de referencia se describía la prostitución forzada en el contexto de los crímenes de lesa humanidad y los crímenes de guerra como una «esclavitud sexual intencional en la que el elemento "forzoso" no necesita estar presente en cada acto sexual individual, pero generalmente está presente en relación con una ocupación obligatoria que implica actos de naturaleza sexual relacionados con la violación o el abuso sexual». U.S. Reference Paper. 27 Mar 1998. Elements of Offenses for the International Criminal Court, pp. 7 y 20. Disponible en https://www.legal-tools.org/doc/ccd73c/; última visita: 18.03.2023.
60. Preparatory Commission for the International Criminal Court. Proposal submitted by the United States of America. Draft elements of crimes. 4 February 1999 PCNI CC1999/DP.4/Add.2. Véase, Oosterveld, 2004, pp. 643 y s.

«2. El perpetrador impuso condiciones de control sobre una persona y coercionó a esa persona para que realizara una actividad sexual»[61].

Como podrá observarse, la diferencia fundamental, con relación a la propuesta de EE.UU., está en que no incluye la obtención de algún tipo de beneficio por parte del sujeto activo.

La Comisión Preparatoria de la Corte Penal Internacional publicó en agosto del mismo año los documentos de debate propuestos por el Coordinador sobre los crímenes de guerra. En este se contemplan como elementos de la prostitución forzada:

«a) Que el acusado haya hecho que una o más personas realizaran uno o más actos de naturaleza sexual por la fuerza o mediante la amenaza del uso de la fuerza o mediante coerción, como la causada por temor a la violencia, la coacción, la detención, la opresión psicológica o el abuso de poder, contra esa persona o esas personas u otra persona o aprovechando un entorno coercitivo o la incapacidad de esa o esas personas de dar su genuino consentimiento.

b) Que el acusado u otra persona hayan obtenido o esperado obtener ventajas pecuniarias o de otro tipo a cambio de los actos de naturaleza sexual o en relación con ellos»[62].

Según se aclara en una nota a pie de página, se entiende que una persona es incapaz de dar consentimiento válido si sufre incapacidad natural, inducida o debida a la edad.

La propuesta de los países árabes de diciembre de 1999 incidía, aunque en otros términos y un ámbito de aplicación distinto, en estos dos elementos, es decir, en la utilización de la violencia o intimidación para obligar a una persona a realizar actos de naturaleza sexual con otra persona y la obtención de una ventaja económica por parte del sujeto activo[63]. Proponían el siguiente texto:

---

61. Comisión Preparatoria de la Corte Penal Internacional. Grupo de Trabajo sobre los Elementos del Crimen. Nueva York. Propuesta presentada por Costa Rica, Hungría y Suiza sobre algunas disposiciones del apartado b) del párrafo 2 del artículo 8 del Estatuto de Roma de la Corte Penal Internacional: viii), x), xiii), xiv), xv), xvi), xxi), xxii), xxvi)* 19 de julio de 1999. PCNICC71999/WGEC/DP.8.
62. Comisión Preparatoria de la Corte Penal Internacional. Actuaciones de la Comisión Preparatoria en su segundo período de sesiones (26 de julio a 13 de agosto de 1999). 18 de agosto de 1999. PCNICC/1999/L.4/Rev.1, pp. 71 y s.
63. Comisión Preparatoria de la Corte Penal Internacional. Grupo de Trabajo sobre los Elementos del Crimen. Propuesta presentada por la Arabia Saudita, Bahrein, los Emiratos Árabes Unidos, el Iraq, la Jamahiriya Árabe Libia, Kuwait, el Líbano, Omán,

> «a) Que el acusado haya obligado a una o más personas a realizar uno o más actos de naturaleza sexual con otra persona por la fuerza o mediante la amenaza del uso de la fuerza, con violencia, coerción, detención de esa persona o de otra persona, o aprovechando la incapacidad de esa persona o personas de dar su genuino consentimiento.
>
> b) Que el acusado u otra persona haya obtenido o esperado obtener ventajas pecuniarias o de otro tipo a cambio de los actos de naturaleza sexual o en relación con ellos».

La propuesta presentada por Alemania seguía el modelo de la propuesta de la Comisión Preparatoria e incluía otras formas o medios a través de los cuales el sujeto activo obligaba a la víctima a realizar actos sexuales. Así, proponía expresamente:

> «a) Que el acusado haya obligado a una o más personas a realizar uno o varios actos de carácter sexual por la fuerza, la amenaza de la fuerza o la coacción, como la causada por el temor a ser objeto de violencia, coerción, reclusión, presión psicológica o abuso de poder contra esta persona o personas o contra otra persona, o aprovechando la existencia de circunstancias de coacción o la incapacidad de esta persona o personas de dar un consentimiento genuino.
>
> b) Que el acusado u otra persona obtuviera, o esperase obtener, alguna ventaja pecuniaria o de otro tipo a cambio de los actos de carácter sexual, o en relación con éstos»[64].

Estas y otras propuestas sirvieron de base para la adopción del texto final aprobado en septiembre de 2002. Ahora bien, cabe destacar que a diferencia de lo que sucede con otros crímenes de lesa humanidad[65], el Estatuto no contiene una definición auténtica de prostitución forzada. Precisamente por ello, es de especial importancia lo que al respecto se establece en «Los

---

Qatar, la República Árabe Siria y el Sudán en relación con los elementos de los crímenes contra la humanidad. 3 de diciembre de 1999. PCNICC/1999/WGEC/DP.39, p. 3.

64. a) Que el acusado haya obligado a una o más personas a realizar uno o varios actos de carácter sexual por la fuerza, la amenaza de la fuerza o la coacción, como la causada por el temor a ser objeto de violencia, coerción, reclusión, presión psicológica o abuso de poder contra esta persona o personas o contra otra persona, o aprovechando la existencia de circunstancias de coacción o la incapacidad de esta persona o personas de dar un consentimiento genuino. b) Que el acusado u otra persona obtuviera, o esperase obtener, alguna ventaja pecuniaria o de otro tipo a cambio de los actos de carácter sexual, o en relación con éstos. Comisión Preparatoria de la Corte Penal Internacional. Grupo de Trabajo sobre los elementos de los crímenes. *Propuesta presentada por Alemania y el Canadá respecto del artículo 7*. 23 de noviembre de 1999. PCNICC/1999/WGEC/DP.36, p. 5.

65. Así, el Estatuto proporciona definiciones de esclavitud, deportación o traslado forzoso de población, tortura, embarazo forzado, persecución, crimen de apartheid, entre otros.

elementos de los crímenes» en tanto que, de conformidad con el art. 9 del Estatuto de Roma, ayudará a la Corte a interpretar y aplicar estos crímenes.

Según se dispone en Los elementos de los crímenes, constituye Crimen de (...) prostitución forzada:

> «1. Que el autor haya hecho que una o más personas realizaran uno o más actos de naturaleza sexual por la fuerza o mediante la amenaza de la fuerza o mediante coacción, como la causada por temor a la violencia, la intimidación, la detención, la opresión psicológica o el abuso de poder, contra esa o esas personas o contra otra o aprovechando un entorno coercitivo o la incapacidad de esa o esas personas de dar su libre consentimiento.
>
> 2. Que el autor u otra persona hayan obtenido o esperado obtener ventajas pecuniarias o de otro tipo a cambio de los actos de naturaleza sexual o en relación con ellos»[66].

Cabe destacar que estos dos elementos son los mismos para la prostitución forzada como crimen de lesa humanidad, crimen de guerra en conflictos armados internacionales y también para cuando se trata de crimen de guerra en conflictos armados internos. La única diferencia terminológica, que no debería alterar el significado, es la utilización del sustantivo «coacción» por el adjetivo «coercitivo».

3.1. Uso o aprovechamiento de medios violentos para obligar a una o más personas a realizar actos de naturaleza sexual

De acuerdo con algunos autores[67], es innegable que el término prostitución sugiere determinado nivel de voluntarismo de las personas en situación de prostitución, es decir, la capacidad de otorgar o denegar su consentimiento para realizar actos sexuales con otra persona a cambio de una contraprestación. A su vez, esto supone que existe alguna forma de elección y, por lo tanto, algún tipo de legitimidad al inferir que las personas en situación de prostitución pueden abandonarla cuando deseen, decidir la naturaleza o los términos de los servicios sexuales, negarse a participar en determinadas for-

66. Asamblea de los Estados Partes en el Estatuto de Roma de la Corte Penal Internacional. Primer período de sesiones. Nueva York, 3 a 10 de septiembre de 2002. Documentos Oficiales. ICC-ASP/1/3.

67. Argibay, 2003, Sexual Slavery and the Comfort Women of World War II, p. 387; Jørgensen & Rauxloh, 2020, Profiting from Sexual Violence in Armed Conflict: A Case for the Resurrection of the Crime of Enforced Prostitution, p. 413.

mas de relaciones sexuales, rechazar mantenerlas con personas que utilizan la violencia o exigir condiciones de compensación específica[68].

Ninguna de estas situaciones está presente cuando se trata de la prostitución forzada[69]. Es decir, la falta o ausencia de voluntariedad es intrínseca a este crimen en tanto que el autor del mismo utiliza la fuerza física o *vis absoluta*, la intimidatoria o *vis compulsiva* o se aprovecha de la existencia de un entorno coercitivo para vencer la voluntad de la víctima y obligarla a realizar actos sexuales[70].

Ahora bien, no cabe descartar, tal como se refleja en los procedimientos llevados ante el Tribunal Militar Temporal de Batavia, que algunas mujeres «acepten» prostituirse[71], pero incluso en estos casos es una práctica coerci-

68. Askin, 2003, Prosecuting wartime rape and other gender-related crimes under International Law: extraordinary advances, enduring obstacles, p. 15.
69. Así, el Informe de un estudio de documentos del gobierno holandés sobre la prostitución forzada de mujeres holandesas en las Indias Orientales Holandesas durante la ocupación japonesa, en el que se destaca que el término «voluntario» debe considerarse en general como relativo en el contexto de la ocupación japonesa y las circunstancias en los campos de internamiento, donde la crueldad de los guardias y la extrema escasez de alimentos provocaron discapacidades, enfermedades crónicas y una tasa de mortalidad muy alta entre los internados. Las circunstancias económicas y sociales de las mujeres europeas que vivían fuera de los campos eran igualmente espantosas. En estas circunstancias, difícilmente se puede considerar que las mujeres que aceptaron las propuestas que se les hicieron después de haber recibido información insuficiente o haber sido amenazadas con acciones por parte de las autoridades japonesas actuaron voluntariamente. Hay muchos casos de mujeres europeas que se niegan a aceptar las propuestas que se les hacen, pero la negativa era imposible si las autoridades japonesas aplicaban la fuerza física, y así interpretó el tribunal de guerra temporal de Batavia el término «prostitución forzada». van Poelgeest, Report of a Study of Dutch Government Documents on the Forced Prostitution of Dutch Women in the Dutch East Indies during the Japanese Occupation, 24th January, 1994. Disponible en https://www.awf.or.jp/pdf/0205.pdf; última visita: 12.03.2023.
70. Según Demleitner, los tratados posteriores a la Segunda Guerra Mundial suponen implícitamente que la prostitución nunca puede ser consecuencia de la libre elección de una mujer, Demleitner, 1994, p. 188.
71. En el Informe de van Poelgeest, se da cuenta que para procurar mujeres a las que prostituirían en el burdel de Magelang, los japoneses elaboraban listas de posibles candidatas haciendo ver que trabajarían como camareras. Ante las sospechas de que esto no era así, las madres y los padres se amotinaron, pero la policía japonesa utilizando sus armas contra estos consiguió llevarse a las niñas. Pocos días después regresaron con la propuesta de que voluntarias ocuparan el lugar de las mujeres que previamente habían capturado. Se encontraron algunos voluntarios, en su mayoría mujeres que tenían fama de haber trabajado como prostitutas antes de su internamiento, las cuales fueron trasladadas al burdel donde fueron examinadas con mucha dureza, violadas y obligadas a trabajar como prostitutas; van Poelgeest, 1994, Melang.

tiva, porque se vieron obligadas a hacerlo por su especial situación de vulnerabilidad generada por el ataque generalizado o sistemático contra una población civil o la crueldad de los combatientes en un conflicto armado. En estas circunstancias, difícilmente puede considerarse que las personas acepten «voluntariamente» ser prostituidas.

En el caso contra Washio, algunas mujeres declararon que habían ido a trabajar al burdel voluntariamente y así lo hicieron durante algún tiempo, pero tras dar a conocer su intención de marcharse fueron obligadas a seguir prostituyéndose bajo la amenaza de ser denunciadas a la Kempai[72]. En otros casos, algunas de las mujeres o niñas, con la finalidad de salir de los campos de internamiento, se resignaron a ser prostituidas en los burdeles. Esta decisión fue consecuencia de las circunstancias inhumanas que los japoneses habían creado en los campos de internamiento por lo que no puede decirse que consintieran libremente. Precisamente por ello, el tribunal tuvo en cuenta el hecho de que las niñas involucradas se encontraban en su mayoría en circunstancias difíciles y afectadas por la pobreza, situación que aprovechó el acusado.

Lo mismo cabe decir de aquellas mujeres que, tras sospechar que las mujeres y niñas estaban siendo trasladadas a los burdeles, se ofrecieron como voluntarias para ser prostituidas con la finalidad de salvar a las niñas de ese destino. Según se da cuenta en la sentencia del caso Semarang, cuando las personas de uno de los campos de internamiento empezaron a sospechar que las mujeres y niñas estaban siendo trasladadas a burdeles y se dieron cuenta de que los japoneses no cambiarían esta situación ante sus protestas o su resistencia, hicieron un llamamiento a las internas para que se ofrecieran como voluntarias para esta prostitución forzada a fin de salvar a las niñas de menor edad de ese destino y, tras este, algunas mujeres declararon que estaban dispuestas a someterse a los deseos de los japoneses en beneficio de la comunidad del campamento[73].

Otras víctimas se dieron cuenta, después de su resistencia inicial, de que era inútil y cesaron en esta actitud; lo que, de acuerdo con el Tribunal, de ninguna manera puede afirmarse que estas mujeres y niñas se entregaron voluntariamente a la prostitución y que, en consecuencia, pueda servir para exculpar a los acusados ya que estas cedieron a los actos sexuales solo debido a las secuelas de la coerción inicial, de forma que en ningún caso hubo ninguna libertad real.

72. Sentencia caso Washio, p. 123; van Poelgeest, 1994, Batavia.
73. Sentencia caso Semarang, p. 23.

Ahora bien, como ponen de manifiesto algunos autores, algunas víctimas habían ejercido la prostitución antes de ser obligadas a hacerlo de forma forzosa[74]. Sin embargo, esta situación previa no supone, en ningún caso, que tuvieran que aceptar ser prostituidas, ni menos que esta situación no se considerase como prostitución forzada[75].

Así pues, la exigencia de que la prostitución sea «forzada» excluye cualquier atisbo de voluntariedad de las víctimas y lo será cuando concurra cualquiera de los siguientes supuestos.

En primer lugar, el uso de la fuerza, debiéndose entender por tal el acometimiento físico como los golpes o palizas, o la amenaza de utilizarla, como entregarlas a la policía militar japonesa, lo que se consideraba con razón, sinónimo de malos tratos, pérdida de libertad o algo peor, tal como se expone en la sentencia del caso Washio[76].

En segundo lugar, la coacción, la causada por temor a la violencia, la intimidación, la privación de libertad, opresión psicológica o abuso de poder.

En estos dos primeros casos los destinatarios pueden ser tanto las víctimas de la prostitución forzada como terceras personas, así, por ejemplo, las amenazas de ser asesinadas de la manera más horrible o la toma de represalias contra sus familiares, tal como se expone en la sentencia del caso Semarang[77].

En tercer lugar, el aprovechamiento del entorno coercitivo que puede ser consecuencia de la privación de libertad anterior en la que se pueden encontrar las víctimas, como fue el caso de aquellas que se encontraban en los centros de internamiento controlados por el ejército japonés o la situación de hambruna que se generó en estos. Este entorno coercitivo también puede ser inherente a las consecuencias del ataque generalizado o sistemático

74. Así, entre otros, Askin, 2003, p. 20. Destaca que no todas las víctimas eran vírgenes o niñas, y algunas víctimas habían sido prostitutas antes de ser sometidas a esclavitud sexual. Como se reconoce cada vez más en las sociedades progresistas, las prostitutas pueden ser violadas y, cuando esto ocurre, no deben recibir un trato diferente al de otras víctimas de violación. «Las prostitutas "voluntarias" no deben confundirse con las mujeres y niñas obligadas a ser esclavas sexuales del ejército japonés».
75. En la sentencia del Tribunal de Mujeres, se destaca que como defensa contra las acusaciones de violación y esclavitud sexual en el sistema de «mujeres de solaz», se ha afirmado que las mujeres participaban voluntariamente como prostitutas. El Tribunal rechaza categórica y enérgicamente la proposición de que las mujeres sometidas a esclavitud sexual eran prostitutas voluntarias (párr. 637).
76. Sentencia caso Washio, p. 123.
77. Sentencia caso Semarang, p. 27.

contra una población civil o las de un conflicto armado internacional o de naturaleza interna, como puede ser el hambre. Así, por ejemplo, durante la Segunda Guerra Mundial, muchas mujeres se constituyeron como el único sostén de su familia después de que sus maridos murieron en combate o mientras estos eran prisioneros de guerra. Así, en el caso Ikeda el tribunal consideró relevante el mero reclutamiento de los campos de internamiento, aprovechando en este proceso las malas e inhumanas circunstancias en materia de alimentación y de su posición en los campos, que los acusados habían creado y mantenido efectivamente[78]. Ahora bien, no es necesario que el entorno coercitivo sea provocado o generado directamente por el autor del crimen, sino que puede ser una situación preexistente en la que este no haya tenido ningún tipo de intervención.

Finalmente, la circunstancia relacionada con el consentimiento. La concurrencia del consentimiento o la falta de este por parte de la víctima es un tema que ha sido analizado especialmente en el contexto del crimen de violación y sobre el que la jurisprudencia de los Tribunales Penales Internacionales *ad hoc* y de la Corte especial para Sierra Leona ha sido vacilante en tanto que en algunas resoluciones se considera que no forma parte de este crimen y en otras se ha sostenido que sí[79].

Ahora bien, como se establece en Los Principios de La Haya sobre la Violencia Sexual[80], es ampliamente aceptado que el consentimiento no debe ser un elemento a tener en cuenta en el caso de crímenes internacionales[81]. En este sentido, la jurisprudencia sobre esclavitud sexual, crimen del que la prostitución forzada se configuraría un tipo de recogida[82], se sostiene unánimemente que la falta de consentimiento no forma parte de este.

En cualquier caso, en el crimen de prostitución forzada se establece que el sujeto haya actuado aprovechando «la incapacidad de esa o esas personas de dar su libre consentimiento». Según se determina en una nota aclaratoria,

78. Véase al respecto, van Poelgeest, 1994, First stage (mid-1942 to mid-1943).
79. Ampliamente al respecto, Viseur Sellers, 2018, *Procesos penales sobre violencia sexual en conflicto: La importancia de los derechos humanos como medio de interpretación*. Disponible en https://mesadeapoyo.com/wp-content/uploads/2018/12/Patricia-Sellers-Procesos-penales-sobre-violencia-sexual-en-conflicto.pdf; última visita: 21.03.2023.
80. Women's Initiatives for Gender Justice, 2019, Los Principios de La Haya sobre la Violencia Sexual, p. 23.
81. Véanse Los Principios de La Haya sobre la Violencia Sexual, donde se describen una serie de factores que pueden ser indiciarios para determinar si un acto fue cometido sin consentimiento.
82. Así, expresamente, Ambos, 2012, Sexual Offences in International Criminal Law, With a Special Focus on the Rome Statute of the International Criminal Court, p. 163.

se entiende que una persona es incapaz de dar su libre consentimiento si adolece de una incapacidad natural, inducida o debida a la edad[83].

A través de estos medios o formas, la víctima es obligada a realizar uno o más actos de naturaleza sexual, pero no se proporciona ninguna orientación adicional sobre lo que debe entenderse por tales[84]. Aunque con relación a otros crímenes sexuales, algunos autores exigen que estos actos supongan algún tipo de contacto físico entre la víctima y el agresor[85], estamos de acuerdo con quienes consideran que un acto puede ser de naturaleza sexual incluso si no implica algún tipo de contacto entre víctima y agresor[86], como, por ejemplo, obligar a dos mujeres prostituidas a mantener sexo oral entre ellas.

Dentro de Los Principios de La Haya sobre la Violencia Sexual, el quinto principio establece que un acto puede ser de naturaleza sexual incluso en ausencia de contacto físico. Esto supone que los actos de naturaleza sexual, y por extensión los actos de violencia sexual, no requieren de contacto físico ni necesitan dar lugar a lesiones físicas. De acuerdo con las Mujeres para la Justicia de Género, son los aportes de las/los sobrevivientes y de la sociedad civil a nivel mundial los que ponen de manifiesto el amplio apoyo a este principio en tanto está de acuerdo con la jurisprudencia de los tribunales internacionales. Desde su perspectiva, el término violencia sexual también es empleado para describir actos que no implican contacto físico o que no provocan lesiones físicas.

En cualquier caso, un acto deberá considerarse de naturaleza sexual cuando afecta a la capacidad, el deseo, las relaciones, la identidad de género, la orientación sexual o la capacidad y autonomía reproductiva de una persona[87].

---

83. Otros factores que pueden afectar a la capacidad de la persona de dar su libre consentimiento incluyen la alfabetización, el acceso a la información y los niveles lingüísticos, educativos y económicos, Women's Initiatives for Gender Justice, 2019, Los Principios de La Haya sobre la Violencia Sexual, p. 13.
84. Altunjan, 2021, p. 891.
85. Así, por ejemplo, Ambos, con relación al crimen de lesa humanidad de violencia sexual prevista en el Artículo 7 1) g)-6; Ambos, 2012, pp. 166 y s.
86. Vid., al respecto, Informe final presentado por McDougall, Relatora Especial, párrs. 21 y 22
87. Women's Initiatives for Gender Justice, 2019, Los Principios de La Haya sobre la Violencia Sexual, pp. 13, 28; Altunjan, 2021, p. 892.

3.2. El beneficio económico o de otro tipo

La Resolución del Parlamento Europeo, de 14 de septiembre de 2023, sobre la regulación de la prostitución en la Unión[88], establece expresamente que, de acuerdo con los términos convenidos por las Naciones Unidas y la UE la prostitución es: «la adquisición de un acto sexual, que puede definirse como la solicitud, aceptación u obtención de un acto sexual de una persona en situación de prostitución a cambio de una remuneración, la promesa de una remuneración, la provisión de un beneficio en especie o la promesa de tal beneficio». De este se entiende que el destinatario de la remuneración o el beneficio entregado u ofrecido por quien adquiere el acto sexual es quien lo presta. Es decir, las «personas/mujeres en situación de prostitución». En la resolución se establece que se prefiere denominarlas así, de forma neutral, con la intención de «no idealizar la realidad de la prostitución ni enmascarar la violencia, el abuso y la explotación que sufren la gran mayoría de las personas, especialmente mujeres y niñas, en situación de prostitución»[89].

Sin embargo, sobre la base de que existen personas que voluntariamente venden servicios sexuales, se entiende que estas deben ser consideradas como «trabajadores del sexo»[90]. En este sentido, en el Informe de la Comisión de Derechos de las Mujeres e Igualdad de Género del Parlamento Europeo, en el que trae causa la Resolución del Parlamento, una minoría de sus miembros considera que los términos «prostitución» y «mujeres en situación de prostitución» denotan juicios de valor, contienen connotaciones de criminalidad e inmoralidad, y estigmatizan a una comunidad marginada. Desde su perspectiva, las personas que venden servicios sexuales prefieren el término «trabajadores del sexo» en tanto que la utilización de «prostituta» contribuye a su exclusión de la sociedad y del acceso a servicios sanitarios, jurídicos y sociales[91].

---

88. Resolución del Parlamento Europeo, de 14 de septiembre de 2023, sobre la regulación de la prostitución en la Unión: repercusiones transfronterizas e impacto en la igualdad de género y los derechos de las mujeres (2022/2139(INI)). Disponible en https://www.europarl.europa.eu/doceo/document/TA-9-2023-0328_ES.html; última visita: 30.08.2023.
89. *Ibidem*, p. 5.
90. Vid., ampliamente al respecto, Boza Moreno, 2018, *La prostitución como trabajo, passim*.
91. Parlamento Europeo, Comisión de Derechos de las Mujeres e Igualdad de Género. Informe sobre la regulación de la prostitución en la Unión: repercusiones transfronterizas e impacto en la igualdad de género y los derechos de las mujeres (2022/2139(INI)). 30.08.2023. A9-0240/2023. Opinión minoritaria, p. 31. Disponible en https://www.europarl.europa.eu/doceo/document/A-9-2023-0240_ES.html#_section3; última visita: 10.09.2023.

Pues bien, en el contexto del crimen de prostitución forzada, ni la persona que es obligada a realizar los actos de naturaleza sexual puede, en ningún caso, ser considerada como trabajadora sexual; ni menos es la destinataria de la remuneración o beneficio que entrega el que adquiere estos actos. El destinatario o beneficiario es el autor del crimen u otra persona, siendo este otro de los elementos fundamentales que sirve para distinguir la prostitución convencional u ordinaria del crimen de prostitución forzada.

Así, la obtención del beneficio será por parte del autor del crimen, pero también es posible que el beneficiario sea una tercera persona. Este beneficio no tiene por qué limitarse a aquel de naturaleza monetaria porque puede ser otro de tipo material como, por ejemplo, el intercambio de sexo por bienes o servicios que beneficien al autor o al tercero.

Si bien este elemento puede servir para delimitar la prostitución forzada de la esclavitud sexual[92], tal como lo expuso el Tribunal de mujeres, el hecho de que algunas «mujeres de solaz» recibieran pagos del ejército japonés no impide de ninguna manera concluir que fueron esclavizadas. En algunos casos, los pagos eran una fachada, ya que los propietarios de las casas extorsionaban a las mujeres en su totalidad o en su mayor parte para los llamados gastos. Sin embargo, incluso si las mujeres retuvieron una parte del dinero, es la ausencia de libre albedrío para negarse a proporcionar sexo lo que es central para su conclusión de que su condición era de esclavitud sexual. El pago, incluso de los salarios vigentes, no niega ni puede negar el delito de violación o esclavitud[93].

Dentro de los casos juzgados por el Tribunal Temporal de Guerra de Batavia, solo en el caso Washio se describe este elemento. Así, el Tribunal, al determinar la culpabilidad del acusado por prostitución forzada, destaca que, si bien los negocios relacionados con el burdel no los llevaba personalmente él sino su amante, el acusado «tenía grandes intereses económicos en las ganancias del club». Dentro de las circunstancias agravantes, el tribunal tuvo en cuenta el hecho de que las niñas, de entre 12 y 14 años, se encontraban en su mayoría en circunstancias difíciles y de pobreza, situación que el acusado aprovechó para «sus propios fines». En la sentencia quedó probado que a alguna de ellas se les exigía ganar un mínimo de 450 florines por noche y, por lo tanto, recibir al menos tres visitas, por lo que se vieron obligadas a trabajar muy duro para conseguir la mayor recaudación posible y, como consecuencia de ello, el acusado obtuvo muy buenos ingresos.

92. Ampliamente al respecto, Jørgensen & Rauxloh, 2020, pp. 406 y ss.
93. Sentencia del Tribunal de Mujeres, párr. 660.

En los casos Semarang e Ikeda no se establece nada respecto a si los dueños o encargados de los prostíbulos recibieron algún tipo de contraprestación, pero cabe suponer que gratis no lo harían porque eran trabajadores del ejército japonés y, por lo tanto, recibirían una contraprestación de tipo económico por la labor que ejercían. Lo mismo cabe afirmar de los médicos encargados de controlar la salud de las tropas japonesas que privaron de asistencia médica y medicamentos suficientes a las mujeres y niñas sabiendo que estaban siendo sometidas a prostitución forzada[94].

IV. CONSIDERACIONES FINALES

Hasta la fecha no se conocen cargos por crimen de prostitución forzada. Esta situación puede deberse a que, dado su carácter residual o subsidiario del crimen de esclavitud sexual, la CPI haya optado por calificar de esta forma los hechos que también podrían tener cabida en aquel.

Sin embargo, también puede deberse a que se pretende evitar el estigma que puede suponer para las víctimas de este crimen el ser consideradas como «prostitutas» o que detrás de la «fachada de la prostitución» se enmascaren crímenes especialmente horrendos como pasó con las «mujeres de solaz»[95].

En cualquier caso, teniendo en cuenta que recientes informes del Parlamento Europeo y de Naciones Unidas dan cuenta de casos de prostitución forzada, estos deberían ser conocidos por la Corte Penal Internacional en aplicación de su Estatuto. De esta forma, también se estaría abarcando el aspecto financiero de este tipo de violencia sexual porque no podemos perder de vista que la prostitución forzada es una forma de mercantilización de las violaciones en masa. El autor de este crimen no solo utiliza violencia o intimidación para que las mujeres y niñas sean violadas sistemáticamente por quienes están dispuestos a pagar por ello, sino que también obtiene grandes beneficios económicos por ello.

V. BIBLIOGRAFÍA

ALTUNJAN, T. (2021). The International Criminal Court and Sexual Violence: Between Aspirations and Reality. *German Law Journal*, 22, 878-893. DOI: 10.1017/glj.2021.45.

94. Sentencia caso Semarang, pp. 5 y s.
95. Véase ampliamente al respecto, la Sentencia del Tribunal de Mujeres, párrs. 343 y ss.

AMBOS, K. (2012). Sexual Offences in International Criminal Law, With a Special Focus on the Rome Statute of the International Criminal Court. En Bergsmo, Butenschøn Skre & Wood (editors). *Understanding and Proving International Sex Crimes* (143-174). Torkel Opsahl emic EPublisher Beijing.

ARGIBAY, C.M. (2003). Sexual Slavery and the Comfort Women of World War II. *Berkeley Journal of International Law,* vol.12, nº1, 375-389.

ASKIN, K. (2003). Prosecuting wartime rape and other gender-related crimes under International Law: extraordinary advances, enduring obstacles. *Berkeley Journal of International Law.*

BOU FRANCH, V. (2015). El crimen internacional de esclavitud sexual y la práctica de los «matrimonios forzados». *Anuario Español de Derecho Internacional,* vol.31, 65-114. DOI: 10.15581/010.31.65-114.

BOZA MORENO, E. (2018). *La prostitución cómo trabajo.* Tirant lo Blanch.

BOZA MORENO, E. (2019). La prostitución en España: el limbo de la alegalidad. *Estudios penales y criminológicos,* 39, 217-301.

Case n.º. 76. Trial of Washio Awochi. Nethealands Temporary Court-Martial at Batavia (Judgment Delivered nn 25th October, 1946). Law Reports of Trials of War Criminals. Selected and Prepared by The United Nations War Crimes Commission. Volume XIII. London: Published for The United Nations War Crimes Commission by his Majesty's Stationery Office, 1949, pp. 122 y ss. (Disponible en https://unwcc.org/unwcc-publications/; última visita: 01.03.2023).

Commission on the Responsibility of the Authors of the War and on Enforcement of Penalties. Report Presented to the Preliminary Peace Conference, 29 March 1919. Disponible en https://www.legal-tools.org/doc/63159c/; última visita: 05.03.2023.

DEMLEITNER, N. (1994). Forced Prostitution: Naming an International Offense. *Fordham International Law Journal,* vol.18, nº1, 18, 163-198.

European Commission of Human Rights. Applications nos. 6780/74 anD 6950/75. Cyprus against Turkey. Report of the Commission. Adoptad on 10 july 1978.

GROSSMANN, A. (1995). Question of Silence: The Rape of German Women by Occupation Soldiers, 42-63. Disponible en http://www.jstor.org/stable/778926; última visita: 13.03.2023.

JØRGENSEN, N. & RAUXLOH, R. (2020). Profiting from Sexual Violence in Armed Conflict: A Case for the Resurrection of the Crime of Enforced Prostitution. *Chinese Journal of International Law*, 393-423.

Judgment No. 72/1947. 14-2-48. The Temporary Court Martial [Temporaire Krijgsraad] in Batavia in the case of the Army Prosecution Officer [Auditeur-Militair], *ex officio*, against: (...). Disponible en https://www.legal-tools.org/doc/205dfb/; última visita 05.03.2023.

Judgment No. 72A/1947. 30 Mar 1948. The Temporary Court Martial [Temporaire Krijgsraad] in Batavia in the case of the Army Prosecution Officer [Auditeur-Militair], *ex officio*, against (...). Disponible en https://www.legal-tools.org/doc/205dfb/; última visita, 06.03.2023.

Naciones Unidas (1993). Informe presentado por el Secretario General de conformidad con el párrafo 2 de la Resolución 808 (1993) del Consejo de Seguridad. 20 de mayo de 1993. S/25704.

Naciones Unidas (1994). Informe de la Comisión de Derecho Internacional sobre la labor realizada en su 46° período de sesiones, 2 de mayo a 22 de julio de 1994. Suplemento No. 10 (A/49/10). Disponible en https://www.legal-tools.org/doc/4581d1/; última visita: 05.03.2023.

Naciones Unidas (1995). Informe del Comité Especial sobre el establecimiento de una corte penal internacional. Asamblea General. Quincuagésimo período de sesiones. 6 de septiembre de 1995. Suplemento No. 22 (A/50/22).

Naciones Unidas (1996). Informe de la Comisión de Derecho Internacional sobre la labor realizada en su 48.° período de sesiones (6 de mayo-26 de julio de 1996). Suplemento No. 10, documento A/51/10.

Naciones Unidas (1996). Informe del Comité Preparatorio sobre el establecimiento de una corte penal internacional. Actuaciones del Comité Preparatorio en los períodos de sesiones de marzo y abril y de agosto de 1996. Volumen I y II. Documentos Oficiales. Quincuagésimo primer período de sesiones. 13 de septiembre de 1996. Suplemento No. 22 (A/51/22).

Naciones Unidas (1997). Comité preparatorio sobre el establecimiento de una corte penal internacional. Decisiones tomadas por el Comité preparatorio en su período de sesiones celebrado del 1° al 12 de diciembre de 1997. 18 de diciembre de 1997. A/AC.249/1997/L.9/Rev.1. Véase también, Comité préparatoire pour la création d'une cour criminelle internationale. Document de travail officieux sur les crimes de guerre. 5 décembre 1997.

A/AC.249/1997/WG.1/CRP.8 (Disponible en https://www.legal-tools.org/doc/e1c0b2/; última visita: 10.03.2023).

Naciones Unidas (1998). Comisión de Derechos Humanos. Subcomisión de Prevención de Discriminaciones y Protección a las Minorías. Formas contemporáneas de la esclavitud. La violación sistemática, la esclavitud sexual y las prácticas análogas a la esclavitud en tiempo de conflicto armado. Informe final presentado por la Sra. Gay J. McDougall, Relatora Especial. 22 de junio de 1998. E/CN.4/Sub.2/1998/13.

Naciones Unidas (1999). Comisión Preparatoria de la Corte Penal Internacional. Grupo de Trabajo sobre los Elementos del Crimen. Nueva York. Propuesta presentada por Costa Rica, Hungría y Suiza sobre algunas disposiciones del apartado b) del párrafo 2 del artículo 8 del Estatuto de Roma de la Corte Penal Internacional: viii), x), xiii), xiv), xv), xvi), xxi), xxii), xxvi). 19 de julio de 1999. PCNICC71999/WGEC/DP.8.

Naciones Unidas (1999). Comisión Preparatoria de la Corte Penal Internacional. Actuaciones de la Comisión Preparatoria en su segundo período de sesiones (26 de julio a 13 de agosto de 1999). 18 de agosto de 1999. PCNICC/1999/L.4/Rev.1,

Naciones Unidas (1999). Comisión Preparatoria de la Corte Penal Internacional. Grupo de Trabajo sobre los elementos de los crímenes. Propuesta presentada por Alemania y el Canadá respecto del artículo 7. 23 de noviembre de 1999. PCNICC/1999/WGEC/DP.36.

Naciones Unidas (1999). Comisión Preparatoria de la Corte Penal Internacional. Grupo de Trabajo sobre los Elementos del Crimen. Propuesta presentada por la Arabia Saudita, Bahrein, los Emiratos Árabes Unidos, el Iraq, la Jamahiriya Árabe Libia, Kuwait, el Líbano, Omán, Qatar, la República Árabe Siria y el Sudán en relación con los elementos de los crímenes contra la humanidad. 3 de diciembre de 1999. PCNICC/1999/WGEC/DP.39.

Naciones Unidas (2002). Asamblea de los Estados Partes en el Estatuto de Roma de la Corte Penal Internacional. Primer período de sesiones. Nueva York, 3 a 10 de septiembre de 2002. Documentos Oficiales. ICC-ASP/1/3.

Naciones Unidas (2015). Comisión de Derecho Internacional. 67° período de sesiones. Ginebra, 4 de mayo a 5 de junio y 6 de julio a 7 de agosto de 2015. Primer informe sobre los crímenes de lesa humanidad. Presentado por Sean D. Murphy, Relator **Especial**. 17 de febrero de 2015. A/CN.4/680.

Naciones Unidas (2015). Informe sobre la conclusión del mandato del Tribunal Penal Internacional para Rwanda al 15 de noviembre de 2015. 17 de noviembre de 2015. S/2015/884.

Naciones Unidas (2023). Consejo de Seguridad. *Violencia sexual relacionada con los conflictos,* Informe del Secretario General, 22 de junio de 2023. S/2023/413. Disponible en https://unric.org/en/conflict-related-sexual-violence-un-report-highlights-alarming-trends-and-calls-for-urgent-action/; última visita: 11.11.2023.

O'BRIEN, M. (2016) «Don't kill them, let's choose them as wives»: the development of the crimes of forced marriage, sexual slavery and enforced prostitution in international criminal law. *The International Journal of Human Rights*, 20:3, 386-406, DOI: 10.1080/13642987.2015.1091562.

OOSTERVELD, V. (2004). Sexual Slavery and the International Criminal Court: Advancing International Law. *Michigan Journal of International Law,* vol.25, nº3, 611-651.

Parlamento Europeo (2007). Resolución del Parlamento Europeo, de 13 de diciembre de 2007, sobre las mujeres de solaz (esclavas sexuales en Asia antes y durante la Segunda Guerra Mundial). Disponible en https://www.europarl.europa.eu/doceo/document/TA-6-2007-0632_ES.html; última visita: 01.03.2023.

Parlamento Europeo (2023). Comisión de Derechos de las Mujeres e Igualdad de Género. Informe sobre la regulación de la prostitución en la Unión: repercusiones transfronterizas e impacto en la igualdad de género y los derechos de las mujeres (2022/2139(INI)) 30.08.2023. A9-0240/2023. Opinión minoritaria, p. 31. Disponible en https://www.europarl.europa.eu/doceo/document/A-9-2023-0240_ES.html#_section3; última visita: 10.09.2023.

TANAKA, Y. (2002). Japan's comfort women. Sexual slavery and prostitution during World War II and the U.S. occupation. Routledge. Taylor & Francis Group.

The Women's International War Crimes Tribunal For the Trial of Japan's Military Sexual Slavery. Case No. PT-2000-1-T. 4 December 2001. Disponible en https://archives.wam-peace.org/wt/en/judgement; última visita: 12.03.2023.

United Nations (1983). Economic and Social Council. Activities for the advancement of women: equality, development and peace. Report of Mr. Jean Fernand-Laurent, Special Rapporteur on the suppression of the traffic in persons and the exploitation of the prostitution of others. 17 March 1983. E/1983/7.

United Nations (1997). Preparatory Committee on the establishment of an international criminal court. 1-12 December 1997. Working Group on Definitions and Elements of Crimes. Proposal submitted by the Holy See. 9 December 1997. A/AC.249/1997/WG.1/DP.12. Disponible en https://www.legal-tools.org/doc/b00a30/; última visita: 10.03.2023.

United Nations (1999). Preparatory Commission for the International Criminal Court. Proposal submitted by the United States of America. Draft elements of crimes. 4 February 1999 PCNI CC1999/DP.4/Add.2.

United Nations (2021). Office of the Special Representative of the Secretary-General on Sexual Violence in Conflict. *In Their Own Words: Voices of Survivors of Conflict-Related Sexual Violence and Service-Providers. Disponible en* https://www.un.org/sexualviolenceinconflict/in-their-own-words-voices-of-survivors-of-conflict-related-sexual-violence-and-service-providers/; última visita: 30.03.2023.

VAN POELGEEST, B. (1994). Report of a Study of Dutch Government Documents on the Forced Prostitution of Dutch Women in the Dutch East Indies during the Japanese Occupation. Unofficial Translation. 24th January, 1994. Disponible en https://www.awf.or.jp/pdf/0205.pdf; última visita: 12.03.2023.

VISEUR SELLERS, P. (2018). *Procesos penales sobre violencia sexual en conflicto: La importancia de los derechos humanos como medio de interpretación*. Disponible en https://mesadeapoyo.com/wp-content/uploads/2018/12/Patricia-Sellers-Procesos-penales-sobre-violencia-sexual-en-conflicto.pdf; última visita: 21.03.2023.

Women's Caucus for Gender Justice in The International Criminal Court (1997). Recommendations and Commentary For December 1997 PrepCom On The Establishment of an International Criminal court United Nations Headquarters December 1-12, 1997.

Women's Initiatives for Gender Justice (2019). *Los Principios de La Haya sobre la Violencia Sexual*. Declaración de la Sociedad Civil sobre la Violencia Sexual. Directrices de Derecho Penal Internacional sobre la Violencia Sexual. Principios Fundamentales para los Encargados de Formular Políticas relativas a la Violencia Sexual. Disponible en https://4genderjustice.org/los-principios-de-la-haya/#; última visita: 15.03.2023.

2. La trata de mujeres y menores como forma de explotación sexual en zonas de conflicto armado

ALBA LANCHARRO CASTELLANOS*

Becaria de Investigación

Universidad Pablo de Olavide

«No podemos permitir que las atrocidades pasen desapercibidas, debemos ser la voz de los que no pueden hablar»

Nadia Murad Basee Taha[1]

Resumen: Existen redes y organizaciones que se aprovechan de las situaciones y circunstancias de vulnerabilidad de las personas que huyen de condiciones inhumanas provocadas por conflictos armados empleando la trata de mujeres y menores como método orientado a destruir la trama de un grupo social —comunidad, pueblo o grupo étnico—.

Debido al estigma que acompaña a las violencias sexuales y entre ellas la trata de seres humanos cuando se comete con fines de explotación sexual,

---

* ORCID: 0009-0005-4376-0776. Jurista y criminóloga. Miembro del Grupo de Investigación en Ciencias Penales y Criminológicas de la Junta de Andalucía (SEJ 047). Becaria de investigación de la Universidad Pablo de Olavide de Sevilla (España). alancas@alu.upo.es. Agradezco a la Profesora Titular de Derecho Penal de la Universidad Pablo de Olavide, D.ª Juana del-Carpio-Delgado, esta valiosa oportunidad de publicar en esta obra colectiva.
Trabajo realizado en el marco de las actividades del Proyecto PID-2020-117403RB-100, Criminalidad Organizada Transnacional y Empresas Multinacionales ante las vulneraciones de los Derechos Humanos y del Grupo de Investigación en Ciencias Penales y Criminológicas de la Junta de Andalucía (SEJ 047).
La autora declara que no existe ningún conflicto de interés relacionado con la contribución.

1. Reconocimiento el 16 de septiembre de 2016 como Primera Embajadora de Buena Voluntad para la Dignidad de los Supervivientes de Trata de Personas de las Naciones Unidas.

las víctimas y especialmente las mujeres y los menores se ven obligados a menudo a guardar silencio. Los efectos de esta violencia en la salud mental de las víctimas directas, desprovistas de la soberanía sobre sus propios cuerpos, y en el daño a la vida cultural y comunitaria que se origina al emplear la violencia sexual en el conflicto armado pueden perdurar durante generaciones.

I. INTRODUCCIÓN

La trata de seres humanos vacía de contenido la humanidad de sus víctimas en tanto las reduce a una mera mercancía y atenta de modo grave y sistemático a los derechos humanos[2]. La Asamblea General de las Naciones Unidas promulgó en el año 1948 el Convenio para la Represión de la Trata de Personas y la Explotación de la Prostitución Ajena [3], fundamentado en la consideración de la trata de personas con fines de explotación sexual como fenómeno que vulnera el valor y la dignidad humanas —poniendo en peligro su bienestar—, e incluyendo medidas preventivas y repatriación de las víctimas de trata de seres humanos [4].

La trata de personas ha sido reconocida internacionalmente como forma de violencia de género en la Declaración sobre la Eliminación de la Violencia

2. Artículo 4 de la Declaración Universal de los Derechos Humanos, 1948; y artículo 8 del Pacto Internacional de los Derechos Civiles y Políticos, 1966.
3. Convenio para la represión de la trata de personas y de la explotación de la prostitución ajena, aprobado por la Asamblea General en su Resolución 317 (IV), de 2 de diciembre de 1949.
4. España suscribe el Convenio para la represión de la trata de personas y de la explotación de la prostitución ajena en 1962.

contra la Mujer (1993) y en la Plataforma de Acción de Beijing (1995) [5] y como una forma de discriminación prohibida por las normas internacional y regional. Se trata de un fenómeno criminal que no entiende de fronteras ni de nacionalismos al afectar la explotación de personas a toda la comunidad internacional; y que se ha abordado desde diversas ópticas como son un prisma humanitario, una perspectiva desde el crimen organizado y un análisis desde la protección de las víctimas.

Según la Oficina de Naciones Unidas contra la Droga y el Delito (en inglés United Nations Office on Drugs and Crime —UNODC—), aunque la trata de personas no diferencia ni sexo ni edad, las mujeres [6] y las niñas tienen tres veces más probabilidades de padecer violencia explícita o extrema que los hombres y los niños —por cada 10 víctimas detectadas a nivel mundial, 5 son mujeres adultas y 2 son niñas—, y que los menores por lo general tienen dos veces más probabilidades de sufrir violencia que los adultos [7].

La Agenda 2030 para el Desarrollo Sostenible fija un marco holístico para prevenir la trata de personas [8] y los conflictos, siendo necesario definir medidas contra la trata mucho antes del comienzo de un conflicto determinando los riesgos potenciales y reales —incluso cuando las situaciones de trata no se hayan confirmado— y hacerles frente, entre otras formas, al movilizar a equipos multidisciplinarios contra la trata con el objetivo de que estos expertos determinen los riesgos a que se exponen tanto todas aquellas personas que están atrapadas en conflictos armados como aquellas que se ven obligadas a huir de los mismos, por lo general en el marco de desplazamientos masivos de seres humanos.

El presente trabajo parte de un enfoque amplio y multidisciplinar con la finalidad de evitar una concepción sesgada y simplista de un fenómeno delictivo de índole compleja.

La investigación aborda la trata de mujeres y menores en su modalidad de explotación sexual desde una aproximación sociológica y criminológica como estrategia de guerra en el marco de los conflictos armados, donde las condiciones de conflicto pueden propiciar la explotación y acentuar su

5. Ha sido reimpresa en una edición especial:
Declaración y Plataforma de Acción de Beijing, Declaración política y documentos resultados de Beijing+5.
6. Conforme al estudio realizado por UNODC, la trata con fines de explotación sexual afecta en un 67% a mujeres. Véase en UNODC, 2022a, pp. 17-27.
7. UNODC, 2022a, pp. 21 y ss.
8. Metas 8.7 y 16.2: «Erradicación la esclavitud, trata y trabajo infantil».

gravedad y prevalencia, así como la vulnerabilidad a la trata. Esta práctica de violencia sexual ha sido generalizada en contextos de confrontaciones bélicas y en etapas de posguerra o posconflicto [9].

La violencia sexual a la que son sometidas mujeres y niñas en conflictos armados o bélicos surge de la deshumanización y la discriminación que se da a las figuras de las mujeres y las menores dentro de grupos que las explotan de manera reiterada; y abarca violaciones, esclavitud sexual, esterilización forzada, prostitución y abortos forzados, trata y todos los demás actos que tienen una vinculación [10] directa o indirecta —geográfica, temporal o causal— con el conflicto [11].

II. CONSIDERACIONES PREVIAS Y FASES DEL PROCESO DE TRATA DE SERES HUMANOS

En la Convención contra la Delincuencia Organizada Transnacional [12] se establecen tres protocolos clave, entre ellos, el «Protocolo para prevenir, reprimir y sancionar la trata de personas, especialmente mujeres y niños», conocido como Protocolo de Palermo.

La aprobación del mismo constituye un hito en la lucha contra la trata de personas a nivel internacional [13]. Resultado de un proceso largo de visibilización y conceptualización, fue el primer documento emitido por las Naciones Unidas donde el concepto de trata de seres humanos deja de entenderse de manera exclusiva como trata de blancas y se distingue de otros fenómenos como el tráfico de personas, la esclavitud y la «esclavitud

9. ALIANZA CINCO CLAVES, 2019.
10. Esa vinculación se puede manifestar en el perfil del autor o en el perfil de la víctima, la existencia de una dimensión transfronteriza, el clima de impunidad o la situación de colapso del país o el incumplimiento de disposiciones de alto el fuego.
11. ONU, 2015, pp. 8 y ss.
12. UNODC, 2004, pp. 13 y ss. Adoptada en Resolución 55/25 de la Asamblea General, de 15 de noviembre de 2000. Entrada en vigor el 29 de septiembre de 2003 y ratificada por España el 1 de marzo de 2002 (BOE nº 233, de 29/09/2003 Sec. 1, pp. 35280-35297). La Convención establece un conjunto de medidas con carácter general contra la criminalidad organizada de naturaleza transnacional. Cada uno de los tres Protocolos trata problemas delictivos específicos, deben leerse y aplicarse conjuntamente con la Convención.
13. Prevé en la letra a) del artículo 3 una definición normativa del concepto de trata de personas a nivel internacional y, con ello, ofrece una serie de parámetros comunes para la conceptualización posterior que los Estados realicen en sus respectivos ordenamientos jurídicos internos.

moderna» [14], llevando a cabo una relevante labor de fijación de los límites definitorios con independencia de la específica finalidad de explotación que a través de la trata se persiga, lo que supuso un éxito innegable tanto en relación a la protección y asistencia a las víctimas —puesto que se incluyen numerosas situaciones de trata que previamente estaban excluidas— como en materia de cooperación policial y judicial.

No obstante, como aspecto negativo, el artículo 4 del Protocolo dispone que su contenido únicamente resultará aplicable si las conductas en cuestión fuesen de «carácter trasnacional y entrañen la participación de un grupo delictivo organizado». Se trata de una cláusula ciertamente limitadora de su alcance y virtualidad que se podría deber al contexto que alumbró el Protocolo en lo relativo a la criminalidad organizada [15], pero que en la actualidad podría considerarse que se trata de la mayor rémora aplicativa del Protocolo de Palermo.

Las finalidades del Protocolo de Palermo están reguladas en su artículo 2 y se pueden resumir en la estrategia de las «3P»: (1) prevención y lucha contra la trata de personas (2) protección a las víctimas y (3) persecución mediante la promoción de la cooperación entre los Estados Parte.

En lo relativo a la prevención, se recomiendan medidas que comprendan, entre otras, el establecimiento de programas y políticas con los fines del Protocolo de Palermo *ut supra* referidos; medidas sociales, educativas y culturales; el desarrollo de campañas de información y difusión así como de actividades de investigación; y la capacitación a funcionarios en áreas claves como migraciones y control fronterizo. En lo concerniente a la protección de las víctimas, se deben respetar una serie de derechos que involucran, entre otras cuestiones, asistencia para la recuperación física, psicológica y social; y la protección de su identidad y privacidad; el acceso a información sobre procedimientos judiciales y participación en las actuaciones penales. En relación a la persecución de la trata, se recomienda que cada Estado la incorpore en su Derecho interno como delito.

El artículo 3 del Protocolo de Palermo define el fenómeno que nos ocupa estableciendo por «trata de personas»:

---

14. UNODC, 2019a, pp. 8 y ss.
15. Durante la década de 1990 se empezó a consolidar la trata de seres humanos, ya no como un problema circunscrito geográficamente a ciertos territorios particularmente deprimidos o castigados tradicionalmente por la criminalidad convencional, sino como fenómeno de dimensión global al albur de la criminalidad organizada de carácter transnacional con ramificaciones en cualquier latitud (internacionalización de la trata).

> «la captación, el transporte, el traslado, la acogida o la recepción de personas, recurriendo a la amenaza o al uso de la fuerza u otras formas de coacción, al rapto, al fraude, al engaño, al abuso de poder o de una situación de vulnerabilidad o a la concesión o recepción de pagos o beneficios para obtener el consentimiento de una persona que tenga autoridad sobre otra, con fines de explotación. Esa explotación incluirá, como mínimo, la explotación de la prostitución ajena u otras formas de explotación sexual, los trabajos o servicios forzados, la esclavitud o las prácticas análogas a la esclavitud, la servidumbre o la extracción de órganos» [16].

La lista de finalidades de la trata del artículo 3 del Protocolo de Palermo no es taxativa, siendo posible la inclusión de nuevos conceptos o la interpretación de los mismos según sus prácticas domésticas debido al contexto cultural y nacional [17].

En esta definición se pueden identificar tres elementos esenciales que caracterizan el fenómeno de la trata de seres humanos y que, por ello, deberían estar presentes en la configuración a nivel normativo del delito en los ordenamientos internos de los Estados Parte:

1) La acción entendida como toda conducta que se puede desempeñar durante el proceso de la trata, por la cual la víctima va experimentando una pérdida de sus derechos civiles y termina en una situación de desprotección y explotación: captación —atraer, ganar la voluntad o afecto—, transporte, traslado, acogida o recepción de personas.

Las diversas acciones se ejecutan a través de una serie de fases, que se pueden agrupar en las siguientes:

1.1. La captación hace referencia al reclutamiento de las víctimas y supone una intromisión indebida en la voluntad de las mismas, quienes experimentarán la pérdida de control de sus capacidades tanto de decisión como de acción, se podría decir que llegando a ser «instrumentalizadas» por los tratantes [18]. Se puede producir, como suele ocurrir en los escenarios de confrontaciones armadas, mediante el secuestro de mujeres adultas y menores. Esta acción vulnera derechos tales como la libertad o la seguridad.

---

16. UNODC, 2004, pp. 44 y 45; Protocolo para prevenir, reprimir y sancionar la trata de personas, especialmente mujeres y niños, que complementa la Convención de las Naciones Unidas contra la delincuencia organizada transnacional, hecho en Nueva York el 15 de noviembre de 2000, p. 2.
17. UNODC, 2019b, p. 27.
18. GONZÁLEZ TASCÓN, 2020, pp. 68-71.

Un episodio altamente alarmante ocurrido en Nigeria en 2014 —en el contexto de más de seis años de insurgencia en el norte de este país— fue el secuestro de 276 niñas en una escuela secundaria de Chinok por parte de Boko Haram. De acuerdo con los testimonios de civiles desplazados y trabajadores humanitarios [19], el deterioro de la seguridad y la situación humanitaria provocaron desplazamientos a gran escala que dieron lugar a violaciones y trata de niñas en los campamentos de desplazados y durante la huida de la población [20]. A las mujeres y niñas secuestradas a menudo se las obligaba a contraer matrimonios que entrañarían violaciones repetidas, llegando a proponerlos como medio de «protección» frente a las violaciones por otros miembros del grupo. La «venta» de mujeres y niñas secuestradas, junto al matrimonio forzado y la esclavitud, son elementos primordiales de la ideología y *modus operandi* de Boko Haram.

1.2. El transporte y traslado conlleva el desplazamiento de la víctima desde un lugar de origen hasta el lugar de destino, siendo el objetivo su explotación. Los tratantes lo que persiguen en esta fase es el desarraigo de la víctima desde el punto de vista familiar, social e incluso desde una perspectiva cultural, para lo cual pretenden cortar los vínculos de carácter afectivo y el contacto de la víctima con sus redes de apoyo —que se vea aislada y alejada de familiares y amigos— con la finalidad de mantener a las víctimas bajo la órbita de control de sus tratantes al incrementar su estado de indefensión y vulnerabilidad [21], existiendo por tanto una transferencia de control desde las víctimas a los tratantes [22]. El traslado no abarca solamente el movimiento como verbo, sino que el hecho de que la víctima salga de su esfera de resguardo ya permitiría que el tratante pudiese ejercer de modo más expedito un control sobre la víctima. La trata de seres humanos puede tener lugar independientemente de si las víctimas son trasladadas a otro Estado o solo desplazadas de un lugar a otro dentro del mismo Estado. El desplazamiento de la víctima puede darse dentro de una misma región o un mismo país -trata interna o nacional- o desarrollarse de manera transnacional implicando el cruce de una o varias fronteras internacionales -trata externa o internacional-; pudiéndose añadir un tercer supuesto en el caso de que la

19. ONU, 2014, pp. 13 y ss.
20. CONSEJO DE SEGURIDAD, 2018, p. 27. Debido al hacinamiento, la desesperación financiera, la escasa privacidad y la anarquía, el riesgo de convertirse en víctima de trata de seres humanos continúa siendo elevado tanto en los campamentos de personas desplazadas y refugiadas como en los alrededores de los mismos.
21. Dicha situación de vulnerabilidad está reconocida en textos normativos, a modo de ejemplo véase la Declaración de Protección de Niños y Mujeres en Conflictos Armados, adoptada por las Naciones Unidas en 1974.
22. GONZÁLEZ TASCÓN, 2020, p. 81.

víctima al principio fuese captada y explotada en el país de origen, pero con posterioridad sea explotada en un país diferente -trata mixta-.

1.3. En la acogida y recepción se asegura la disponibilidad de las víctimas para ser explotadas mediante la retención de sus documentos, privación o restricción de su libertad, maltrato físico y/o psicológico, ... Si bien semánticamente los verbos «acoger» y «receptar» nos llevan a pensar en la protección o en el amparo, la trata de personas está muy lejos de ello.

Hablaremos de lugar de tránsito cuando durante el viaje la persona es trasladada, pueden producirse paradas de carácter temporal en algún territorio de camino al destino final donde va a ser encerrada y obligada a ofrecer servicios sexuales [23] a los clientes que acudan allí.

Finalizada esta última etapa empieza el ciclo de control continuo y explotación por parte de terceros hacia las víctimas [24].

Villacampa Estiarte refiere que:

> «junto a la explotación de la prostitución se incluye la explotación sexual, en la que cabrían conductas tales como hacer participar a la víctima en actos que impliquen servidumbre sexual —algunos supuestos de captación de esclavas sexuales en conflictos armados, venta de esposas o novias o matrimonios forzados que impliquen dicha esclavitud, o la producción de material pornográfico, por ejemplo-» [25].

Sin embargo, es preciso que estas acciones se realicen de cierto modo, pues la acción por sí misma no sería suficiente para determinar como tal la existencia de trata de seres humanos.

2) Los medios a través de los cuales lograr el sometimiento y el control de las víctimas, entendidos como formas de vulneración o anulación de la voluntad de las personas para someterlas a las acciones anteriormente analizadas: amenaza -ya sea contra su propia integridad o de las personas de su entorno- u otras formas de coacción como rapto, fraude, engaño, abuso de poder, uso de la fuerza, o pago o remuneración a alguien que ejerza un control previo sobre la víctima —es decir, mediante la concesión o recepción de beneficios o pagos para obtener el consentimiento de una persona que tenga autoridad sobre la víctima— [26].

23. POMARES CINTA, 2020, pp. 173-191.
24. CASTILLO ÁLVAREZ, 2023, pp. 2 y ss.
25. VILLACAMPA ESTIARTE, 2010, p. 31.
26. Resolución 55/25 de la Asamblea General, de 15 de noviembre de 2000, por la que se aprobaron la Convención de las Naciones Unidas contra la Delincuencia Organizada

Los grupos armados han usado la violencia sexual como modo para forzar el desplazamiento de poblaciones y vulnerar de esta manera aún más a mujeres y niñas refugiadas [27].

En el apartado b) del artículo 3 del Protocolo de Palermo se indica que el consentimiento que una víctima adulta hubiese dado no se tendrá en cuenta cuando para obtenerlo se hubiera empleado cualquiera de estos medios [28].

Cabe distinguir diversas clases de trata como consecuencia de los diferentes medios que pueden ser empleados, pero todas ellas tienen en común que atacan a la seguridad, libertad y autodeterminación personal de la víctima. Así (1) en la trata forzada se han utilizado medios forzosos como violencia —en sus diversas manifestaciones— o intimidación sobre la persona explotada; (2) la trata fraudulenta es causada por medios engañosos [29] —fraude—, situando a la víctima en una posición más vulnerable y consiguiendo así su consentimiento [30] —el cual estaría viciado, lo que conllevaría su anulación—; y (3) la trata abusiva, donde el explotador se beneficia a través de medios que se practican por abuso de la vulnerabilidad de la persona, situación que se presupone en los menores y que se puede deber a factores económicos o al hecho de que el explorador le retire la documentación provocando a la víctima miedo de ser deportada [31].

Los conceptos de amenaza, abuso de situación de vulnerabilidad, violencia o engaño que cada Estado utiliza de forma habitual no son alterados por el Protocolo de Palermo, prueba de ello es que en su artículo 5.1 obliga a los Estados a imputar dicha conducta —así como la tentativa y otras for-

---

Transnacional y dos protocolos complementarios: el Protocolo para Prevenir, Reprimir y Sancionar la Trata de Personas, Especialmente Mujeres y Niños, y el Protocolo contra el Tráfico Ilícito de Migrantes por Tierra, Mar y Aire, y los declaró abiertos a la firma en la Conferencia política de alto nivel para su firma que se celebraría en Palermo del 12 al 15 de diciembre de 2000 (A/CONF.195/2 y Corr.1), de conformidad con la Resolución 54/129 de la Asamblea, de 12 de diciembre de 1999 (A/55/PV.62).

27. VIRIDIANA HERNÁNDEZ, 2021, pp. 115 y ss.
28. Las víctimas de trata de seres humanos o bien no han consentido nunca o bien dicho consentimiento pierde su valor por completo debido a la coacción, el engaño, el abuso de los tratantes u otros medios. El principal método para los reclutadores ha sido el engaño, pues se suelen valer de falsas promesas para dejar a las víctimas a disposición de los tratantes o cometer ellos la explotación de las mismas.
29. Podría decirse que se trata de una «puesta en escena» con la intención de distorsionar la realidad y hacerles creer a las víctimas una situación ficticia que busca motivarlas a llevar a cabo acciones dirigidas a su explotación.
30. DE LA MATA BARRANCO, 2021, pp. 6 y ss.
31. UNODC, 2000, pp. 31 y ss.

mas de participación— no a través de conceptos nuevos, sino conforme a los conceptos básicos de sus ordenamientos jurídicos internos.

3) El propósito de explotación de la víctima o la finalidad perseguida una vez realizada la acción mediante los anteriores medios es deshumanizarla y convertirla en un producto mercadeable con la expectativa de que le produzca lucro [32] y así rentabilizar la inversión realizada por el desplazamiento de la víctima desde el lugar de origen hasta el lugar de destino.

Las mujeres y los menores pueden volverse altamente vulnerables a las distintas formas de explotación y particularmente a la violencia sexual, especialmente en escenarios donde sus necesidades básicas dejan de estar cubiertas y en zonas donde se desenvuelven o que están controladas por grupos armados o terroristas que atacan a mujeres y niñas para someterlas a esclavitud sexual, matrimonios forzados y servidumbre doméstica [33].

No obstante, todas las personas explotadas no son víctimas de trata:

Solamente se considerarán víctimas de trata si para explotarlas se hubiese recurrido a actos y medios, o únicamente actos en el caso de los niños, teniendo presente que para los fines del Protocolo de Palermo, según el inciso d) de su artículo 3, cabe entender que toda persona menor de 18 años es un «niño» [34].

La trata no es por sí sola explotación, sino que esta figura, a mi entender, se conforma como un proceso para una eventual y futurible explotación: La finalidad de la explotación es uno de los elementos incluidos en el concepto de trata de seres humanos, pero la explotación misma sería ajena al propio delito de trata [35].

Los tres elementos que deben darse para que exista una situación de trata de seres humanos —cuando las víctimas son adultas— son la captación, los medios y la explotación. Sin embargo, el inciso c) del artículo 3 del Protocolo de Palermo señala que no es preciso que exista ningún medio para la configuración de la trata cuando la víctima es un niño [36], pues por su realidad biológica puede no llegar a conocer los objetivos que persiguen las personas que realizan los actos al que se está viendo sometido —únicamente serán

32. PÉREZ NIEVES, 2019, p. 1248.
33. UNODC, 2017, pp. 1-2.
34. Esta definición se corresponde con la del artículo 1 de la Convención de la ONU sobre los Derechos del Niño.
35. CARBALLO DE LA RIVA, 2021, p. 9.
36. PÉREZ NIEVES, 2019, pp. 1243 y ss.

necesarias la captación, el transporte, el traslado, la acogida o la recepción y que la acción esté dirigida a un fin de explotación— [37].

Los Estados han incorporado dos instrumentos internacionales fundamentales sobre trata desde el enfoque integral basado en los derechos humanos y de carácter vinculante: el Convenio del Consejo de Europa sobre trata de 2005 —Convenio de Varsovia— y la Directiva 2011/36/UE relativa a la prevención y lucha contra la trata de seres humanos y a la protección de las víctimas. Como instrumentos que complementan a estos principales encontramos la Directiva 2011/92 [38], la Directiva 2012/29/UE [39] por la que se establecen normas mínimas sobre los derechos, asistencia, apoyo y protección de las víctimas o potenciales víctimas [40], o la Directiva 2013/33/UE [41] que propone establecer una política común respecto a la acogida de solicitantes de protección internacional, entre ellos, víctimas de trata de seres humanos [42].

El Convenio de Varsovia señala entre sus objetivos la prevención y lucha contra la trata de seres humanos y el respeto a los derechos de las víctimas de

37. OFICINA del Alto Comisionado de las Naciones Unidas para los Derechos Humanos, 2014, pp. 8 y ss.
38. Directiva 2011/92/UE del Parlamento Europeo y del Consejo de 13 de diciembre de 2011 relativa a la lucha contra los abusos sexuales y la explotación sexual de los menores y la pornografía infantil, y por la que se sustituye la Decisión marco 2004/68/JAI del Consejo. Se establece un marco común que abarca la prevención del fenómeno, la protección de víctimas y la acción judicial contra los victimarios.
39. Directiva 2012/29/UE del Parlamento Europeo y del Consejo de 25 de octubre de 2012 por la que se establecen normas mínimas sobre los derechos, el apoyo y la protección de las víctimas de delitos, y por la que se sustituye la Decisión marco 2001/220/JAI del Consejo.
40. Se deben tener presentes y evaluar las necesidades y la situación específica de las víctimas de trata de seres humanos, debiendo garantizar una asistencia acorde a esas necesidades particulares. No obstante, al no existir Reglamento que desarrolle la Ley 12/2009, de 30 de octubre, reguladora del derecho de asilo y de la protección subsidiaria, no existe una regulación en España de los servicios de acogida que garantice lo aquí expuesto.
41. Directiva 2013/33/UE del Parlamento Europeo y del Consejo, de 26 de junio de 2013, por la que se aprueban normas para la acogida de los solicitantes de protección internacional. También denominada Directiva de asilo.
42. La Directiva de asilo elabora un marco de referencia en cuestiones tales como la escolarización y educación de menores solicitantes, la formación profesional y el empleo, los protocolos de acogida y asistencia sanitaria, el derecho al reconocimiento médico, el tratamiento de las familias o los procedimientos a seguir —en particular en el caso de menores no acompañados; víctimas de violación, torturas o formas graves de violencia (sexual, física y/o psicológica) y víctimas de la trata de seres humanos—.

trata y la protección de las mismas [43], reiterando la importancia de promover la cooperación internacional para la asistencia y protección de las víctimas, así como en la lucha contra el fenómeno mismo [44]. El concepto de trata de personas contenido en el Protocolo de Palermo se recogió con una dicción muy similar en el artículo 4 del Convenio de Varsovia [45], dejando abierta la definición de trata al recurrir a la fórmula «como mínimo».

El Convenio de Varsovia creó como mecanismos de seguimiento de su manejo el Grupo de Expertos sobre Lucha contra la Trata de Seres Humanos (GRETA) [46] y el Comité de las Partes para garantizar la aplicación efectiva de sus disposiciones.

III. HACIA LA CONTEXTUALIZACIÓN DE LA TRATA SEXUAL EN EL PANORAMA INTERNACIONAL

La trata quebranta numerosos derechos humanos pero sobre todo, la esencia de la persona, la dignidad humana, en tanto a sus víctimas se las degrada, se las humilla y trata como objetos. La dignidad es difícil de definir, se puede partir de su representación como la base de los derechos humanos en diversos tratados internacionales, como el respeto incondicionado e inherente a toda persona, estrechamente ligado a la moral. De ella derivan derechos como la vida, la integridad física y moral, la intimidad, la seguridad y la libertad.

Las víctimas de trata pueden no autoidentificarse como tales, en ocasiones por temor a las represalias de los tratantes, por miedo a la estigmatización —en particular las mujeres víctimas de explotación sexual y los niños

43. Artículo 1 del Convenio de Varsovia.
44. Sobre cooperación interestatal, véanse los artículos 32 a 36 del Convenio de Varsovia.
45. Por «trata de seres humanos», a efectos del Convenio, se entiende: «el reclutamiento, transporte, transferencia, alojamiento o recepción de personas, recurriendo a la amenaza o uso de la fuerza u otras formas de coerción, el secuestro, fraude, engaño, abuso de autoridad o de otra situación de vulnerabilidad, o el ofrecimiento o aceptación de pagos o ventajas para obtener el consentimiento de una persona que tenga autoridad sobre otra, con vistas a su explotación. La explotación comprenderá, como mínimo, la explotación de la prostitución de otras personas u otras formas de explotación sexual, el trabajo o los servicios forzados, la esclavitud o las prácticas análogas a la esclavitud, la servidumbre o la extirpación de órganos».
46. Encargado de velar por el cumplimiento del Convenio y supervisar y evaluar las implementaciones que lleven a cabo los Estados miembros para hacer frente al fenómeno de la trata de seres humanos. Compuesto por 15 expertos independientes e imparciales elegidos por su prestigio y competencia en el ámbito de derechos humanos y en concreto en su lucha contra la trata de personas.

nacidos en situaciones de explotación [47]— o por vergüenza, por miedo a las autoridades o a ser detenidas o deportadas —en el supuesto de quienes han sido sometidos a trata por grupos armados o terroristas, es posible que si escapan susciten desconfianza—, o porque no comprenden su situación.

Cuando la trata tiene lugar en contextos de conflictos armados esos problemas se agudizan, disuaden a las víctimas de solicitar asistencia o dificultan su identificación como tales.

Los agentes de las fuerzas y cuerpos del orden, el personal de mantenimiento de la paz, los trabajadores humanitarios y otras personas que traten de modo directo con personas vulnerables —pudiendo encontrarse con víctimas o posibles víctimas de trata— deberían recibir información sobre indicadores de la trata de personas a los que recurrir con el objeto de identificar a víctimas.

Los indicadores no son concluyentes por sí solos y son de máxima utilidad si están adaptados a escenarios determinados, contienen información que podría distribuirse en pequeñas tarjetas que no especialistas puedan llevar consigo para identificar a aquellas personas que *podrían* ser víctimas de trata, remitirlas a un especialista con formación para verificar si son o no víctimas de trata de personas —teniendo presente que dicha remisión no tendría que estar condicionada a que la víctima de trata acceda a participar en actuaciones penales o en un concreto programa o actividad— y, en caso afirmativo, prestarles servicios apropiados.

La violencia sexual que tiene lugar en contextos de paz y de conflictos armados supone una vulneración a los derechos humanos pero, en el último supuesto expuesto, también una violación del Derecho Internacional Humanitario, pudiéndose abarcar este fenómeno desde tres sectores del Derecho Internacional Público: Derecho Internacional de los Derechos Humanos, Derecho Penal Internacional (DPI) y Derecho Internacional Humanitario (DIH).

Las normativas e instrumentos que sustentan el Derecho Internacional de los Derechos Humanos, tanto la Declaración Universal de los Derechos Humanos adoptada por la Asamblea General de las Naciones Unidas en 1948 como el Pacto Internacional de Derechos Civiles y Políticos aprobado

47. CONSEJO DE SEGURIDAD, 2018, p. 5. Estos niños han llegado a ser calificados de «hijos del enemigo» o «mala sangre», suelen ser separados del grupo social de sus madres y su vulnerabilidad los puede dejar en situaciones susceptibles a la trata de menores.

en 1966 —que recoge abundantes derechos que se ven vulnerados en la trata de seres humanos: derecho a la libertad de movimiento; a no ser sometido a la esclavitud y la servidumbre; a no soportar ningún trato cruel, inhumano o degradante—, carecen de una mención explícita sobre la violencia contra la mujer o distintas clases de agresiones sexuales. Sí se incluye tanto en el artículo 6 de la Convención sobre la Eliminación de Todas las Formas de Discriminación Contra la Mujer adoptada por la Asamblea General de las Naciones Unidas en 1979, primer tratado que vincula y reconoce los derechos de las mujeres y que, a través del Comité para la Eliminación de la Discriminación contra la Mujer (CEDAW), enfatiza en la condena de la violencia sexual, incluyendo aquella que se produce en conflictos armados; como en el artículo 35 de la Convención sobre los Derechos del Niño, aprobada en 1989.

La violencia sexual incursionó en el discurso del sistema internacional de derechos humanos en un primer momento como delito contra la propiedad y el honor de terceros (padre, familia, esposo, comunidad...) —no de la mujer como principal víctima—; fue a partir de la década de los noventa cuando diversos organismos internacionales empezaron a definir y pronunciarse frente a la violencia sexual en contextos de guerra.

En 1992, el Comité reconoció en relación a los conflictos armados que las guerras y la ocupación de territorios aumentan la trata de mujeres y los actos de agresión sexual. Como resultado de la Cuarta Conferencia Mundial sobre la Mujer en Beijing (China), se redactó la Declaración y Plataforma de Acción de Beijing, cuyo apartado e) se refiere a la mujer y los conflictos armados y, en concreto, en su numeral 131 agrega que las violaciones de los derechos humanos en situaciones de conflictos armados son violaciones de los principios esenciales de los derechos humanos y del DIH [48], así como que las violaciones masivas de los derechos humanos, especialmente la violación de modo sistemático de mujeres en confrontaciones bélicas, que ocasionan éxodos en masa de personas desplazadas y de refugiados, constituyen prácticas por las que se debe castigar a los perpetradores de tales crímenes [49].

La única mención a la prohibición de la trata de seres humanos en la Carta de Derechos Fundamentales de la Unión Europea (CDFUE) se establece en el apartado 3° de su artículo 5, si bien no es menos cierto que su

48. La Declaración y Programa de Acción de Viena, aprobados el 25 de junio de 1993 en la Conferencia Mundial de Derechos Humanos, también hizo referencia a ello.
49. ONU MUJERES, 2014, pp. 36 y ss.

inclusión en un instrumento de esta relevancia implica un añadido en el intento de prevención y lucha contra este fenómeno.

La Resolución N° 1325 del Consejo de Seguridad de las Naciones Unidas sobre Mujer, Paz y Seguridad, aprobada en el año 2000, fue una iniciativa que instó a los gobiernos a terminar con la impunidad de la violencia sexual cometida por grupos armados en las guerras y posguerras pero que no garantizó la seguridad de mujeres, menores y otros grupos vulnerables.

El Grupo de Alto Nivel de las Naciones Unidas para las amenazas, los desafíos y el cambio, en su informe publicado en 2004 bajo el título de «Un mundo más seguro: la responsabilidad que compartimos», consideró que la trata de personas era una de las mayores amenazas que en la actualidad enfrenta la «aldea global» [50] a la que aludía Marshall Mcluhan.

En 2007 se elaboró, aglutinando la labor de doce organismos [51] de la Organización de las Naciones Unidas (ONU), un documento titulado «La Iniciativa de las Naciones Unidas para Detener la Violencia Sexual en Situaciones de Conflicto» para mejorar la coordinación y rendición de cuentas y apoyar los esfuerzos de los diversos Estados orientados a prevenir la violencia sexual y responder con eficacia a las necesidades de las sobrevivientes. Ese mismo año se reconoció en la «Recomendación general núm. 35 sobre la violencia por razón de género contra la mujer, por la que se actualiza la Recomendación general núm. 19», que las violencias por razón de género y con mayor fuerza, la violencia sexual, reproductiva y otras formas de violencia motivadas por la sexualidad de las víctimas, se supeditan a factores arraigados y de carácter transversal en los contextos particulares de cada zona, el origen étnico, la raza y/o la situación económica, factores que se ven agravados en territorios con conflictos armados.

50. Término acuñado por el filósofo, teórico, profesor universitario y sociólogo de la comunicación Mcluhan (Canadá, 1911-1980), revolucionario del periodismo moderno y visionario de los medios de comunicación.

51. Los Organismos son: La Oficina del Alto Comisionado de las Naciones Unidas para los Derechos Humanos (ACNUDH), la Oficina del Alto Comisionado de las Naciones Unidas para los Refugiados (ACNUR), el Fondo de las Naciones Unidas para la Infancia (UNICEF), el Fondo de Desarrollo de las Naciones Unidas para la Mujer (UNIFEM), el Fondo de Población de las Naciones Unidas (FNUAP), el Departamento de Asuntos Políticos de las Naciones Unidas (DAP), el Departamento de Operaciones de Mantenimiento de la Paz (DOMP), la Oficina de Coordinación de Asuntos Humanitarios (OCAH), la Organización Mundial de la Salud (OMS), el Programa Conjunto de las Naciones Unidas sobre VIH/SIDA (ONUSIDA), el Programa de las Naciones Unidas para el Desarrollo (PNUD) y el Programa Mundial de Alimentos (PMA).

La Resolución S/RES/1820 (2008) aprobada por el Consejo de Seguridad de la ONU se convirtió en la primera que reconoció la violencia sexual como táctica de guerra, independientemente de que se recurriese a la misma de modo oportunista o escudándose en la impunidad o se utilizase de modo sistemático para lograr fines políticos o militares. Identificó la violencia sexual como amenaza para la seguridad y la paz en el escenario internacional y reconoció que los actos de esta clase de violencia pueden llegar a constituir crímenes de guerra al utilizar la violencia sexual como arma de guerra en conflictos armados.

En lo relativo a la trata de seres humanos, el «Programa de Estocolmo: una Europa abierta y segura que sirva y proteja al ciudadano», aprobado por el Consejo Europeo en 2009, y el «Plan de acción por el que se aplica el Programa de Estocolmo» refieren el valor de impulsar la elaboración de planes de formación para facilitar la identificación y atención de las víctimas con un enfoque integrador, de protección y transcultural.

La Asamblea General aprobó mediante la Resolución A/RES/64/293, publicada el 12 de agosto de 2010, el «Plan de Acción Mundial de las Naciones Unidas para combatir la trata de personas» [52], en el que se define la trata de seres humanos en términos análogos al Protocolo de Palermo [53] y cuyo fin principal era reafirmar la voluntad de combatir este fenómeno y dar prioridad a la especial protección de las víctimas que proviniesen de conflictos armados, de corrientes migratorias y personas refugiadas.

La Resolución 1960 (2010) solicitaba al Secretario General de las Naciones Unidas establecer disposiciones de análisis, vigilancia y presentación de informes acerca de la violencia sexual relacionada con los conflictos armados. Cabe hacer referencia a la Resolución 2106 (2013), que instó a todos los actores a trabajar para combatir la impunidad por estos crímenes, incluidos el Consejo de Seguridad y aquellos involucrados en los conflictos armados,

52. Resolución 64/293, de 30 de julio de 2010, por la que se aprueba el Plan de Acción Mundial de las Naciones Unidas para combatir la trata de personas.
53. En el Anexo al Plan de Acción Mundial de las Naciones Unidas para combatir la trata de personas se reconoce, en el punto 2, lo que se entenderá por «trata de personas» según lo establecido en el Protocolo de Palermo: «la captación, el transporte, el traslado, la acogida o la recepción de personas, mediante la amenaza o el uso de la fuerza u otras formas de coacción, el rapto, el fraude, el engaño o el abuso de poder o de una situación de vulnerabilidad o la concesión o recepción de pagos o beneficios para obtener el consentimiento de una persona que tenga autoridad sobre otra con fines de explotación, lo que incluye, como mínimo, la explotación de la prostitución ajena u otras formas de explotación sexual, los trabajos o servicios forzados, la esclavitud o las prácticas análogas a la esclavitud, la servidumbre o la extracción de órganos».

los organismos de Naciones Unidas y Estados miembros; y a la «Resolución 68/192 aprobada por la Asamblea General el 18 de diciembre de 2013 sobre Medidas para mejorar la coordinación de la lucha contra la trata de personas». La Resolución 2331 (2016) del Consejo de Seguridad de la ONU aclara que las víctimas de actos de trata cometidos por grupos terroristas deben ser consideradas víctimas del terrorismo.

La Corte Penal Internacional (CPI) es un tribunal de carácter permanente que ejerce su jurisdicción para investigar y punir el genocidio, los crímenes de lesa humanidad y los crímenes de guerra [54]. En el documento publicado por la CPI denominado «Los Elementos de los Crímenes» se hacen tres referencias a la trata de personas, en particular de mujeres y menores, al entender que la misma se incluye en la conducta descrita en el artículo 7.1.c), relativo al crimen de lesa humanidad de esclavitud; artículo 7.1.g)-2, relativo al crimen de lesa humanidad de esclavitud sexual; y artículo 8.2.b) xxii)-2 y.2.e) vi)-2, relativos al crimen de guerra de esclavitud sexual.

Los crímenes atroces son delitos internacionales graves que los Estados están obligados a prevenir, competencia de la CPI y que comprenden los crímenes de guerra, los crímenes de lesa humanidad y el genocidio. Algunos actos que se cometen en el contexto de la trata de seres humanos podrían llegar a alcanzar un nivel de gravedad que resulte propio de estos crímenes atroces y, por tanto, ser juzgados por la CPI.

a) Los crímenes de guerra consisten en vulneraciones del DIH que generan responsabilidad penal individual. Determinados actos relacionados con la trata de personas en el contexto de un conflicto armado podrían constituir crímenes de guerra.

El Estatuto de Roma de la CPI [55], específicamente el inciso XXII de la letra b) y el inciso VI de la letra e) del apartado 2 de su artículo 8, consideró como crímenes de guerra la comisión de actos de esclavitud —definido en el apartado c) del artículo 7.2—, prostitución forzada, embarazo forzado —letra f) del párrafo 2 del artículo 7—, violación, esterilización forzada y cualesquiera otras formas de violencia sexual que constituyan una infracción grave del artículo 3 que resulta común a los Convenios de Ginebra de las cuatro convenciones: (i) Convenio de Ginebra para el mejoramiento de la

54. CARDOSO ONOFRE DE ALENCAR, 2011, p. 20.

55. El Estatuto de Roma entró en vigor el 1 de julio de 2002. Se distribuyó como documento A/CONF.183/9, de 17 de julio de 1998, enmendado por los procès-verbaux de 10 de noviembre de 1998, 12 de julio de 1999, 30 de noviembre de 1999, 8 de mayo de 2000, 17 de enero de 2001 y 16 de enero de 2002.

suerte que corren los militares heridos en los ejércitos en campaña de 1864, actualizado en 1906, 1929 y 1949; (ii) Convenio de Ginebra para el mejoramiento de la suerte de los militares heridos, enfermos o náufragos en las fuerzas armadas en el mar de 1906, actualizado en 1929 y 1949; (iii) Convenio de Ginebra para mejorar la suerte de los heridos y enfermos de los ejércitos en campaña y Convenio de Ginebra relativo al trato de los prisioneros de guerra, ambos de 1929, actualizados en 1949; y (iv) Convenio de Ginebra relativo a la Protección de Personas Civiles en Tiempo de Guerra de 1949. Estos convenios —y sus dos Protocolos Adicionales de 1977— diferenciaron, en supuestos de conflictos armados internacionales, entre infracciones graves —aquellas que constituyen crímenes de guerra, objeto de jurisdicción universal— y el resto de infracciones.

Pese a que en la Segunda Guerra Mundial los casos de violencia sexual eran significativos, en los Tribunales Penales Militares Internacionales de Nuremberg y de Tokio no recibieron la calificación de crímenes de guerra porque consideraban que no representaban un atentado a la seguridad y paz internacionales, o eran mencionados de manera implícita como delitos contra el honor de terceros que no eran la víctima directa (padre, familia, esposo, comunidad...), pero no como delitos contra la libertad e integridad sexual de las mujeres víctimas de esos crímenes [56]. En el marco del DPI, la crueldad, masificación, degradación y sistematicidad de crímenes de violencia sexual y la exigencia de las víctimas ante los canales internacionales llevaron a la creación por Resoluciones del Consejo de Seguridad de Naciones Unidas del Tribunal Penal Internacional para la antigua Yugoslavia (TPIY) en 1993 —declaró a los delitos sexuales como infracciones graves de los Convenios de Ginebra, como actos de tortura, crímenes de guerra de tratos inhumanos— y del Tribunal Penal Internacional para Ruanda (TPIR) en 1994 —en su condena por genocidio a Jean Paul Akayesu, antiguo alcalde de la ciudad ruandesa de Taba, incluyó la orden de violación de mujeres tutsis con la intención de eliminar a este grupo étnico, de manera que los eventuales nacimientos que tuviesen lugar pertenecerían a la etnia paterna hutus—, los cuales consideraron actos de violencia sexual como crímenes de guerra [57].

b) Los crímenes de lesa humanidad engloban, entre otros, prostitución forzada, embarazo forzado, esterilización forzada, violación, esclavitud sexual o cualquier otra forma de violencia sexual de gravedad equiparable

56. CARDOSO ONOFRE DE ALENCAR, 2011, p. 25.
57. CARDOSO ONOFRE DE ALENCAR, 2011, pp. 23-29.

[58] cometidos como parte de un ataque generalizado o sistemático contra una población civil [59].

c) El genocidio es el exterminio o eliminación sistemática de miembros de un grupo nacional, étnico, racial o religioso por el mero hecho de pertenecer al mismo. Algunos actos relacionados con la trata de seres humanos en escenarios de conflicto, téngase en mente la esclavización sexual de los miembros de determinadas minorías étnicas, podrían en supuestos extremos constituir genocidio.

IV. LOS CONFLICTOS Y LAS GUERRAS COMO TERRENO FÉRTIL PARA LOS TRATANTES

Los conflictos armados conllevan un aumento del número de personas víctimas de trata tanto dentro como fuera de las zonas que se encuentran en crisis. La mayor parte de los conflictos actuales se encuentran en Oriente Medio y en África —de donde son originarias y tratadas la mayoría de las víctimas—. La emergencia de refugiados eleva para la población ucraniana desplazada los riesgos de trata de seres humanos por la ocupación rusa en este territorio. De las víctimas detectadas de trata de seres humanos procedentes de regiones en conflicto en el año 2020: Un 73% procedían de África Subsahariana, un 11% del Norte de África y Medio Oriente, un 7% de Asia, un 6% de América y un 3% de Europa Oriental y Asia Central [60].

Los tratantes suelen cuidar la fase de captación del proceso de trata de seres humanos, especialmente dónde la realizan y a quién captan. Situaciones sociales desfavorables como crisis económicas, sanitarias, culturales y humanitarias; altos niveles de pobreza; desigualdades de género; corrupción política y policial; altas tasas de crímenes; y conflictos políticos o incluso armados que acontecen en el panorama internacional no escapan al fenómeno de la trata de personas, prueba manifiesta de ello resultan

58. Letra g) del apartado 1 del artículo 7 del Estatuto de Roma de la CPI.
59. Se entiende que el tipo de privación de libertad descrita en los Elementos 1. de los artículos 7 1) c), 7 1) g)-2, 8 2) b) xxii)-2 y 8 2) e) vi)-2 «podrá, en algunas circunstancias, incluir la exacción de trabajos forzados o la reducción de otra manera a una persona a una condición servil, según se define en la Convención suplementaria sobre la abolición de la esclavitud, la trata de esclavos y las instituciones y prácticas análogas a la esclavitud, de 1956. Se entiende además que la conducta descrita en este elemento incluye el tráfico de personas, en particular de mujeres y niños».
60. UNODC, 2022b, p. 9. Este Informe presenta un conjunto de 11 hallazgos clave sobre la trata de seres humanos.

ser, a raíz del conflicto armado en Ucrania, las advertencias europeas y las modificaciones legislativas acontecidas en España a partir de esta guerra [61].

Mujeres y menores ucranianos se encuentran emigrando a países colindantes, como Polonia, Moldavia y Rumanía, con el fin de conseguir escapar del conflicto y poner sus vidas a salvo; de esa posición de desprotección en la huida en búsqueda de seguridad se aprovechan ciertas redes y grupos criminales para acercarse a ellos y poder captarlos y explotarlos, convirtiéndoles en víctimas de trata.

Figura 1. «Relación entre las solicitudes de asilo ucranianas y la detección de víctimas de trata de personas ucranianas, en Europa Occidental y Central, 2009-2022».

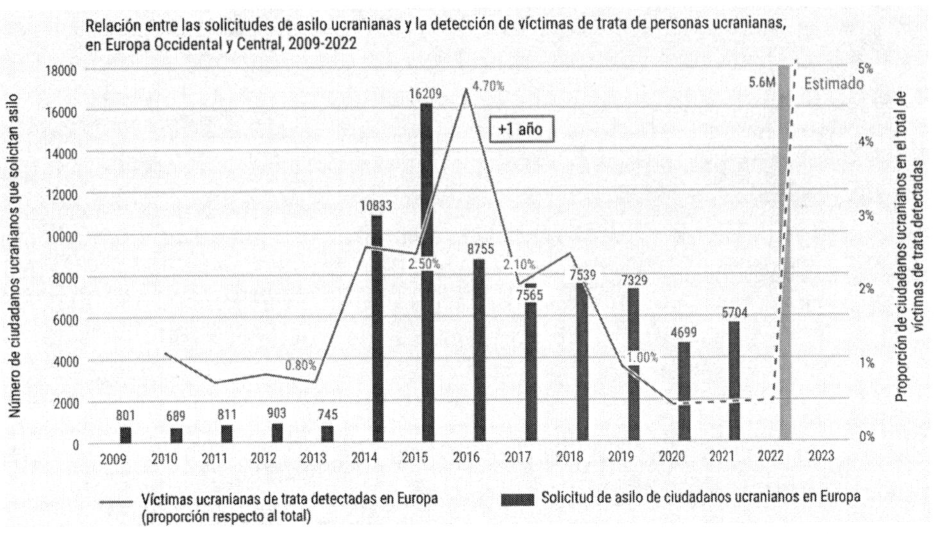

Fuente: Elaboración de UNODC basado en datos de ACNUR y presentados por los países [62].

El aumento de presencia militar puede alimentar la demanda de servicios de índole sexual en condiciones de explotación, pudiendo las poblaciones locales ser objeto de trata con fines de explotación sexual por grupos armados y no armados.

61. Véase la Ley Orgánica 13/2022, de 20 de diciembre, por la que se modifica la Ley Orgánica 10/1995, de 23 de noviembre, del Código Penal, para agravar las penas previstas para los delitos de trata de seres humanos desplazados por un conflicto armado o una catástrofe humanitaria.

62. UNODC, 2022b, p. 9.

Los conflictos activos [63] en distintos continentes han registrado empleo de violencia sexual; ejemplos de ello son Irak, Myanmar, República Democrática del Congo y Sudán. Ello tuvo especial visibilización a nivel internacional en 2018 por el otorgamiento del Premio Nobel de la Paz compartido [64] entre dos activistas en contra de la violencia sexual [65]:

El Dr. Denis Mukwege [66] (República Democrática del Congo) y Nadia Murad, de origen yazidí (Irak), raptada como esclava sexual en 2014 y hoy la voz de miles de mujeres que atraviesan la misma situación. El anuncio de los dos galardonados se llevó a cabo en el año en que se cumplía una década desde que el Consejo de Seguridad de las Naciones Unidas adoptó la Resolución 1820 (2008).

Nadia Murad se convirtió en activista en defensa de las mujeres que sufren violencia sexual como arma de guerra; gran número de sus familiares fueron asesinados y ella, como muchas mujeres y menores, fue esclavizada sexualmente. En 2015 habló en el Consejo de Seguridad de la ONU, ante el que denunció su experiencia, la trata de personas y el genocidio de su pueblo [67]; en su discurso se hicieron presentes las personas invisibilizadas de territorios innombrados o etnias desconocidas, expresó que en este siglo XXI, conocido por la era de la globalización, más de 6.500 menores y mujeres yazidíes quedaron cautivos y fueron vendidos, comprados y explotados sexualmente [68].

Los cuerpos de mujeres y menores se llegan a utilizar para transmitir un mensaje —de supremacía y poder mediante la crueldad— dirigido al país enemigo, a quienes forman parte activa de la corporación armada enemiga

63. CONSEJO DE SEGURIDAD, 2018, pp. 4 y ss. En este Informe del Secretario General de las Naciones Unidas se expresa la preocupación por la continuidad y expansión de la violencia relacionada con los conflictos y se analiza la situación en distintas áreas afectadas, se identifican los actores implicados en cada caso y se elaboran una serie de recomendaciones para los Estados. En el Anexo se recoge una «Lista de partes sobre las que pesan sospechas fundadas de ser autores o responsables de actos sistemáticos de violación u otras formas de violencia sexual en las situaciones de conflicto armado sometidas a la consideración del Consejo de Seguridad».
64. THE NOBEL PRIZE, 2018a. El Premio Nobel de la Paz 2018 fue concedido conjuntamente a Mukwege y Murad «por sus esfuerzos para poner fin al uso de la violencia sexual como arma de guerra y conflicto armado».
65. Parte de la ceremonia de entrega de los premios se puede visualizar en AMAYA PORRAS, 2018.
66. THE NOBEL PRIZE, 2018b.
67. ÁLVAREZ, 2016.
68. THE NOBEL PRIZE, 2018c.

y son propiamente antagonistas bélicos, usando a las mujeres y los menores, víctimas sacrificiales, como mensajeros [69].

En diversas resoluciones del Consejo de Seguridad se han definido seis violaciones graves de los derechos de los niños en los conflictos armados, las cuales están comprendidas en el ámbito de aplicación del mecanismo de vigilancia y presentación de informes sobre violaciones graves de los derechos de los niños en situaciones de conflicto armado: muerte y mutilación; violación y otras formas de violencia sexual; secuestro; reclutamiento y utilización por grupos armados y por las fuerzas armadas; ataques contra escuelas u hospitales; y denegación del acceso humanitario [70]. Aunque la trata de seres humanos no es una de esas seis violaciones graves, los actos que la constituyen sí pueden constituir un delito de trata.

De conformidad con las disposiciones del Protocolo contra la Trata de Personas y otras normas aplicables del Derecho Internacional, las víctimas tienen el mismo derecho a recibir asistencia y protección en escenarios de conflicto, en situaciones posteriores a conflictos y en otros contextos. No obstante, los conflictos pueden reducir de modo drástico la capacidad de un Estado para cumplir sus obligaciones en esta materia, lo que resalta la relevancia de la labor que pueden ejercer las Naciones Unidas y otras entidades para suplir las carencias en la prestación de protección y asistencia que en un momento dado se puedan producir.

En ciertas situaciones, los actos terroristas se pueden encontrar estrechamente ligados a la trata de seres humanos; pero ni el terrorismo ni las formas de explotación especificadas en el Protocolo contra la Trata de Personas se definen y analizan de forma exhaustiva en el Derecho Internacional: Por terrorismo se entienden todos aquellos actos dirigidos a causar la muerte o lesiones corporales de gravedad a civiles con el fin de intimidar a una población o de obligar a una organización internacional o a un Gobierno a hacer algo o abstenerse de hacerlo; la definición de trata puede abarcar situaciones en las que las personas sometidas a la misma sean explotadas para que realicen directamente actividades terroristas, pero también puede ocurrir que las ganancias obtenidas de la venta de personas para su explotación sexual se utilicen para financiar las actividades de los grupos terroristas, de modo que, según el Convenio Internacional para la Represión

69. SEGATO, 2014, p. 366.

70. Exceptuando la denegación de acceso humanitario, las seis violaciones graves de los derechos de los niños anteriormente referidas dan lugar a la inclusión de las partes que las cometan en conflictos armados en los anexos del informe anual del Secretario General sobre niños y conflictos armados.

de la Financiación del Terrorismo, la trata constituye también un delito relacionado con el terrorismo.

Con independencia de que la trata sirva o no para financiar las acciones terroristas, el nexo entre trata y terrorismo se suele manifestar con especial crudeza en las áreas que se ven afectadas por conflictos, por ejemplo, por la esclavización sexual de mujeres y niñas y por su matrimonio forzado con combatientes armados [71].

Es preciso que los organismos de las Naciones Unidas y otros agentes que llevan a cabo su labor en territorios afectados por conflictos comprendan cuáles son los diferentes tipos de delitos a los que pueden enfrentarse para reforzar la investigación y el enjuiciamiento de los mismos y que tal vez sean constitutivos de trata de seres humanos o estén relacionados con ella.

Si la trata de personas como tal llegase a adquirir el grado de crimen atroz, la CPI podría resultar competente para exigirles rendición de cuentas a los tratantes por sus conductas. En ciertas circunstancias, se podrían aplicar a los tratantes las sanciones establecidas en las Resoluciones del Consejo de Seguridad de la ONU que autorizan para imponer medidas tales como la prohibición de viajar, la congelación de activos y el embargo de armas a quienes hubiesen dirigido, planificado o cometido actos que constituyan vulneraciones de los derechos humanos. De modo análogo, los grupos de vigilancia y equipos de expertos que apoyen la labor de los comités de sanciones podrían reunir información que podría ser decisiva para investigar a los tratantes.

Las posibilidades ofrecidas por estos mecanismos resaltan la necesidad de analizar los distintos instrumentos disponibles en supuestos de trata relacionados con conflictos con el objetivo de desarticular las actividades de los tratantes, facilitar el acceso a la justicia de las víctimas y llevar a los tratantes ante los tribunales.

V. APROXIMACIÓN SOCIOPOLÍTICA DE LA VIOLENCIA SEXUAL COMO ESTRATEGIA DE GUERRA

Históricamente las mujeres han sido blanco de violencia sexual, tomadas como botín de guerra o secuestradas con la finalidad de satisfacer instintos sexuales. Las esclavas sexuales de origen coreano al servicio del ejército

71. UNODC, 2017, pp. 2 y ss.

japonés [72] y las víctimas de violencia sexual durante el período de partición del subcontinente indio [73], entre otras, documentan la larga lista de agresiones que las mujeres han sufrido en conflictos armados. Respecto al proceso independentista de la India, más de 70.000 mujeres fueron víctimas de violencia sexual, secuestradas y torturadas sexualmente, pero otras por sentimiento de culpa o para evitar el estigma, la deshonra o el señalamiento que terminaría recayendo sobre ellas y sus comunidades, optaron por el suicidio —en ciertos casos por la presión de sus familias y comunidades— [74]. Con menos datos registrados, también existen testimonios de violencia de carácter sexual ejercida contra menores [75].

La consideración del cuerpo de las mujeres y de los menores como territorio posibilita una reflexión desde una mirada geográfica en relación con las relaciones de poder —simbólicas y materiales— de los sujetos que desempeñan distintos roles y la consecuente construcción de territorialidades.

El modo último de control es el cuerpo, inscrito como territorio con afinidad con el biopoder. En esta nueva territorialidad el poder actúa directamente sobre el cuerpo de sujetos considerados inferiores y objetos de visiones denigratorias tales como cucaracha, gusano, serpiente, etc., que alimentan una imagen deshumanizadora del otro y destruyen simbólicamente su condición humana al considerarlos instrumentos sin poder de decidir que por ese tratamiento infrahumano —devaluación planificada y absoluta [76]— son utilizados para destruir sus comunidades. Sería posible expresar que los cuerpos de estos sujetos y su entorno espacial inmediato constituyen la zona de batalla de poderes confrontados y que dichos cuerpos pasan a constituirse en sí mismos territorio de la propia acción bélica [77].

La violencia sexual contra las víctimas posee una conexión con las relaciones neocoloniales y las violencias de conflictos armados. Las investigaciones sobre trata sexual [78] han evidenciado que los grupos y las organizaciones y redes criminales dedicados a este fenómeno actúan con mecanismos de conquista colonial sobre los menores y las mujeres mediante un proceso de esclavización muy similar a aquellos que históricamente se empleaban en las luchas de conquista de los territorios. Parte de los actos violentos,

72. FERNÁNDEZ RUBIO, 2023, pp. 176 y ss.
73. GONZÁLEZ RODRÍGUEZ, 2023, pp. 4 y ss.
74. ECP, 2010, p. 15.
75. MOREANO/ARANZABAL, 2019, pp. 139 y ss.
76. VENEGAS/REVERTE/VENEGAS, 2019, p. 232.
77. SEGATO, 2014, p. 352.
78. RAYMOND, 2013, pp. 172 y ss.

degradantes y devastadores que sufrían menores y mujeres durante los conflictos armados eran impulsados por el discurso del poder político de la época bélica y buscaban ejercer un control sobre ellos y mantenerles en un estatus de sumisión [79].

En los escenarios de guerras —civiles, internacionales, declaradas o larvadas—, el lenguaje de objetualización de la vida se exterioriza en el significado que se otorga a las mujeres de «cuerpos-cosas» que son propiedad del enemigo, sometidos a formas de servidumbre en un escenario de supervivencia y precariedad [80] y susceptibles de infringirles dolor, sufrimiento, humillación o ser apropiados por medio de la violencia sexual. La mujer simboliza la vida, el sostén y la estabilidad de la familia, la transmisión de valores, la cultura de la comunidad o del pueblo del que forma parte. El sufrimiento continuo y el daño psicológico a largo plazo no afecta únicamente a la sobreviviente inmediata, sino también a su familia directa y/o lejana, amigos, vecinos, otros miembros de la comunidad, etc. [81].

Las exigencias de justicia de las víctimas de trata van más allá del encarcelamiento de los responsables, muchas de ellas exigen la expulsión de los ejércitos de sus comunidades y garantías de no repetición de las violencias sexuales. Un ejemplo sería el acuerdo de paz entre la guerrilla de las FARC-EP y el gobierno colombiano, cuya negociación se inició en 2012 —para poner fin al conflicto armado interno de Colombia comenzado en 1960— y se clausuró en 2016. A pesar de la argumentación con un trabajo jurídico, psicosocial, político, organizativo y empático de las organizaciones defensoras y de las víctimas de violencia sexual plasmado en 21 informes entregados a la Jurisdicción Especial para la Paz, esta negó la apertura de un macro caso nacional de violencia sexual [82], el cual hubiese permitido escuchar a las víctimas de esa clase de violencia y aportar y comprender jurídica y socialmente la violencia sexual como estrategia de guerra en el contexto de los conflictos armados.

Las distintas maneras en las que se concreta la violencia estratégica son: la violencia sexual generalizada como mecanismo para infundir terror contra un grupo en particular —se practica como parte de campañas de «limpieza étnica» [83] y suelen provocar desalojos y desplazamientos forzosos de la

79. FARIA, 2017, pp. 580 y ss.
80. SEGATO, 2016, pp. 17 y ss.
81. NIN, 2021, pp. 80 y ss.
82. ALIANZA CINCO CLAVES, 2021, p. 5.
83. MOVILLO PATEIRO, 2010, pp. 5 y ss.

población [84]—; la tortura sexual contra personas detenidas; y la esclavitud sexual —como se denomina en ocasiones a la trata de seres humanos con fines de explotación sexual—. Las mujeres y los menores se han convertido en objetivos valiosos de agresión simbólica y real en las confrontaciones armadas contemporáneas [85].

La Comisión Europea informó del riesgo que pueden ocasionar las situaciones de crisis humanitaria, pues los grupos y las organizaciones criminales dedicadas a la trata de personas pueden aprovechar estos escenarios para captar como víctimas a las mujeres y los menores que huyen de la guerra en Ucrania [86].

En mayo de 2022, el Consejo de Derechos Humanos de la ONU aprobó, luego de escuchar un informe elaborado por la Alta Comisionada para los Derechos Humanos de las Naciones Unidas (ACNUDH), la iniciación de una investigación sobre las atrocidades y graves violaciones a los derechos humanos denunciados en las regiones de Kiev, Chernigov, Jarkov y Sumy y atribuidos a las tropas rusas que invadieron Ucrania a partir del 24 de febrero de 2022, con el objetivo de que los responsables rindiesen cuentas [87].

La situación presente en Ucrania incluye tanto la acción de las tropas rusas sobre mujeres y niñas ucranianas, como de las organizaciones criminales de trata de seres en los países del Oeste europeo de la trata de seres humanos sobre las refugiadas y menores, cuestión de la que se hizo eco el Fondo de las Naciones Unidas para la Infancia (en inglés United Nations International Children's Emergency Fund —UNICEF—) instando a los gobiernos a mejorar la cooperación e intercambio de información entre las fuerzas del orden estatales y no estatales, las autoridades transfronterizas y los servicios de protección de la infancia; a poner en funcionamiento los procedimientos de búsqueda y reunificación de familias para los menores que no cuentan con el cuidado de sus progenitores; y a establecer controles para detectar posibles riesgos en los albergues, las estaciones de tren y otras ubicaciones por donde transiten o se reúnan los refugiados, esforzándose en mitigar los riesgos a los que se enfrentan los grupos vulnerables [88]. Con los desplazamientos de población ucraniana, de acuerdo con lo manifestado por

84. CONSEJO DE SEGURIDAD, 2018, p. 6. Junto a las incursiones, son escenario con demasiada frecuencia —en zonas afectadas por conflictos— de secuestro con fines de trata de seres humanos.
85. LARIOS MENDOZA, 2021, pp. 45 y ss.
86. EFE, 2022.
87. NACIONES UNIDAS, 2022a.
88. UNICEF, 2022.

la Organización Mundial de la Salud [89], muchas mujeres y menores fueron inmediatamente objeto de captación e intento de secuestro por tratantes transfronterizos. Se detectó la puesta en acción de tratantes bajo el papel de «voluntariados» para el refugio de mujeres y menores desplazados de la guerra —en especial en la frontera polaca— en busca de aprisionar a esas mujeres y menores —estos últimos en ciertos casos llegaban sin resguardo de adultos— [90].

VI. MECANISMOS DE COOPERACIÓN INTERNACIONAL

La prevención de la trata, la protección de las víctimas y el enjuiciamiento de los autores no son posibles si no hay una cooperación eficaz entre las partes interesadas nacionales e internacionales, es preciso el compromiso de todos los agentes implicados en el ámbito de la trata de seres humanos —legisladores, jueces, fiscales, cuerpos y fuerzas de seguridad, Administración Pública y la sociedad en su conjunto, incluyendo a los medios de comunicación—. Los medios de comunicación juegan un rol básico en la construcción de imágenes de lo que acontece, visión que en ocasiones no se podría adquirir por no encontrarse en el lugar de los hechos. Existen distintos estudios que se aproximan a la trata de personas, fundamentalmente con fines de explotación sexual, a través del análisis del discurso y del contenido desde la agenda-setting, mostrando la cobertura del fenómeno en los medios de comunicación [91]. La falta de recursos en ciertos casos de los medios para investigar e informar acerca de la trata de personas se suele traducir en el tratamiento de este fenómeno en secciones de sociedad y sucesos y —como corroboran estudios nacionales [92] e internacionales [93]— en una dependencia de la información de los gabinetes de comunicación de las Fuerzas y Cuerpos de Seguridad del Estado y de los gabinetes de comunicación de las entidades que trabajan en el ámbito de la trata [94] así como de la información de las agencias de noticias.

Las noticias muestran redadas policiales o el desmantelamiento de grupos u organizaciones criminales dedicadas a la trata de seres humanos con fines de explotación sexual, abordándose el acontecimiento puntual [95]

89. NACIONES UNIDAS, 2022b.
90. ACNUR, 2023.
91. Entre otros: KRSMANOVIC, 2020, pp. 868 y ss.
92. SAIZ/FERNÁNDEZ/ALVARADO LÓPEZ, 2021, pp. 160 y ss.
93. GREGORIOU, 2018.
94. FERNÁNDEZ/SIMÓN, 2019, p. 170.
95. SAIZ/FERNÁNDEZ/ALVARADO LÓPEZ, 2021, p. 163.

desligado del contexto y las causas que dan origen al mismo. La trata de personas es un problema de seguridad, de ley y de orden, pero también es un problema de vulneración de derechos humanos [96].

En mi opinión, la trata de personas es un fenómeno que presenta complejidad en su aprehensión, en tanto que más de un delito cabría plantearse hablar de un fenómeno por su naturaleza multifactorial, siendo fundamental ahondar y abrir el foco para abordar el fenómeno desde una dimensión más amplia: política, mostrando las medidas de apoyo a las víctimas y los mecanismos de lucha contra los tratantes; jurídica, respecto a la protección de las víctimas y aplicación de la normativa estatal e internacional; criminológica, por el carácter eminentemente poliédrico de la realidad subyacente del delito, la delincuencia, los delincuentes y las víctimas; perspectiva social, relativa a la denuncia de abusos y vulneraciones de los derechos humanos y también desde la óptica de género [97]; y económica o perspectiva impulsada por el mercado [98], siendo necesario que este negocio al margen de la ley deje de ser una actividad de alta rentabilidad y bajo riesgo, y se transforme en una de escasa rentabilidad y alto riesgo.

Para alcanzar los objetivos fijados en la Convención de las Naciones Unidas contra la Delincuencia Organizada Transnacional —en particular en su artículo 1—, el Protocolo de Palermo —específicamente en el apartado c) de su artículo 2— y en el Convenio de Varsovia —en especial en su artículo 35—, los Estados no únicamente tienen que incorporar el delito de trata de personas a sus respectivas normativas, sino que lo deberán hacer en el sentido fijado por lo previsto en las normas internacionales [99], ya que la fragmentación dificultaría la consecución del objetivo de cooperación internacional a través de la asistencia mutua en los asuntos penales y crearía espacios de impunidad [100]. Un amplio abanico de hechos puede justificar y dar lugar a investigaciones de índole criminal y procesos judiciales desarrollados en varias jurisdicciones [101], de forma que esta cooperación es precisa tanto por parte de los Estados donde se realiza la captación de las víctimas, como por parte de los Estados de tránsito, los Estados de destino, los Estados en los que se explotan a las víctimas, o incluso de los Estados destinatarios de los beneficios económicos derivados de esta práctica delictiva.

96. CABRERA/ANTOLÍNEZ, 2022, pp. 110 y ss.
97. MILITELLO, 2018, p. 87.
98. SHELLEY, 2021, pp. 120 y ss.
99. UNODC, 2020, pp. 15 y ss.
100. MOYA GUILLEM, 2021, pp. 308 y ss.
101. UNODC, 2010, p. 2.

El establecimiento de alianzas entre agentes estatales y no estatales es de prioridad urgente en casos de trata de seres humanos en zonas afectadas por conflictos y la trata de personas desde esos territorios y hacia ellos. Para ello sería conveniente que se involucrasen en la lucha contra la trata todas aquellas personas y grupos que ostenten una representación en las comunidades afectadas por este fenómeno, incluidos los líderes, el mundo académico, las organizaciones de la sociedad civil, las organizaciones no gubernamentales y los propios miembros de la sociedad.

Las Naciones Unidas, los Estados y otros agentes deberían emplear las plataformas de coordinación de modo que se refuercen mutuamente favoreciendo y no obstaculizando una cooperación eficaz y eficiente para hacer frente a la trata de personas en las zonas afectadas por conflictos armados.

El Grupo Interinstitucional de Coordinación contra la Trata de Personas (ICAT) es un foro sobre políticas que engloba todo el sistema de las Naciones Unidas y actúa como mecanismo de coordinación entre organizaciones internacionales, coordinado por la UNODC [102].

En 2010, la Asamblea General aprobó el Plan de Acción Mundial de las Naciones Unidas para Combatir la Trata de Personas, en el que exhortó a reforzar el Grupo Interinstitucional para aumentar la cooperación y coordinación entre los órganos competentes de la ONU.

El Equipo de Tareas sobre la Lucha contra la Trata de Personas en la Acción Humanitaria, creado en 2017 [103], se encarga de impartir orientación y formular recomendaciones acerca de cómo integrar sistemáticamente las intervenciones de lucha contra la trata en los mecanismos de grupos temáticos.

La cooperación transnacional se puede perseguir por medio de agencias de la Unión Europea (UE) encargadas de vigilar que la normativa de la UE se cumpla adecuadamente.

Eurojust se configuró como el primer organismo con personalidad jurídica propia cuyo fin primero es incrementar la cooperación judicial y

102. Establecido conforme a la Resolución 2006/27 del Consejo Económico y Social, de 27 de julio de 2006, sobre el fortalecimiento de la cooperación internacional para prevenir y combatir la trata de personas y proteger a las víctimas; y reforzado por la Resolución 61/180 de la Asamblea General de las Naciones Unidas, de 8 de marzo de 2007, sobre medidas para mejorar la coordinación de la lucha contra la trata de personas.
103. OIM, 2018, pp. 3 y ss.

coordinación entre los Estados para una lucha con mayor eficacia e investigaciones más efectivas contra los hechos delictivos enmarcados dentro de la criminalidad organizada transnacional. Si tras poner en marcha investigaciones policiales de unos hechos se descubre que pueden tener implicaciones transnacionales, el asunto se tiene que poner en conocimiento de la Fiscalía; esta, si lo considera conveniente, lo pondrá en conocimiento de la Agencia de la Unión Europea para la Cooperación Policial (Europol) [104], y Europol [105], si lo contempla necesario, procederá a abrir un fichero de análisis. Al mismo tiempo que tiene lugar esta comunicación del asunto a Fiscalía y, con posterioridad a Europol —si tuviéramos que nombrar su función principal en la prevención y lucha contra la trata de personas, esta sería la recogida, tratamiento y almacenamiento de datos de personas sospechosas—, es preciso trasladar el asunto a Eurojust, donde se identificarán cuáles son las autoridades del Estado con competencia que se hayan visto involucradas en los hechos concretos; una vez identificadas, se las convocará para desarrollar una serie de reuniones operativas con la finalidad de poner en común las investigaciones realizadas e información obtenida y de acordar las medidas o acciones a seguir. A petición de un Estado miembro, Eurojust —que dispone de una red de puntos de contacto en todo el mundo— puede concertar —por conducto del Consejo— acuerdos de cooperación con organismos u organizaciones internacionales y terceros Estados [106].

Con los Equipos Conjuntos de Investigación (ECI) se pretende establecer un espacio cuyo objetivo sea favorecer la recogida de indicios y evidencias y facilitar la creación de un foro de trabajo común dirigido a investigadores, fiscales y jueces.

Aunque Eurojust despliega sus instrumentos y acciones en el marco de la UE, en el artículo 26 bis de la «Decisión 2009/426/JAI del Consejo de 16 de diciembre de 2008 por la que se refuerza Eurojust y se modifica la Decisión 2002/187/JAI por la que se crea Eurojust para reforzar la lucha contra las formas graves de delincuencia» se establece la manera en la que se

104. DE LOS MOZOS SALMÓN, 2021, p. 104. El objetivo de Europol es mejorar la cooperación y eficacia de las autoridades de los Estados miembros con competencias en la prevención y lucha contra los actos graves de criminalidad organizada transnacional.
105. En la prevención y lucha contra la trata de seres humanos, la cooperación de Europol se puede dividir en tres categorías, según los actores con los que colabora: 1) con los Estados miembros mediante el intercambio de inteligencia y la participación en los equipos conjuntos de investigación, 2) con otras agencias europeas, y 3) con algunas instituciones europeas.
106. BLASI CASAGRAN, 2018, pp. 335 y ss.

ha de actuar en lo relativo a sus relaciones con organizaciones [107] y terceros Estados, a lo que hay que añadir el artículo 27.1 de la Decisión 2009/426/JAI, el cual prevé cómo se debe realizar el intercambio de información con dichas entidades, siempre con el consentimiento de quien hubiese facilitado la información.

El Plan de Acción de la OSCE contra la Trata de Personas [108] contiene un conjunto de recomendaciones con el objetivo de incorporar maneras y prácticas idóneas para cumplir con la política contra la trata y las «3P» y facilitar la cooperación entre instituciones públicas, organizaciones internacionales y sector privado.

El Consejo Ministerial de la OSCE es una institución dedicada a investigar el fenómeno de la trata de seres humanos; apoyar a organizaciones de la sociedad civil —tercer sector— para que ayuden en su territorio a las víctimas; instar la formación de redes de cooperación con autoridades judiciales; y formar a actores clave en la prevención y lucha como Fuerzas y Cuerpos de Seguridad, líderes, jueces, fiscales, trabajadores sociales, etc.

Los planes de acción de la OSCE en forma de decisiones tienen como finalidad nuclear la lucha contra la trata de seres humanos, a modo de ejemplo se recomienda la consulta de la Decisión N.° 557 del Plan de Acción de la OSCE contra la trata de personas y de la Decisión N.° 1107 del Consejo Permanente Adición al Plan de Acción de la OSCE contra la trata de personas: Un decenio después.

La Oficina del Representante Especial de la OSCE es la encargada de ayudar a los Estados participantes en la elaboración y aplicación de políticas efectivas para combatir la trata impulsando un enfoque centrado en las víctimas y los derechos humanos. La tarea primordial de la Oficina del Representante Especial de la OSCE es controlar que los Estados Parte cumplen el Plan de Acción, para lo cual organiza visitas a dichos Estados con la finalidad de evaluar las medidas aplicadas y fomentar la voluntad política en esos territorios [109].

107. Entre ellas, organizaciones internacionales y organismos de Derecho público que tengan su base en un acuerdo entre dos o más Estados e Interpol. La Organización Internacional de Policía Criminal, creada en Viena en 1923, cuenta con 18 bases de datos policiales con información tanto de delitos como de delincuentes, así como una serie de servicios que consisten en ofrecer apoyo en materia de investigación analítica, forense o de ayuda para la localización de fugitivos a escala mundial.

108. OSCE, 2003, pp. 3 y ss.

109. OSCE, 2008, pp. 2 y 3.

En 2013, la OSCE aprobó el Anexo a su Plan de Acción para combatir la trata de seres humanos, con igual estructura en la exposición de las «3P» en secciones separadas, con la diferencia de que en el Anexo se incorpora un apartado dedicado a los regímenes de asociación.

Existen diversas formas de cooperación que se pueden emplear de modo independiente o combinándolas entre sí, algunas son la extradición, la asistencia judicial recíproca y la cooperación internacional en el decomiso.

1. EXTRADICIÓN

Los autores de delitos transnacionales buscados para ser enjuiciados o aquellos que ya han sido condenados pero buscados para que se pueda ejecutar su sentencia pueden encontrarse localizados en un Estado extranjero; por medio del proceso formal que consiste en la extradición y partiendo de la definición de extradición de la UNODC, un Estado puede solicitar el regreso forzoso de la persona acusada de un delito o ya condenada por uno para así poder enjuiciarla o asegurar el cumplimiento de su condena en el Estado requirente [110].

Instrumentos como convenios y tratados deben incorporarse —tras la firma y ratificación— a la normativa interna de los Estados y aplicarse como normas propias del ordenamiento jurídico nacional para concentrar los esfuerzos y cooperar en la lucha contra delitos desarrollados entre Estados, sin olvidar ni los intereses a nivel regional ni los ordenamientos de una determinada zona geográfica. Son los tratados o las normas internas de los Estados los que normalmente configuran el procedimiento y la prueba, en definitiva, el modo en que se rige la extradición, el cual puede ser tan diverso como lo son los Estados que se verían implicados en el desarrollo de la misma. Los Estados decidirán si aceptan o no la concesión del delincuente solicitada valorando factores previstos en su normativa nacional, decisión que en algunas jurisdicciones puede someterse a apelación o revisión; aunque la creciente normativa relativa a la extradición ha reducido los márgenes de discrecionalidad que poseían los Estados con anterioridad. En algunas ocasiones se ofrece al Estado requerido la alternativa de entregar o juzgar al afectado por el proceso de extradición [111]. No obstante, no siempre es posible conceder la extradición.

110. UNODC, 2012, p. 19.
111. UNODC, 2012, p. 42.

Para que este mecanismo se pueda poner en práctica es preciso el cumplimiento de una serie de condiciones previas: el delito sobre el que se solicita la extradición tiene que encontrarse regulado como tal en la legislación de los Estados requirente y requerido [112] —requisito de la doble incriminación [113] para establecer una cooperación trasnacional en materia de asistencia legal, extradición y jurisdicción internacional—, teniendo presente que el delito de trata de personas se encuentra establecido en los Protocolos de la Convención contra la Delincuencia Organizada de Naciones Unidas [114] y además los Estados tendrán que cumplir otra serie de requisitos como estándares probatorios, entre otros.

Los tratados bilaterales aportan seguridad en las expectativas de los Estados participantes y obligaciones en el proceso de extradición [115], mientras que los tratados regionales se caracterizan por lo general por una mayor simplicidad pues las partes suelen compartir deseos e inquietudes geográficas semejantes [116]. Los acuerdos multilaterales y plurilaterales constituyen instrumentos para enfrentar un concreto tipo o grupo de conductas delictivas [117].

En la línea de promoción de la cooperación, la Convención de las Naciones Unidas contra la Delincuencia Organizada Transnacional —en el párrafo 3° de su artículo 16— establece que los delitos a los que se aplica dicho artículo están incluidos entre aquellos que dan lugar a la extradición en cualquier tratado en esta materia vigente entre los Estados Parte [118].

De este modo y siguiendo lo estipulado en el párrafo 4° de dicho artículo 16, podrá emplearse la Convención como vehículo para otorgar la extradición cuando un Estado pueda necesitar la existencia de un tratado que la conceda y no disponga de tal instrumento en su ordenamiento jurídico [119].

Para favorecer el éxito de los procesos de extradición, se han elaborado redes con mecanismos comunes en esta materia, entre ellas, la denominada «Red del Commonwealth de contactos personales» con el objetivo de facilitar la cooperación penal internacional entre los Estados que integran la

112. UNODC, 2012, p. 46.
113. UNODC, 2007, p. 48.
114. Artículo 1, párrafo 3, del Protocolo de las Naciones Unidas para Prevenir, Reprimir y Sancionar la Trata de Personas, Especialmente Mujeres y Niños (Protocolo de Palermo).
115. UNODC, 2012, pp. 46-65.
116. UNODC, 2012, p. 20.
117. UNODC, 2012, p. 21.
118. Artículo 16 de la Convención de las Naciones Unidas contra la Delincuencia Organizada.
119. Naciones Unidas, 2012, pp. 21-22.

Mancomunidad de Naciones (en inglés Commonwealth of Nations) con una persona de contacto, como mínimo, en cada jurisdicción del Commonwealth [120]; la «Red Judicial Europea» se presenta como una unidad aparte de Eurojust —aunque su Secretaría forma parte de esta agencia— para favorecer esa cooperación judicial penal, pero entre los Estados miembros de la UE; la «Red Hemisférica de Intercambio de Información para la Asistencia Mutua en Materia Penal y Extradición de la Organización de los Estados Americanos» dispone de un sitio web público, otro privado y un sistema de comunicaciones electrónicas por medio de los cuales ofrece información de distinta clase a los miembros de la Organización de los Estados Americanos [121]; o la «Red Iberoamericana de Cooperación Jurídica Internacional» o «IberRed», conformada por puntos de contacto y enlaces de las autoridades centrales, ministerios públicos, ministerios de justicia y poderes judiciales de los Estados que forman la Comunidad Iberoamericana de Naciones (CIN) con el fin de optimizar la cooperación entre las autoridades y los ministerios y poderes de dichos Estados [122].

2. LA ORDEN EUROPEA DE DETENCIÓN Y ENTREGA [123]

La Decisión Marco del Consejo, de 13 de junio de 2002, relativa a la orden de detención europea y a los procedimientos de entrega entre Estados miembros (2002/584/JAI), implicó un nuevo modo de entender las relaciones de cooperación penal entre los Estados miembros de la Unión Europea al crear un novedoso procedimiento para incrementar la eficacia de la lucha contra la delincuencia, en especial la criminalidad organizada transnacional, por medio de una optimización de la entrega de sujetos procesales desvinculada de la discreción política presente, hasta el momento, en ciertos procedimientos de extradición.

El término «Euroorden» se expresa con dos significaciones: (1) la resolución adoptada por la autoridad judicial de un Estado por la que solicita la entrega de la persona sospechosa o condenada por un delito a otro Estado o (2) el procedimiento de ejecución a realizar para que esa solicitud tenga efectividad.

120. Naciones Unidas, 2012, p. 44.
121. Naciones Unidas, 2012, p. 45.
122. Naciones Unidas, 2012, *op. cit.*, p. 45.
123. Decisión Marco del Consejo, de 13 de junio de 2002, relativa a la orden de detención europea y a los procedimientos de entrega entre Estados miembros (2002/584/JAI).

En la Orden de Entrega y Detención Europea se han conseguido superar una serie de obstáculos del proceso de extradición, entre los que se encontraban el elemento político, la homogeneización de la normativa y el principio de doble incriminación. En la Orden de Entrega y Detención Europea está suprimida para un listado de conductas penalizadas la exigencia de la doble incriminación —derivada del principio de legalidad penal—, mientras que la Decisión Marco del Consejo, de 13 de junio de 2002, otorga libertad a los Estados para que decidan respecto a los delitos no contemplados en la lista. Un sector de la doctrina considera que la supresión del control de la doble incriminación plantea problemas de compatibilidad serios con los principios de legalidad extradicional y/o penal [124]; frente a otro, que entiende que la mayoría de los delitos contenidos en la lista, configurada en el artículo 2.2 de la Decisión Marco del Consejo, de 13 de junio de 2002, son considerados como tal en todos los Estados de la UE y en esa consideración exigir la doble incriminación se consideraría una cuestión superflua [125].

Siguiendo con el análisis de las diferencias entre la extradición y la Orden de Entrega y Detención Europea, los Estados miembros ya no pueden negarse a la extradición de sus nacionales —si bien es cierto que cuentan con una disposición facultativa que condiciona la ejecución a la garantía de que, una vez la persona sea condenada, será devuelta al Estado de su nacionalidad para allí cumplir su condena—, se ha simplificado la documentación —únicamente es precisa una solicitud de entrega— y se ha agilizado el procedimiento —las vías de transmisión se han flexibilizado y los plazos son más breves— respecto a la dificultad de los trámites y la dilación existente en ciertos casos de extradición.

En mi opinión, la orden europea supone un avance en el reconocimiento mutuo de las decisiones judiciales de Estados miembros de la UE, lo cual se manifiesta en la potenciación del principio de confianza mutua entre los territorios velando por la paz social de unos y otros.

124. Entre otros: DE HOYOS SANCHO, 2005a, pp. 286-287; DE HOYOS SANCHO, 2005b, pp. 815-820; LÓPEZ ORTEGA, 2003, pp. 327 y 332; DEL TUFO, 2005, p. 114.

125. Frente a la anterior posición, entre otros: FLORE, 2002, p. 276; KUHN, 2007, pp. 15 y 16; Conclusión n. 93 y Conclusión n. 94 del Abogado General de TJCE, Sr. Dámaso Ruiz-Jarabo Colomer, en el Procedimiento de Petición de Decisión Prejudicial planteada por el Tribunal de Arbitraje de Bélgica sobre la validez de la Orden de Detención Europea y los Procedimientos de Entrega entre los Estados miembros en el Asunto C-303/05 (ECLI:EU:C:2006:552).

3. ASISTENCIA JUDICIAL RECÍPROCA

Las autoridades nacionales necesitan contar con la asistencia de otros Estados para la eficacia en la investigación, el enjuiciamiento y la exigencia de responsabilidad por sus conductas —entre ellas, las que se integren en el fenómeno de trata de seres humanos— a los delincuentes; entendiendo por asistencia judicial recíproca en cuestiones penales el proceso por el cual los Estados procuran y prestan asistencia en la reunión de pruebas en lo relativo a una causa penal [126], pudiendo alcanzar esta asistencia mediante mecanismos o redes de cooperación.

Para lograr que la solicitud de asistencia judicial recíproca tenga éxito es necesario comprender cuáles son las necesidades de los Estados requirente y requerido [127] y cumplir requisitos como que se dé la doble incriminación, que exista suficiencia de pruebas y que los límites configurados relativos a la transmisión y uso de la información obtenida por el conducto de la asistencia sean respetados [128].

El artículo 10 del Protocolo de Palermo establece la obligación general de los Estados Parte de cooperar requiriendo que se produzca el intercambio de información [129] sobre cuestiones como la identificación de posibles víctimas y/o tratantes así como sobre diversas formas utilizadas por los tratantes entre las que se incluye el uso ilícito de documentos de identidad o de viaje. El emprendimiento de proyectos analíticos conjuntos sobre grupos delictivos involucrados en trata de seres humanos [130] es un modo eficaz de contribuir al desmantelamiento de redes delictivas y grupos u organizaciones criminales al tiempo que se crean contactos y se fomenta e incrementa la confianza mutua entre organismos, de manera que todos los Estados adopten medidas que permitan a sus funcionarios y organismos encargados de hacer cumplir la ley entablar comunicaciones y reunirse con representantes de otros Estados.

La Convención de Palermo, en su artículo 18, parte de iniciativas mundiales y regionales para invitar a los Estados a conceder la máxima asistencia posible en esta materia y, en concreto, en el párrafo 3º de este artículo prevé la

126. UNODC, 2012, p. 19.
127. UNODC, 2012, p. 67.
128. UNODC, 2012, pp. 71-72; artículo 18 de la Convención de Naciones Unidas contra la Delincuencia Organizada.
129. Limitado a lo dispuesto en el Derecho interno de cada Estado, estando obligados los Estados receptores de la información a respetar toda restricción impuesta por el Estado emisor de esa información.
130. UNODC, 2007, p. 60.

posibilidad de solicitar este instrumento de cooperación en momentos como la toma de declaraciones o recepción de testimonios, la facilitación de información o de la comparecencia de testigos, la presentación de documentos de naturaleza judicial, la realización de ejecuciones y embargos preventivos, el examen de lugares y objetos, así como cualquier otra clase de asistencia no prohibida por el Derecho interno del Estado en cuestión.

Sin embargo, la Convención de las Naciones Unidas contra la Delincuencia Organizada Transnacional permite a los Estados denegar la analizada asistencia judicial recíproca en ciertas condiciones [131], denegación que tendrá que ser debidamente justificada; teniendo en cuenta que no podrá denegarse la asistencia judicial recíproca cuando se invoque el secreto bancario ni por considerar que la *conducta delictiva* entraña también asuntos en materia fiscal.

Los instrumentos —entre los que se incluyen los tratados y convenios— pueden fomentar y facilitar esta cooperación en asuntos penales de maneras diferentes: (i) permitiendo a las autoridades del Estado requirente obtener pruebas en el Estado requerido (ii) coordinando cómo proceder respecto a las relaciones entre los cuerpos de policía, al intercambio de información y a la asistencia judicial y las comisiones rogatorias [132] o (iii) resolviendo las complicaciones que pudiesen surgir entre Estados con distintas tradiciones jurídicas.

Las solicitudes de asistencia jurídica recíproca pueden ser canalizadas mediante el sistema de comunicaciones de la Organización Internacional de Policía Criminal o Policía Internacional (INTERPOL) [133] y se pueden practicar de tres maneras distintas: (i) por vía diplomática —si no existen acuerdos entre los Estados— (ii) por canales configurados y establecidos en acuerdos de carácter bilateral o (iii) por canales configurados y establecidos en convenciones o acuerdos multilaterales.

131. El artículo 18.21 de la Convención de las Naciones Unidas contra la Delincuencia Organizada Transnacional fija las causas por las que la asistencia podrá ser denegada.
132. Estas comisiones rogatorias son solicitudes de auxilio judicial a autoridades extranjeras con competencia en la materia con el fin de obtención de pruebas o información de otro Estado.
133. El trabajo coordinado entre los Cuerpos de Seguridad de los distintos Estados permitirá que se rescaten más víctimas y se detengan más tratantes. Resulta fundamental para la lucha contra la trata externa de seres humanos porque las medidas que se tomen para detener a estos grupos organizados no serán eficientes si no hay comunicación y actuación coordinadas entre los organismos de los Estados implicados.

4. DECOMISO

En lo relativo a la identificación, localización e incautación para fines de decomiso [134] del producto, los bienes u otros instrumentos del delito es preciso establecer mecanismos de cooperación internacional que permitan a los Estados aplicar órdenes de embargo preventivo y de decomiso de esos instrumentos del delito trasladados u ocultados en jurisdicciones extranjeras para recuperarlos eficazmente y prever el modo más apropiado de emplear el producto y los bienes decomisados [135].

El artículo 12 de la Convención de las Naciones Unidas contra la Delincuencia Organizada trata de armonizar la normativa de los Estados sobre aspectos del decomiso [136]. Los expertos en recuperación de activos —tanto de los Estados requeridos como de los requirentes— deberían coordinar lo dispuesto por cada autoridad central con competencias en la materia mediante consultas [137]. Cabe destacar la Comunicación de la Comisión al Parlamento Europeo y al Consejo de 20 de noviembre de 2008 titulada «Productos de la delincuencia organizada. Garantizar que "el delito no resulte provechoso"».

La sensación de «rentabilidad» de la comisión del delito podría subsistir a pesar de la penalización de la trata de personas y de los delitos conexos a la misma dado el afán altamente lucrativo que mueve a los grupos y organizaciones de criminalidad organizada, puesto que aunque se detengan y condenen a sus miembros, algunos de ellos podrían conseguir disfrutar de las ganancias ilegales obtenidas para su uso personal o para seguir manteniendo los medios e instrumentos empleados en la comisión de los delitos. Para disuadir a los grupos y organizaciones de delincuencia organizada es preciso que los Estados dispongan de medidas que impidan a los miembros de esos grupos y organizaciones sacar provecho de sus conductas, pero esos métodos varían de unos ordenamientos jurídicos a otros: unos defienden un sistema basado en los bienes —incautar los bienes productos del delito—, otros uno basado en valores —determinando el valor del producto y de los instrumentos del delito, y realizando el decomiso de un valor equivalente— y otros realizan una combinación de ambos [138].

---

134. El decomiso se define en el artículo 2 g) de la Convención contra la Delincuencia Organizada Transnacional.
135. UNODC, 2013, p. 21.
136. Artículo 12 de la Convención de las Naciones Unidas contra la Delincuencia Organizada Transnacional.
137. UNODC, 2013, p. 22.
138. UNODC, 2013, pp. 27 y ss.

En ciertas ocasiones, son las medidas de decomiso aquellas que posibilitan que se identifiquen a los responsables de los grupos y organizaciones delictivas [139], siendo preciso promover la cooperación a efectos del decomiso de una manera más proactiva. En el ámbito europeo —tanto del Consejo de Europa como de la Unión Europea— se ha regulado el decomiso como una herramienta primordial en la lucha de fenómenos delictivos como la trata de seres humanos; además, se han tomado iniciativas en relación al decomiso en diferentes foros internacionales como el Banco Mundial y el G8 [140], siendo la ONU la organización a nivel global donde más se ha abordado esta cuestión.

VII. CONSIDERACIONES FINALES

Ha habido avances en materia de políticas públicas de visibilización y derechos de las víctimas de la violencia sexual durante conflictos armados e incluso en etapas de posconflicto o posguerra; no obstante, la trata sexual se sigue desarrollando en diferentes territorios, entre ellos, en aquellos con escenarios bélicos que continúan provocando desplazamientos forzados de la población y daños tanto físicos como psicológicos de difícil reparación.

Aunque cualquier persona podría ser víctima de trata, la realidad conocida parece demostrar que muchas de ellas son personas en situaciones de vulnerabilidad incluso antes de ser captadas, que ya se encontraban en climas de inseguridad y violencia por diversos motivos; entre ellos la violencia sexual, la cual se puede producir en el contexto de la trata de seres humanos o dar lugar a trata con fines de explotación sexual, utilizarse como estrategia y táctica de guerra o de terrorismo e incluso con ciertos requisitos y existiendo una serie de características podría constituir un crimen de guerra o de lesa humanidad.

En las confrontaciones actuales con actores armados los cuerpos femeninos y de niños y niñas son utilizados como «lienzos» donde dejar un mensaje y objetivos de adoctrinamiento, disciplina, control y dominación. Esa crueldad se inscribe en esos cuerpos con la intención de infringir dolor, sufrimiento y daño y conlleva un conjunto de consecuencias como la exclusión de grupos de civiles especialmente vulnerables de sus tierras, su humillación, la ruptura de la trama social y el desarraigo.

139. UNODC, 2013, pp. 13 y 14.
140. UNODC, 2013, p. 41.

Si bien en el pasado las batallas contra los delitos se concentraban en el ámbito nacional, dado los fenómenos de globalización y desarrollo de las tecnologías en la actualidad resulta esencial que la normativa internacional adopte un papel protagonista, pues la adopción de una respuesta eficaz y cohesionada contra la trata de seres humanos se alcanzará con la cooperación y colaboración entre los agentes especializados en la materia y la sociedad civil en general.

Luchar contra la tolerancia de la explotación de seres humanos tanto en contextos de paz como en situaciones de conflictos armados y garantizar la correspondiente restauración a las víctimas y sobrevivientes debería ser una cuestión central dentro de los retos y desafíos de la comunidad y el Derecho Internacional.

«Todos somos deudores ante esas mujeres y sus familias; debemos apropiarnos de su combate; también los Estados que deben cesar de acoger a los dirigentes que han tolerado o, peor, que han utilizado la violencia sexual para acceder al poder. Los Estados deben cesar de recibirlos con una alfombra roja y deben, más bien, trazar una línea roja contra la utilización de la violación como arma de guerra»

Denis Mukwege[141]

VIII. BIBLIOGRAFÍA

ACNUR (2023), *El desplazamiento forzado continúa creciendo por la escalada de conflictos*, Comunicado de prensa. https://www.acnur.org/es-es/noticias/comunicados-de-prensa/acnur-el-desplazamiento-forzado-continua-creciendo-por-la-escalada

ALIANZA CINCO CLAVES (2019), Conexidad entre la violencia sexual y el conflicto armado: Un llamado al no retroceso en la jurisdicción especial para la paz.

ALIANZA CINCO CLAVES (2021), Un Caso Nacional de Violencia Sexual, Violencia Reproductiva y otros crímenes motivados en la sexualidad de la víctima. Una medida necesaria y urgente, Bogotá, pp. 1-48. https://www.sismamujer.org/wp-content/uploads/2021/09/Caso-Nacional-2.pdf

ÁLVAREZ, Y. (2016), *Esclavas del Daesh*. https://www.rtve.es/television/20160429/esclavas-deldaesh/1346882.shtml

141. Médico ginecólogo y activista congoleño.

AMAYA PORRAS, A. (2018), «Nobeles de paz: que la violencia sexual no se use más como arma de guerra», *France 24*. https://www.france24.com/es/20181210-mukwege-murad-recibieron-nobel-paz

BLASI CASAGRAN, C. (2018), «El papel de Europol en la lucha contra el tráfico de migrantes y la trata de seres humanos», *Revista de Derecho Comunitario Europeo*, n. 59, pp. 333-357. https://doi.org/10.18042/cepc/rdce.59.09

CABRERA RODRÍGUEZ, E. C.; ANTOLÍNEZ MERCHÁN, P. (2022), «Derechos humanos invisibilizados: La trata de seres humanos en los medios de comunicación en España», *Comunicar: Revista Científica de Comunicación y Educación*, vol. 30, n. 73, pp. 107-118. https://doi.org/10.3916/C73-2022-09

CARBALLO DE LA RIVA, M. (2021), Explotación, esclavitud y trata de seres humanos. Historia, debates y limitaciones jurídicas, Valencia.

CARDOSO ONOFRE DE ALENCAR, E. (2011), «La violencia sexual contra las mujeres en los conflictos armados: Un análisis de la jurisprudencia de los tribunales *ad hoc* para la ex-Yugoslavia y Ruanda», *InDret Revista para el Análisis del Derecho*, n. 4, pp. 1-29. https://www.raco.cat/index.php/InDret/article/view/247788/331747

CASTILLO ÁLVAREZ, E. (2023), «Esclavitud y trata de seres humanos. Un recorrido por el derecho internacional y comparado», *Diálogos Jurídicos*, vol. 8, pp. 1-16. https://doi.org/10.17811/dj.8.2023.169-184

CONSEJO DE SEGURIDAD (2018), *Informe del Secretario General sobre la Violencia relacionada con los Conflictos*, S/2018/250, pp. 1-40. https://www.refworld.org.es/pdfid/5ad4da0c4.pdf

DE HOYOS SANCHO, M. (2005a), «Euro-orden y causas de denegación de la entrega», *Cooperación judicial penal en la Unión Europea: La orden europea de detención y entrega, Lex* Nova, pp. 207-312.

DE HOYOS SANCHO, M. (2005b), «El principio de reconocimiento mutuo de resoluciones penales en la Unión Europea: ¿asimilación automática o corresponsabilidad?», *Revista de Derecho Comunitario Europeo*, vol. 9, n. 22, pp. 807-842.

DE LA MATA BARRANCO, N. J. (2021), «Trata de personas y favorecimiento de la inmigración ilegal, dos conductas de muy distinto desvalor», *Revista Electrónica de Ciencia Penal y Criminología*, n. 23-08, pp. 1-41. http://criminet.ugr.es/recpc/23/recpc23-08.pdf

DE LOS MOZOS SALMÓN, R. (2021), «Consideraciones acerca de la trata de seres humanos desde la perspectiva internacional y de la Unión Europea», *Cuadernos Cantabria Europa*, n. 20, pp. 81-108. https://dialnet.unirioja.es/servlet/articulo?codigo=8281955

DEL TUFO, M. (2005), «La dopia punibilità», en Pansini G.; Scalfati A. (coords.): *Il Mandato d´arresto europeo*, Nápoles, pp. 121 y ss.

ECP (2010), «La violencia sexual como arma de guerra», Quaderns de Construcció de Pau, n. 15, pp. 1-17. https://escolapau.uab.cat/img/qcp/violencia_sexual_guerra.pdf

EFE (2022), *La UE alerta del peligro de que los niños refugiados ucranianos caigan en manos de mafias*, El Mundo. https://www.elmundo.es/internacional/2022/03/10/6229d830fdddff01bf8b459b.html

FARIA, C. (2017), «Towards a countertopography of intimate war: contouring violence and resistance in a South Sudanese diaspora», *Gender, Place & Culture*, vol. 24, n. 4, pp. 575-593. https://doi.org/10.1080/0966369X.2017.1314941

FERNÁNDEZ ROMERO, D.; SIMÓN CARRASCO, P. (2019), «La información sobre prostitución y trata como escenario de disputa: Percepciones de las estrategias de enunciación desde los actores implicados», *Revista Mediterránea de Comunicación*, vol. 10, n. 1, pp. 161-172. https://doi.org/10.14198/MEDCOM2019.10.1.10

FERNÁNDEZ RUBIO, M. (2023), «La instrumentalización de la memoria: tensiones entre Japón y Corea del Sur en relación a las esclavas sexuales del ejército japonés, 1945-2022», *Asiadémica: revista universitaria de estudios sobre Asia Oriental*, vol. 1, n. 18, pp. 173-191. https://www.raco.cat/index.php/asiademica/article/view/415517

FLORE, D. (2002), «Le mandat d´arrêt européen: première mise en oeuvre d´un nouveau paradigma de la Justice pénale européenne», *Journal des Tribunaux*, pp. 273-281. https://hdl.handle.net/2268/79812

GONZÁLEZ RODRÍGUEZ, M. L. (2023), «El cuerpo de la mujer como trofeo nacional en Cracking India de Bapsi Sidhwa: historias de vergüenza y culpa», *Philologica canariensia*, vol. 29, pp. 175-191. https://doi.org/10.20420/Phil.Can.2023.595

GONZÁLEZ TASCÓN, M.M. (2020), «A propósito de la trata de seres humanos: Análisis de la modalidad básica del delito de trata de seres humanos», *Revista Aranzadi de Derecho y Proceso Penal*, n. 59.

GREGORIOU, C. (2018), «Representations of Transnational Human Trafficking: Present-day News Media, True Crime, and Fiction», *CrimRxiv*. https://doi.org/10.21428/cb6ab371.1257cd4a

KRSMANOVIC, E. (2020), «Mediated representation of human trafficking: Issues, context, and consequence», en Winterdyk; Jones (eds.): *The Palgrave International Handbook of Human Trafficking*, Londres, pp. 865-880. https://doi.org/10.1007/978-3-319-63058-8_101

KUHN, W. M. (2007), «Problemas jurídicos de la Decisión Marco relativa a la orden de detención europea y a los procedimientos de entrega entre los Estados miembros de la Unión Europea», *Revista General de Derecho Europeo*, n. 12.

LARIOS MENDOZA, L. (2021), «En primera persona. La intervención desde las políticas públicas para la atención psicológica de las mujeres víctimas en Aguachica (Colombia)», en Varela Conesa (coord.): *Desamarradas. Geografías de mujeres en movimiento*, Luján, pp. 43-77. https://reddidacticageografia.files.wordpress.com/2021/03/2021_espacialidades_6_varela.pdf

LÓPEZ ORTEGA, J. J. (2003), «El futuro de la extradición en Europa (Una reflexión desde los principios del Derecho europeo de extradición)», en Cezón González (coord.): *Derecho extranacional*, Madrid, pp. 322 y 333.

MILITELLO (2018), «La tratta di esseri humani: la Politica Criminale multilivello e la problematica distinzione con il traffico di migranti», en *Rivista italiana di Diritto e Procedure Penale*, n. 1, pp. 86-108.

MOREANO VENEGAS, M.; ARRAZOLA ARANZABAL, I. (2019), «Devenir feminista: relatos del contra-mapeo de violencias feminicidas», en Bayón Jiménez; Torres (coords.): *Geografía Crítica para detener el despojo de los territorios*, Ecuador, pp. 139-151.

MOVILLO PATEIRO, L. (2010), «Tratamiento Jurı⍰dico-Internacional del Uso de la Violación como Arma de Guerra: avances y retos», *Trabajos y Ensayos*, n. 11, pp. 1-18.

MOYA GUILLEM, C. (2021), «Tendencias político-criminales frente a la trata de personas y sus consecuencias típicas», *Boletín mexicano de derecho comparado*, vol. 54, n. 160, pp. 305-335. https://doi.org/10.22201/iij.24484873e.2021.160.15977

NACIONES UNIDAS (2000), *Elementos de los Crímenes*, PCNICC/2000/1/Add.2, pp. 1-50. https://daccess-ods.un.org/tmp/7380001.54495239.html

NACIONES UNIDAS (2022a), *Una investigación de la ONU concluye que se han cometido crímenes de guerra en Ucrania*, Noticias ONU. https://news.un.org/es/story/2022/09/1515171

NACIONES UNIDAS (2022b), *El Consejo de Seguridad escucha el relato de los horrores de la guerra de Rusia en Ucrania*, Noticias ONU. https://news.un.org/es/story/2022/04/1506712

NIN, M. C. (2021), «Geografías de las violencias extremas desde la perspectiva de género y derechos humanos», en Varela Conesa (coord.): *Desamarradas. Geografías de mujeres en movimiento*, Luján, pp. 77-119. https://reddidacticageografia.files.wordpress.com/2021/03/2021_espacialidades_6_varela.pdf

OFICINA del Alto Comisionado de las Naciones Unidas para los Derechos Humanos (2014), *Los derechos humanos y la trata de persona*, Nueva York y Ginebra, Folleto informativo n. 36, pp. 1-82. https://www.ohchr.org/sites/default/files/Documents/Publications/FS36_sp.pdf

OIM (2018), «Fortalecimiento de la respuesta mundial para combatir la trata de personas», *22ª reunión del Comité Permanente de Programas y Finanzas*, pp. 1-7. https://www.iom.int/sites/g/files/tmzbdl486/files/2019-01/S-22-7%20-%20Fortalecimiento%20de%20la%20respuesta%20mundial%20para%20combatir%20la%20trata%20de%20personas-ES.pdf

OMARES CINTA, E. (2020), «La prostitución, rehén permanente del discurso de la trata de persona», *Revista del Laboratorio Iberoamericano para el Estudio Socio histórico de las Sexualidades*, n. 4. https://doi.org/10.46661/relies.5109

ONU (2014), Protocolo Internacional de Documentación e Investigación de la Violencia Sexual en situaciones de conflicto armado. Estándares básicos de mejores prácticas para la documentación de la violencia sexual como crimen en el derecho internacional, Naciones Unidas: Consejo de Seguridad.

ONU (2015), Protocolo Internacional para la Investigación y Documentación de la Violencia Sexual en los Conflictos, Naciones Unidas: Consejo de Seguridad.

ONU MUJERES (2014), *Declaración política y documentos resultados de Beijing+5*, Nueva York, pp. 1-316. https://www.acnur.org/fileadmin/Documentos/Publicaciones/2015/9853.pdf

OSCE (2003), «Plan de Acción de la OSCE contra la Trata de Personas», *Decisión n. 557 del Consejo Permanente de la Organización para la Seguridad y la Cooperación en Europa*, pp. 1-29. https://www.osce.org/files/f/documents/b/2/42713.pdf

OSCE (2008), «La lucha contra la trata de personas en la región OSCE», *Oficina de la Representante Especial y Coordinadora para la Lucha contra la trata de personas*, Austria, pp. 1-4. https://www.osce.org/files/f/documents/8/c/28216.pdf

PÉREZ NIEVES, J.—C. A. (2019), «Manipulación y Reclutamiento Voluntario en la Trata de Adolescentes», *Revista Jurídica Universidad de Puerto Rico*, n. 4, pp. 1242-1266. https://derecho.uprrp.edu/revistajuridica/wp-content/uploads/sites/4/2019/06/Manipulacion-y-reclutamiento-voluntario-en-la-trata-de-adolescentes.pdf

RAYMOND, J. G. (2013), Not a choice, not a job: Exposing the Myths about Prostitution and the Global Sex Trade, Washington D.C.

SAIZ ECHEZARRETA, V.; FERNÁNDEZ ROMERO, D.; ALVARADO LÓPEZ, M. C. (2021), «Prostitución y trata con fines de explotación sexual en la prensa digital española: Análisis comparativo de la producción informativa», *Cuadernos.info*, n. 50, pp. 158-181. https://doi.org/10.7764/cdi.50.27377

SEGATO, R. L. (2014), «Las nuevas formas de la guerra y el cuerpo de las mujeres», *Revista Sociedade e Estado*, vol. 29, n. 2, pp. 341-371. https://doi.org/10.1590/S0102-69922014000200003

SEGATO, R. L. (2016), *La guerra contra las mujeres*, Madrid. https://traficantes.net/sites/default/files/pdfs/map45_segato_web.pdf

SHELLEY, L. (2021), «Trafficking in Women: The Business Model Approach», *The Brown Journal of World Affairs*, vol. 10, n. 1, pp. 119-131.

THE NOBEL PRIZE (2018a), *The Nobel Peace Prize 2018*, NobelPrize.org. https://www.nobelprize.org/prizes/peace/2018/mukwege/lecture/.

THE NOBEL PRIZE (2018b), *Denis Mukwege: Nobel Lecture*, NobelPrize.org. https://www.nobelprize.org/prizes/peace/2018/murad/interview/.

THE NOBEL PRIZE (2018c), *Nadia Murad: Telephone interview*, NobelPrize.org. https://www.nobelprize.org/prizes/peace/2018/murad/interview/.

UNICEF (2022), *Los niños que huyen de la guerra de Ucrania corren un mayor riesgo de ser víctimas de la trata y la explotación*, Comunicado de prensa. https://www.unicef.org/es/comunicados-prensa/ninos-huyen-guerra-ucrania-corren-mayor-riesgo-victimas-trata-explotacion

UNODC (2000), Notas interpretativas para los documentos oficiales (travaux préparatoires) de la negociación de la Convención de las Naciones

Unidas contra la Delincuencia Organizada Transnacional y sus protocolos, Nueva York. Informe A/55/383/Add.1 del Comité Especial encargado de elaborar una convención contra la delincuencia organizada transnacional sobre la labor de sus períodos de sesiones primero a 11°. https://www.refworld.org.es/pdfid/5d7fc12d2.pdf

UNODC (2004), *Convención de las Naciones Unidas Contra la Delincuencia Organizada Trasnacional y sus Protocolos*, Nueva York: Naciones Unidas. https://www.unodc.org/documents/treaties/UNTOC/Publications/TOC%20Convention/TOCebook-s.pdf

UNODC (2007), *Manual para la lucha contra la trata de personas: Programa mundial contra la trata de personas*, Viena, pp. 1-258. https://www.unodc.org/pdf/Trafficking_toolkit_Spanish.pdf

UNODC (2010), «Cooperación internacional en casos de trata de personas», *Manual sobre la lucha contra la trata de personas para profesionales de la justicia penal*, Viena, pp. 1-28. https://www.legal-tools.org/doc/68e2ee/pdf/

UNODC (2012), *Manual de asistencia judicial recíproca y extradición*, Nueva York, pp. 1-122. https://www.unodc.org/documents/organized-crime/Publications/Mutual_Legal_Assistance_Ebook_S.pdf

UNODC (2013), *Manual de cooperación internacional en el decomiso del producto del delito*, Nueva York, pp. 1-132. https://www.unodc.org/documents/organized-crime/Publications/Confiscation_Manual_Ebook_S.pdf

UNODC (2017), *Sobre la lucha contra la trata de personas en situaciones de conflicto*, Nota informativa, Viena, pp. 1-12. https://www.unodc.org/documents/human-trafficking/2018/17-08548_Briefing_Note_TIP_S_ebook.pdf

UNODC (2019a), *Definición del concepto de trata de personas*, Viena. https://www.unodc.org/documents/e4j/tip-som/Module_6_-_E4J_TIP_ES_FINAL.pdf

UNODC (2019b), *Dimensión de género en el tráfico ilícito de migrantes y la trata de personas*, Viena, pp. 1-82. https://www.unodc.org/documents/e4j/tip-som/Module_13_-_E4J_TIP-SOM_ES_FINAL.pdf

UNODC (2020), *Model legislative provisions against trafficking in persons*, Viena, pp. 1-219. https://www.unodc.org/documents/human-trafficking/2020/TiP_ModelLegislativeProvisions_Final.pdf

UNODC (2022a), *Global Report on Trafficking in Persons 2022*, Viena. https://www.unodc.org/lpomex/uploads/documents/Publicaciones/Crimen/GLOTiP_2022_web.pdf

UNODC (2022b), *Informe Mundial sobre Trata de Personas 2022*, Viena, pp. 1-18. https://www.unodc.org/lpomex/uploads/documents/Publicaciones/Crimen/GLOTiP_Executive_Report_Final_Esp.pdf

VENEGAS, L.; REVERTE, I.; VENEGAS, M. (2019), La Guerra más larga de la Historia. 4000 años de violencia contra las mujeres, Buenos Aires.

VILLACAMPA ESTIARTE, C. (2010), «El delito de trata de personas: análisis del nuevo artículo 177 bis CP desde la óptica del cumplimiento de compromisos internacionales de incriminación», *Anuario da Facultade de Dereito da Universidade da Coruña*, vol. 14, pp. 819-865. https://ruc.udc.es/dspace/bitstream/handle/2183/8302/AD_14_2010_art_41.pdf?sequence=1

VIRIDIANA HERNÁNDEZ, P. (2021), «Niñas soldado. Violencia sexual en escenarios de conflicto bélico», *InterNaciones*, n. 20, pp. 115-136. https://doi.org/10.32870/in.vi20.7165

3. Cuestiones de política criminal sobre la prostitución: ¿autodeterminación sexual o explotación?

ELENA BOZA MORENO*

[1]*Profesora Contratada Doctor*

Centro Universitario San Isidoro, Adscrito a la Universidad Pablo de Olavide

eboza@centrosanisidoro.es

Resumen: En este trabajo se pretende poner de manifiesto aquellas cuestiones que a día de hoy siguen siendo objeto de debate y que permiten entender que el ejercicio de la prostitución puede ser desempeñado de forma libre y voluntaria por aquellas personas que siendo mayores de edad y en con plenas capacidades para decidir, eligen esta salida profesional para ganarse la vida analizando para ello aquellos conceptos que hacen posible esta afirmación. Para ello debemos partir de una imprescindible contextualización del fenómeno, que nos permita saber de qué hablamos cuando nos referimos a la prostitución.

SUMARIO: I. INTRODUCCIÓN. II. CONTEXTUALIZAR EL PROBLEMA: ¿QUÉ ES PROSTITUCIÓN? III. ¿LA PROSTITUCIÓN COMO NEGOCIO JURÍDICO? OBJETO Y CAUSA. IV. CONSENTIMIENTO Y VOLUNTARIEDAD. V. DIGNIDAD Y PROSTITUCIÓN. EL ETERNO DEBATE. VI. DISCUSIÓN Y CONCLUSIONES. VII. BIBLIOGRAFÍA.

* Trabajo realizado en el marco de las actividades del Proyecto PID2020-117403RB-I00, Criminalidad organizada transnacional y empresas multinacionales ante las vulneraciones a los derechos humanos, y del Grupo de Investigación en Ciencias Penales y Criminológicas (SEJ-047), fruto de una Estancia de Investigación, realizada en la Universidad de Salamanca, por lo que agradezco a la Profesora Catedrática de Derecho Penal Dña. Laura Zúñiga Rodríguez por su oportunidad.

I. INTRODUCCIÓN

Abordar el tema de la prostitución puede resultar un tanto complicado, cuanto menos incómodo, desde una esfera social que, si bien simula un avance crítico y cultural, en aspectos referidos a la sexualidad está a años luz de serlo.

No podemos negar que se trata de una realidad social y criminológica, extendida a nivel mundial. Y que existen pocas respuestas políticas y sociales ante lo que muchos llaman el lastre de la prostitución.

Abrir el debate sobre este tema, actualmente, parecerá poco novedoso, son muchos los que han hablado de ello y han aportado estudios bastantes interesantes y rigurosos. No obstante, creo que está siendo abandonado cada día más, no se está dando la importancia y el trato que merece un asunto que atañe a todos, como es la prostitución. ¿Quién no conoce hoy en día algo sobre la prostitución?, ¿quiénes no se ven afectados directa o indirectamente por la prostitución? niños, mujeres, hombres, ancianos, nacionales, extranjeros, políticos...todos en mayor o menor medida conocen de su existencia y la trama que se esconde tras esa realidad, e incluso algunos pueden ser los protagonistas directos, sin embargo, parece haber un clima de conformismo, costumbre e indiferencia a su alrededor.

No resulta muy productivo atender la prostitución como el problema real que es, personalmente creo que se pretende adoptar una actitud «políticamente correcta», a favor de una sociedad que únicamente quiere calles limpias de prostitución, por donde sus hijos puedan pasear tranquilamente sin presenciar escenas de sexo callejero, y donde no halla la delincuencia y las drogas que rodean al mundo de la prostitución, lo cual me parece legítimo. Sin embargo, nadie politiza a favor de aquellas personas que ejercen su trabajo, y que están desprotegidas, estigmatizadas, carentes de derechos, en situaciones precarias de marginalidad y expuestas a continuos peligros. Por ello pretendo alzar la voz y hacer ver con este estudio, que la prostitución puede ser y debe ser un trabajo, dotado de derechos y protección, olvidando ideologías y prejuicios. Y que la persona que ejerce la prostitución no es menos digna por ello.

La prostitución es un fenómeno que forma parte de una diversidad sexual que despierta una gran resistencia a ser admitida, desde distintas esferas, por razones de una supuesta opresión victimizadora de quien se dedica a ello, además de por una defensa del orden moral. En este sentido, la categoría que se les atribuye de víctimas, no permite ver a los sujetos de derecho que hay detrás, no se les reconoce autonomía, ni se respeta su propia subjetividad, ni su dignidad, ni su integridad, ni mucho menos su libertad. Así se refleja, tanto en la irrelevancia que se otorga a su consentimiento en la legalidad civil o penal o la negación de sus derechos sociales bajo la legalidad laboral, como en el cerco punitivo que recae sobre ellas, en aras de su supuesta protección, como sujetos vulnerables y victimizados[1].

Sin embargo, paralelamente, existe un discurso diferente, que a menudo, se identifica como «liberal», en el que se reconoce en la prostitución una práctica que refleja la expresión de los derechos sexuales, de los que gozan las personas y en virtud de los cuales, puede disponer libremente del propio cuerpo para realizar prestaciones de naturaleza sexual a cambio de un precio.

Desde esta esfera, pretendo defender la posibilidad de considerar la prestación de servicios sexuales, por persona mayor de edad, un negocio jurídico susceptible de ser calificado como una actividad laboral que reconozca al sujeto que lo realiza derechos y una cobertura jurídica y social. Para ello es imprescindible determinar que realmente se trata de un negocio jurídico aceptable legalmente, analizando necesariamente, el contenido de la prestación, y los elementos que la integran como son el consentimiento, el objeto y la causa[2].

Sobre el reconocimiento de la autodeterminación sexual hablaré en este trabajo, analizando los diferentes conceptos que permiten asegurar tal reconocimiento en el ejercicio de la prostitución, y que son negados, en su mayoría, por aquellos que aseguran que no es posible ejerce esta actividad de manera libre y voluntaria, puesto que supone, entre otras muchas cosas, un atentado contra la dignidad del sujeto.

Y de esta forma, porque no, dejar la puerta abierta a una posible política criminal legalizadora. A una nueva forma de politizar que supondría para quienes ejercen la prostitución que se regularizara esta actividad, dotándola de cobertura legal, que permita reconocer derechos sociales y laborales a sus trabajadores.

1. Confróntense al respecto, MAQUEDA ABREU, Prostitución, feminismo y derecho penal, 2009, p. 138; VIRGILIO, en SIGNORELLI, /TREPPETE, (coord.), Servizi in vetrina. Manuale per gli interventi nel mondo della prostituzione migrante, 2001, p. 1.
2. Véase el artículo 1261 Cc.

II. CONTEXTUALIZAR EL PROBLEMA: ¿QUÉ ES PROSTITUCIÓN?

Cuando hablamos de prostitución no podemos homogeneizar el discurso, tras la imagen cruda y marginal que representa, existe una variedad de formas de ejercer la prostitución y de vivirla. Son muchos los factores tanto personales como sociales los que influyen en esa variedad, como la edad, la apariencia física, el nivel cultural, la clase social, la nacionalidad, el género, entre otros.

A la hora de intentar paliar los problemas en los que pueda verse envuelto el mundo de la prostitución, o de establecer una política criminal y social al respecto, hay que tener en cuenta todos esos factores, que hacen de la prostitución un mundo muy diverso y no generalizar y partir de un estudio parcial de un sector determinado como si de algo homogéneo se tratase.

Normalmente el tipo de prostitución que casi todo el mundo reconoce es la prostitución callejera o la prostitución ejercida en locales, sin embargo, hay otras formas de ejercer la prostitución que la mayoría de la sociedad no entiende como tal, ya sea por el nivel económico del que se trate o bajo que apariencia se ejerza. No cabe duda de que la prostituta y sus servicios prestados suponen para la gran mayoría de la sociedad algo indigno con lo que se debe acabar, mucho más si quien ejerce la prostitución es una mujer y no un hombre, al que se le denomina con eufemismos mucho más condescendientes, no son prostitutos sino *gigolós*. Del mismo modo, no resulta igual hablar de prostitución heterosexual que de una prostitución homosexual, la cual no debemos olvidar que existe y en un elevado número de casos. Pero la mayor distinción y la que a mi parecer esconde una gran hipocresía social, es aquella que se basa en el nivel económico en el que se ejerce. La prostitución de la mujer pobre, callejera, humilde, con necesidades económicas o simplemente la que ejerce la prostitución como un trabajo para poder subsistir, aunque no suponga una marginalidad extrema; y la chica guapa, elegante que circula a un nivel más poderoso económicamente y ni que decir de las que se codean con altas esferas sociales, para las que la palabra prostituta no es aplicable, sino que se denominan de alto *standing* o señoritas de compañía. En este sentido la estigmatización que recae sobre la prostituta de «niveles inferiores» es mucho mayor, es despreciada y considerada lo peor, una lacra social. Mientras que en el supuesto de chicas jóvenes que acompañan a señores de cierta edad en un mundo de fiestas y lujos, no solo no se entiende que puedan ser prostitutas, sino que son muy valoradas y bastante consideradas.

Estas distinciones entre unas formas de entender la prostitución y otras no son las únicas que podemos encontrar. Los estigmas que recaen sobre el mundo de la prostitución son en algunas ocasiones productos de las propias vivencias que tengan las mujeres de su sexualidad. De este modo encontramos prostitutas que consideran el ejercicio de la prostitución como algo terrible y angustioso, como un mal menor al que no queda más remedio que adaptarse para poder sobrevivir, pero también existen otras que la ejercen de manera consciente y voluntaria, escogiendo quedarse en ella porque consideran que dentro de las oportunidades que tienen en esta sociedad, la prostitución es la menos mala o la más lucrativa[3].

No podemos olvidarnos de otro gran sector de la prostitución, el sector de las mujeres inmigrantes. El número de chicas inmigrantes que ejercen la prostitución es muy elevado y la estigmatización que sufren es evidente, y consecuencia de múltiples factores, el primero de ellos, el hecho de ser mujer, les dificulta mucho más el acceso a determinados puestos de trabajo y a eso hay que sumarle que están en situación ilegal en España, y sufren discriminación y limitación en sus derechos. Además de todo ello no hay que olvidar que son chicas que ejercen la prostitución en situaciones precarias y marginales que a su vez les impide ser aceptadas, debiendo ejercer la prostitución para poder salir adelante, y cayendo en un ciclo constante del que les es muy difícil salir.

Como se puede observar hasta ahora, la prostitución es un fenómeno heterogéneo, es decir, existen muchas caras de la misma, las cuales no son tratadas. Tal y como señala Kappler hay tantas caras de la prostitución como hay ramas sociológicas, porque cada una aporta un enfoque distinto que ilustra y realza otros aspectos específicos[4].

De esta manera y siguiendo la línea de varios autores, podemos observar la prostitución desde la Sociología de la Organización y Empresa, como una institución u organización social que tiene por objetivo generar beneficios.

Desde la óptica de la Sociología del Género, en el marco patriarcal de la sociedad occidental donde la mujer está sometida por el hombre por su dominación política y social[5], la prostitución puede ser entendida como la

3. En este sentido, GARAIZABAL, «Derechos laborales para las trabajadoras del sexo», *Mugak*, nº 23, segundo trimestre de 2003.
4. KAPPLER KAROLIN, «Entre dramatismo y el punto ciego: perspectivas sociológicas sobre la prostitución en España», en VILLACAMPA ESTIARTE (Coord.), *Prostitución: ¿hacia la legalización?*, Valencia, Tirant lo Blanch, 2012, p. 22.
5. Así, BUTLER, *El género en disputa*, Barcelona, Paidós, 2007.

supresión femenina debido a la superioridad masculina y como otra forma de violencia de género, algo que desde mi punto de vista es bastante discutible, puesto que entender la prostitución como violencia de género resulta de la confusión entre sexualidad y género, y se asume que tener el género mujer significa entrar en el terreno de la sexualidad desde una perspectiva de subordinación y explotación que no da lugar a la actuación libre y voluntaria, lo cual me resulta injusto y discriminatorio para con las mujeres. También hay autores como Barry, para los que la sexualidad en estos casos es entendida como una explotación que no es detectada, por la existencia de una colonización sexual, entendiendo como tal la conquista o la invasión de la sexualidad en la sociedad que permite normalizarla y camuflar posibles abusos hacia la mujer[6].

Según la Sociología de la Desviación, la prostitución es entendida como un tipo de desviación de la norma social establecida, destacando la conducta desviada de sus protagonistas, las prostitutas.

La Sociología de la Exclusión, pone de manifiesto la situación de exclusión que padecen las prostitutas, desencadenando en un discurso proteccionista de las mismas. La Sociología de la Salud, enfocaría un riesgo específico vinculado con la prostitución, en relación con su impacto sobre la salud, su relación con el SIDA y las drogas[7].

La prostitución vista desde una Sociología del Trabajo, entiende que se trata de un trabajo y que los que ejercen la prostitución son trabajadores del sexo. Y por tanto deben estar dotados de derechos y condiciones laborales. Esta postura, que comparto, es defendida por Garaizabal, feminista y miembro de Hetaira, asociación en defensa de la prostituta.

Bajo el punto de vista de la Sociología de las Migraciones, el círculo se estrecha únicamente en las prostitutas inmigrantes, olvidando aquel sector de prostitución nacional que también es significativa. Estos son algunos de los ejemplos desde la perspectiva de la sociología, que demuestran que la

6. En opinión de BARRY, «La opresión de las mujeres implica, políticamente, algo que no se encuentra en ninguna otra condición — la construcción social del cuerpo humano sexualizado— (y) abarca desde las formas de objetivación hasta la violencia..., es una explotación que se introduce en el cuerpo de las mujeres, por la vagina, por el recto, por la boca y en el útero, esto es, en lo que es específica y psicológicamente femenino: la sexualidad y la reproducción. Sexo y reproducción tienen lugar en condiciones de fuerza, o sea, condiciones de subordinación, inferioridad, desigualdad», en *Teoría del feminismo radical: Política de la explotación sexual*, pp. 196 y s.
7. DE PAULA MEDEIROS, Hablan las putas. Sobre prácticas sexuales, preservativos y SIDA en el mundo de la prostitución, Barcelona, Virus, 2000.

prostitución es un tema que puede ser abordado desde muchos ámbitos, y que no todos son tratados. Aun con una explicación sociológica, estaríamos ante una interpretación sesgada de la realidad. Uno se fascina tanto por «lo que se ve» que, en consecuencia, «no se ve lo que no se ve»[8].

En definitiva, la prostitución debe ser vista desde perspectivas múltiples, que son desconocidas para la mayoría de la sociedad. Y solo en este caso, una vez identificadas sus distintas caras, sabremos como responder ante este fenómeno y tendremos las herramientas necesarias para debatir sobre un problema que no nos afecta a todos.

III. ¿LA PROSTITUCIÓN COMO NEGOCIO JURÍDICO? OBJETO Y CAUSA

Como es sabido, según establece el artículo 1261 del Cc, el consentimiento, el objeto y la causa son los presupuestos esenciales sin los cuales el negocio jurídico, cualquiera que sea su tipo, no llega a conformarse válidamente en Derecho[9].

En términos generales, para determinar la existencia de una relación de trabajo, deben concretarse aquellos elementos en el marco de la norma socio-laboral y, en consecuencia, comprobar si el consentimiento se presta por empleador y empleado; si la causa se sustenta sobre la base del intercambio típico entre la prestación de servicios y la remuneración correspondiente; y si el objeto de la referida prestación es de carácter personal, voluntaria, retribuida, dependiente y por cuenta ajena[10].

El problema es fijar si la prestación convenida en este supuesto, la prestación sobre la que gira la causa y objeto del contrato, permite la válida celebración de un contrato de trabajo. En este punto se pone de manifiesto la dificultad de analizar la naturaleza laboral de una prestación de servicios sobre conceptos abstractos como la causa o el objeto. En cualquier caso, tanto uno como otro, conducen a una misma realidad, el contenido del contrato. En este caso el contenido del contrato es el ejercicio de la prostitución.

---

8. En palabras de VON FOERSTER, *Observing Systems. Seaside*, CA: Intersystems, 1981. p. 159.
9. Al respecto véase, GORDILLO CAÑAS, *Enciclopedia Jurídica Básica*, pp. 4411 y ss.
10. Confróntense al respecto, VILA TIERNO, «Del análisis de la naturaleza jurídica del contrato de trabajo», en QUESADA SEGURA / ÁLVAREZ CORTÉS (coord.), *Derecho Social y Relaciones Laborales*, 2006, pp. 125 y ss.; REY MARTÍNEZ, *Prostitución y Derecho*, 2004, p. 109.

A la hora de enjuiciar la legalidad de la actividad de la prostitución, se reconoce una cuestión de moralidad, que resulta consecuente con la afirmación efectuada por los tribunales laborales[11] cuando abordan la cuestión en el sentido de que, en el caso de la prostitución, el objeto del contrato es ilícito, pues se trata de un objeto contrario a las leyes y las buenas costumbres, en virtud de lo establecido en el artículo 1271 del Cc, y de que la causa también lo es, pues resulta ilícita cuando se opone a las leyes y la moral (artículo 1275 Cc)[12]. En este sentido, tal y como afirma Rey Martínez, «tratándose de la explotación de la prostitución ajena, aplicar esa nulidad absoluta supone una negación de protección jurídica a las prostitutas, a quienes se les da idéntica respuesta que a quienes les explotan, con el beneficio que para éstos supone»[13].

Sin embargo, pese a que, por lo general, la doctrina judicial reconoce que la prostitución es una actividad con causa y objeto ilícitos, a continuación, veremos cómo es posible rebatirla.

De lo establecido en los artículos 1271 y 1275 del Código civil, podemos extraer como conclusión que la causa o el objeto son ilícitos cuando son contrarios a la moral y las buenas costumbres o a las leyes. Pues bien, llegados a este punto cabe preguntarse si la prostitución es una actividad inmoral e ilegal, en cuyo caso habría que considerar validos los argumentos judiciales expuestos.

Con respecto a la pregunta de si la prostitución es inmoral o contraria a la moral y las buenas costumbres, debemos partir de la base de que en este sentido, como pone de manifiesto Poyatos i Mata, estos valores, de carácter

---

11. Entre ellos, véanse, la STSJ de Galicia (Sala de lo Social) dos de marzo de 2008 (*Tol 1.325.009*) «la actividad de la prostitución es de imposible inclusión en el mundo laboral por ser su objeto ilícito»; STSJ de Galicia (Sala de lo Social), 27 de febrero de 2009 (*Tol 1.515.939*) «son totalmente compatibles los argumentos utilizados en la sentencia de instancia sobre la ilicitud de un contrato de trabajo cuyo objeto fuese la prostitución de a supuesta trabajadora al ser la explotación de la prostitución ajena una forma de violencia de género, de esclavitud de las mujeres y de actividad contraria a la moral»; STSJ de Madrid (Sala de lo Social, sección 5ª) 7 de diciembre de 2011 (*Tol 2.388.402*), «se trata de un contrato con causa ilícita que no produce efecto alguno, de acuerdo con lo dispuesto en el art. 1275 del Código civil, situación en la que no se puede reconocer relación laboral a dicha actividad».
12. Al respecto véanse, FITA ORTEGA, «La prostitución: posible objeto de un contrato de trabajo como una manifestación más del trabajo sexual», *Jornadas Catalanas de Derecho Social: «La delimitación del trabajo por cuenta ajena y sus fronteras»*, Universidad de Barcelona, 2008; POYATOS I MATAS, *La prostitución como trabajo autónomo*, 2009, p. 64, MAQUEDA ABREU, op.cit, 2012, p. 185.
13. Así en, REY MARTÍNEZ, op.cit, 2004, p. 109.

subjetivo, no son hieráticos, sino mutables, a la vez que se transforma la sociedad en la que se utilizan, puesto que, añade que de no ser así, se produciría una disonancia entre los valores sociales y los jurídicos que anularía la efectividad de los principios de justicia[14]. Y la moral sexual es uno de los ejemplos más claros de mutabilidad social, afirma. Por consiguiente, según ésta, el objeto y la causa, solo resultarían ilícitos si vulnerasen la libertad sexual de la prostituta, ya que la frontera no la fija el carácter altruista o remuneratorio del servicio sexual, sino la libertad con que se prestan[15].

También debe tenerse en cuenta, en este sentido, la Sentencia de la Sala Penal del Tribunal Supremo, núm. 425/2009, de 14 de abril de 2009[16], en la cual estableció que «la cuestión de la prostitución voluntaria en condiciones que no supongan coacción, engaño, violencia o sometimiento, bien por cuenta propia o dependiendo de un tercero que establece unas condiciones de trabajo que no conculquen los derechos de los trabajadores no puede solventarse con enfoques morales o concepciones ético-sociológicas, ya que afectan a aspectos de la voluntad que no pueden ser coartados por el derecho sin mayores matizaciones».

Por otro lado, en cuanto a la pregunta de si la prostitución es ilegal o contraria a las leyes, hay que partir de la base de que en nuestro país la prostitución en sí misma no es ilegal, puesto que no existe ninguna norma que prohíba que una persona mayor de edad y con capacidad se prostituya voluntariamente, pese a que tampoco existe una norma que reconozca expresamente el derecho a prostituirse. En este sentido, tal y como defiende un sector de la doctrina, en virtud del principio de legalidad y seguridad jurídica que reconoce el artículo 9.3 de la Constitución, se puede afirmar que el intercambio de sexo por dinero es una actividad legal, aunque no exista un reconocimiento expreso por parte del Estado[17]. De modo que se entiende que las personas son libres para realizar cualquier comportamiento que deseen excepto cuando lo prohíbe una norma, pues mientras que se presume la legalidad de una actuación, la ilegalidad es una excepción que debe establecerse expresamente por las normas[18].

---

14. En este mismo sentido, ARIAS DOMÍNGUEZ, «Variaciones sobre Hegel», *Aranzadi Social*, vol. 1, núm. 19, 2009, p. 48; GONZÁLEZ DEL RÍO, *El ejercicio de la prostitución y el derecho del trabajo*, 2013, p. 103.
15. Así véase, POYATOS I MATAS, op.cit, 2009, pp. 65-66.
16. Ponente: José Antonio Martín Pallín.
17. Véase al respecto, CANCIO MELIÁ, «Prostitución y Derecho Penal», *Diario el País*, 2010, p. 29.
18. Confróntense, STS 30 de julio de 2007 (*Tol 1.143.872*); STS de 26 de diciembre de 2007 (*Tol 1.235.286*); CANCIO MELIÁ, op.cit, 2010, p. 29.

IV. CONSENTIMIENTO Y VOLUNTARIEDAD

En cuanto a estos términos se refiere, la primera puntualización de la que debemos partir es aquella que reconoce en los ciudadanos un derecho fundamental de libre elección de profesión u oficio[19]. Si a esta afirmación notoria sumamos que al hablar de prostitución nos referimos, a lo que según muchos es el «oficio» más antiguo del mundo, no parece que pudiera existir ningún problema, ni limitación legal en reconocer que alguien pueda elegir la prostitución como una profesión u oficio.

Sin embargo, pese a ello, esta afirmación no llega a convertirse en una teoría general, cuando del ejercicio de la prostitución hablamos, puesto que, existe una gran reticencia por parte de una diversidad de sectores, en reconocer que alguien pueda elegir libremente ejercer la prostitución como medio para ganarse la vida. Es decir, si bien todos tenemos el derecho de elegir la profesión o el oficio con el que subsistir, cuando el trabajo que elegimos es la prostitución, se niega ese derecho, por considerar que no hay una verdadera voluntad de elección sino una obligación[20].

Para los partidarios del abolicionismo, la mujer o cualquier persona que se dedique a la prostitución, lo hace sometida, sin una libre elección, bien sea por coacciones o amenazas de terceros o bien porque las circunstancias que la rodean la obligan a valerse de ese medio para poder sobrevivir, pero nunca pueden elegir ejercer la prostitución voluntariamente. Para ellos la prostitución en sí es una práctica forzada.

El significado de la libertad y del consentimiento en el ámbito de los delitos relativos a la libertad sexual en general y en los casos de prostitución en particular, es de gran importancia y marca una diferencia notable entre lo libre y lo forzado[21].

---

19. En el supuesto de España «Todos los españoles tienen el deber de trabajar y el derecho al trabajo, a la libre elección de profesión u oficio, a la promoción a través del trabajo y a una remuneración suficiente para satisfacer sus necesidades y las de su familia, sin que en ningún caso pueda hacerse discriminación por razón de sexo.», Título I, capítulo II, sección 2°, artículo 35.1 de la Constitución Española.
20. Al respecto véase, GARCÍA/GRANADOS ÁLVAREZ/MURILLO PALOMEQUE, *Análisis de la Sentencia T-629 de 2010, en cuanto al reconocimiento de derechos laborales a trabajadoras sexuales en Colombia*, 2012, p. 38.
21. Véase al respecto, QUINTERO OLIVARES, «Las normas penales españolas: cuestiones generales», en GARCÍA ARÁN/QUINTERO OLIVARES/REBOLLO VARGAS (autores), *Trata de personas y explotación sexual*, 2006, p. 157.

Pero, ¿es posible el consentimiento libre en el ejercicio de la prostitución? Cuando decimos, en relación con algunos delitos, que el consentimiento pleno de la víctima, hace que ya no se pueda hablar de víctima, y por tanto la conducta realizada se distancia de la esfera del Derecho penal, esto quiere decir que estamos excluyendo el elemento de la tipicidad, porque eso parece reconocer implícitamente que el hecho tenía apariencia delictiva, cuando no es así. Como afirma Quintero Olivares, «quien accede a yacer con otra persona, sin vicio de voluntad o consentimiento, o quien permite que se lleven algo de su casa, no son víctimas de violación o de hurto cuyo consentimiento produzca efecto de atipicidad. En suma, pues, la actitud o conducta del sujeto pasivo de determinadas relaciones tiene interés técnico-jurídico en la medida en que pueda alterar la significación jurídica de lo que sucede, pero pierde en buena medida ese interés cuando el consentimiento transforma la cuestión en algo ajeno al derecho»[22].

Hablar de consentimiento o voluntariedad en el ejercicio de la prostitución, es un tema bastante más farragoso y complejo, en el que no existe una opinión única y homogénea. Como analizaba al comienzo de este estudio, existen una pluralidad de historias individuales tras la imagen que todos puedan tener de la prostitución; diversidad en cuanto al género; variedad de lugares donde ejercerla; nivel económico, nivel cultural de los ejercientes etc. Al igual que existen diferencias en todos estos aspectos que hacen de la prostitución un fenómeno muy heterogéneo, el consentimiento de la persona para ejercerla libremente, supone otro de los grandes puntos clave para distinguir prostitución libre de prostitución forzada.

Hay un prejuicio, de carácter moral, que impide reconocer legitimidad al consentimiento prestado por quien se prostituye cuando se trata de una mujer. La afirmación, encabezada por un sector del feminismo, de que la prostitución voluntaria no existe[23], ha pasado por distintos intentos de fundamentación hasta pasar a imponerse como un dogma. No obstante, como apunta Maqueda Abreu, ya no valen tópicos que puedan desmentir lo que la propia experiencia demuestra; «las maquinaciones victimarias como la

22. Confróntese al respecto, QUINTERO OLIVARES, «Antinomias y contradicciones en la intervención penal en la prostitución libre», en VILLACAMPA ESTIARTE, *Prostitución: ¿hacia la legalización?*, 2012. p.161.
23. Siguiendo esta opinión, MACKINNON, «las mujeres que llegan al sexo dicen, porque se ven comprometidas, empujadas, presionadas, engañadas, chantajeadas o directamente forzadas, con frecuencia responden a la indecible humillación, unida a la sensación de haber perdido una integridad irremplazable, afirmando la sexualidad como algo propio. Sin otra alternativa, la estrategia para conquistar el propio respeto y el orgullo es: yo lo quise.», *Hacia una teoría feminista del Estado*, 1995, pp. 266-267.

existencia de un lavado de cerebro o violencias estructurales determinantes del consentimiento, tales como infancias desgraciadas, socialización fracasada o una formación de identidad errónea, no alcanzan a negar excepciones. Habría que admitir, por lo menos, minoritarios grupos de prostitutas libres y buscar otras justificaciones para negarles el reconocimiento de su voluntad»[24].

No obstante, es importante añadir que, tal y como afirma la autora, el testimonio de quien ejerce la prostitución es inútil cuando lo que importa no es su consentimiento sino el valor de su reconocimiento. Es decir, se trata de un colectivo que no ve reconocida su capacidad como actor social, lo que provoca una seria disminución en sus posibilidades de legitimar sus opciones o defenderlas desde posiciones de autoridad[25].

Como apunta López Precioso, «si la posición sobre el derecho a nuestro cuerpo como mujeres, supuso llenar de contenido al *No* cuando lo pronunciábamos en una relación sexual con cualquier hombre, incluidos los maridos, la contradicción es no poder comprender que algunas mujeres puedan decir Si a cambio de dinero. Es como si algunas mujeres tuviéramos la capacidad de decidir y el dominio sobre nuestro cuerpo, mientras otras no lo tienen ni lo tendrán nunca»[26].

Si bien en aquellos supuestos de personas que eligen ejercer la prostitución como forma de conseguir ingresos que les facilite la obtención de «caprichos» y un mejor nivel económico, más allá de una verdadera necesidad económica, aunque entraríamos a debatir hasta qué punto puede ser necesario para algunos el poder conseguir esos caprichos, cuyo reflexión escaparía del objetivo aquí perseguido, lo cierto es que, al margen de estos supuestos que no parecen suscitar duda alguna respecto de la libertad y el consentimiento de elección, uno de los elementos sobre los que más se ha reflexionado es hasta qué punto las mujeres en situación de prostitución, mayoritariamente inmigrantes y pobres, son libres a la hora de elegir la prostitución como forma de vida, cuando lo hacen abocadas por la pobreza y la falta de medios. ¿Quién puede medir el grado de libertad o voluntariedad con que cada una de ellas ha tomado esa decisión?

En este sentido Rousseau explica que «un contrato firmado por dos partes en la que una de ellas está dominada por la necesidad no es un contrato legítimo. Podrá ser legal, pero nunca será legítimo porque la capacidad de

24. Así, MAQUEDA ABREU, op.cit, 2009. p. 48.
25. Según, JULIANO, La prostitución: el espejo oscuro, 2002, p. 19.
26. Así en, LOPEZ PRECIOSO/MESTRE, *Trabajo sexual. Reconocer derechos*, 2007, p. 91.

decisión de quien está dominado por la necesidad vicia ese consentimiento»[27]. Para muchos la libertad y el consentimiento de las mujeres que llegan a la prostitución son reducidos, pues están limitados por la pobreza, la falta de recursos culturales y de empoderamiento[28]. Es decir, la desigualdad económica es un elemento fundamental para calibrar el grado de consentimiento que existe en estas relaciones[29].

Por ello, resulta importante conocer y determinar la naturaleza del consentimiento.

---

27. Citado por REY MARTÍNEZ, Nuevas políticas públicas: Anuario multidisciplinar para la modernización de las administraciones públicas, 2006, p. 110.
28. Al respecto, como diría REY MARTÍNEZ, «el consentimiento al tomar tal decisión, suele ser la única forma de salir de la situación social de vulnerabilidad extrema, por lo que no hay consentimiento en la relación que se establece entre una mujer prostituida y un cliente», «La prostitución ante el derecho: problemas y perspectivas,» *Nuevas políticas públicas: Anuario multidisciplinar para la modernización de las administraciones públicas*, 2006, p. 110. Véanse también, COBO BEDIA, «Prostitución en nuestro país». *Ponencia presentada en el Congreso de los Diputados*, 2006, p. 2; INFORME PROYECTO INVESTIGACIÓN, «Llevando al extremo este símil, cabría plantear entonces sí "elegir" contagiarse de una enfermedad para obtener cuidados que de otro modo no se tendrían, es una opción legitimable para algunas personas que no disponen de una alternativa mejor de supervivencia. Invisibilizar o minimizar el daño bajo las ventajas secundarias del síntoma puede considerarse, en nuestra opinión, una forma de ideologización por cuanto oculta lo fundamental y resalta los subsidiario», *Consentimiento y coacción. Prostitución y políticas públicas 2010-2012*, Universidad de la Coruña, pp. 153-174. (Consultar http://www.inmujer.gob.es/en/areasTematicas/estudios/estudioslinea2014/docs/ConsentimientoCoaccion.pdf; última visita el 26 de junio de 2023); CARMONA CUENCA, «se constata que las mujeres prostituidas no provienen de las clases altas de la sociedad, ni de las clases medias. En el origen de esa actividad está la exclusión social, la necesidad de sobrevivir por encima de cualquier otra consideración...», «¿Es la prostitución una vulneración de Derechos Fundamentales?», en SERRA CRISTÓBAL (coord.), *Prostitución y trata: marco jurídico y régimen de derechos*, 2007, p. 63.
29. Al respecto véase, INFORME PROYECTO INVESTIGACIÓN, «Las actuales condiciones sistémicas con altos niveles de desempleo y pobreza, el estrechamiento de los recursos del estado en cuanto a necesidades sociales y la quiebra de un gran número de empresas hacen posible la existencia de una serie de circuitos con un relativo grado de institucionalización por los que transitan sobre todo las mujeres. Y son precisamente esos circuitos los que deben ser investigados porque por ellos no sólo circulan mujeres para el trabajo doméstico y la prostitución sino también varones para realizar 12 trabajos genéricos y descualificados. El aspecto importante es que por algunos de esos circuitos se introducen los traficantes de personas y las mafias vinculadas a la trata», *Consentimiento y coacción. Prostitución y políticas públicas 2010-2012*, Universidad de la Coruña, pp. 11-14. (Consultar http://www.inmujer.gob.es/en/areasTematicas/estudios/estudioslinea2014/docs/ConsentimientoCoaccion.pdf; última visita el 26 de junio de 2023).

Es difícil negar que el ejercicio de la prostitución sea una opción construida socialmente y que, cuando es voluntaria, implica una valoración de las alternativas posibles que está determinada, por el significado que se atribuya a cada proyecto personal. Pese a lo que dije anteriormente, es innegable que los elementos circunstanciales juegan, desde luego, un papel fundamental en esa opción, las historias individuales; los mecanismos a partir de los cuales cada persona construye su identidad; la autoestima o los condicionamientos provenientes de sus subculturas, deben ser tenidos en cuenta[30]. Pero sin embargo no pueden resultar determinantes para negar la existencia de consentimiento.

En palabras de Juliano, «el servicio doméstico como internas o por horas, el cuidado de niños, de ancianos, de enfermos, el trabajo rural en invernaderos o en recogida de frutas, confección, hostelería, limpieza de oficinas, etc.…ningunas de estas posibilidades laborales son libres en el sentido de que podrían ser elegidas como elementos de autorrealización si no hubiera necesidades económicas de por medio. En este contexto puede considerarse a la prostitución como una opción más, no sobre determinada externamente, porque normalmente la mujer tiene otras opciones alternativas, con las características específicas de estar peor visto y mejor pagado»[31].

30. Literalmente, JULIANO, op.cit, 2002, p. 11. Véase también, al respecto, BRUSSA, «Migración, trabajo sexual y la salud: la experiencia de TAMPEP», en OSBORNE (coord.), *Trabajador@s del sexo: derechos, migración y tráfico en el S. XXI*, 2004, p. 50; PHOENIX, J., «Prostitute identities. Men, Money and violence», *The British Journal of Criminology*, vol. 40, núm. 1, 2000, pp. 38 y ss.; HETAIRA, «bajo el rótulo de lo que llamamos "prostitución" subyacen realidades muy diferentes. …desde situaciones en las que las mujeres que ejercen lo hacen obligadas, chantajeadas y coaccionadas por terceros. Hasta situaciones en las que las mujeres que ejercen lo hacen por propia decisión esté más o menos condicionadas por diferentes factores, entre ellos el nivel cultural y económico y el origen nacional», BRIZ/GARAIZÁBAL/JULIANO, *La prostitución a debate. Por los derechos de las prostitutas*, 2007, pp. 15-16.

31. Así, JULIANO, «la argumentación que niega la existencia de consentimiento en la prostitución, no se extiende a ninguna otra área laboral, por pesada, mal pagada o desagradable que pueda ser, solo en el caso de la prostitución se recurre a explicaciones esencialistas y se descarta considerarla una estrategia de supervivencia asumida», op.cit, 2002, pp. 190-191. Abundan en esta idea, IACUB, «cuando afirma que tratándose de otro tipo de trabajo, nadie se cuestiona la libertad metafísica del trabajador, más bien se piensa, y con razón, como mejorar sus condiciones de vida, *¿Qué habéis hecho de la liberación sexual?*, 2007, p. 19; PHOENIX, "como resultado de su estudio en Reino Unido en 2000, afirma que una gran mayoría de las mujeres entrevistadas veían la prostitución como una estrategia para asegurar su supervivencia futura social y económica, para obtener sus propios ingresos vitales y su independencia, más allá de sus relaciones dependientes con la familia, con hombres particulares o con el estado"», op.cit, pp. 40 y ss. En el contexto español, son múltiples las experiencias recogidas

Algunos análisis describen el consentimiento como un continuo en el que existe, entre los extremos de una decisión plenamente libre y la sumisión coercitiva, una amplia gama de zonas grises. Más allá de estas zonas grises, existe un espacio de libertad, que como toda libertad se ejerce bajo circunstancias, de experiencia vital, recursos económicos, personales y sociales. Quien opta por ejercer la prostitución ante la única alternativa realista y legalmente reconocida de aceptar trabajos mucho menos remunerados decide condicionadamente, pero libremente. En la medida que personas en situaciones similares eligen caminos distintos es razonable comprender que sus actos son libres. La existencia de una decisión libre no es tan solo una posibilidad teórica[32]. Las investigaciones realizadas demuestran que esta circunstancia se da en un amplio número de supuestos. Así se pone de manifiesto, por ejemplo, en España, en el estudio sobre prostitutas extranjeras en la ciudad de Málaga. En esta investigación, la mayor parte de las personas entrevistadas declararon que cuando decidieron venir a España sabían que se iban a dedicar a la prostitución, y que, siendo la necesidad una motivación importante en muchas de ellas para aceptar esta actividad, en su mayoría no la dejarían por cualquier trabajo sino tan solo por un trabajo mejor remunerado[33].

Hablar de prostitución voluntaria es, pues, hablar de mercado de servicios sexuales, más allá de las ideas abolicionistas que reconocen en la prostitución una práctica misógina y de dominación masculina. Nada impide, relativizar los términos de esa voluntariedad, sin presumirla de antemano, tanto en la entrada como en la permanencia en la prostitución[34]. Pese a ser

---

en este sentido, por ejemplo, ARELLA/FERNANDEZ/NICOLÁS/VARTABEDIAN, *Los pasos (in) visibles de la prostitución. Estigma, persecución y vulneración de los derechos de las trabajadoras sexuales en Barcelona,* 2007, pp. 159 y ss.; BRIZ/GARAIZÁBAL/JULIANO, op.cit, 2007, pp. 147 y ss. O el Informe ESCODE en 2006, cuando se refiere a la posibilidad de alcanzar desde la prostitución posiciones de privilegio económico y social, incluso para las mujeres inmigrantes.

32. Al respecto véase, TAMARIT SUMALLA, «Prostitución: regulación, prevención, y desvictimización» en VILLACAMPA ESTIARTE, *Prostitución: ¿hacia la legalización?,* 2012. p.274.

33. En este sentido, QUILES PARDO, «La prostitución de personas inmigrantes en la ciudad de Marbella», *Boletín Criminológico,* núm. 95, 2007.

34. Sobre esta diferenciación, PONS I ANTÓN, «hay que distinguir entre voluntariedad de entrada y voluntariedad de permanencia, puede suceder, como ocurre con otras actividades, que no se haya entrado voluntariamente o con voluntad no del todo plena, y sin embargo exista la voluntad de permanencia. En uno y otro caso, tradicionalmente se ha aducido como motivo principal la precariedad económica. Sin embargo, en términos generales, diríamos que puede ser para obtener dinero o para obtener más dinero. En el primer caso es donde se puede hallar voluntariedad, y en el primer

una opción laboral fuertemente estigmatizada, los niveles de voluntariedad no tienen por qué ser distintos a los de otros trabajos peligrosos o mal remunerados, como señalan López Precioso y Mestre, los cuales añaden que, no sería realista olvidar estructuras de opresión y dominio patriarcales o capitalistas de explotación de la fuerza de trabajo, sino que la clave está en detectarlas y luchar contra ellas sin que ello suponga la supresión del sexo comercial[35].

V. DIGNIDAD Y PROSTITUCIÓN. EL ETERNO DEBATE

Junto con la libertad de elección y la voluntariedad para ejercer la prostitución, el otro aspecto fundamental en el debate acerca del posible reconocimiento legal de la prostitución como actividad productiva es el de la tutela de la dignidad de las personas que la ejercen.

¿Resulta indigno ejercer la prostitución? Naturalmente, esta pregunta sólo tiene sentido en relación con aquel tipo de prostitución estrictamente voluntario sobre el que no pesa ningún tipo de inducción, coacción, o explotaciones ajenas, y realizado por personas mayores de edad y capaces.

Son muchas las opiniones que defienden que dedicarse a la prostitución va en contra de los derechos humanos y vulnera la dignidad de las personas[36]. Los abolicionistas consideran indigno el ejercicio de la prostitución en sí mismo, independientemente de las condiciones en las que se ejerce. Aseguran que la prostitución reduce a las mujeres a la categoría de cuerpos, meros objetos animados para el uso y disfrute de los hombres, y mantienen la idea de que el estatus de prostituta desprovee a las mujeres prostituidas de sus características específicamente humanas[37]. Asimismo, parten de

---

supuesto también se puede hallar, según el momento económico histórico, la elección entre diversas alternativas», «Condiciones básicas para debatir sobre la legalización», en VILLACAMPA ESTIARTE, *Prostitución: ¿hacia la legalización?*, 2012, p. 52.

35. En este sentido, LOPEZ PRECIOSO/MESTRE, op.cit, 2007, p. 101.

36. Confróntese al respecto, PACHECO ZERGA, «La prostitución y el mal que la acompaña, la trata de personas para fines de prostitución, son incompatibles con la dignidad y el valor de la persona humana y ponen en peligro el bienestar del individuo, de la familia y de la comunidad», «La aplicación del Derecho en el caso Mesalina», *Aranzadi social*, núm. 16, 2004.

37. Véase, REY MARTÍNEZ, «¿El ejercicio de la prostitución es expresión de la dignidad humana que, en su vertiente dinámica, conlleva el libre desarrollo de la personalidad (art. 10.1 CE) o es más bien, una violación de la dignidad humana, en la medida en que rebaja a una persona a la condición de objeto, de instrumento, a la que se trata como una cosa?», op.cit, 2004, pp. 61 y ss.

que la prostitución es una actividad tan denigrante que acaba degradando moralmente a quien la ejerce[38].

En definitiva, las tesis actuales que defienden la ilicitud de la prostitución, se basan en que se están defendiendo derechos fundamentales como la igualdad, la libertad y, por supuesto, la dignidad.

Además, en casi todas las decisiones de los tribunales laborales en torno a la problemática de la prostitución se hace hincapié en que, en la medida en que esta actividad es contraria a la dignidad de las personas, no cabe reconocer tutela legal alguna a quien la ejerce. Se concluye, afirmando que el individuo no es libre para comprometer su propia dignidad, lo que conlleva a la paradoja de que con el fin de proteger la dignidad de las personas se les priva de una parte de la misma, tratándolas como incapaces y negándoles su poder de decisión[39].

La cuestión que debe ser abordada es la de determinar si el ejercicio de la prostitución voluntariamente consentida puede suponer un atentado contra la dignidad. El debate sobre si la prostitución lesiona o no la dignidad humana requiere unas precisiones mínimas sobre qué se entiende por «dignidad».

La dignidad es un derecho fundamental muy particular, en cuanto variable según la evolución social y relativo ya que, además, esa relatividad está institucionalizada en el propio Derecho[40].

De este modo, la idea de dignidad se pone en relación con la libertad, a la que hice mención anteriormente, pero esta vez, desde su vertiente positiva. El Tribunal Constitucional, en su Sentencia núm. 53/1985, de 11 de abril[41], afirma que «la dignidad de la persona se halla íntimamente vinculada con

38. Al respecto véase, REY MARTÍNEZ, op.cit, 2004, p. 64.
39. En este sentido véase, FITA ORTEGA, «El trabajo sexual en la doctrina judicial española», en SERRA CRISTÓBAL (coord.), *Prostitución y trata: marco jurídico y régimen de derechos*, 2007, p. 244.
40. Al respecto, GAY/OTAZO/SANZ, «el derecho procesal penal excepciona sus propias reglas de derecho público y abstiene al Ministerio Fiscal de intervenir precisamente en los delitos que tengan al honor y la 5 6 dignidad como bienes jurídicos protegidos: injurias y calumnias contra particulares, donde la acción penal de ejercerse lo ha de ser forzosamente por el acusador privado. En consecuencia, la ciudadanía puede decidir por sí misma qué es lo que considera y no considera digno, y esa opción será lícita siempre que se dé en libertad. Cosa diferente es que ésta falte, pero entonces ya no hablamos de dignidad, sino de libertad, valor superior del ordenamiento con sus consecuencias afirmativas y negativas: el derecho a hacer y a no hacer, a abstenerse y a no abstenerse», «¿Prostitución=Profesión?, Una relación a debate», *Aequalitas*, 2003, p. 14.
41. Ponentes: Gloria Begué Cantón y Rafael Gómez-Ferrer Morant

el desarrollo de la personalidad (art. 10), y los derechos a la integridad física y moral (art. 15), a la libertad de las ideas y creencias (art. 16), al honor, a la intimidad personal y familiar y a la propia imagen (art. 18.1). Es un valor espiritual y moral inherente a la persona, que se manifiesta singularmente en la autodeterminación consciente y responsable de la propia vida y que lleva consigo la pretensión al respeto por parte de los demás (...)». En resumen, podrimos decir que, a tenor de lo establecido en esta sentencia, la dignidad se reconoce como un garante para vivir como se quiere, vivir bien y vivir sin humillaciones. Más recientemente encontramos la STC núm. 192/2003, de 27 de octubre[42] donde señala que la dignidad del trabajador debe ser entendida como el derecho de todas las personas a un trato que no contradiga su condición de ser racional, igual y libre, capaz de determinar su conducta en relación consigo mismo y su entorno, esto es, la capacidad de autodeterminación consciente y responsable de la propia vida. Teniendo en consideración este argumento resulta inaceptable que esta teoría general no se aplique en relación con una actividad laboral concreta, como la del trabajo sexual.

Esta idea de dignidad no debe ser entendida como la dignidad social-pública que se tiene que garantizar a través de las Declaraciones de Derechos Públicos, sino, como lo define Monste Neyra, como la dignidad privada-íntima que está en los derechos humanos básicos en los que no debe intervenir ningún estamento público[43].

Desde esta perspectiva no cabe duda alguna de que la prostitución libremente ejercida y aceptada, y en condiciones aceptables, en nada puede afectar a la dignidad de las personas que la ejercen, ya que se trata de un valor subjetivo, cuya vigencia se manifiesta frente a los demás por lo que debe ser

42. Ponente: María Emilia Casas Baamonde.

43. En este sentido, NEYRA, «Según estos derechos humanos básicos tengo derecho a hacer cualquier cosa en el ámbito de mi intimidad, y la sexualidad está en el ámbito de la más radical intimidad, mientras no viole o me aproveche de los derechos humanos básicos de los demás. Dicho de otra manera, mientras no haga daño a los demás Por eso pienso que basar la abolición o la prohibición en la dignidad del ser humano social-pública o la degradación de la mujer es tratar a las mujeres como un colectivo uniforme, o quedarse en una idea abstracta disociada de la realidad. Cada mujer es un ser humano diferente, con sus preferencias subjetivas y sus capacidades concretas. Lo que para una persona es denigrante para otra puede ser algo placentero, o algo molesto pero que merece la pena por lo que se obtiene a cambio. Por todo esto nadie debe tratar de imponer su moral o su concepción de forma coactiva», *Nosotras las malas mujeres. Debates feministas sobre la prostitución*, Mesa Redonda, Madrid, 2009.

jurídicamente respetada[44]. Suponiendo una protección de la individualidad que debe ser respetada por los particulares y por los poderes públicos. Y entender lo contrario, supone, tal y como afirma Garaizábal, reforzar el estigma que recae sobre la prostituta al considerarla una categoría particular de mujer, a la que casi se le cuestiona su humanidad, su subjetividad, es decir, asegura que no se tienen en cuenta los factores concretos que llevan a estas mujeres a ejercer la prostitución ni las tácticas que emplean para sobrevivir y moverse en un mundo bastante duro en muchas ocasiones. Como ésta afirma, la prostitución no es una actividad como cualquier otra, tanto por la importancia y los prejuicios sociales en torno a la sexualidad, como porque para las mujeres la relación con la sexualidad sigue siendo algo contradictorio y no es lo mismo ofrecer servicios sexuales que cualquier otro tipo de servicios. Continúa señalando que dedicarse a la prostitución implica un estigma, que, en muchos casos, llega a ser interiorizado por la propia persona ejerciente, generándole vergüenza y sentimientos negativos que les provocan vivencias contradictorias, como ganas de seguir, por un lado, y de abandonar por otro lado. Sin embargo, entiende que esto nada tiene que ver con su dignidad. Una cosa es que algunas de ellas, llevadas por la interiorización del estigma, se sientan indignas y otra es que desde los feminismos se les confirme, añade. En definitiva, cree que la dignidad de las personas está por encima del trabajo que realizan, sea cual sea este, y que una cosa es decir que las condiciones en las que se ejerce la actividad son, en muchos casos, indignas y otra muy diferente es considerar que lo indigno es ejercer este trabajo[45].

En la misma dirección apunta Maqueda Abreu, que no es posible mantener un reconocimiento de la capacidad de autodeterminación sexual que dependa de una noción de dignidad selectiva, que pueda ser negada en el caso de la prostitución. La razón en la que fundamenta esta afirmación es, entre otras, su incompatibilidad con la jurisprudencia constitucional que ya hemos visto[46].

44. Cabe citar en este sentido, la SAP de Sevilla, sección 5º, 11 de enero de 2006 (*Tol 954.606*), en la que se sostiene que «el honor es un sentimiento esencialmente relativo, integrado por dos aspectos o actitudes íntimamente conexionadas: el de la inmanencia, representada por la estimación que cada persona hace de sí misma, y el de la trascendencia o exterioridad, integrado por el reconocimiento que los demás hacen de nuestra dignidad. Por ello, la intromisión ilegítima se produce cuando una persona se siente lesionada en su dignidad, fama o en la propia estimación».

45. En este sentido, GARAIZÁBAL, «El estigma de la prostitución», en BRIZ/GARAIZÁBAL/JULIANO, *La prostitución a debate*, 2007, pp. 51-52.

46. Así, MAQUEDA ABREU, «Hacia una justicia de los derechos. Una aproximación a los últimos pronunciamientos judiciales favorables a la legalidad de la prostitución», en

Finalmente, sumándome a las palabras de Rodríguez-Armas, entiendo que el reconocimiento de los derechos de las mujeres que ejercen la prostitución, incluidos los derechos sexuales, contribuyen a dotar a la dignidad humana, en general, y de este sector, en particular, de un contenido jurídico recognoscible que en absoluto permite hablar de atentado contra esa dignidad[47].

VI. DISCUSIÓN Y CONCLUSIONES

Los distintos criterios que se han utilizado y se siguen utilizando para defender que el ejercicio de la prostitución no es y no puede ser un trabajo, son que es una práctica que resulta contraria a la moral y las buenas costumbres, por la imposibilidad de un consentimiento libre por parte de quien la ejerce y por vulnerar derechos fundamentales de las personas, entre ellos la libertad o la dignidad. Sin embargo, con esta afirmación entiendo que se consigue el efecto contrario, pues la categoría que se les atribuye de víctimas, no permite ver a los sujetos de derecho que hay detrás, no se les reconoce autonomía, ni se respeta su propia subjetividad, ni su dignidad, ni su integridad, ni mucho menos su libertad.

Para analizar detenidamente el asunto es necesario, en primer lugar, conocer qué es la prostitución y saber de qué halamos cuando ponemos el tema sobre la mesa y pedimos legalizar o abolir. Para tener clara una postura al respecto, debemos saber antes que nada sobre qué estamos opinando. Solo de esta forma estaremos en condiciones de poder emitir una opinión válida y sin ningún tipo de sesgos.

En este sentido, como he comentado en mi trabajo, la realidad sobre la prostitución es muy distinta a lo que la mayoría percibe o cree que es la prostitución. Si nos quedamos con lo que se ve del iceberg difícilmente conoceremos la realidad, que no es otra que la diversidad o heterogeneidad de este fenómeno. No solo es prostitución la de la mujer inmigrante en la calle, tras la que es posible que exista una red de tráfico y trata. Si no que hay muchos géneros, y modos de ejercer la prostitución.

VILLACAMPA ESTIARTE (coord.), *Prostitución: ¿hacia la legalización?*, Valencia, 2012, pp. 186-187.

47. Confróntese al respecto, LORENZO RODRIGUEZ-ARMAS, «Constitución española, estado social y derechos de las mujeres que ejercen la prostitución», *Libro Feminismos*, núm. 12, 2008, p. 259.

Una vez que contextualicemos la prostitución desde la realidad podremos planearnos que postura o que forma de politizar es más adecuada para este sector de la población. Y en ese debate o despliegue de argumentos a favor o en contra debemos tener presente aquellos conceptos que han sido analizados en este trabajo, así, en primer lugar, hay que determinar si se trata de un negocio jurídico aceptable legalmente. Y para ello, es necesario que estén presentes todos los elementos que lo integran que son consentimiento, objeto y causa. Con respecto a estos últimos, conducen a una misma realidad, el contenido del contrato. En este caso el contenido del contrato es el ejercicio de la prostitución.

De esta forma, he puesto de manifiesto que a pesar de la insistencia en considerar que estamos ante una práctica que no puede ser objeto y causa de un contrato por su ilicitud, esta afirmación puede ser rebatida. De los artículos 1271 y 1275 del Código civil, extraemos como conclusión que la causa o el objeto son ilícitos cuando son contrarios a la moral y las buenas costumbres o a las leyes. Nuevamente volvemos al recurso de la inmoralidad para negar una realidad aplastante, y en este sentido, como hemos visto, es necesario adecuar lo moral con la realidad social y jurídica del momento, pues evolucionamos y se produce una mutación en ciertos valores, y la moral sexual es uno de los ejemplos más claros de mutabilidad social. Por tanto, entiendo que el objeto y la causa, solo resultarían ilícitos si vulnerasen la libertad sexual de la prostituta, ya que la frontera no la fija el carácter altruista o remuneratorio del servicio sexual, sino la libertad con que se prestan. Siempre y cuando no supongan actos de coacción, engaño, violencia o de sometimiento, ya sea por cuenta propia o dependiendo de un tercero que establece unas condiciones de trabajo que no conculquen los derechos de los trabajadores no puede solventarse con enfoques morales o concepciones ético-sociológicas.

Además, con respecto a si esta práctica es contraria a las leyes es sabido por todos, que la prostitución en sí no es ilegal en nuestro país, puesto que no existe ninguna norma que prohíba que una persona mayor de edad y con capacidad se prostituya voluntariamente. Y en tanto en cuanto, se presume la legalidad de una actuación, la ilegalidad es una excepción que debe establecerse expresamente por las normas.

Por otro lado, existe una gran reticencia para reconocer que alguien pueda elegir libremente ejercer la prostitución como medio para ganarse la vida. A pesar de que se supone que todos tenemos el derecho de elegir la profesión o el oficio del que vivir, cuando ese trabajo que elegimos es la prostitución, se niega ese derecho, por considerar que no hay una verdadera voluntad de elección sino una obligación. Se afirma que el sujeto no elige libremente, sino que lo hace impulsado u obligado por sus circunstancias y que ello conlleva a que no se trate de una voluntad o un consentimiento lícito. Nuevamente encontramos un prejuicio, de carácter moral, que impide reconocer legitimidad al consentimiento prestado por quien se prostituye. Sin embargo, entiendo que no es posible emitir un juicio generalizado, y que la propia realidad debería permitir aceptar que existen grupos de personas que libremente ejercen la prostitución.

Resulta injusto reconocer esa libertad sexual y la capacidad de negarse a mantener relaciones sexuales o aceptarlas libremente cuando hablamos de otro ámbito, como las relaciones de parejas, y no se reconoce esa misma autodeterminación sexual cuando de aceptar una relación sexual a cambio de dinero se trata. Como afirma un amplio sector de carácter abolicionista, en estos supuestos es impensable que alguien pueda decidir por su propia voluntad decir que sí, si no es obligada por la influencia de una tercera persona es arrastrada a ello por sus circunstancias. En este sentido he manifestado, que a pesar de la complejidad que conlleva este debate y de la innegable influencia de esas circunstancias a la hora de elegir, esto no es determinante para negar el consentimiento. Puede que alguien elija impulsado por diversos factores intrínsecos a su persona, pero al fin y al cabo elige entre las distintas opciones que se le plantean y no es obligado a hacerlo. En la medida que personas en situaciones similares eligen caminos distintos es razonable comprender que sus actos son libres.

Igual sucede con la dignidad, a la que tantos aluden para imposibilitar la laboralización de esta práctica. Para muchos el ejercicio de la prostitución es algo indigno y que vulnera los derechos de quien la ejerce, comparándolas como meros objetos a la disposición de quien quiera usarlos. Pero en este estudio, he considerado que para abordar esta cuestión es imprescindible saber de qué estamos hablando cuando mencionados la dignidad. De esta forma, apoyada por diversos argumentos jurisprudenciales y doctrinales, entiendo que se halla íntimamente vinculada con el desarrollo de la personalidad, es un valor espiritual y moral inherente a la persona, implica la capacidad de autodeterminación consciente y responsable de la propia vida y, por tanto, al tratarse de un aspecto subjetivo, nadie está capacitado para determinar que puede y no ser indigno para otra persona.

Superados estos obstáculos, podríamos entender que el ejercicio de la prostitución puede ser objeto y causa lícita de un contrato, que efectivamente puede desarrollarse o elegirse como profesión de forma libre y consentida, y que en nada resulta contraria a la dignidad cuando el propio sujeto decide que quiere ejercerla y él mismo no se considera menos digno que el resto de personas que no ejercen la prostitución.

No cabe duda de que la prostitución va acompañada de la mano de muchos problemas y conflictos que la convierten en una lacra social. Lo que muchos no se paran a analizar, es que, el estigma que arrastra la prostitución desde su existencia, provoca una marginalidad que consecuentemente desemboca en corrupción, tráfico y peligros tanto para quienes la ejercen como para la sociedad en general. Esa estigmatización, surge ya con la primera prostituta de todos los tiempos. La prostitución es vender sexo, y todo lo relacionado con la sexualidad siempre ha sido un tema tabú y lleno de prejuicios morales y éticos. Aún hoy, en una sociedad avanzada, democrática y liberal hablar de sexualidad, y sobre todo de sexualidad como comercio, es algo que no está superado. Pese a los grandes avances científicos, sociales o en la mentalidad y creencias de los ciudadanos, hablar de sexo como un medio de vida no es fácil. Quizás un cambio de paradigma, que permita despejar la mente de las personas, sea un primer paso para dejar de ver en la prostitución algo inmoral e indigno, que, a su vez, elimine los peligros y la delincuencia que la acompañan. De ese modo comenzaría un largo camino por andar para normalizar y aceptar lo que siempre ha existido y a mi entender, existirá.

VII. BIBLIOGRAFÍA

ARELLA/FERNANDEZ/NICOLÁS/VARTABEDIAN, Los pasos (in) visibles de la prostitución. Estigma, persecución y vulneración de los derechos de las trabajadoras sexuales en Barcelona, Virus Editorial, 2007.

ARIAS DOMÍNGUEZ, «Variaciones sobre Hegel», *Aranzadi Social*, vol. 1, núm. 19, 2009.

BARRY, Teoría del feminismo radical: Política de la explotación sexual, vol. 2, 2005.

BRIZ/GARAIZÁBAL/JULIANO, La prostitución a debate. Por los derechos de las prostitutas, Ed. Talasa, 2007.

BRUSSA, «Migración, trabajo sexual y la salud: la experiencia de TAMPEP», en OSBORNE (coord.), *Trabajador@s del sexo: derechos, migración y tráfico en el S. XXI*, 2004.

BUTLER, *El género en disputa,* Barcelona, Paidós, 2007.

CANCIO MELIÁ, «Prostitución y Derecho Penal», *Diario el País,* 2010.

CARMONA CUENCA, «¿Es la prostitución una vulneración de Derechos Fundamentales?», en SERRA CRISTÓBAL (coord.), *Prostitución y trata: marco jurídico y régimen de derechos,* 2007

COBO BEDIA, «Prostitución en nuestro país». *Ponencia presentada en el Congreso de los Diputados,* 2006.

DE PAULA MEDEIROS, Hablan las putas. Sobre prácticas sexuales, preservativos y SIDA en el mundo de la prostitución, Barcelona, Virus, 2000.

FITA ORTEGA, «El trabajo sexual en la doctrina judicial española», en SERRA CRISTÓBAL (coord.), *Prostitución y trata: marco jurídico y régimen de derechos,* 2007.

FITA ORTEGA, «La prostitución: posible objeto de un contrato de trabajo como una manifestación más del trabajo sexual», *Jornadas Catalanas de Derecho Social: «La delimitación del trabajo por cuenta ajena y sus fronteras»,* Universidad de Barcelona, 2008.

GARAIZÁBAL, «Derechos laborales para las trabajadoras del sexo», *Mugak,* n.º 23, segundo trimestre de 2003.

GARAIZÁBAL, «El estigma de la prostitución», en BRIZ/GARAIZÁBAL/JULIANO, *La prostitución a debate. Por los derechos de las prostitutas,* Ed. Talasa, 2007.

GARCÍA/GRANADOS ÁLVAREZ/MURILLO PALOMEQUE, Análisis de la Sentencia T-629 de 2010, en cuanto al reconocimiento de derechos laborales a trabajadoras sexuales en Colombia, 2012.

GAY/OTAZO/SANZ, «¿Prostitución=Profesión?, Una relación a debate», *Aequalitas,* núm. 13, 2003.

GONZÁLEZ DEL RÍO, El ejercicio de la prostitución y el derecho del trabajo, Comares, 2013.

GORDILLO CAÑAS, *Enciclopedia Jurídica Básica.* Ed. Civitas.

IACUB, M., ¿Que habéis hecho de la liberación sexual?, El lector universal, 2007.

INFORME PROYECTO INVESTIGACIÓN, Consentimiento y coacción. Prostitución y políticas públicas 2010-2012, Universidad de la Coruña.

JULIANO, La prostitución: el espejo oscuro, Icaria, 2002.

KAPPLER KAROLIN, «Entre dramatismo y el punto ciego: perspectivas sociológicas sobre la prostitución en España», en VILLACAMPA ESTIARTE (Coord.), *Prostitución: ¿hacia la legalización?*, Valencia, Tirant lo Blanch, 2012.

LOPEZ PRECIOSO/MESTRE, *Trabajo sexual. Reconocer derechos*, La Burbuja, 2007.

LORENZO RODRIGUEZ-ARMAS, «Constitución española, estado social y derechos de las mujeres que ejercen la prostitución», *Libro Feminismos*, núm. 12, 2008.

MACKINNON, Hacia una teoría feminista del Estado, 1995.

MAQUEDA ABREU, «Hacia una justicia de los derechos. Una aproximación a los últimos pronunciamientos judiciales favorables a la legalidad de la prostitución», en VILLACAMPA ESTIARTE (coord.), *Prostitución: ¿hacia la legalización?*, Valencia, 2012.

MAQUEDA ABREU, Prostitución, feminismo y derecho penal, 2009, p. 138; VIRGILIO, en SIGNORELLI, /TREPPETE (coord.), Servizi in vetrina. Manuale per gli interventi nel mondo della prostituzione migrante, 2001.

NEYRA, Nosotras las malas mujeres. Debates feministas sobre la prostitución, Mesa Redonda, Madrid, 2009.

PACHECO ZERGA, «La prostitución y el mal que la acompaña, la trata de personas para fines de prostitución, son incompatibles con la dignidad y el valor de la persona humana y ponen en peligro el bienestar del individuo, de la familia y de la comunidad», «La aplicación del Derecho en el caso Mesalina», *Aranzadi social*, núm. 16, 2004.

PHOENIX, J., «Prostitute identities. Men, Money and violence», *The British Journal of Criminology*, vol. 40, núm. 1, 2000.

PONS I ANTÓN, I., «Condiciones básicas para debatir sobre la legalización», en VILLACAMPA ESTIARTE (coord.), *Prostitución: ¿hacia la legalización?*, Valencia, 2012.

POYATOS I MATAS, *La prostitución como trabajo autónomo*, Barcelona: Bosch, 2009.

QUILES PARDO, «La prostitución de personas inmigrantes en la ciudad de Marbella», *Boletín Criminológico*, núm. 95, 2007.

QUINTERO OLIVARES, «Antinomias y contradicciones en la intervención penal en la prostitución libre», en VILLACAMPA ESTIARTE, *Prostitución: ¿hacia la legalización?*, 2012.

QUINTERO OLIVARES, «Las normas penales españolas: cuestiones generales», en GARCÍA ARÁN / QUINTERO OLIVARES / REBOLLO VARGAS (autores), *Trata de personas y explotación sexual*, 2006.

REY MARTÍNEZ, Nuevas políticas públicas: Anuario multidisciplinar para la modernización de las administraciones públicas, 2006.

REY MARTÍNEZ / MATA MARTIN / SERRANO ARGUELLO, *Prostitución y Derecho*, Pamplona, 2004.

TAMARIT SUMALLA, «Prostitución: regulación, prevención, y desvictimización» en VILLACAMPA ESTIARTE, *Prostitución: ¿hacia la legalización?*, 2012.

VILA TIERNO, «Del análisis de la naturaleza jurídica del contrato de trabajo», en QUESADA SEGURA / ÁLVAREZ CORTÉS (coord.), *Derecho Social y Relaciones Laborales*, 2006.

VON FOERSTER, *Observing Systems. Seaside*, CA: Intersystems, 1981.

4. Perspectiva criminológica y político-criminal de la trata de mujeres y menores con fines de explotación sexual

ALBA LANCHARRO CASTELLANOS*

Becaria de Investigación

Universidad Pablo de Olavide

alancas@alu.upo.es

«A las voces silenciadas, ninguneadas, maltratadas, abusadas y violentadas. A las que les robaron su infancia, a las que les quebraron su proyecto de vida, a las que han construido un camino de resiliencia» [1]

Resumen: Las víctimas de trata de seres humanos con fines de explotación sexual proceden de zonas geográficas distintas, cada una vive su proceso de victimización de un modo único y personal pero todas ellas tienen en común tanto las situaciones de control y/o violencia física y psicológica como el miedo que sufren en cualquier momento desde su captación en el

* ORCID: 0009-0005-4376-0776. Jurista y criminóloga. Miembro del Grupo de Investigación en Ciencias Penales y Criminológicas de la Junta de Andalucía (SEJ 047). Becaria de investigación del Departamento de Derecho Público de la Universidad Pablo de Olavide de Sevilla (España). alancas@alu.upo.es.

Agradezco a la Profesora Titular de Derecho Penal de la Universidad Pablo de Olavide, D.ª Juana del-Carpio-Delgado, esta valiosa oportunidad de publicar en esta obra colectiva.

Trabajo realizado en el marco de las actividades del Proyecto PID-2020-117403RB-100, Criminalidad Organizada Transnacional y Empresas Multinacionales ante las vulneraciones de los Derechos Humanos y del Grupo de Investigación en Ciencias Penales y Criminológicas de la Junta de Andalucía (SEJ 047).

La autora declara que no existe ningún conflicto de interés relacionado con la contribución.

1. Agradecimiento del estudio promovido y coordinado por la Delegación del Gobierno contra la Violencia de Género, titulado «La violencia sexual en las mujeres con discapacidad intelectual» y realizado por la Fundación CERMI-Mujeres (Investigadora principal: Esther Castellanos Torres, Seguimiento: Ana Peláez Narváez e Isabel Caballero Pérez).

lugar de origen, durante el transporte y traslado y hasta su llegada al lugar de destino.

En las guías de trabajo y los protocolos y manuales de carácter multidisciplinar que se elaboren se debería tener en cuenta la presencia de situaciones o comportamientos que suelen observarse en las víctimas de trata de seres humanos con el objetivo de mejorar su detección e identificación así como las actualizaciones de los *modus operandi* de las diferentes redes y organizaciones dedicadas a la trata —que van adaptándose a los tiempos— para investigar los casos de trata y explotación de personas.

I. INTRODUCCIÓN

La trata de seres humanos es un fenómeno criminológico que constituye una de las maneras de violación de derechos más arduas y severas y un negocio que se encuentra entre las tres actividades criminales con más ingresos a nivel global -junto con el tráfico de drogas y el tráfico de armas- [2] que puede y suele estar asociado a otras realidades delictivas, importando por su desvalor tanto el hecho en sí —en cuanto cosificación personal— como el fin que lo motivó —en cuanto a la lesión de una voluntad carente de libertad—.

2. CONSEJO DE LA UNIÓN EUROPEA, 2023.

No todas las bases de datos recogen la información de igual modo ni dicha información es siempre comparable, lo cual dificulta el establecimiento de estimaciones globales sobre este fenómeno. Para situar a las víctimas de trata de seres humanos en el centro de las decisiones político-criminales se ha acudido a las normativas internacional y comunitaria con una perspectiva victimocéntrica. Una comprensión limitada por parte de los Estados de la realidad de la situación de las víctimas de trata de seres humanos reduce la capacidad de los mismos para ofrecer respuestas que resulten apropiadas a los casos de trata y adecuadas a la situación actual. Conocer el perfil de las víctimas es de vital importancia para dar respuestas efectivas y rápidas en su identificación y posterior reparación, así como conocer el perfil de los tratantes para dirigir las medidas de prevención a la lucha contra las prácticas de trata que existen y los *modus operandi* de las diferentes organizaciones en este ámbito de la criminalidad y definir la clase de respuesta penal.

La Organización Internacional para las Migraciones (OIM) lanzó en 2018 una nueva versión de Counter Trafficking Data Collaborative (CTDC) que presenta datos sobre más de 90.000 casos de trata de seres humanos [3].

CTDC es el primer portal global de información sobre la trata de personas, con datos primarios aportados por organizaciones de todo el mundo [4].

En la actualidad, la recopilación general de información sobre trata de seres humanos en España se lleva a cabo por el Centro de Inteligencia contra el Terrorismo y Crimen Organizado (CITCO) del Ministerio de Interior, el cual recibe datos completos de Policía Nacional y Guardia Civil y de las policías autonómicas. La información se completa con el seguimiento del delito de trata de seres humanos [5] que, desde el año 2013, realiza la Unidad de Extranjería de la Fiscalía General del Estado (UEFGE) sobre las investigaciones abiertas en España en las que se valora como probable que terminen en procedimientos judiciales. El carácter y la proyección estrictamente jurídico-procesal de las Diligencias de Seguimiento de la UEFGE determina que los criterios clasificatorios de las víctimas de trata no se correspondan de modo necesario con los empleados por el CITCO, ya que la UEFGE se circunscribe a las investigaciones en donde se ha detectado la presencia de víctimas identificadas de trata de personas —aquellas sobre las que por los

3. OIM, 2018.
4. CTDC, 2023.
5. FISCAL, 2019, pp. 1-10.

indicios objetivos concurrentes no cabe ninguna duda racional de su condición de víctimas— o de víctimas en situación de grave riesgo [6].

II. ESTUDIO DESCRIPTIVO DE LA TRATA DE SERES HUMANOS

1. FACTORES DE LA TRATA

Son los motivos que incrementan la existencia de trata de personas y que se pueden englobar en factores estructurales y de vulnerabilidad.

En lo relativo a las causas estructurales, cabe indicar dos clases [7], las cuales son:

1.1. Factores de empuje o *push factors*

Presentes en las zonas de origen de las víctimas, son los que explican las razones que motivan a las personas a desear abandonar el lugar de origen hacia el lugar de destino.

Dentro de estos factores se incluyen la inestabilidad económica y la pobreza; la vulneración sistemática de los derechos humanos; los conflictos políticos y la represión política e intolerancia; la precariedad de las condiciones laborales o los altos niveles de desempleo; las catástrofes y/o los desastres naturales; las desigualdades raciales, de discriminación y de género; la persecución por razones de orientación sexual; y los conflictos armados, entre otros.

Resulta destacable la situación de discriminación y mayor vulnerabilidad de las mujeres y minorías étnicas o religiosas en algunos países, quienes se pueden encontrar con menos medios para prosperar económicamente, mayor riesgo social —por prohibirles, por ejemplo, asistir a escuelas— y cultural —a modo de ejemplo, por la marginación o por la práctica en ciertos clanes de entregar familiares o hijos para que presten sus servicios o entregar a niñas para que se conviertan en siervas de Dios, quienes terminaban siendo explotadas sexualmente-[8].

---

6. FISCALÍA GENERAL DEL ESTADO, 2019, pp. 1234 y 1235.
7. GIMENEZ-SALINAS FRAMIS, 2016, pp. 19-24.
8. Para referirse a ello se utiliza el término de *devadasi* en India o el concepto de *deuki* en Nepal.

1.2. Factores de atracción o *pull factor*

Presentes en las zonas de destino, se caracterizan por atraer a las víctimas hacia estas al funcionar como «faros de esperanza» para aquellas personas en búsqueda de mejores condiciones de vida.

Dentro de estos factores que provocan la demanda se encuentran una mayor estabilidad económico-política; políticas migratorias amigables para personas extranjeras y mayor facilidad de transporte —desplazamientos más económicos—; mejora de las rutas migratorias; mayores oportunidades laborales; mejores salarios; y mayor cumplimiento de los estándares internacionales, entre otros.

2. LA TRATA DE MENORES

La definición jurídica internacional de la trata de menores es diferente de la trata de adultos, puesto que requiere únicamente de una acción en los términos del artículo 3 del Protocolo de Palermo —captación, transporte, traslado, acogida o recepción— realizada con la finalidad de someter al menor a explotación, no siendo preciso ningún medio —amenaza o uso de la fuerza u otras formas de coacción, rapto, fraude, engaño, abuso de poder o de una situación de vulnerabilidad o la concesión o recepción de pagos o beneficios para obtener el consentimiento de una persona que tenga autoridad sobre otra— para que se le considere víctima de trata.

El Derecho Internacional de los Derechos Humanos se aplica a todas las personas sin distinción, no obstante, se puede justificar un tratamiento diferente para los niños del previsto para víctimas adultas en las leyes, normas, programas y reglas de aplicación general [9] atendiendo al hecho de que el ejercicio de la libertad y uso de la racionalidad por los menores viene condicionado por las limitaciones propias de su falta de madurez, su mayor vulnerabilidad a la explotación y el interés superior del menor como consideración primordial —establecido en el párrafo 1 del artículo 3 de la Convención de Naciones Unidas sobre los Derechos del Niño—. Las niñas, por su edad y sexo, pueden ser doblemente discriminadas [10].

9. OFICINA del Alto Comisionado de las Naciones Unidas para los Derechos Humanos, sin fecha (s. f.), pp. 3 y s.
10. Preámbulo y artículo 1 de la Ley Orgánica 8/2021, de 4 de junio, de protección integral a la infancia y la adolescencia frente a la violencia. Esta Ley tiene por fin la garantía de los derechos fundamentales de los menores, con especial atención a su integridad -psíquica, psicológica, moral y física- y entre las formas de violencia incluye la trata con cualquier fin.

La Declaración y Programa de Acción del I Congreso Mundial contra la Explotación Sexual Comercial de Niños, Niñas y Adolescentes (ESCNNA) de 1996 define la explotación sexual comercial infantil (ESCI) como una forma de coerción y violencia contra los niños, que equivale a trabajo forzoso y una forma contemporánea de esclavitud y constituye una violación esencial de los derechos del niño, a quien se le trata como objeto sexual y comercial —mercancía que es explotada— [11]. En la ESCI se comprende la trata de niños, niñas y adolescentes con la finalidad principal de explotarlos sexualmente a cambio de una compensación económica u otra clase de beneficio. La trata de menores según el Convenio núm. 182 (1999) de la Organización Internacional del Trabajo (OIT) se incluye dentro de las formas o prácticas análogas de esclavitud [12].

El artículo 13 de la «Directiva 2011/36/UE del Parlamento Europeo y del Consejo de 5 de abril de 2011 relativa a la prevención y lucha contra la trata de seres humanos y a la protección de las víctimas y por la que se sustituye la Decisión marco 2002/629/JAI del Consejo» establece una disposición de carácter general con medidas de asistencia, apoyo y protección de menores víctimas. En virtud del apartado 2 de dicho artículo, si existen razones para creer que la víctima es menor pero la edad es incierta, se presumirá su minoría de edad a efectos de que reciba inmediatamente apoyo, protección y asistencia en los términos de los artículos 14 y 15.

3. CONSECUENCIAS DERIVADAS DE LA TRATA EN LOS MENORES VÍCTIMAS

Las consecuencias que supone el ser víctima de trata infantil son multifactoriales y variadas en función de la red de apoyo relacional de la que el menor disponga, su propia personalidad, etc. Con el fin de agruparlas, se pueden establecer cuatro categorías diferenciadas:

3.1. Consecuencias emocionales y psíquicas[13]

El estar sometido a situaciones que no corresponden a su etapa del ciclo vital puede derivar en efectos significativamente negativos en el desarrollo de su identidad al alejarle o aislarle de entornos necesarios para su proceso de socialización: grupo de iguales, escuela, etc.

11. UNESCO, 1996, p. 1.
12. OIT, 1999, p. 1. Ratificado por España el 14 de marzo de 2001.
13. HUESCA/LÓPEZ/QUICIOS, 2020, pp. 20 y ss.

- Suelen presentar vulnerabilidad y bajo control emocional, así como inseguridad, fobias, miedos, ansiedad, síntomas depresivos, pérdida de la autoestima, culpa y estigmatización y/o trastorno de estrés post traumático (TEPT). Estos sentimientos pueden llegar a tal nivel que los menores sientan que ser rescatados no vale la pena.

- Respecto a problemas funcionales: trastornos del sueño —insomnio, hipersomnia, pesadillas, terrores nocturnos, sueño inquieto, somnílocua—, trastorno de la conducta alimentaria (TCA) —consumo compulsivo, dejar de comer, etc.— y/o quejas somáticas.

- En relación a lo cognitivo: impulsividad, conductas hiperactivas, problemas de atención y concentración, bajo rendimiento académico y/o trastorno por déficit de atención con hiperactividad (TDAH).

- Dentro de lo comportamental se pueden encontrar los siguientes signos: retraimiento e inactividad, llanto sin aparente motivo, autopuesta en peligro, proceder agresivo, cambios en la postura —por ejemplo, en la forma de caminar— o en la imagen personal exteriorizada —por ejemplo, en la manera de vestirse—, mutismo y silencios prolongados, etc.

- Los problemas de conducta se podrían dividir en: (1) conducta sexualizada y (2) conducta disruptiva y disocial. La conducta sexualizada se representa a través del uso de vocabulario sexual inapropiado, la curiosidad sexual excesiva e imitación de actos sexuales y/o conductas exhibicionistas. La conducta disruptiva y disocial se manifiesta con hostilidad, ira, agresividad y/o trastorno oposicionista desafiante (TOD).

Si era libre, seguro y se gustaba a sí mismo puede que por la victimización primaria -al ser víctima de trata y explotación sexual- modifique aspectos como su cuidado personal y vestimenta y se retraiga. Se tiene constancia que los daños psicológicos de la trata de seres humanos perduran de modo más prolongado en el tiempo que las secuelas físicas [14].

3.2. Consecuencias físicas

Aquellos perjuicios o daños que afectan a la salud física del menor y van desde posibles lesiones musculares u óseas relacionadas con las condiciones en las que el menor se desarrolla y es tratado o por el sobresfuerzo derivado de los servicios de naturaleza sexual que se ve forzado a prestar y otras actividades que le pueden obligar a realizar; pudiendo llegar a provocarle graves

14. CHAHÍN-PINZÓN/REYES/VARGAS, 2017, pp. 122 y ss.

secuelas y un deterioro significativo en su desarrollo corpóreo: desgarros rectal y vaginal; enfermedades de transmisión sexual (ETS); embarazo no deseado; pérdida de control de esfínteres —enuresis, encopresis—; problemas gastrointestinales —gastritis, colitis, estreñimiento—; etc.

3.3. Consecuencias sociales

El ser víctima de trata sexual puede cambiar la percepción de los niños o adolescentes frente a los demás al no poder relacionarse con amigos -grupo de iguales-, ni asistir a instituciones educativas, ni poder realizar actividades de ocio o lúdicas, etc. Suelen presentar dificultades o falta de habilidades sociales, conducta antisocial, aislamiento, rechazo manifiesto al contacto adulto. En resumen, inestabilidad generalizada en sus relaciones interpersonales y en el entorno social [15]. A ello hay que sumar el riesgo que padecen de sufrir discriminación y exclusión social por su condición como víctimas de un fenómeno de estas características.

3.4. Peculiaridades de las fases del proceso de trata cuando las víctimas son menores [16]

El proceso de trata con fines de explotación sexual cuando las víctimas son menores también requiere de las fases de captación, transporte y traslado y explotación, pero se realizan de modo distinto:

3.4.1. Captación. Se da principalmente por dos intervinientes: las alcahuetas o los menores.

- Las víctimas proceden generalmente de zonas periféricas y marginales de las ciudades en las que se encuentran las alcahuetas, prostitutas o exprostitutas que se dedican a localizar a posibles víctimas, se aprovechan de las necesidades económicas de los menores y de su inocencia y les ofrecen trabajo en un espectáculo, un grupo de baile o en un bar.

- También pueden ser menores quienes captan en institutos, discotecas o por medio de las redes sociales a otros menores que se encuentran en una situación de vulnerabilidad —lazos familiares débiles, dificultades económicas, parejas tóxicas y conflictivas, etc.— que es aprovechada para iniciar el proceso de captación.

15. VIDAL/LÓPEZ/ZULETA, 2021, pp. 746 y ss.
16. TARDÓN OLMOS, 2021.

3.4.2. Transporte y traslado. Tras ganarse la confianza de los menores, les conducen a establecimientos donde están los tratantes, quienes utilizan clubes y departamentos para retener a los menores víctimas: los encierran, golpean y agreden sexualmente durante un tiempo para asegurarse de que han tenido varias experiencias antes de recibir a su primer cliente.

3.4.3. Acogida, recepción y explotación. Los menores están continuamente vigilados y son sometidos a palizas y amenazas para asegurar su silencio, algunos incluso son drogados —con cocaína para aumentar su rendimiento o con heroína para someterlos—, generando con ello también una mayor dependencia hacia la persona que les suministran las drogas.

III. APROXIMACIÓN VICTIMOCÉNTRICA Y CRIMINOLÓGICA A LA TRATA SEXUAL

1. PERFIL DE LOS VICTIMARIOS

Por «tratante» se entiende aquella persona que participa de una o más prácticas vinculadas a la trata de personas al realizar las acciones de captación, transporte, traslado, acogimiento o recibimiento de las víctimas de trata y que, como «retribución» por llevar a cabo estas acciones, obtiene un beneficio con la explotación de las víctimas. La Comisión Centroamericana de Directores de Migración (OCAM), la Organización Internacional para las Migraciones (OIM) y la Organización Internacional del Trabajo (OIT) argumentan que quien recluta, el que traslada, el que acoge o quien controla y/o comercializa a la víctima puede ser considerado tratante siempre que sus acciones tengan como fin la explotación de la víctima [17].

Los tratantes no tienen un perfil único y manipulan los *push* y *pull factors* -definidos *ut supra*- con la intención de acercarse a las personas más vulnerables de la sociedad, al resultarles más fácil reclutarlas cuanto mayor sea su situación de desprotección.

Para comprender quiénes están detrás de la trata de personas es preciso examinar la estructura organizativa de los participantes y actores de la misma. Pueden ser tratantes oportunistas que trabajan en solitario -por un lado, aquellos profundamente inmersos en un estilo de vida criminal y que pueden estar involucrados en otros hechos delictivos; por otro lado, terceras personas o víctimas que han sido forzadas a reclutar a otros [18]- o en asociación con otros tratantes —persiguiendo el mismo fin o actuando

17. OCAM; OIM; OIT, 2004, p. 4.
18. ARONOWITZ/THEUERMANN/TYURYKANOVA, 2010, pp. 19 y ss.

juntos en un mismo acto criminal, pero sin prolongar la cooperación entre ellos más allá de ese concreto hecho delictivo— o miembros de grupos u organizaciones criminales. Pueden ser jefes, líderes comunales, personas conocidas virtualmente, conocidos de la comunidad donde vive la víctima, promotores de ofertas engañosas orientadas a la atracción de la víctima, contratistas y empleadores, personas de confianza de la víctima o sus más allegados -amigos, parejas o incluso familiares -, etc.

Las organizaciones criminales pueden clasificarse a su vez en dos grupos diferenciados [19]: «governance-type» si gobiernan en un territorio o comunidad mediante el miedo y la violencia —suelen participar en múltiples mercados ilegales— o «business-enterprise-type» cuando tres o más tratantes trabajan juntos de forma sistemática —siendo la trata de seres humanos el centro de su actividad delictiva—.

Las redes altamente estructuradas suelen controlar y manejar todo el proceso de trata de seres humanos y requieren a grupos más grandes y sofisticados involucrados en la constante provisión de víctimas para los mercados especializados en la explotación sexual, donde venden las víctimas a propietarios de burdeles o llegan a organizar la rotación de víctimas entre ciudades y países si el mercado del sexo en esos territorios requiere de modo constante cuerpos y caras nuevas [20].

La lógica de los tratantes de personas es actuar en zonas de bajo riesgo en las que posean un relativo control del entorno, aprovechar las rutas de otros tráficos, subcontratar e intercambiar información y/o negocios ilícitos con otros miembros de redes [21] —con intereses y aspiraciones semejantes que permanecen en contacto informal para la asistencia o apoyo mutuo—, y buscar mercados —preferentemente en zonas de demanda más rica— en los que puedan cobrar precios más altos.

Desde una perspectiva impulsada por el mercado y en directa relación con la trata de personas con fines de explotación sexual, cabe referirse al «modelo oportunista de emprendedor violento: Balkan Crime Gr», el cual está enfocado en la captación y sometimiento de mujeres, máxime mujeres provenientes de los Balcanes, para que los grupos delictivos de la antigua Unión Soviética y Europa del Este las vendan a comerciantes balcánicos [22].

19. ARONOWITZ/THEUERMANN/TYURYKANOVA, 2010, p. 41.
20. WOMEN'S LINK WORLDWIDE, 2017, pp. 5 y ss.
21. ZUÑIGA RODRÍGUEZ, 2020, pp. 250 y ss.
22. SHELLEY, 2021, p. 126.

En el «Manual de perfiles aplicados a la detección de víctimas y victimarios del delito de trata de personas» [23] de la OIM se recogen las siguientes características generales de los tratantes o victimarios: frecuentemente son hombres pero hay también tratantes mujeres —conforme a los últimos estudios e informes [24], parece constatarse un incremento del número de mujeres involucradas en la trata como autoras, quienes se encargan principalmente de la captación pero también pueden ser responsables de organizar el transporte y traslado de las víctimas o intervenir para ubicarlas en una situación de explotación [25]—, suelen ser de la misma nacionalidad y estrato social de las potenciales víctimas —lo cual puede facilitar la creación de vínculos de confianza—, normalmente mayores que las víctimas —lo que favorece el engaño, la manipulación o el control ejercido mediante violencia— y con habilidades para ganar la confianza de las víctimas [26].

Los miembros de las redes se suelen especializar en determinadas operaciones: reclutar, suministrar un lugar para mantener ocultas a las víctimas, elaborar documentos falsos, transportar a las víctimas, rotar a las víctimas a distintos destinos tanto estatales como internacionales [27], etc. Dentro de este flujo operativo destacan estos roles [28]:

1) Inversores: quienes financian toda la operación y están resguardados por una estructura piramidal organizativa que protege su anonimato.

2) Reclutadores: buscan y persuaden a las potenciales víctimas -nacionales o extranjeras- hasta asegurar de cierto modo su compromiso financiero.

3) Transportistas: conectan con las víctimas y las «ayudan» a salir de su lugar de origen, ya sea por tierra, mar o aire, hacia el lugar de recepción o acogida donde se pretende llevar a cabo su explotación, teniendo presente que la llegada al destino no es precisa para considerar que se está ante un caso de trata [29].

4) Informantes: vigilan y recogen información sobre el proceder de las autoridades en los controles de las fronteras entre países, el tránsito de personas, los procedimientos de inmigración y los sistemas de refugio y de asilo.

23. OIM, 2011, pp. 16 y ss.
24. FISCALÍA GENERAL DEL ESTADO, 2021, pp. 445 y ss.; EpData, 2022.
25. FEI, 2013, pp. 5 y ss.
26. HADDINI, 2022, pp. 432 y ss.
27. ZURITA CAJAS, 2022, pp. 3 y ss.
28. ARONOWITZ/THEUERMANN/TYURYKANOVA, 2010, p. 24.
29. OCAM; OIM; OIT, 2004, p. 4.

5) Guías y tripulantes: trasladan a las víctimas de un sitio a otro -trata interna o externa-.

6) Encargados: mantienen el orden, vigilan a miembros de la red y controlan a las víctimas.

7) Cobradores: fijan unas tarifas y cobran las deudas a las víctimas -transporte, documentación (pasaportes falsos), costes de manutención (alojamiento y alimentación), etc.-.

8) Blanqueadores de dinero: cambian el producto del delito disfrazando su origen mediante unas transacciones.

9) Personal de apoyo: colabora en ciertos lugares y puntos de tránsito y proporciona alojamiento temporal y otras asistencias que puedan ser necesarias.

10) Explotadores: se lucran de los servicios obtenidos por medio de la explotación de las víctimas. Entre las razones que impulsan a los explotadores a victimizar a menores se podrían referir su escasa visibilidad social y los escasos costes y grandes beneficios que se podrían obtener debido a las preferencias de ciertos clientes dentro del mercado sexual -ley de la oferta y la demanda- para satisfacer sus deseos con niños, niñas y adolescentes.

2. MODUS OPERANDI

La «Directiva 2011/36/UE del Parlamento Europeo y del Consejo, de 5 de abril de 2011, relativa a la prevención y lucha contra la trata de seres humanos y a la protección de las víctimas» [30] es especialmente relevante en la materia por definir en su artículo 2 qué es lo que se entiende por trata de seres humanos (apartado 1), determinar cuándo existe una situación de vulnerabilidad (apartado 2), lo mínimo que debe incluir el concepto de explotación (apartado 3), determinar que el consentimiento de la víctima de trata no se tendrá en cuenta si concurre cualquiera de los medios previstos en el apartado 1 en relación a la definición de trata de seres humanos (apartado 4) y que la conducta constituirá infracción punible si afecta a un niño a pesar de que no exista ninguno de esos medios (apartado 5), por último, se define qué se entiende por menor (apartado 6).

30. Directiva 2011/36/UE del Parlamento Europeo y del Consejo, de 5 de abril de 2011, relativa a la prevención y lucha contra la trata de seres humanos y a la protección de las víctimas y por la que se sustituye la Decisión marco 2002/629/JAI del Consejo. Publicado en *DOUE* n. 101, de 15 de abril de 2011.

Los tratantes se dirigen principalmente a niñas y mujeres [31]. En función del perfil y de la situación de las víctimas, los grupos y las redes y organizaciones de criminalidad emplean diversos métodos de captación: ofertas de trabajo en las que prometen buenas condiciones laborales y una vida mejor [32], participación en concursos con premios que les pudiesen resultar atractivos, u oportunidad de estudiar en el extranjero, a modo de ejemplos. Dichos métodos también varían de unas organizaciones a otras, veamos algunas:

- Organizaciones nigerianas: el reclutamiento de las víctimas se realiza usualmente en Edo -Estado al que emigraban personas en el siglo XIX con el propósito de mejorar sus condiciones de vida-, pero también en Marruecos y otros países de tránsito a Europa.

¿Cómo se realiza la captación?

a) Sistema de servidumbre por deudas entre tratante y víctima: Los tratantes suelen atraer a nigerianos con ofertas de «paquetes» de migración irregular a Europa, con transporte, gastos de alimentación y documentación por entre 50.000 y 70.000 naira nigerianos -aproximadamente 250 euros-. Las víctimas aceptan con la intención de devolver el dinero con las ganancias obtenidas trabajando en Europa y desconocen hasta que llegan al lugar de destino que ese «paquete» se trata en realidad de una deuda que ha ascendido a entre 50.000 y 70.000 euros, los cuales tendrán que pagar con su explotación sexual [33].

b) Ceremonia del juramento: Las mujeres, en presencia de un sacerdote y siguiendo las instrucciones de su «madame», prometen servir a ciertos dioses del vudú, seguir de modo incondicional las instrucciones de su «protector» y no acudir a las autoridades policiales y/o judiciales. Si llegasen a incumplir esa promesa, el vudú actuaría en contra de sus familiares y en la suya; habría consecuencias de gravedad para ellas y/o para sus familias, pudiendo recibir amenazas de muerte o causarles daños, además de suponer un acto de deshonor frente a su comunidad y en especial frente a su familia [34].

31. UNODC, 2022a, pp. 45 y ss.
32. Una de las maneras más predominante de reclutamiento de las víctimas es la oferta de trabajo como, por ejemplo, camarera, bailarina, modelo, empleada del hogar, cuidadora de niños o de personas mayores, etc., bien personalmente o por anuncios en radio, periódicos u otros medios que atraen a las víctimas a contactar para conseguir entrevistas. Una vez en el país de destino, las víctimas descubren que las condiciones laborales prometidas no existen y ven confiscados su pasaporte y otra documentación personal.
33. MPDL (Movimiento Por la Paz), 2018, pp. 6 y ss.
34. MPDL (Movimiento Por la Paz), 2018, pp. 21 y ss.

- Organizaciones asiáticas: se caracterizan por una alta jerarquización y ser de tipo piramidal. Las víctimas son captadas ofreciéndoles un proyecto migratorio en Europa, encargándose la organización de proporcionar todo lo preciso para el desplazamiento -suele ser en avión- y quedando las víctimas vinculadas a la organización a través de una deuda -servidumbre por deudas- y, ya en el lugar de destino, les requisarán los pasaportes y cualquier otra clase de documento identificativo que llevasen consigo.

Los miembros de la organización suelen recibir a las víctimas en lugares bajo un control férreo, incluso con cámaras de videovigilancia, desde los que trasladan a las víctimas al local o establecimiento donde serán explotadas sexualmente y donde se encuentran otros miembros de la organización que se encargan de comprobar los servicios sexuales prestados, mantener bajo control a las víctimas, recaudar dinero e informar de todo lo pertinente a miembros de la cúpula de la organización. En ocasiones, para vencer la resistencia de las víctimas y que los criminales obtengan un mayor poder y control sobre ellas, se les obliga a consumir alcohol, drogas u otras sustancias [35] que pueden aumentar su dependencia y su deuda y en ese caso las volverían más vulnerables y manejables; también les pueden obligar a consumir drogas con otros efectos con el propósito de que puedan rendir más y atender a un mayor número de clientes. Algunas víctimas, por ese consumo forzado de esa clase de sustancias, desarrollan adicción a las drogas, lo cual favorece que dependan más aún de sus tratantes porque son quienes se las proporcionan.

- Organizaciones americanas: captan a víctimas por engaño y promesas falsas, muchas pasan por distintos grupos que las transportan a diferentes localizaciones.

Los tratantes les informan que han adquirido una deuda que va ascendiendo debido a que a los gastos iniciales -transporte y traslado, documentación, etc.- les suman otros gastos derivados de la situación de dependencia generada por los tratantes -manutención, ropa y maquillaje que utilizan para realizar los servicios, a modo de ejemplo- que incrementan la deuda de modo sustancial y que las víctimas deben pagar con las futuras ganancias que obtengan a través de la explotación sexual a la que son sometidas. Las víctimas son forzadas a realizar actos de carácter sexual con clientes para poder saldar su deuda y conseguir su libertad, pero esa deuda nunca se llega a saldar. Las deudas de las víctimas de trata de seres humanos de origen

35. FISCAL, 2022, pp. 1-8.

latinoamericano suelen oscilar entre los 6.000 y 8.000 euros [36]. Ha ocurrido alguna captación por Internet, caso de un grupo de 15 jóvenes, todos ellos menores de edad, a los que captaron por medio de las redes sociales con fines de explotación sexual [37].

- Organizaciones europeas: captan a las víctimas por engaño, empleando fuerza y violencia o mediante compra-venta. Ejemplo de una práctica de trata con fines de explotación sexual es la denominada «*lover boy*», por la que un hombre joven o un adolescente seduce y se gana la confianza de la víctima, en general una menor de 18 años, presencialmente o por las redes sociales u otros medios de comunicación a través de Internet y por medio de la falsa promesa de mantener con ella una relación romántica y una falsa realidad llena de lujos; cuando el tratante consigue «enamorar» a la víctima, le pide que se vaya a vivir con él a otro país para tener un futuro próspero juntos, siendo el fin real de esta práctica explotar a la víctima [38].

En cualquier caso, los tratantes buscan el máximo control sobre las víctimas: que no se resistan, que no tengan contacto con el mundo exterior, evitar que escapen, que no intenten pedir ayuda externa, si salen al exterior que lo hagan siempre en compañía de algún miembro de la organización que la pueda vigilar, que no denuncien su situación a las autoridades, etc.

Como métodos de control pueden emplear la violencia física -tortura, golpes y agresiones en zonas no muy visibles para que, si dejan marcas, no afecten al «producto» de cara a los clientes- y/o psicológica para imponerles miedo y someterlas -intimidación, aislamiento, humillación, amenazas con deportarlas o con causarles daño a sus familias y allegados o a ellas mismas si intentan escapar o denunciar o si no trabajan-.

El temor a las represalias es uno de los factores claves del silencio de las víctimas de trata de seres humanos, más aún teniendo presente que en la mayoría de los casos -aunque no necesariamente- los tratantes pertenecen a organizaciones criminales, por lo que cabría entender que sus amenazas podrían ser posibles y ciertas [39].

---

36. MENESES-FALCÓN/URÍO, 2021, pp. 94 y ss.
37. FISCAL, 2022, pp. 1-8.
38. FEI, 2013, pp. 5 y ss.
39. Entre otras: STS 14 mayo 2020 (ECLI:ES:TS:2020:1935) y SAP 10 junio 2020 (ECLI:ES:TS:2020:1935).

3. PERFIL DE LOS USUARIOS-CLIENTES

La trata de personas se considera la tercera actividad ilegal a nivel mundial que más beneficios económicos genera, llegando a estimar en el caso del continente europeo que esos beneficios rondarían los 2.280 millones de dólares anuales. En relación a España, el negocio de la trata generaría de media unos 1825 millones de euros al año y unos cinco millones de euros cada día [40].

Si la trata de seres humanos existe es porque hay personas dispuestas a contratar los servicios derivados de las finalidades de explotación de este fenómeno. Los usuarios-clientes serían aquellas personas involucradas en la trata por abonar un pago -monetario o en especie- como retribución por la obtención de un determinado servicio y, con ello, fomentan el círculo de explotación. Vemos que el papel de estos usuarios-clientes es fundamental dentro del fenómeno criminológico para la existencia de la trata de personas, pues sin demanda del servicio no tendría sentido que se generase oferta del mismo.

No se dispone de información concluyente que permitiese elaborar un perfil con las características del usuario-cliente, debido entre otros aspectos al profundo ocultamiento que existe en relación con la trata de seres humanos.

El psicólogo estadounidense Lawrence Kohlberg expuso que las personas desarrollan su moral progresivamente y que es esta la que les permite tomar decisiones en lo relativo al entorno que les rodea, pues las normas de índole moral hacen parte -de un modo u otro- de la sociedad en la que nos encontremos inmersos. Dentro de las fases de esta «teoría del desarrollo moral», se planteó que es en la adolescencia cuando surge el juicio moral entendido como proceso que posibilita reflexionar sobre valores y ordenarlos de modo lógico en una jerarquía, se podría decir que aquí se fundamenta la moral que integra el proceso de pensamiento empleado en dilemas morales que surgen en el día a día y que, en el futuro, permitiría tomar decisiones valorando lo que se espera socialmente. Se puede inferir que, en referencia a lo expuesto por Kohlberg, la mayoría de los adultos poseerían la capacidad para decidir, teniendo claro que de cualquier acción habrá un resultado que puede afectar negativamente a terceros [41].

Existen instrumentos internacionales que contemplan la punición del usuario-cliente al exigir responsabilidad penal a aquellas personas que

40. MENESES-FALCÓN/URÍO, 2021, pp. 101 y ss.
41. RUÍZ GUEVARA, 2021, pp. 5 y ss.

hagan uso de los servicios por los que las víctimas de trata de seres humanos son explotadas siendo conscientes de su situación de víctimas de trata de personas, a modo de ejemplo consúltense los artículos 19 del Convenio de Varsovia o 18.4 de la Directiva 2011/36/UE, donde se estipula que los legisladores de los Estados deberán estudiar medidas legales para tipificar las conductas utilizadas por los clientes de servicios de explotación a sabiendas de que la persona es víctima de trata de seres humanos.

El artículo 18.4 de la Directiva 2011/36/UE establece que los Estados miembros estudien la adopción de medidas para tipificar el uso de servicios objeto de explotación como forma de desalentar al usuario-cliente de comprar los servicios de víctimas de trata de personas, con el propósito de conducir a una caída en la demanda de estos servicios.

Los clientes no son los sujetos activos del delito de trata de seres humanos, pero si los Estados tipificasen la utilización de los servicios de las víctimas podrían cometer infracción penal si tienen conciencia de la condición de víctima de trata de seres humanos al hacer uso de sus servicios, cuestión que resulta controvertida por la dificultad que entraña el conocer y probar el grado de conocimiento de los clientes.

La posible tipificación de la conducta de los usuarios-clientes se realizaría acorde al Derecho interno de los Estados Parte, esta responsabilidad penal de los usuarios-clientes no se encuentra expresamente recogida en la redacción actual del artículo 177 bis del Código penal español [42]; sin embargo, aunque España no les sanciona de modo expreso sí establece penas de prisión en el apartado 4 del artículo 188 de su Código penal por solicitar, aceptar u obtener servicios sexuales de una persona menor de edad —pena de 1 a 4 años de prisión si hubiese cumplido 16 años de edad y pena de 2 a 6 años de prisión si no hubiese cumplido 16 años— o con discapacidad necesitada de especial protección a cambio de una promesa o de una remuneración.

4. PERFIL DE LAS VÍCTIMAS Y FACTORES DE RIESGO

La estrategia de prevención y lucha contra la trata de personas debería empezar con la detección e identificación de las víctimas —tanto las víctimas reales como las potenciales— y para ello resulta esencial como punto de

42. Puede consultarse en el texto consolidado de la Ley Orgánica 10/1995, de 23 de noviembre, del Código Penal.

partida conocer su perfil para garantizar una protección, asistencia, acceso a la justicia y reparación adecuados [43].

Respecto al perfil demográfico, la trata de seres humanos con fines de explotación sexual es la modalidad de trata más común en Asia oriental y en el Pacífico, en diversas regiones de América —gran parte de las víctimas de trata que terminan en España provienen de Brasil, Colombia, Paraguay y Venezuela—, Europa del Sur y occidental, así como en el sudeste y centro de Europa [44].

En el Balance estadístico de trata y explotación de seres humanos en España 2018-2022 [45] se recoge que un total de 435 víctimas fueron rescatadas de situaciones de explotación sexual sin la concurrencia de redes de trata de seres humanos, siendo el perfil mayoritario mujeres entre 23 y 27 años procedentes de Rumanía, España y Colombia; y 129 víctimas fueron liberadas de las redes de trata de personas para su explotación sexual, mayoritariamente mujeres entre 23 y 27 años originarias de Venezuela, Paraguay y Colombia [46]. Las operaciones policiales en el ámbito de la trata de seres humanos y explotación sexual culminaron con la desarticulación de 53 grupos y organizaciones delictivas y 402 personas detenidas [47].

La detección de las víctimas de trata encuentra dificultades pues no se conoce la dimensión real de esta realidad delictiva ni es posible determinar un único perfil de víctima con la información sobre víctimas de trata con fines de explotación sexual que se dispone a nivel internacional —datos que se caracterizan por la heterogeneidad y por su dispersión—.

La característica fundamental que comparten de modo general las víctimas es su situación de desprotección y vulnerabilidad, siendo variadas las razones por las que pueden llegar a esa situación se pueden señalar, a modo ejemplo, la vulneración sistemática de los derechos humanos, la pobreza y la falta de oportunidades en sus lugares de origen.

Relativo a las causas de vulnerabilidad, se han de mencionar las características generales de victimización en cuatro escenarios distintos que engloban una serie de condiciones que rodean a las víctimas de trata de seres humanos: la víctima potencial antes de la captación, la víctima durante el

43. AMNISTÍA INTERNACIONAL, 2020, p. 4.
44. MENESES-FALCÓN/URÍO, 2021, pp. 95 y ss.
45. CITCO, 2023, pp. 4 y ss.
46. CITCO, 2023, pp. 8 y 14.
47. MINISTERIO DE POLÍTICA TERRITORIAL, 2023.

proceso de captación, la víctima durante el transporte y traslado y la víctima en situación de explotación.

- Víctimas potenciales antes de ser captadas:

Las personas —tanto mayores de edad como niños, niñas y adolescentes— corren el riesgo de convertirse en víctimas de trata de personas por la confluencia de factores que derivan en sus deseos de aspirar a mejores condiciones de vida —situación de vulnerabilidad que suelen aprovechar los tratantes para atraerlas con ofertas engañosas—. La selección por los tratantes de víctimas mayores o menores de edad dependerá de la accesibilidad que tengan a las mismas y las necesidades del «mercado».

- Víctimas que se encuentran ya en proceso de captación:

Los tratantes usan diferentes técnicas: engaño, especialmente relacionado con oportunidades de empleo donde se prometen puestos de trabajo legales; violencia y/o abuso de poder; concesión de pagos, por ejemplo, si los padres de las víctimas acceden a entregarlas en matrimonio como pago de una deuda o por una cuantía económica; etc.

- Víctimas en la fase de transporte y traslado del proceso de trata de seres humanos:

Pueden apreciarse ciertas características presentes en las víctimas que hagan sospechar que existe un supuesto de trata de personas, a modo ejemplo y entre otros aspectos a tener en cuenta: desconocimiento del idioma local, secuelas visibles de haber sufrido violencia física o estado emocional en el que se encuentran.

- Víctimas en condiciones de explotación:

Como características comunes a las víctimas de explotación en general se observan: afectación de la salud física, salud mental visiblemente afectada, falta de higiene personal, etc. En lo que se refiere a víctimas de trata con fines de explotación sexual se podrían añadir a las anteriores: embarazos no deseados, historial de abortos, infecciones de transmisión sexual, etc.

El desconocimiento en el momento de entrar en contacto con los tratantes acerca de la situación que estaría produciéndose, por no disponer de los recursos suficientes para analizar las circunstancias presentes en ese instante, sería uno de los factores de predisposición de estas personas vulnerables y desprotegidas a convertirse en víctimas por los engaños —se prevén como medio empleado en la definición de trata de personas del art. 3 del Protocolo de Palermo y sobresalen entre las diferentes maneras de captación de las víctimas— de los tratantes.

A pesar de lo anterior, en la mayoría de los casos conocidos de trata de seres humanos con finalidad de explotación sexual, las víctimas son mujeres mayores de edad [48]; sin obviar la cada vez más creciente realidad de que la edad de las víctimas empieza a disminuir con el consecuente aumento de la cifra de menores de edad víctimas de explotación sexual [49].

Otros factores de riesgo endógenos del perfil de una posible víctima de trata de personas con fines de explotación sexual podrían ser: haber nacido en territorios donde existe opresión política, falta de educación, conflictos armados, etc. —los tratantes suelen aprovecharse de la necesidad de las personas de huir de los conflictos para captarlas y explotarlas sexualmente, por lo que destaca especialmente la vulnerabilidad originada por dichos conflictos y la de los refugiados [50]—; pertenecer a una cultura que esté marcada por el desprecio a las mujeres; carecer de redes de apoyo; tener ciertas creencias religiosas —ejemplo de ello sería la ceremonia del juramento en relación al vudú *ut supra* descrita—, entre otros. Entre los factores de riesgo exógenos más comunes presentes en los lugares de origen de las víctimas de trata, vinculados con situaciones que favorecen tanto que la mujer se pueda convertir en víctima de trata con fines de explotación sexual [51] —mayor riesgo real de cosificación y/o mercantilización [52]— como la actuación de los tratantes, se encuentran: discriminación y violencia de género, débiles o escasos controles migratorios, existencia de grupos y organizaciones criminales en la zona y corrupción de organismos y autoridades de seguridad.

Algunas características en común que se ven generalmente representadas en el perfil de los menores de edad víctimas de trata con fines de explotación sexual, tomando en consideración las valoraciones ofrecidas por diversidad de instituciones acerca de lo que podrían denominarse «víctimas potenciales» o personas que presentan factores por los que se suele ver incrementado el riesgo de ser victimizadas serían, a modo de ejemplo, la vulnerabilidad propia de la corta edad de las víctimas y las necesidades que guardan relación con el contexto familiar —desintegración familiar por

48. GOIZUETA VÉRTIZ, 2020, pp. 6 y ss.
49. UNODC, 2022b, p. 11.
50. Para más información, véase la aportación de esta obra colectiva titulada «La trata de mujeres y menores como forma de explotación sexual en zonas de conflicto armado».
51. VÁZQUEZ RODRÍGUEZ, 2021, p. 190.
52. SANTANA VEGA, 2020, pp. 3 y ss.

la pertenencia a una familia disfuncional y/o por la carencia de cuidados por parte de adultos [53]—, con el contexto cultural —discriminación por pertenecer a una minoría étnica [54] y/o existencia de ciertas normas o tradiciones de los lugares de origen: en el sur de Asia se emplea el concepto «*Jogini*» (procede de la India) para referirse a mujeres y niñas, especialmente estas últimas, vendidas a un «dios» y forzadas a mantener relaciones sexuales— y con el desarrollo —psicológico y emocional— y el comportamiento de los menores víctimas [55].

De acuerdo con los datos proporcionados por el Informe de la Oficina de Naciones Unidas contra la Droga y el Delito (en inglés United Nations Office on Drugs and Crime —UNODC—) de 2020, de cada 10 víctimas detectadas a nivel mundial, unas 5 eran mujeres adultas y 2 eran niñas. Alrededor de un tercio de las víctimas detectadas eran menores, tanto niñas (19%) como niños (15%). En el contexto sudamericano, las mujeres son las principales víctimas de trata de seres humanos (49%), porcentaje que se incrementa en la modalidad de trata con fines de explotación sexual, donde representaron en 2020 el 87% de las víctimas detectadas; el 11% de las víctimas de trata de seres humanos con fines de explotación sexual fueron niñas [56].

IV. LA TRATA DE PERSONAS Y LA EXPLOTACIÓN SEXUAL

1. EN EL ÁMBITO DEL DERECHO INTERNACIONAL DE LOS DERECHOS HUMANOS

Existen normas internacionales generales —no tan directamente relacionadas con la trata de seres humanos como las que se analizarán en las próximas páginas— pero que nos permiten aproximarnos a este fenómeno, a modo de ejemplo: la Convención sobre la Eliminación de Todas las Formas de Discriminación contra la Mujer, la Convención sobre los Derechos del Niño, o el Protocolo facultativo de la Convención sobre los Derechos del Niño, entre otras.

El fenómeno de la trata de personas ha estado íntimamente vinculado a la criminalidad organizada. El primer paso para la regulación de la delincuencia organizada transnacional se sitúa en la Conferencia Ministerial

53. UNODC, 2022a, pp. 45 y ss.
54. HADDINI, 2022, pp. 432 y ss.
55. UNODC, 2022a, pp. 45 y ss.
56. UNODC, 2022c, p. 2.

Mundial sobre la Delincuencia Transnacional Organizada [57], que aprobaría la denominada «Declaración Política y el Plan de Acción Mundial de Nápoles contra la Delincuencia Transnacional Organizada» [58].

Mediante la Resolución de la Asamblea General de Naciones Unidas 53/111, de 9 de diciembre de 1998, se designa un Comité Especial *ad hoc* para redactar una Propuesta de Convención contra la Delincuencia Organizada Transnacional. Concluida la tarea, la Convención contra la Delincuencia Organizada Trasnacional se adoptó mediante la Resolución 55/25 aprobada por la Asamblea General de Naciones Unidas, de 15 de noviembre de 2000.

El Informe del Alto Comisionado de las Naciones Unidas para los Derechos Humanos al Consejo Económico y Social sobre «Principios y Directrices recomendados sobre los derechos humanos y la trata de personas», de 20 de mayo de 2002, enumeró un conjunto de Principios entre los que se incluyó la primacía de los derechos humanos y la prevención de la trata de personas, así como la protección, asistencia y reparación a las víctimas de la trata de seres humanos y la penalización y sanción a los tratantes; entre las Directrices recomendadas sobre la promoción y protección de los Derechos Humanos se pueden mencionar el establecimiento de un marco jurídico adecuado y el acceso a los medios y recursos apropiados y oportunos para hacer cumplir la normativa; la prevención; la investigación, análisis, evaluación y difusión; la detección, identificación, asistencia y protección de las víctimas —mayores y menores de edad—; la identificación de los tratantes; y la coordinación y cooperación entre regiones y Estados.

En enero de 2003, la Asamblea General de las Naciones Unidas aprobó la Resolución 57/176, sobre la Trata de mujeres y niñas, instrumento en el que se reunió el contenido de las Resoluciones anteriores sobre esta modalidad específica de trata de personas a fin de facilitar su localización y comprensión.

El Protocolo para Prevenir, Reprimir y Sancionar la Trata de Personas, especialmente de Mujeres y Niños o «Protocolo de Palermo» entró en vigor el 25 de diciembre de 2003 y complementa la Convención de Naciones Unidas contra la Delincuencia Organizada Trasnacional —la cual entró en vigor el 29 de septiembre de 2003— y, junto al Protocolo de las Naciones Unidas Contra el Tráfico Ilícito de Migrantes por Tierra, Mar y Aire; y el Protocolo

57. CONFERENCIA Ministerial Mundial sobre la Delincuencia Transnacional Organizada, 1995.

58. Aprobados por la Asamblea General en la Resolución 49/159, de 23 de diciembre de 1994.

de las Naciones Unidas contra la fabricación y el tráfico ilícito de armas de fuego, sus piezas y componentes y municiones, fueron concebidos principalmente para tipificar una serie de conductas vinculadas estrechamente a la criminalidad organizada transnacional.

La definición de trata de seres humanos del artículo 3 del Protocolo de Palermo fue establecida para aportar coherencia y consenso en todo el mundo a este concepto y así poder afrontar el fenómeno de modo más homogéneo.

Sin desmerecer los aspectos avanzados y beneficiosos del Protocolo de Palermo, entre sus limitaciones, además de las impuestas por su carácter de complementariedad a una convención orientada a combatir la delincuencia organizada transnacional, cabe señalar su marcado enfoque dirigido a garantizar la incriminación del delito, pues de su articulado se desprende que en su asunción de una política «3P» —prevención y lucha contra la trata de personas, protección a las víctimas, y persecución a través de la promoción de la cooperación entre los Estados Parte— es mucho más parco en regular aspectos como la prevención y la protección.

En 2007 se creó, a instancias del Consejo Económico y Social de las Naciones Unidas y por iniciativa del Gobierno de Japón, un grupo interdisciplinar de coordinación contra la trata de seres humanos, en el que se integraron a distintas agencias de carácter internacional tales como la OIT, la OIM, el Fondo de las Naciones Unidas para la Infancia (en inglés United Nations International Children's Emergency Fund —UNICEF—), ONU Mujeres, el Alto Comisionado de las Naciones Unidas para los Refugiados (ACNUR) y la UNODC —esta última, desde 2013 y con carácter bianual, publica informes mundiales sobre trata de personas en inglés que tienen por título «Global Report on Trafficking in Persons» [59]—.

En el marco de la Conferencia Europea —aunque atrajo a representantes de Estados Unidos, Canadá, Rusia y Ucrania y a miembros de instituciones y organizaciones internacionales— para la prevención y lucha contra el tráfico de seres humanos, organizada en el ámbito del Desafío Global para el siglo XXI, nace la «Declaración de Bruselas sobre la prevención y la trata de seres humanos», que establece un conjunto de estándares, mejoras prácticas y recomendaciones sobre prevención en la trata de personas, protección

59. Actualmente están disponibles un total de seis números referidos a los datos para los años 2012, 2014, 2016, 2018, 2020 y 2022.

y asistencia a las víctimas y mecanismos de coordinación y cooperación policial y judicial.

En 2020, el Comité para la Eliminación de la Discriminación contra la Mujer (CEDAW) adoptó la «Recomendación general núm. 38, relativa a la trata de mujeres y niñas en el contexto de la migración mundial» con el objetivo de definir tanto el alcance como las obligaciones de los Estados Parte para que pudieran tomar las medidas precisas en aras a la prevención y evitación de la revictimización de todas las formas de trata con perspectiva de género.

2. EN EL ÁMBITO DE LA UNIÓN EUROPEA

El Parlamento Europeo destacó ya en 1989 la importancia de fomentar la cooperación entre Estados para combatir la trata de seres humanos, alcanzándose su plasmación normativa en 1992 en el Tratado de Maastricht. Las iniciativas de las instituciones europeas tenían como objetivo principal conceptualizar la trata de personas, en esta línea, el «Convenio basado en el artículo K.3 del Tratado de la Unión Europea por el que se crea una oficina europea de policía (Convenio Europol), hecho en Bruselas el 26 de julio de 1995» la definió como el acto de someter a una persona al poder de otras —siendo ese poder ilegal y real— a través de amenazas, engaño, violencia o abuso de una relación de autoridad, particularmente cuando la finalidad perseguida fuese la explotación de la prostitución ajena u otras formas de violencias sexuales respecto a menores de edad; este Convenio Europol incluía la trata de seres humanos entre las materias sobre las que Europol podía ejercer sus competencias, como ocurriría a partir de la «Acción común del Consejo [Decisión 96/748/JAI], de 16 de diciembre de 1996, por la que se amplía el mandato de la Unidad de Drogas de Europol a la trata de seres humanos».

Fue la «Acción común de 24 de febrero de 1997 adoptada por el Consejo sobre la base del artículo K.3 del Tratado de la Unión Europea, relativa a la lucha contra la trata de seres humanos y la explotación sexual de los niños» el primer paso hacia una regulación común en esta materia, la cual fue sometida a sucesivas reformas y en cada una de ellas se variaba el contenido de la definición de trata de seres humanos, limitándose en todo caso a la explotación sexual y a la trata con fines de explotación sexual.

El 2 de octubre de 1997 se firmó el Tratado de Ámsterdam —entraría en vigor el 1 de mayo de 1999—, con el que se avanzó en la cooperación policial y judicial-penal en lo referente a la trata de personas. En la Cumbre de Tampere de 1999 se presentó la propuesta de la Agencia de la Unión Europea para la Cooperación Judicial Penal (Eurojust). Se podría decir que fue el punto de partida que se produjo en la política criminal europea para la persecución del crimen organizado, siendo un objetivo específico combatir la trata de seres humanos.

La Carta de los Derechos Fundamentales de la Unión Europea (CDFUE) fue aprobada en el año 2000 por el Parlamento Europeo, el Consejo y la Comisión. En el apartado 3 de su artículo 5 se estipuló la prohibición de la trata de seres humanos. Ese mismo año se aprobaba la Convención de las Naciones Unidas contra la Delincuencia Organizada Transnacional.

Dentro de los convenios del Consejo de Europa en materia de trata de seres humanos cabe destacar el «Convenio del Consejo de Europa núm. 197 sobre la lucha contra la trata de seres humanos» [60] suscrito el 16 de mayo de 2005 en Varsovia, también conocido como «Convenio de Varsovia», entrando en vigor el 1 de febrero de 2008 y ratificado por España el 2 de abril de 2009.

Se le ha llegado a considerar el instrumento más moderno y el principal en la lucha contra la trata de personas [61], con un enfoque integrador en busca de abarcar la totalidad del *iter criminis* y con el propósito de proyectar una política europea con actuaciones de prevención, de asistencia y protección a las víctimas y de cooperación internacional.

En la letra a) de su artículo 4 se define qué se entenderá por trata de seres humanos a efectos del presente Convenio: Reclutar, transportar, transferir, alojar o recepcionar personas, recurriendo a amenaza, uso de la fuerza u otros medios de coerción, secuestro, engaño, fraude, abuso de autoridad

---

60. Tomó en consideración, entre otras, las siguientes recomendaciones del Comité de Ministros a los Estados miembros del Consejo de Europa: Recomendación nº R (91) 11 sobre la explotación sexual, la pornografía, la prostitución, así como la trata de niños y jóvenes; Recomendación nº R (2000) 11 sobre la lucha contra la trata de seres humanos con fines de explotación sexual; Recomendación Rec (2001) 16 sobre la protección de los niños de la explotación sexual; Recomendación Rec (2002) 5 sobre la protección de las mujeres contra la violencia. A estas recomendaciones del Comité de Ministerios cabe añadir, entre otras, las recomendaciones siguientes de la Asamblea Parlamentaria del Consejo de Europa: Recomendación 1325 (1997) relativa a la trata de mujeres y a la prostitución forzosa en los Estados miembros del Consejo de Europa; Recomendación 1450 (2000) sobre la violencia contra las mujeres en Europa; Recomendación 1545 (2002) campaña contra la trata de mujeres; Recomendación 1610 (2003) migraciones relacionadas con la trata de mujeres y la prostitución.
61. FERNÁNDEZ HERNÁNDEZ, 2019, p. 162.

o de otra situación de vulnerabilidad, u ofrecer o aceptar ventajas o pagos para obtener el consentimiento de quien tenga autoridad sobre la persona, con vistas a la explotación de la misma; en el último inciso de esa letra a), sobre las finalidades de explotación en la trata se dice que, como mínimo, deberá comprender la explotación de la prostitución —u otras formas de explotación sexual— de otras personas, los servicios o el trabajo forzados, la esclavitud o prácticas análogas a la misma, la servidumbre o la extirpación de órganos. En ese artículo 4 también se determina cuándo será irrelevante el consentimiento de una víctima de trata de personas (letra b), peculiaridades respecto a la trata de menores (letra c), qué se entenderá por menor (letra d) y, por último, qué se entenderá por víctima (letra e).

El Convenio de Varsovia reconoce de modo expreso el principio de no discriminación y rompe en su artículo 2 (ámbito de aplicación) con el carácter trasnacional y vinculado a la delincuencia organizada que venía exigiendo el artículo 4 del Protocolo de Palermo, ya que se prevé que el Convenio de Varsovia se aplique a todas y cada una de las formas de trata de personas, ya sean nacionales o sean transnacionales, vinculadas o no al crimen organizado. Ello evidencia un tratamiento global e integral del fenómeno de trata de personas e implicó un aumento de los estándares mínimos que eran exigidos en esta materia a los Estados Parte.

El Protocolo de Palermo se limitaba a prever la incriminación de la comisión del delito de trata en el ámbito de una organización delictiva, mientras que en el Convenio de Varsovia, en su artículo 24, se tiene en cuenta como agravante que la infracción se hubiese cometido en el marco de una organización criminal (letra d) junto a otras tres circunstancias agravantes: que la infracción hubiese puesto en peligro —por negligencia grave o de modo deliberado— la vida de la víctima (letra a); que la infracción se hubiese cometido contra un menor (letra b); o que se hubiese cometido por un funcionario público en el ejercicio de sus funciones (letra c).

El Consejo de Europa, con el apoyo de la Organización de las Naciones Unidas (ONU) y de la Organización para la Seguridad y la Cooperación en Europa (OSCE), creó en 2003 en Ginebra —mediante un acuerdo tripartito— un Comité Especial de lucha contra la trata de seres humanos que redactó el contenido del Convenio.

El Grupo de Expertos sobre la lucha contra la trata de seres humanos (GRETA), formado por quince expertos independientes con conocimientos en el campo de los derechos humanos, la lucha contra la trata de personas y la protección y asistencia a las víctimas [62], supervisa la aplicación por los Estados Parte de las disposiciones del Convenio de Varsovia y, tras recabar información de las visitas realizadas para evaluar las instalaciones donde las víctimas reciben asistencia y de analizar las respuestas obtenidas a cuestionarios y preguntas adicionales, emite informes y conclusiones con las recomendaciones a estimar y aplicar de modo efectivo [63].

Además del GRETA, como mecanismo de control cabe señalar el Comité de Ministros[64], órgano compuesto por representantes de los Estados Parte encargado de implementar recomendaciones con una serie de medidas a cumplir dirigidas a los Estados para realizar en la práctica el contenido del informe del Comité de Expertos. Algunas de las Recomendaciones más relevantes del Comité de Ministros sobre la trata de seres humanos son las siguientes:

- «Recomendación n.º R (91) 11 sobre la explotación sexual, la pornografía, la prostitución, así como la trata de niños y jóvenes».

- «Recomendación n.º R (2000) 11 sobre la lucha contra la trata de seres humanos con fines de explotación sexual». Considera precisa la configuración de un delito específico que castigue la trata de seres humanos con fines de explotación sexual.

- «Recomendación 1545 (2002). Campaña contra la trata de mujeres, 21 de enero de 2002».

- «Recomendación 1610 (2003). Migraciones relacionadas con la trata de mujeres y la prostitución, 25 de junio de 2003».

Otros textos de relevancia en la esfera comunitaria son:

- «Decisión 2003/209/CE de la Comisión, de 25 marzo 2003, relativa a la creación de un grupo consultivo, denominado "Grupo de expertos en la trata de seres humanos"».

- «Resolución del Consejo de la Unión Europea de 20 de octubre de 2003 sobre iniciativas para luchar contra la trata de seres humanos, en particular de mujeres».

62. DE LOS MOZOS SALMÓN, 2021, p. 98.
63. Para más información, consulte el siguiente enlace: https://www.coe.int/en/web/anti-human-trafficking
64. AMNISTÍA INTERNACIONAL, 2007, pp. 4 y ss.

- «Directiva 2004/81/CE del Consejo de la Unión Europea de 29 de abril de 2004 relativa a la expedición de un permiso de residencia a nacionales de terceros países que sean víctimas de la trata de seres humanos o hayan sido objeto de una acción de ayuda a la inmigración ilegal, que cooperen con las autoridades competentes».

- «Decisión 2006/619/CE del Consejo de la Unión Europea de 24 de julio de 2006 relativa a la celebración de la UE del Protocolo para prevenir, reprimir y sancionar la trata de personas, especialmente mujeres y niños, que complementa la Convención de las Naciones Unidas contra la delincuencia organizada».

La normativa específica y de referencia sobre la trata de seres humanos en el ámbito propio de la Unión Europea –más aún al sustituir la anterior Decisión Marco 2002/629/JAI del Consejo de la Unión Europea, de 19 de julio de 2002, relativa a la lucha contra la trata de seres humanos– continúa la tendencia promocional de los derechos de las víctimas ya comenzada por el Protocolo de Palermo y consolidada claramente en el Convenio de Varsovia es la Directiva 2011/36/UE [65], la cual tiene carácter vinculante y dota de mayor relevancia a la persecución de la trata de personas, establece unas normas mínimas respecto a la definición de las infracciones penales y de las sanciones, con un notable endurecimiento del rigor de la respuesta de naturaleza jurídico-penal [66]. Respecto a las víctimas, busca evitar procesos de victimización secundaria mediante una asistencia adecuada a las mismas por parte de los distintos funcionarios públicos intervinientes. Se podría concluir que esta Directiva aúna de modo eficaz la protección y el castigo, al margen de que hubiese sido conveniente una regulación de las condiciones de residencia de las víctimas de trata de seres humanos en el territorio de los Estados comunitarios.

Es importante señalar la «Estrategia de lucha contra la trata de seres humanos (2021-2025)» presentada por la Comisión Europea el 14 de abril de 2021. Este texto encuentra su origen en la Directiva 2011/36/UE y, como fundamento de su adopción, en el cambio de perspectiva respecto a la trata de personas en el ámbito internacional: de un enfoque criminocéntrico —centrado en especial en lo relativo a la justicia criminal en detrimento de la asistencia y protección a las víctimas de trata de seres humanos— a un

65. El permiso de residencia lo prevé como medida de protección de los derechos humanos de las víctimas, pero lo supedita a la colaboración con las autoridades.
66. CUERVO NIETO, 2023, pp. 190 y ss.

enfoque victimocéntrico —centrado en los derechos humanos y la debida asistencia integral y protección a las víctimas— [67].

Esta novedosa herramienta comunitaria representa el progreso que ha habido respecto al fenómeno de la trata de personas y está enfocada en tres medidas para reforzar la respuesta de la UE y los Estados miembros: desarticular el modelo de negocio de los tratantes, reducir la demanda que estimula la trata de seres humanos y apoyar, asistir y proteger de manera individualizada a las víctimas según el tipo de trata a la que fueron sometidas [68]. No obstante, ha sido objeto de crítica por cuestiones como no reconocer a aquellas personas víctimas de trata solicitantes de asilo su condición de especialmente vulnerables o la insuficiencia de medidas dirigidas a garantizar el acceso de las víctimas a permisos de trabajo y de residencia [69].

Frontex es una agencia descentralizada de la UE que se creó en 2004 y comparte la documentación gráfica y los datos recopilados en las fronteras exteriores de los Estados miembros de la UE [Sistema Europeo de Vigilancia de Fronteras (Eurosur) [70] de Frontex] con las autoridades nacionales correspondientes, Europol y/u otras agencias europeas para, entre otras finalidades, detectar, prevenir y combatir la criminalidad transfronteriza; entre otros datos, información sobre personas sospechosas de participar en actividades criminales como es la trata de seres humanos [71]. Tras la adopción de los Reglamentos 2016/1624 [72] y 2019/1896 [73] —en los artículos 14 y ss. de este Reglamento 2019/1896 se regula el ágil intercambio de información en una red de comunicación y el uso de las nuevas tecnologías en lo que respecta a la identificación de embarcaciones que se dirijan a las costas de los Estados miembros—, se transformó en una Guardia Europea de Fronteras y Costas

---

67. COMISIÓN EUROPEA, 2022, pp. 1 y 2.
68. COMISIÓN EUROPEA, 2021, pp. 1 y 2.
69. PROYECTO ESPERANZA, 2021.
70. Véanse: BELLANOVA/DUEZ, 2016, pp. 25 y ss.; MARIN, 2011, pp. 131 y ss.
71. Para más información, consulte: https://www.frontex.europa.eu/es/que-hacemos/principales-responsabilidades/
72. Reglamento (UE) 2016/1624 del Parlamento Europeo y del Consejo de 14 de septiembre de 2016 sobre la Guardia Europea de Fronteras y Costas, por el que se modifica el Reglamento (UE) 2016/399 del Parlamento Europeo y del Consejo y por el que se derogan el Reglamento (CE) n. 863/2007 del Parlamento Europeo y del Consejo, el Reglamento (CE) n. 2007/2004 del Consejo y la Decisión 2005/267/CE del Consejo. Publicado en *DOUEL* n. 251 de 16 de septiembre de 2016.
73. Reglamento (UE) 2019/1896 del Parlamento Europeo y del Consejo de 13 de noviembre de 2019 sobre la Guardia Europea de Fronteras y Costas y por el que se derogan los Reglamentos (UE) n. 1052/2013 y (UE) 2016/1624. Publicado en *DOUEL* n. 295 de 14 de noviembre de 2019.

(GEFC) con la finalidad de afrontar las vulnerabilidades que existiesen a nivel nacional y responder de modo efectivo a las mismas [74]. Para poder alcanzar estos objetivos, la GEFC tendrá los siguientes cometidos respecto a las autoridades nacionales que resulten competentes en la materia para suplir la disparidad del equipamiento y las carencias operativas que pudiesen tener los Estados miembros [75]:

(1) apoyar, supervisar y coordinar a las autoridades nacionales de los Estados miembros en la gestión de sus fronteras exteriores; (2) proporcionar asistencia reforzada —tanto técnica como operativa— a los Estados miembros a través de operaciones e intervenciones conjuntas en las fronteras y (3) garantizar que las medidas de gestión de las fronteras de los Estados de la UE se aplican adecuadamente en situaciones que puedan requerir una acción urgente [76].

En este sentido, la agencia ha incorporado el empleo de aeronaves tripuladas y nuevas tecnologías como los drones para vigilar las fronteras marítimas y recopilar tanto imágenes como vídeos y datos de las embarcaciones relativos a la posición, el comportamiento, el rumbo, la velocidad, el número de personas a bordo y las actividades que se lleven a cabo en las mismas [77].

V. ESTRATEGIAS EN ESPAÑA FRENTE A LA TRATA DE SERES HUMANOS

El «Protocolo Marco de Protección de las Víctimas de Trata de Seres Humanos» [78] —adoptado mediante acuerdo de 28 de octubre de 2011 por los Ministerios del Interior y de Sanidad, Servicios Sociales e Igualdad, Ministerio de Justicia, la Fiscalía General del Estado y el Consejo del Poder

74. Véanse: FERNÁNDEZ ROJO, 2020, pp. 181 y ss.; GONZÁLEZ SAQUERO, 2019, pp. 241 y ss.; SANTOS VARA, 2018, pp. 143 y ss.
75. COMISIÓN EUROPEA, 2018, p. 148.
76. FERNÁNDEZ ROJO, 2022, pp. 67 y ss.
77. Véanse: CSERNATONI, 2018, pp. 175 y ss.; HAYES/JONES/TÖPFER, 2014, pp. 7 y ss.; MONROY, 2016; STATEWATCH, 2020.
78. Protocolo Marco de Protección de las Víctimas de Trata de Seres Humanos (versión en español): https://violenciagenero.igualdad.gob.es/va/otrasFormas/trata/normativaProtocolo/marco/docs/protocoloTrata.pdf
Para más información, consulte estos documentos: Anexo 3. Información que debe proporcionarse a las víctimas: https://violenciagenero.igualdad.gob.es/va/otrasFormas/trata/normativaProtocolo/marco/docs/ANEXO3protocoloTSH.pdf
Anexo 4. Guía de Recursos Existentes para la Atención a Víctimas de Trata con Fines de Explotación Sexual: https://violenciagenero.igualdad.gob.es/va/otrasFormas/trata/normativaProtocolo/marco/docs/ResumenGuiaWebMapasJulio2018.pdf

Judicial y Ministerio de Empleo y Seguridad Social— señala las actuaciones a seguir en las diferentes fases desde la detección e identificación de las víctimas de trata de personas y los mecanismos de coordinación entre las Administraciones Públicas implicadas y organizaciones con acreditada experiencia en la asistencia a víctimas.

La contextualización de la trata de seres humanos quedaría incompleta si no se hiciese mención a la «Ley Orgánica 4/2000, de 11 de enero, sobre derechos y libertades de los extranjeros en España y su integración social» que habilita importantes instrumentos para atender a las víctimas de trata de personas.

El Delegado, la Delegada, el Subdelegado o la Subdelegada del Gobierno competente podrá facilitar a la víctima, a su elección: (i) el retorno asistido a su lugar de procedencia; o (ii) la autorización de residencia [79] y trabajo por circunstancias excepcionales en atención a su situación personal, para su integración social o por su colaboración en el marco de la investigación o de las acciones penales contra los tratantes.

El procedimiento para tramitar estas prerrogativas se desarrolla con más detalle en el «Real Decreto 557/2011, de 20 de abril, por el que se aprueba el Reglamento de la Ley Orgánica 4/2000, sobre derechos y libertades de los extranjeros en España y su integración social, tras su reforma por Ley Orgánica 2/2009» (Ley de extranjería).

Es el artículo 59 bis de esta Ley de extranjería el que se centra en las víctimas de trata de personas e introduce, entre otras cuestiones, la posibilidad de que quien haya sido identificado como víctima de trata —por agentes de unidades policiales con formación específica en prevenir y luchar contra la trata así como en identificar y asistir a las víctimas— disfrute de un período de restablecimiento y reflexión de al menos 90 días [80] conforme a lo previsto en los artículos 142 y ss. del Reglamento de esta Ley —el artículo 13

79. MARTÍN/MARTÍN, 2019, p. 192.

80. Este periodo de restablecimiento y reflexión únicamente es ofrecido a víctimas extranjeras que previamente hayan sido formalmente identificadas y para ser identificadas han de ser primero entrevistadas en profundidad por personal de las Fuerzas y Cuerpos de Seguridad —con competencia en la investigación de trata de personas y formación específica en la identificación de víctimas de trata—, entrevista frente a la cual las víctimas se pueden sentir incapaces en un primer momento. Si la víctima no está formalmente identificada no tiene acceso a este período ni a sus beneficios asistenciales ni a los derechos de asistencia que le acompañan, ello cabría entender que redundaría en su bienestar y en su capacidad y disposición de colaborar con la investigación.

del Convenio de Varsovia introdujo el mandato a los Estados de articular un período de reflexión para las víctimas de al menos 30 días en sus ordenamientos internos—, durante el cual no se le sancionará si se encuentra irregularmente en territorio español y las Administraciones velarán por la seguridad y subsistencia de las víctimas y de sus hijos u otras personas dependientes de las mismas.

No se ha de olvidar que en las distintas fases de detección, identificación, entrevistas, información, protección, derivación a recursos asistenciales y otras actuaciones se asiste a personas extremadamente vulnerables —pueden llegar a sentirse anuladas por completo— [81], que no tienen arraigo en España y, en diversas ocasiones, no han tenido contacto previo con instituciones españolas, a lo que hay que añadir el miedo que les puede generar que se descubra la irregularidad de su situación en el país.

Por un lado, en el modelo normativo italiano el ofrecimiento del período de reflexión se reserva en principio a las víctimas que ya han sido identificadas formalmente, pero en aquellos supuestos en que las potenciales víctimas presentan signos de angustia, ansiedad, depresión u otros sentimientos que pudiesen impedir el desarrollo con atino y normalidad de la entrevista con miembros de las Fuerzas y Cuerpos de Seguridad, se les ofrece igualmente el período de reflexión; por otro lado, el modelo normativo francés prevé que se conceda la autorización de residencia a toda víctima de trata con fines de explotación sexual —tan solo en relación a las víctimas de este tipo de trata— que haya decidido desvincularse de la red de trata de seres humanos, incluso aunque no quiera colaborar con la investigación [82].

A las víctimas de trata de seres humanos podría resultarles más fácil generar redes de apoyo y arraigo si en España se les otorgase el permiso de residencia no supeditado a su colaboración con las autoridades, lo que con bastante probabilidad terminaría redundando en un aumento de su sensación de confianza y seguridad y su prestación a cooperar con las autoridades en la investigación y persecución de la trata de personas resultaría más probable si confían en un sistema que las comprenden y amparan y que les ha permitido residir legalmente en España durante un período de tiempo para que dispongan de la oportunidad de recuperarse de la explotación que han sufrido, mejorando su autoestima y su capacidad de enfrentarse a quienes sean sus victimarios. En España se han aprobado planes integrales de lucha contra la trata que recogen una serie de mecanismos de detección

81. FISCALÍA GENERAL DEL ESTADO, 2019, p. 21.
82. ALONSO GARCÍA, 2020, pp. 39 y ss.

de la trata de seres humanos con fines de explotación sexual, con la implicación de instituciones y profesionales de distintos ámbitos, así como medidas destinadas a la protección de las víctimas en el ámbito normativo, de acceso a la información, los menores y la protección en el proceso penal.

En enero de 2021 se publicó el «Plan Estratégico Nacional contra la Trata y la Explotación de Seres Humanos 2021-2023» (PENTRA) [83] siguiendo la pauta marcada por la Unión Europea. Se trata de un plan integral dirigido principalmente a las instituciones públicas, donde se recogen un conjunto de mecanismos de detección de la trata de personas y diversas líneas de actuación para dotar de eficacia a medidas previamente puestas en marcha y/o promover nuevas medidas en ámbitos donde no existían acciones específicas respecto a la trata.

La existencia de una «cifra negra» obstaculiza la adquisición de datos empíricos que resulten fiables y aporten una perspectiva real y global del fenómeno de la trata de seres humanos, lo cual viene condicionado principalmente por el carácter invisible u oculto de la trata de personas, la propia delimitación de este concepto, los problemas metodológicos en la recogida de información y la falta de mecanismos válidos que garanticen una correcta identificación de las víctimas, entre otros [84]. A pesar de ello, se está trabajando en la recopilación de datos por diversos organismos nacionales e internacionales. La ONU ha elaborado un modelo de Ley integral contra la trata de personas que recoge desde la tutela penal hasta la identificación de la víctima de trata pasando por una serie de mecanismos de prevención de este fenómeno [85].

En septiembre de 2022, el Ministerio de Igualdad de España aprobó el «I Plan de inserción socio-laboral para mujeres y niñas víctimas de trata, explotación sexual y mujeres en situación de prostitución», pilar central del «Plan Camino» (2022-2026) para la protección de los derechos humanos de estas víctimas, con el objetivo de vincular la consolidación del itinerario de atención integral a las víctimas de trata de seres humanos —acompañamiento social y psicológico a las mujeres y menores víctimas, recuperación y refuerzo de las capacidades sociolaborales de las mujeres víctimas, ...—

83. El Plan Estratégico Nacional contra la Trata y la Explotación de Seres Humanos 2021-2023 se realizó en cumplimiento del segundo informe de evaluación en junio de 2018 a España emitido por GRETA:https://www.coe.int/en/web/anti-human-trafficking/-/greta-publishes-second-report-on-spain
84. VILLACAMPA/TORRES, 2021, pp. 189 y ss.
85. UNODC, 2010, pp. 11 y ss.

con programas de acceso a derechos económicos y civiles como son salud —física, sexual y psicológica—, empleo digno y vivienda.

Una Ley integral resultaría de obligado cumplimiento, a diferencia de los protocolos y planes de actuación que tienen un carácter orientativo, y podría suponer un verdadero salto cualitativo —tanto en relación al bienestar y a la protección de las víctimas como en la persecución de la trata de personas— al aportar coherencia mediante la consolidación de un conjunto de objetivos comunes a través de la unificación desde la óptica del respeto a los derechos humanos, de las estrategias de prevención y de la lucha contra la trata de seres humanos.

En noviembre de 2022, el Gobierno español aprobó el «Anteproyecto de Ley Orgánica Integral contra la Trata y la Explotación de Seres Humanos», el cual había sido propuesto y desarrollado desde marzo de 2021 como respuesta a las deficiencias manifestadas por grupos de expertos y víctimas —GRETA solicitó a España la adopción de un enfoque más coordinado y proactivo para luchar contra la trata de personas, entre otras medidas, a través de mejorar la identificación y protección de las víctimas, fortalecer su marco jurídico y aumentar los recursos y la formación y capacitación de los actores implicados en los esfuerzos contra la trata de seres humanos— [86], con el propósito de abordar el fenómeno en múltiples niveles y de modo integral por medio de la coordinación entre diversos órganos gubernamentales.

Esta medida aboga por informar y educar a la sociedad; crear nuevos empleos públicos con formación especializada; establecer unidades especializadas de los servicios sociales; adaptar los procesos de identificación y protección de las víctimas en función de la clase de explotación sufrida, su género y edad y el tipo de criminal detrás de su victimización; y destinar fondos específicos para servicios de asistencia (Fondo para la Indemnización de las Víctimas de Trata y de Explotación —FIVTE—) y ayudas al retorno de la víctima a su lugar de origen —si así lo desea— sin condiciones ni expulsiones.

Como novedad, se crearía un órgano —Mecanismo Nacional de Derivación (MND)— encargado de asesorar y asistir a las víctimas detectadas de trata de seres humanos de modo inmediato y garantizar que los funcionarios —de extranjería y puntos de migración, cuerpos de seguridad, intérpretes y empleados públicos administrativos— implicados en los pro-

86. Más información en: ADAMS/HUSSEMANN/MCCOY/TAYLOR/THOMPSON/WHITE, 2022, pp. 11 y ss.

cesos de intervención en la trata de personas —de detección, identificación, protección y asistencia a las víctimas— estuviesen debidamente formados y capacitados para optimizar el trato humano dirigido hacia las víctimas de un fenómeno tan deshumanizante.

VI. HUMANIZACIÓN DE LAS POLÍTICAS PREVENTIVA, PROTECTORA Y PROMOTORA DE LA COOPERACIÓN EN MATERIA DE TRATA DE PERSONAS

Completada la fase de detección, se pasaría a la identificación, un proceso que podría finalizar con el reconocimiento de la posible víctima de trata de seres humanos como una víctima reconocida de trata de personas.

Sin una correcta identificación de las víctimas, la política preventiva a desarrollar no podría desplegar todos sus efectos. De conformidad con el artículo 19 de la Directiva 2011/36/UE, los Estados miembros deben establecer relatores nacionales o mecanismos equivalentes [national rapporteurs or equivalent mechanisms (NREMs)], encargados, entre otras tareas, de realizar evaluaciones de las tendencias en la trata de personas e identificar situaciones, circunstancias o factores que puedan causar vulnerabilidad; medir los resultados de las acciones contra la trata recopilando estadísticas en estrecha cooperación con organizaciones activas en este campo de la sociedad civil; y presentar informes de situación sobre la trata de seres humanos, conforme al artículo 20 de la referida Directiva.

El Coordinador de la UE contra la trata [EU Anti-trafficking Coordinator (EU ATC)], en nombre de la Comisión Europea, copreside las reuniones con la Presidencia en ejercicio del Consejo de la Unión Europea; además, trabaja en estrecha colaboración con la Red de NREMs intercambiando y compartiendo información y mejores prácticas, así como coordinando las tareas a desarrollar a nivel estatal y de la propia UE.

La Red de NREMs se reúne dos veces al año, incluida una sesión conjunta con la Plataforma de la Sociedad Civil de la UE contra la trata de seres humanos (PEC) [EU Civil Society Platform (CSP)] [87]. Esta Plataforma se puso en marcha en 2013 como acción clave de la Estrategia de la UE para combatir la trata de seres humanos (2012-2016) al entender que para ir hacia una adecuada política preventiva era necesario trasladar la información precisa para que la sociedad pudiese comprender las dimensiones del fenómeno

87. COMISIÓN EUROPEA, 2013, pp. 1-3.

de la trata de personas en busca de la cooperación y trabajo conjunto de los diferentes actores de la sociedad civil con las autoridades competentes.

El artículo 5 sobre la prevención de la trata de seres humanos del «Instrumento de Ratificación del Convenio del Consejo de Europa sobre la lucha contra la trata de seres humanos (Convenio n.º 197 del Consejo de Europa), hecho en Varsovia el 16 de mayo de 2005» establece que cada Estado tendrá que llevar a cabo las medidas precisas para fomentar la colaboración entre los distintos organismos nacionales para prevenir y luchar contra la trata de personas.

En el apartado 2 de dicho artículo 5 se recogen, a modo de ejemplo de medidas —basadas en los derechos humanos y desde una perspectiva de género y del interés superior del menor— para desarrollar esta política preventiva: el intercambio de información, las campañas de educación, sensibilización y concienciación dirigidas a la población en general, las investigaciones y las iniciativas económicas y sociales y los programas de formación especialmente dirigidos a personas vulnerables a la trata de seres humanos.

El «Plan Estratégico Nacional contra la Trata y la Explotación de Seres Humanos 2021-2023» (PENTRA) tiene dos finalidades esenciales: por un lado, informar y educar al público para prevenir nuevas víctimas y, por otro, desincentivar la demanda.

Es significativo señalar que uno de los retos primordiales a los que se enfrentan los Estados en la lucha contra la trata de personas es la propia era digital en tanto las organizaciones criminales pueden llegar a un mayor número de personas empleando esos avances tecnológicos, se pueden beneficiar de una mayor movilidad geográfica y pueden ejercer su control sobre las víctimas y sus allegados a distancia [88].

Aunque en la normativa no se detalla el contenido específico ni los métodos para promover las referidas campañas, contemplaría necesario que incluyesen información sobre las estrategias de reclutamiento y captación de las víctimas, señales de riesgo e identificación de las posibles víctimas, estadísticas que muestren la magnitud del fenómeno de la trata de seres humanos para sensibilizar a la población y los números de emergencia a los que acudir para reportar casos de trata.

Sería conveniente que se llevase a cabo un control del diseño de dichas campañas, así como un seguimiento y una evaluación acerca de la eficacia

88. BERMEJO CASADO, 2021, p. 290.

de las comunicaciones para comprobar si estas se modifican en función de los datos recogidos para medir su eficacia.

El PENTRA, dentro de las medidas informativas de prevención, contempla dos clases de actividades con carácter complementario a las campañas de sensibilización: por una parte, formaciones a empleados del sector privado, sindicatos y ONGs y a la sociedad civil; por otra parte, actividades conmemorativas en días internacionales contra la trata de personas.

Para una correcta protección de las víctimas de trata de seres humanos es necesario implantar medidas destinadas a su detección e identificación y a garantizar el respeto a sus derechos.

La identificación de las víctimas es un proceso complejo que comienza con una entrevista de modo reservado y confidencial realizada por miembros de las Fuerzas y Cuerpos de Seguridad con competencia en la materia, en un idioma comprensible para la víctima de trata y con la asistencia de intérprete si se precisa. Su finalidad es evaluar distintos elementos más allá de obtener datos concretos sobre aspectos relacionados con la trata de personas y con los tratantes. El «Protocolo marco de protección de las víctimas de trata de seres humanos» advierte que la valoración de los indicios que existan se llevará a cabo con un criterio de máxima protección para las víctimas con el fin de garantizar su atención integral y su seguridad; en esa valoración, se tendrían que detectar cuáles son los riesgos a los que se enfrenta la víctima y proponer un conjunto de medidas de privacidad y seguridad adaptadas [89]. Cuando finalice la entrevista, se informará a las víctimas de la posibilidad de ser derivadas a alguno de los recursos asistenciales facilitados por las Administraciones locales o autonómicas, para garantizarles, en su caso, alojamiento seguro y adecuado, asistencia médica y/o psicológica, servicios de interpretación y asesoramiento jurídico por parte de entidades y organizaciones con experiencia constatable en la asistencia a víctimas de trata de personas, de la posibilidad de que contacte con alguna entidad especializada para que las acompañen y/o asistan y de su derecho a la asistencia jurídica gratuita si carecen de recursos económicos suficientes.

Finalizado el proceso de identificación de las víctimas de trata de seres humanos, las mismas adquieren un estatus jurídico de protección; la unidad policial competente redactará el informe pertinente en el que deje constancia de todas y cada una de las actuaciones desarrolladas con información acerca de las medidas de protección adecuadas a su situación de riesgo.

---

89. ORBEGOZO, 2023, pp. 277 y ss.

Hay dos dimensiones que se pueden y deberían evaluar en la normativa contra la trata de seres humanos para obtener medidas integrales de justicia:

1) Las intervenciones e investigaciones por miembros de los cuerpos y fuerzas de seguridad tendrían que contar con los recursos suficientes, entre ellos, la capacitación y formación para —además de poder identificar a las víctimas de trata— seguir y rastrear a las redes de tratantes, a los grupos y a las organizaciones criminales a través de un enfoque denominado «sigue el dinero» («follow the money approach»), ya que el proceso de transporte y traslado de las víctimas deja huellas: compra de billetes para los viajes, alojamiento, traspaso de dinero entre cuentas bancarias, ... Podría ser pertinente establecer una división digital que se encargase de rastrear esas huellas financieras y así intensificar las investigaciones de esta índole orientadas a conseguir la neutralización de la capacidad económica de las redes, grupos y organizaciones criminales de trata y explotación de personas.

2) No debería ser un requisito para reparar e indemnizar el daño sufrido por las víctimas de trata de seres humanos que se encuentren en situación de residencia legal en el Estado, ya que, si el sistema de garantías de protección de los derechos de las víctimas tiene como punto de partida el respeto a los derechos fundamentales, ¿por qué sería necesario distinguir entre las víctimas que se encuentran en situación irregular y las que están en situación regular? [90]

En el ámbito de protección a las víctimas de trata de seres humanos está incluida la compensación, su reinserción laboral, el apoyo psicológico —se han diseñado intervenciones psicológicas alrededor del mundo para víctimas de trata con fines de explotación sexual [91]—, la protección respecto a tratantes que no hayan sido detenidos, el acompañamiento y ayuda a las mismas para regular su estado migratorio o en las distintas fases del proceso de retorno a su país, y evitar su revictimización.

La Fiscalía General del Estado español ya recalcó que España tendría que establecer medidas específicamente dirigidas a minimizar —si no es posible evitar— los procesos de victimización secundaria para así acercar el sistema de identificación de las víctimas de trata de seres humanos a la realidad que viven estas víctimas [92].

90. ARANDA LÓPEZ, 2019, p. 349.
91. ROBITZ/OJHA/KOH, 2022, p. 212.
92. FISCALÍA GENERAL DEL ESTADO, 2019, p. 21.

Las recomendaciones de la OMS [93] establecen que la entrevista en profundidad debería ser realizada por un psicólogo especializado en la asistencia a las víctimas en lugar de por un miembro de los cuerpos y fuerzas de seguridad, ya que este último —por instruido que esté— no deja de ser un agente de la autoridad; y que la víctima contase desde la fase de entrevista con el acompañamiento de un representante de una asociación especializada.

Podría instaurarse una figura de «criminólogo especialista en trata de personas» como profesional capacitado para entender los distintos contextos y elementos culturales, los cuales influyen en la situación y circunstancias de una persona y sus reacciones ante sucesos que le pudiesen ocurrir. Su presencia podría tener efectos positivos en lo que a la compensación y bienestar de las víctimas se refiere al lograr que las mismas perciban un mayor apoyo y sensibilidad por las instituciones que velan por su protección, pudiendo ocurrir que se lleguen a mostrar más colaborativas con las figuras de autoridad. Este experto en Criminología con esa especialización podría incluso formar al personal que trabaja en la asistencia, apoyo y protección a las víctimas de trata de personas sobre sus realidades.

La presencia de representantes de asociaciones de lucha contra la trata de seres humanos, psicólogos y criminólogos con capacitación en este ámbito como profesionales con acreditada formación e interés en la detección, asistencia y protección a las víctimas de trata podría ser una mejora a valorar para crear un espacio en el que las víctimas se pudiesen sentir más seguras, ya que el miedo que sufren a posibles represalias suele coartar su voluntad aun cuando ya hayan sido liberadas del entramado del grupo o de la red u organización de delincuencia.

VII. CONSIDERACIONES FINALES

Se ha podido comprobar que los enfoques predominantes respecto a las acciones contra la trata de seres humanos han sido, por una parte, desde una visión penal o criminal —enfoque criminocéntrico— y, por otra, desde una perspectiva centrada en los derechos humanos de las víctimas —enfoque victimocéntrico—, siendo ambas el reflejo de diversos textos jurídicos que se han adoptado a lo largo de los años. Hoy día, la lucha contra la trata de personas persigue una regulación integral en esta materia mediante tres pilares elementales: prevención de este fenómeno, protección de las víctimas y persecución penal de esta modalidad delictiva.

93. WHO/ZIMMERMAN/WATTS, 2003.

Debido a que el mundo está compuesto por sistemas jurídicos distintos que provienen de sociedades —con sus tradiciones y culturas— diferentes, uno de los objetivos a tener en cuenta sería la coordinación y armonización de las normativas nacionales existentes. En la práctica, la cooperación entre Estados resultaría ineficiente si, aunque se hayan celebrado acuerdos internacionales, la normativa sobre trata de seres humanos en los ordenamientos jurídicos fuese opuesta. De ahí la importancia de establecer una definición común de trata de personas a nivel internacional y la configuración en la normativa de mecanismos de colaboración y obligaciones de los países en relación a la protección de las víctimas y persecución y criminalización de la trata de personas, entre otros aspectos.

A pesar de lo anterior, en la realidad práctica se observa la existencia de un componente en la normativa internacional que es la dependencia de la buena voluntad de los Estados, la cual complejiza el proceso de regulación en el escenario internacional del delito y las obligaciones estatales frente a la trata de seres humanos. La Convención de las Naciones Unidas contra la Delincuencia Organizada Transnacional y sus respectivos protocolos constituyen el único instrumento jurídico global que aborda la trata de seres humanos como delito. Aunque esta Convención intente fijar directrices y pautas para acercar las diversas normativas, hay aspectos a regular que terminan dependiendo de la interpretación y transposición por los Estados de la normativa internacional a la nacional.

Respecto a la configuración de esta práctica como delito en diversas Directivas, se presenta la misma contrariedad en la Unión Europea en tanto la transposición de las Directivas depende de la voluntad de los Estados miembros. Cabe destacar en relación al Consejo de Europa la creación de GRETA como intento para coordinar los diferentes sistemas jurídicos.

Actualmente, la información sobre trata de personas se encuentra recogida en diversas bases de datos, lo cual hace que resulte difícil para los agentes de seguridad explorar y encontrar de un modo rápido y ágil los datos que necesitan.

La creación de una base de datos de acceso internacional con indicadores homogéneos que permita comunicarse y compartir e intercambiar información con agentes de seguridad de otros Estados sería una herramienta de utilidad para visibilizar información completa, unificada, organizada, sistematizada y accesible internacionalmente, identificar las rutas que emplean las redes dedicadas a la trata de personas y conocer y actualizar datos de naturaleza estadística referentes al fenómeno de la trata de seres humanos

—también podría incluirse información sobre personas desaparecidas y que podrían estar siendo víctimas de este fenómeno—, la situación y perfil de las víctimas y el *modus operandi* —y concretamente los métodos de captación— de los tratantes.

Entre la información acerca de los tratantes que podría contener esta base de datos estaría la edad, nacionalidad, antecedentes penales, fotografía más reciente y posible implicación en grupos u organizaciones criminales y otros delitos relacionados con la trata de personas como podrían ser el lavado de activos o la falsificación de documentos para poder identificar a criminales en menor tiempo. Las fuerzas y cuerpos de seguridad de diferentes Estados, relacionando la información de personas y maneras de operar, podrían observar si se trata de un grupo u organización criminal que opera a nivel internacional y si existe o no vinculación entre las personas detenidas en otros Estados miembros de estas redes de trata con las que estuviesen detenidas en su país, en cuyo caso deberían notificarlo para así proceder a desmantelar estos grupos u organizaciones de delincuencia transnacional.

Si todos los organismos implicados en la lucha contra la trata de seres humanos manejasen la misma información y los mismos datos, el trabajo internacional en materia de cooperación y colaboración con autoridades policiales se vería facilitado y ello redundaría en la protección y seguridad de todos en tanto la injusticia que se produzca en cualquier territorio del mundo constituye una amenaza a la justicia en todos los territorios.

«La libertad consiste en ser dueños de la propia vida»

Platón[94]

VIII. BIBLIOGRAFÍA

ADAMS, W.; HUSSEMANN, J.; MCCOY, E. F.; TAYLOR, R.; THOMPSON, P. S.; WHITE, K. (2022), «Findings from an Evaluation of the Enhanced Collaborative Model Task Forces to Combat Human Trafficking», *Research Report*, pp. 1-57. https://www.urban.org/research/publication/findings-evaluation-enhanced-collaborative-model-task-forces-combat-human-trafficking

ALONSO GARCÍA, S. (2020), «La trata de seres humanos en España. Análisis crítico de la normativa española y propuestas para una mayor protección

94. Filósofo griego (428/427 a.C.—347 a.C.) discípulo de Sócrates (470/469 a.C.—399 a.C.) y maestro de Aristóteles (384 a.C.—322 a.C.).

de la víctima», *Universitas: Revista de filosofía, derecho y política*, n. 34, pp. 39-74. https://doi.org/10.20318/universitas.2020.5869

AMNISTÍA INTERNACIONAL (2007), Convenio del Consejo de Europa sobre la Lucha contra la Trata de Seres Humanos: 14 recomendaciones para garantizar la elección de expertos y expertas independientes de la máxima competencia encargados de vigilar su aplicación, Reino Unido, pp. 1-20. https://www.amnesty.org/es/wp-content/uploads/sites/4/2021/07/ior610252007es.pdf

AMNISTÍA INTERNACIONAL (2020). *Cadenas Invisibles: Identificación de víctimas de trata en España*, Madrid, pp. 1-52. https://doc.es.amnesty.org/ms-opac/recordmedia/1@000032723/object/43787/raw

ARANDA LÓPEZ, M. C. (2019), «Regulación del derecho de las víctimas de trata de personas a una indemnización, compensación y reparación», *Cadernos de Dereito Actual*, n. 11, pp. 347-359. https://www.cadernosdedereitoactual.es/ojs/index.php/cadernos/article/view/401

ARONOWITZ, A.; THEUERMANN, G.; TYURYKANOVA, E. (2010), *Analysing the Business Model of Trafficking in Human Beings to Better Prevent the Crime*, OSCE, Viena, pp. 1-116. https://www.osce.org/files/f/documents/c/f/69028.pdf

BELLANOVA, R.; DUEZ, D. (2016), «The Making (Sense) of EUROSUR: How to Control the Sea Borders?», en Bossong; Carrapico (eds.): *EU Borders and Shifting Internal Security*, Cham, pp. 23-44. https://doi.org/10.1007/978-3-319-17560-7_2

BERMEJO CASADO, R. (2021), «Trata de seres humanos», *Eunomía: Revista en Cultura de la Legalidad*, n. 21, pp. 277-293. https://doi.org/10.20318/eunomia.2021.6349

CHAHÍN-PINZÓN, N.; REYES JAIMES, J. M.; VARGAS PARRA, J. (2017), «Aspectos psicológicos a tener en cuenta en la atención de víctimas de la trata de personas», *Psychologia. Avances de la disciplina*, vol. 11, n. 2, pp. 121-129. https://doi.org/10.21500/19002386.3107

CITCO (2023), *Balance Estadístico 2018-2022 sobre trata y explotación de seres humanos en España*, Ministerio del Interior: Secretaría de Estado de Seguridad, pp. 1-51. https://www.interior.gob.es/opencms/export/sites/default/.galleries/galeria-de-prensa/documentos-y-multimedia/balances-e-informes/2022/BALANCE-ESTADISTICO-2018-2022.pdf

COMISIÓN EUROPEA (2018), Propuesta de Reglamento del Parlamento Europeo y del Consejo sobre la Guardia Europea de Fronteras y Costas y por el que se derogan la Acción Común n.º 98/700/JAI del Consejo, el Reglamento (UE) n.º 1052/2013 del Parlamento Europeo y del Consejo y el Reglamento (UE) 2016/1624 del Parlamento Europeo y del Consejo, COM(2018) 631 final, p. 148.

COMISIÓN EUROPEA (2021), Lucha contra la trata de seres humanos: nueva estrategia para prevenirla trata, desarticularlos modelos delictivos de negocio y empoderar a las víctimas, Comunicado de prensa, Bruselas, pp. 1-2. https://ec.europa.eu/commission/presscorner/detail/es/ip_21_1663

COMISIÓN EUROPEA (2022), *Trata de seres humanos: La Comisión propone normas más estrictas para luchar contra este delito en evolución*, Comunicado de prensa, Bruselas, pp. 1-2. https://ec.europa.eu/commission/presscorner/detail/es/ip_22_7781

COMISIÓN EUROPEA (2023), *La Comisión pone en marcha una Plataforma de la Sociedad Civil de la UE contra la trata de seres humanos*, Comunicado de prensa, Bruselas, pp. 1-3. https://ec.europa.eu/commission/presscorner/detail/es/IP_13_484

CONFERENCIA Ministerial Mundial sobre la Delincuencia Transnacional Organizada (1995), *Anuario de Relaciones Internacionales*, Nápoles, 21 al 23 de noviembre de 1994. https://www.iri.edu.ar/publicaciones_iri/anuario/A95/A2ANXa.htm

CONSEJO DE LA UNIÓN EUROPEA (2023), La lucha de la UE contra la delincuencia organizada.

CSERNATONI, R. (2018), «Constructing the EU's high-tech borders: FRONTEX and dual-use drones for border management», *European Security*, vol. 27, n. 2, pp. 175-200.

CTDC (2023), *Global Data hub on Human Trafficking*, The Counter Trafficking Data Collaborative. https://www.ctdatacollaborative.org/

CUERVO NIETO, C. (2023), «Reflexiones sobre la trata de personas: especial consideración al Derecho Penal español», *Revista de la Facultad de Derecho de México*, vol. 73, n. 285, pp. 177-200. https://doi.org/10.22201/fder.24488933e.2023.285.85385

DE LOS MOZOS SALMÓN, R. (2021), «Consideraciones acerca de la trata de seres humanos desde la perspectiva internacional y de la Unión Europea», *Cuadernos Cantabria Europa*, n. 20, pp. 81-108. https://dialnet.unirioja.es/servlet/articulo?codigo=8281955

EpData (2022), *La trata de personas en el mundo, en datos y gráficos*, datos actualizados el 23 de septiembre de 2022. https://www.epdata.es/datos/trata-personas-mundo-datos-graficos/427

FEI (2013), *Directrices para la detección de víctimas de trata en Europa*, EuroTrafGuID, París: Ministère des Affaires étrangères, pp. 1-29. http://www.violenciagenero.igualdad.mpr.gob.es/otrasFormas/trata/detectarla/pdf/ManualDirectricesDeteccionTSH.pdf

FERNÁNDEZ HERNÁNDEZ, J. J. (2019), «La regulación de la trata de seres humanos: esclavitud en el siglo XXI», *Revista de Estudios en Seguridad Internacional*, vol. 5, n. 1, pp. 153-172. http://dx.doi.org/10.18847/1.9.11

FERNÁNDEZ ROJO, D. (2020), «Los poderes ejecutivos de la guardia europea de fronteras y costas: del Reglamento 2016/1624 al Reglamento 2019/1896», *Revista Catalana de Dret Públic*, n. 60, pp. 181-195. http://dx.doi.org/10.2436/rcdp.i60.2020.3385

FERNÁNDEZ-ROJO, D. (2022), «La declaración de la víctima de tráfico ilegal de migrantes como prueba preconstituida y las corroboraciones externas que han de reforzar su verosimilitud», *Revista Vasca de Administración Pública*, n. 123, pp. 65-98. https://doi.org/10.47623/ivap-rvap.123.2022.02

FISCAL (2019), «La trata de seres humanos con fines de explotación sexual en España: la esclavitud de mujeres», en *Capítulo V. Algunas cuestiones de interés con tratamiento específico*, Fiscal.es. https://www.fiscal.es/memorias/memoria2019/FISCALIA_SITE/capitulo_V/cap_V_2_1.html

FISCAL (2022), «Actividad de los fiscales especialistas de extranjería en el ámbito de la persecución penal» (4.2.1 Trata de Seres Humanos), en *Capítulo III. Fiscales Coordinadores/as y Delegados/as para materias específicas*, Fiscal.es. https://www.fiscal.es/memorias/memoria2022/FISCALIA_SITE/capitulo_III/cap_III_4_2.html

FISCALÍA GENERAL DEL ESTADO (2019), Memoria Elevada al Gobierno de S. M., Madrid, pp. 1-1498. https://www.fiscal.es/memorias/memoria2020/FISCALIA_SITE/index.html

FISCALÍA GENERAL DEL ESTADO (2021), Memoria Elevada al Gobierno de S. M., Madrid, pp. 1-1551. https://www.fiscal.es/memorias/memoria2021/FISCALIA_SITE/index.html

GIMENEZ-SALINAS FRAMIS, A. (2016), «La trata de personas como mercado ilícito del crimen organizado, factores explicativos y características», *Cuadernos de la Guardia Civil*, n. 52, 2016, pp. 19-24.

GOIZUETA VÉRTIZ, J. (2020), «La trata de seres humanos con fines de explotación sexual: una aproximación desde la perspectiva de género», *Anuario da Facultade de Dereito da Universidade da Coruña*, pp. 70-91. https://doi.org/10.17979/afdudc.2019.23.0.6012

GONZÁLEZ SAQUERO, P. (2019), «La guardia de fronteras y costas (FRONTEX). ¿Hacia una policía de fronteras europea?», *Crítica penal y poder: una publicación del Observatorio del Sistema Penal y los Derechos Humanos*, n. 18, pp. 241-250. https://dialnet.unirioja.es/servlet/articulo?codigo=7251065

HADDINI, J. (2022), «La (in)seguridad de mujeres y niñas en redes de prostitución y trata de personas con fines de explotación sexual», *methaodos.revista de ciencias sociales*, vol. 10, n. 2, pp. 430-437. https://doi.org/10.17502/mrcs.v11i2.578

HAYES, B.; JONES, C.; TÖPFER, E. (2014), «Eurodrones Inc.», *Statewatch and Transnational Institute*, pp. 1-86. https://www.statewatch.org/media/documents/news/2014/feb/sw-tni-eurodrones-inc-feb-2014.pdf

HUESCA GONZÁLEZ, A. M.; LÓPEZ RUIZ, J. A.; QUICIOS GARCÍA, M. P. (2020), *Seguridad ciudadana, desviación social y sistema judicial*, Dykinson, S. L. https://doi.org/10.2307/j.ctv1ks0ds7

MARIN, L. (2011), «Is Europe turning into a "Technological Fortress'? Innovation and technology for the management of EU's external borders: Reflections on FRONTEX and EUROSUR"», en Heldeweg; Kica (eds.): *Regulating Technological Innovation*, Londres, pp. 131-151. https://doi.org/10.1057/9780230367456_8

MARTÍN OSTOS, J.; MARTÍN RÍOS, P. (2019), *La tutela de la víctima de trata: una perspectiva penal, procesal e internacional*, Barcelona, pp. 1-346. https://doi.org/10.2307/j.ctvq2w3g3

MENESES-FALCÓN, C.; URÍO, S. (2021). «Trafficking for the Purpose of Sexual Exploitation in Spain: Estimates and Reality», *Revista Española de Investigaciones Sociológicas*, n. 174, pp. 89-108. https://dialnet.unirioja.es/servlet/articulo?codigo=7849524

MINISTERIO DE POLÍTICA TERRITORIAL (2023), *Inaugurada en Zamora la II Jornada de Trata y Explotación Sexual*. https://mpt.gob.es/delegaciones_gobierno/delegaciones/castillaleon/actualidad/notas_de_prensa/notas/2023/05/2023-05-22_01.html

MONROY, M. (2016), «New FRONTEX agency: satellite reconnaissance and drones over the Mediterranean», *Security Architectures and Police Collaboration in the EU*.

MPDL (2018), *La trata de mujeres hoy. Mujeres nigerianas víctimas de trata en España*, pp. 1-71. http://www.mpdl.org/sites/default/files/180813-publicacion-trata.pdf

OCAM; OIM; OIT (2004), *Diferencias entre el tráfico ilícito de migrantes y la trata de personas menores de edad*, Folleto informativo, pp. 1-6. https://www.ilo.org/ipecinfo/product/download.do?type=document&id=6617

OFICINA del Alto Comisionado de las Naciones Unidas para los Derechos Humanos (s. f.), «Principios y Directrices recomendados sobre los derechos humanos y la trata de personas», *Texto presentado al Consejo Económico y Social como adición al informe del Alto Comisionado de las Naciones Unidas para los Derechos Humanos* (E/2002/68/Add.1). https://www.ohchr.org/sites/default/files/Documents/Publications/Traffickingsp.pdf

OIM (2011), Manual de perfiles aplicados a la detección de víctimas y victimarios del delito de trata de personas, San José, pp. 1-100.

OIM (2018), *La OIM lanza portal de datos en materia de lucha contra la trata de personas, actualizado y con nuevas estadísticas*, Comunicado — Global. https://www.iom.int/es/news/la-oim-lanza-portal-de-datos-en-materia-de-lucha-contra-la-trata-de-personas-actualizado-y-con-nuevas-estadisticas

OIT (1999), «Conferencia General de la Organización Internacional del Trabajo», *Convenio sobre las peores formas de trabajo infantil, n. 182*, pp. 1-3. https://www.ilo.org/wcmsp5/groups/public/---ed_norm/---declaration/documents/publication/wcms_decl_fs_77_es.pdf

ORBEGOZO, I. (2023), «La situación excepcional de las víctimas de trata con fines de explotación sexual durante el estado de alarma en el Estado español: especial atención en la Comunidad Autónoma del País Vasco (CAPV)», *Oñati Socio-Legal Series*, vol. 13, n. 2, pp. 277-308. https://doi.org/10.35295/osls.iisl/0000-0000-0000-1339

PROYECTO ESPERANZA (2021), *Valoración de la Nueva Estrategia de la Unión Europea de lucha contra la Trata de Seres Humanos (2021-2025)*. https://www.proyectoesperanza.org/valoracion-de-la-nueva-estrategia-de-la-union-europea-de-lucha-contra-la-trata-de-seres-humanos-2021-2025/

ROBITZ, R.; OJHA, P.; KOH, S. (2022), «Psychiatrists» Involvement in a Public Health Response to Human Trafficking», *Psychiatric services*, vol. 74, n. 2, p. 212. https://doi.org/10.1176/appi.ps.20220430

RUÍZ GUEVARA, S. M. (2021), *Trata de personas: la esclavitud del siglo XXI*, Generación de contenidos impresos n. 9, pp. 1-33. https://doi.org/10.16925/gcnc.19

SANTANA VEGA, D. M. (2020), «La Directiva 2011/36/UE, relativa a la prevención y lucha contra la trata de seres humanos y la protección de las víctimas: análisis y crítica», *Nova et Vetera*, vol. 20, n. 64, pp. 211-226. https://doi.org/10.22431/25005103.179

SANTOS VARA, J. (2018), «La transformación de Frontex en la Agencia Europea de la Guardia de Fronteras y Costas: ¿hacia una centralización en la gestión de las fronteras?», *Revista de Derecho Comunitario Europeo*, vol. 22, n. 59, pp. 143-186. https://doi.org/10.18042/cepc/rdce.59.04

SHELLEY, L. (2021), «Trafficking in Women: The Business Model Approach», *The Brown Journal of World Affairs*, vol. 10, n. 1, pp. 119-131.

STATEWATCH (2020), «Drones for Frontex: unmanned migration control at Europe's borders», *Statewatch Analysis*. https://www.statewatch.org/analyses/2020/drones-for-frontex-unmanned-migration-control-at-europe-s-borders/

TARDÓN OLMOS, M. (2021), «La trata de seres humanos con fines de explotación sexual: un drama humanitario, una respuesta pendiente», ElDerecho.com. https://elderecho.com/la-trata-de-sereshumanos-con-fines-de-explotacion-sexual-un-drama-humanitario-una-respuesta-pendiente

UNESCO (1996), «Declaración de la reunión realizada en Estocolmo con motivo del Congreso Mundial contra la Explotación Sexual Comercial de los Niños», *ECPAT, UNICEF y el Grupo de ONGs para la Convención sobre los Derechos del Niño*, pp. 1-8. https://catedraunescodh.unam.mx/catedra/papiit/cedaw/mecanismos/iu_declaracion_explotacion_sexual.pdf

UNODC (2010), *Ley modelo contra la trata de personas*, Nueva York, pp. 1-106. https://www.unodc.org/documents/human-trafficking/TIP-Model-Law-Spanish.pdf

UNODC (2022a), *Global Report on Trafficking in Persons 2022*, Viena. https://www.unodc.org/lpomex/uploads/documents/Publicaciones/Crimen/GLOTiP_2022_web.pdf

UNODC (2022b), *Informe Mundial sobre Trata de Personas 2022*, Viena, pp. 1-18. https://www.unodc.org/lpomex/uploads/documents/Publicaciones/Crimen/GLOTiP_Executive_Report_Final_Esp.pdf

UNODC (2022c), *Principales hallazgos del Informe Mundial sobre Trata de Personas 2022*, pp. 1-3. https://www.unodc.org/documents/peruandecuador/Adjuntos/BriefGLOTIP2022_Peru.pdf

VÁZQUEZ RODRÍGUEZ, B. (2021), «Las obligaciones de los Estados en materia de prevención y protección contra la trata de mujeres con fines de explotación sexual en el contexto migratorio», en *Revista Española de Derecho Internacional*, vol. 73, n. 2, pp. 177-191. https://www.revista-redi.es/redi/article/view/409

VIDAL GÓMEZ, A. C.; LÓPEZ GUTIERREZ, J. J.; ZULETA PÉREZ, M. J. (2021), «Explotación humana y bienestar social: Incidencias sobre la población infantil Wayuu», *Revista de Filosofía*, n. 98, pp. 744-760. https://doi.org/10.5281/zenodo.5528977

VILLACAMPA ESTIARTE, C.; TORRES FERRER, C. (2021), «Aproximación institucional a la trata de seres humanos en España: valoración crítica», *Estudios Penales y Criminológicos*, vol. 41, pp. 189-232. https://doi.org/10.15304/epc.41.6979

WHO; ZIMMERMAN, C.; WATTS, C. (2003), *Ethical and safety recommendations for interviewing trafficked women*. https://apps.who.int/iris/handle/10665/42765

WOMEN'S LINK WORLDWIDE, *Víctimas de trata en América Latina. Entre la desprotección e indiferencia*, Informe n. 7, Madrid, pp. 1-87. https://www.espaciosdemujer.org/wp-content/uploads/3.Vi%E2%95%A0%C3%BCctimas-de-la-Trata-en-AL-entre-desproteccio%E2%95%A0%C3%BCn-e-indiferencia_WLW_2017.pdf

ZUÑIGA RODRÍGUEZ, L. (2020), «Trata de seres humanos y criminalidad organizada transnacional: Problemas de política criminal desde los derechos humanos», *Revista Peruana de Ciencias Penales*, vol. 1, n. 34, pp. 241-277. https://doi.org/10.56176/rpcp.34.2022.11

ZURITA CAJAS, E. S. (2022), «Las mujeres víctimas de trata de personas con fines de explotación sexual. Los nexos con el patriarcado y un negocio dentro del capitalismo», *Foro: Revista de Derecho*, n. 37, pp. 53-75. http://hdl.handle.net/10644/8442

5. El cuerpo de las mujeres como objeto material del delito. De la trata de seres humanos con fines de explotación sexual a la prostitución forzosa

LAURA PASCUAL MATELLÁN

Profesora Contratada Doctora de Derecho Penal

Universidad de Salamanca

I. INTRODUCCIÓN

La cosificación es el primer paso hacia la dominación, la explotación y la violencia extrema. Viendo esta correlación en sentido inverso, puede decirse que cuando existen intensos procesos de explotación y dominación, se ponen en marcha mecanismos legitimantes de cosificación.

Alicia Puleo[1]

1. PULEO, 2015, p. 131.

Si existen dos delitos que tienden a ir de la mano, aunque sean diferentes y requieran una respuesta jurídica distinta, esos son el tráfico y la trata de seres humanos. A pesar de las diferencias entre estas dos modalidades delictivas, ambas aparecen estrechamente unidas. El nexo de unión entre estas dos formas de delincuencia no es tan fuerte como podría pensarse[2] o imaginarse a simple vista. La asimilación errónea que se hace de ambos delitos en los distintos foros podría deberse a que el sujeto pasivo del delito de trata suelen ser personas de nacionalidad extranjera, algo que obligatoriamente tiene que ocurrir en el delito de tráfico, pues en este último, el sujeto pasivo es un extranjero no nacional de ningún estado miembro de la Unión Europea y que carece de permiso legal para residir en España. En la trata no ocurre así, porque una víctima de trata puede ser una persona española o nacional de algún país miembro de la Unión Europea. Sin embargo, cuando se analiza a las víctimas de este delito, los datos nos muestran que la mayoría no son españolas. Concretamente, si nos centramos en la trata con fines de explotación sexual, que es el objeto de esta investigación, en el año 2022, en España se han registrado 6 víctimas de trata de nacionalidad española y 123 víctimas extranjeras, siendo 37 de nacionalidad colombiana[3] (la cifra más alta por nacionalidad). Aquí se refleja el vínculo existente entre el delito de tráfico y el de trata, y el origen de la confusión que genera la equiparación de modalidades delictivas distintas. Hay que tener en cuenta que los flujos migratorios hacia Europa se han intensificado de manera sustancial en los últimos años[4] y esto ha generado una respuesta por parte de la Unión Europea que ha endurecido los controles fronterizos[5]. Asimismo, está previsto que se endurezcan aún más en el marco de las iniciativas legislativas

2. El delito de tráfico no precisa el uso de la fuerza, la coacción, el engaño o el abuso de superioridad que sí requiere el delito de trata. A su vez, la trata puede ser interna y el delito de tráfico siempre va a requerir el cruce de una frontera internacional vulnerando los controles administrativos de entrada. Los puntos en común entre ambos delitos se encuentran en el hecho de que las personas extranjeras son, en la práctica, las víctimas también del delito de trata, y la intervención de redes de delincuencia organizada en ambas prácticas delictivas es notable.
3. Véase Secretaría de Estado de Seguridad. Centro de Inteligencia contra el terrorismo y el crimen organizado: *Trata y explotación de seres humanos en España. Balance estadístico 2018-2022*, CITCO, 2 p. 8. Disponible en https://www.interior.gob.es/opencms/export/sites/default/.galleries/galeria-de-prensa/documentos-y-multimedia/balances-e-informes/2022/BALANCE-ESTADISTICO-2018-2022.pdf (última revisión realizada el 01/12/2023).
4. Los flujos migratorios son mixtos porque generalmente están integrados por inmigrantes y refugiados.
5. MENESES-FALCÓN/URÍO, 2021, p. 90.

incluidas en el Nuevo Pacto sobre Migración y Asilo presentado en 2020[6]. En este sentido, las redes de trata, concretamente las que se centran en la trata con fines de explotación sexual, se aprovechan de la situación de vulnerabilidad en la que se encuentran las mujeres procedentes de muchos de los países de los que son captadas. Y sí, mujeres, porque la trata con fines de explotación sexual tiene como víctimas, en la mayoría de los casos, a mujeres. Concretamente, en el año 2022 en España hubo 125 víctimas mujeres de trata con fines de explotación sexual frente a 5 hombres. En lo que respecta a los menores, hubo 4 niñas y ningún niño[7]. Por tanto, estamos ante un delito que tiene rostro de mujer, si nos referimos a víctimas adultas, o de niña, en el caso de los menores.

En definitiva, el delito de trata de seres humanos no va a requerir que el sujeto pasivo sea un ciudadano extranjero, de un país no miembro de la UE, como ocurre con el delito de tráfico; pero, en la práctica, la trata tiene como sujeto pasivo del delito a personas extranjeras que buscan una válvula de escape a las duras realidades que viven en sus países de origen. En cuanto a la trata con fines de explotación sexual, es una de las tantas violencias que en este mundo sufren generalmente las mujeres y las niñas, víctimas de sociedades patriarcales y de los delitos que en ellas se han gestado.

Si, como vengo advirtiendo, la trata aparece vinculada al delito de tráfico, también existe una equiparación errónea entre la trata con fines de explotación sexual y la prostitución. Esto ha derivado en que el uso de conceptos como prostituta, víctima de trata o víctima de tráfico se hayan utilizado de forma imprecisa, generando confusión y poniendo obstáculos a la resolución de estas problemáticas. La trata, tal y como he señalado, consiste en la captación a través de la violencia, del engaño, del abuso de una posición de superioridad con el objetivo, entre otras cosas, de explotar (sexualmente en el caso que nos ocupa). Sin embargo, el delito de trata no sanciona esa explotación sexual, sino la captación con ese objetivo. Esto es que en la práctica se estarían sancionando unos «actos preparatorios». La explotación sexual ya entraría dentro de otra modalidad delictiva (la tipificada en el art. 187 CP), que tiene penas diferentes a la trata y que conviene diferenciar de la prostitución voluntaria. No obstante, la confusión radica en la tendencia a equiparar y a denominar a «todo» «trata». Conviene no olvidar que, aunque la prostitución voluntaria sea también para mí una for-

6. Comisión Europea: «Comunicación de la Comisión relativa al Nuevo Pacto sobre Migración y Asilo», COM (2020) 609 final, 20/09/2020.
7. Secretaría de Estado de Seguridad. Centro de Inteligencia contra el terrorismo y el crimen organizado: *op. cit.*

ma de violencia contra las mujeres, esta no es equiparable a la prostitución forzada. La diferenciación entre las distintas prácticas será lo que permita evaluar cada caso, irradiar algo de luz y dar una respuesta adecuada en beneficio de las mujeres víctimas de los abusos derivados de la hegemonía patriarcal de nuestra sociedad.

II. EL DILEMA DE LA PROSTITUCIÓN «VOLUNTARIA» COMO SITUACIÓN ACEPTADA Y LA PERSECUCIÓN PENAL DE LA OBLIGACIÓN DE PROSTITUIRSE

La prostitución podría ser definida de muchas formas, más aún si se tiene en cuenta la intención de la persona encargada de definirla. Si nos limitamos a lo dispuesto en la RAE, la prostitución es la «actividad de quien mantiene relaciones sexuales con otras personas a cambio de dinero»[8]; pero, en realidad, la prostitución es algo mucho más profundo y complejo que esto. La primera idea de la que hay que partir para acercarnos al fenómeno de la prostitución con la rigurosidad que se merece es que la mayoría de las personas que se prostituyen o son prostituidas son mujeres. La segunda idea es que casi la totalidad de los consumidores de prostitución son hombres. La tercera idea es que el sexo que tiene lugar durante el ejercicio de la prostitución es un sexo destinado a la obtención del placer/orgasmo masculino. Teniendo en cuenta estas tres premisas, podemos afirmar que la definición de la RAE es sesgada y que sirve para ocultar lo que sin duda es la realidad de la prostitución.

Podría considerarse, en términos generales, que la prostitución está «socialmente aceptada» porque el debate planteado en torno a ella se ha reducido a la cuestión jurídica, filosófica y política del consentimiento. Por un lado, está (generalmente) la mujer que ofrece un servicio sexual y por otro lado (más común aún), el hombre que está dispuesto a pagar por ese servicio. Si a este acuerdo entre partes se le otorga el valor de un contrato legalmente celebrado, la aceptación de la prostitución se convierte en un hecho perfectamente válido. Esto equivale a decir que la existencia del consentimiento, unida al mensaje generalizado de que el sexo es algo positivo,

8. https://dle.rae.es/prostituci%C3%B3n (última revisión realizada el 02/12/2023). En el mismo sentido y, con una definición igual de sesgada que la establecida en la RAE, aparece definida la prostitución en la jurisprudencia. De acuerdo con la STS 2 Julio de 2003, la prostitución es «la situación en que se encuentra una persona que, de una manera más o menos reiterada, por medio de su cuerpo, activa o pasivamente, da placer sexual a otro a cambio de una contraprestación de contenido económico, generalmente una cantidad de dinero». GAVILÁN RUBIO, 2015, p. 105.

natural, beneficioso y bueno ha servido para esquivar los desafíos que la cruel realidad de la prostitución nos muestra diariamente. A su vez, en el marco de un sistema capitalista, se entiende que la prostitución es un trabajo como podría ser cualquier otro, dado que todo tiene un precio y todos participamos en el mercado vendiendo u ofreciendo algo. Si asumimos esta normalización como un principio válido, la violencia sexual tendría que ser olvidada y pasar a hablar de violencia a secas, tal y como afirman DE MIGUEL ÁLVAREZ y TORRADO MARTÍN-PALOMINO.

«Si practicar el sexo es como tomar un café, de qué podrá quejarse nadie cuando el profesor invite a un café o a practicar sexo a sus alumn@s mayores de edad. También desaparece, lógicamente, la noción de "acoso sexual". Subsistirá el acoso, pero en abstracto, no será posible calificar la especial cosificación y humillación que subyace al acoso sexual.»[9]

1. LA PROSTITUCIÓN VOLUNTARIA

En los países donde se han llevado a cabo políticas sociales y de igualdad adecuadas, la prostitución ha disminuido considerablemente entre la población nacional, pensándose que tal vez podría hacerse realidad la utópica idea de conseguir su erradicación en aras de la conquista de la igualdad real. Las nuevas generaciones ya disfrutan de la libertad sexual que no disfrutaron las anteriores y las políticas sociales impulsadas por la izquierda intentan tímidamente sacar a las personas de la subalternidad. Sin embargo, el mundo globalizado en el que vivimos se caracteriza por los múltiples desplazamientos de seres humanos por los distintos países del mundo y esto ha repercutido en las conquistas en materia de igualdad sexual y específicamente en el ámbito de la prostitución; pues, aunque sí es cierto que el número de personas (mujeres) que se prostituyen de nacionalidad española ha disminuido considerablemente, la prostitución sigue aumentando porque la ejercen mujeres que vienen de otras realidades mucho menos igualitarias (tanto sexual como económicamente) y que se encuentran en situaciones de especial vulnerabilidad. Estas mujeres han llegado a los países de la igualdad sexual a cumplir los deseos sexuales de parte de la población masculina.

El tema de la prostitución genera un debate complejísimo, pues todo lo que rodea a esta práctica está lleno de matices y de aristas; sin embargo, se ha caído en el reduccionismo a la hora de afrontar esta temática y las dos

9. DE MIGUEL ÁLVAREZ/TORRADO MARTÍN-PALOMINO, 2014, p. 2.

visiones sobre el asunto se reducen en «a favor» y «en contra»[10]. Los argumentos a favor de la misma son sencillos: si la prostitución es consentida, es válida porque es la libertad para vender algo en el marco de un sistema que se caracteriza por la compraventa. Mientras ambas partes estén de acuerdo es aceptable. A su vez, este relato se adorna con otro tipo de mensajes, de carácter sumamente clasista, que equiparan o consideran todavía peor la realización de algunos trabajos como labores de limpieza en baños públicos, la tarea de las auxiliares de clínica en hospitales o residencias de ancianos, entre otros. También se recurre al argumento de que la regulación de esta práctica ayudaría a las prostitutas a tener unos derechos reconocidos de los que ahora carecen (derechos laborales), se acabaría con las mafias y pagarían impuestos. Por último, un argumento al que se suele recurrir y que está basado en estudios realizados por economistas[11] es que la ilegalización de la prostitución se relaciona directamente con un aumento considerable de los delitos contra la libertad sexual. Este estudio, en realidad, manda un mensaje terrorífico, pues lo que subyace es la idea de que existen hombres que tienen que acceder a cuerpos de mujeres que no los desean y, si no lo hacen pagando, lo harán a través del uso de la fuerza y la violencia. A estos argumentos habría que añadirle otro más sofisticado, pero que, en realidad, no es otra cosa que esa mezcla de libertad/consentimiento sobre la que vengo insistiendo, y que expresa MAQUEDA ABREU:

«Hay en los discursos feministas que la potencian una lógica de negación que las invalidan como actoras de su propia historia y que acaba por naturalizar una forma de violencia —política— sobre sus cuerpos: la que promueve su subjetividad desviada (su "pecado") y les impide "autodesignarse" y construir espacios de resistencia frente a los poderes que las oprimen. Por ello, sus prácticas de insubordinación son tan extremadamente difíciles porque, como expresa tan bien Lorente, no se les reconoce otra agencia distinta de la que esos discursos tienen prescrita: salir de donde están y abandonar sus equivocadas vidas marcadas.»[12]

A pesar de la simplicidad de la mayoría de los argumentos que he planteado, esta forma de entender o abordar esta cuestión constituye un relato socialmente aceptado. No obstante, como he advertido, existe un sector de

10. Si bien es cierto que existen clasificaciones en las que se recogen ambos argumentos: modelo reglamentarista, modelo abolicionista, modelo pro-derechos y modelo prohibicionista. Sobre esta cuestión puede consultarse MAQUEDA ABREU, 2017, p. 65.
11. CIACCI, 2021. Disponible en https://nadaesgratis.es/admin/puede-la-economia-aconsejar-algo-al-gobierno-sobre-la-abolicion-de-la-prostitucion (última revisión realizada el 12/12/2023).
12. MAQUEDA ABREU, 2017, p. 86

la población que, al menos, se cuestiona la legitimidad de esta práctica. Este sector social, que también ha encontrado en la filosofía feminista referentes como la profesora Ana de Miguel, empieza planteándose «¿por qué la mayor parte de las personas destinadas al mercado de prostitución son mujeres y no son hombres?»[13] A su vez se realizan el reflexiones sobre el deseo que sienten algunos hombres por las prostitutas (mujeres que los rechazarían si no fuera por el dinero que les van a pagar) frente a esa ausencia de consumo femenino por entenderse que las mujeres no desean a hombres en situación de inferioridad y vulnerabilidad que no las desean.

Por todo lo dispuesto, DE MIGUEL apuesta por empezar definiendo la prostitución de forma que se visibilice en ella lo que esconde detrás esta práctica. «La prostitución es una práctica por la que los varones se garantizan el acceso grupal y reglado al cuerpo de las mujeres.»[14] Este sería un primer paso que posibilitaría, al menos, afrontar este debate con un mínimo de rigurosidad. Yo, en cambio, matizaría esa definición de tal forma que la prostitución es una práctica por la que los varones se garantizan el acceso grupal y reglado al cuerpo de las mujeres, mujeres que pertenecen mayoritariamente a las clases más bajas de la sociedad[15].

Son muchas las voces que no se cansan de intentar normalizar la situación diciendo, hipócritamente[16], que la prostitución es un trabajo como

13. DE MIGUEL ÁLVAREZ, 2014, p. 9.
14. *Ibídem*, p. 16.
15. A este respecto, ya se posicionaba la teórica marxista Alexandra Kollontai cuando afirmó, en relación a la asimilación de la mujer delincuente a la prostituta, en las obras de Lombroso y demás intelectuales de la Escuela Positiva: «Si los académicos burgueses de la escuela Lombroso-Tarnovsky estuviesen en lo cierto al mantener que las prostitutas nacen con el sello de la corrupción y la anormalidad sexual, ¿cómo se explicaría algo que es bien sabido por todos: que en tiempos de crisis y desempleo el número de prostitutas se incrementa inmediatamente? ¿Cómo se explicaría que los proveedores de "mercancía humana" que llegaban a la Rusia zarista provenientes de otros países de Europa occidental siempre encontraban una buena cosecha en zonas donde los cultivos habían sido un fracaso y la población estaba sufriendo de hambre, mientras que venían con nuevos empleados desde lejanas regiones de abundancia? ¿Por qué tantas de las mujeres que supuestamente están destinadas por naturaleza a la ruina sólo se han dado a la prostitución en años de hambre y desempleo?» KOLLONTAI, 1921. Disponible en https://www.marxists.org/espanol/kollontai/1921/001.htm (última revisión realizada el 05/12/2023).
16. Utilizo ese «hipócritamente» porque estoy convencida de que ninguna de las personas que realizan esas afirmaciones sin dedicarse a la prostitución, no desearían bajo ningún concepto que sus hijas, madres o hermanas fueran prostitutas y preferirían otras opciones laborales con las que suelen equiparar la prostitución como ejercer de auxiliar de clínica.

cualquier otro, lo que su implementación práctica derivaría en situaciones como puede ser que, si una mujer está cobrando el subsidio de desempleo, desde el INEM pudieran llamarla para que realice una entrevista en un burdel o club de alterne porque necesitan una prostituta o

«En las familias de las clases con menos recursos económicos y las más dañadas por la crisis económica y los ataques al estado de bienestar también tendría consecuencias la consideración de la prostitución como "un trabajo cualquiera". Si una chica no encuentra trabajo su hermano bien le podría recriminar su conducta: "papá y mamá lo están pasando mal, mamá ya está mayor, pero tú puedes colocarte de puta, no seas puritana, es un trabajo como otro cualquiera"»[17].

Dicho esto, la prostitución no es combatida con argumentos basados en las consecuencias para las prostitutas, argumentos de los que se distancian las mayorías sociales nacionales que consideran que es algo por lo que ellas y las suyas no van a tener que pasar. No obstante, existen otros argumentos en contra de la prostitución cuyo espectro es más amplio y abarca a toda la sociedad. Es decir, la prostitución tiene incidencia sobre todas las personas y, más concretamente, sobre todas las mujeres, la ejerzan o no. En este sentido, Kollontai ya afirmaba que la idea que los hombres tienen sobre el sexo o la sexualidad la obtienen a través de sus experiencias con las prostitutas y que nada tiene que ver con la realidad de la sexualidad para las mujeres, sino con una ficción[18]. Esto acertada crítica de Kollontai se aprecia actualmente también en la pornografía y como está construyendo los imaginarios colectivos en materia de sexualidad[19].

Así las cosas, podemos observar que la «prostitución voluntaria» tiene una justificación social e histórica basada en el consentimiento, que omite que las prostitutas son mayoritariamente mujeres y que los clientes, rara es la ocasión en la que no son hombres, y que prescinde, a su vez, de la idea de que la prostitución es llevada a cabo por mujeres, normalmente extranjeras y pobres, y que la prostitución de lujo representa un porcentaje pequeño de la prostitución que se ejerce en España.

17. DE MIGUEL ÁLVAREZ, 2014, p. 19.
18. KOLLONTAI, 1978, pp. 119 y ss.
19. Véase ALARIO GAVILÁN, 2018, pp. 61-79 y ALARIO GAVILÁN, 2019, pp. 55-66.

2. LA PROSTITUCIÓN FORZADA COMO DELITO DE EXPLOTACIÓN SEXUAL

La prostitución como delito apareció en el primer Código Penal, el de 1822. Se ubicaba en el título VII referente a los «Delitos contra las buenas costumbres», concretamente en el Capítulo II «De los que promueven o fomentan la prostitución, y corrompen a los jóvenes, o contribuyen a cualquiera de estas cosas». A lo largo de este capítulo, se observa cómo lo que se pretende es proteger a la sociedad y no a las mujeres prostituidas. La prostitución adulta no se penaliza, lo que se pretende es perseguir a:

«Toda persona que, sin estar competentemente autorizada, ó —faltando a los requisitos que la policía establezca, mantuviere ó acogiere ó recibiere en su casa a sabiendas mugeres públicas, para que allí ahusen de sus personas» (*sic*) (art. 535).

Esto suponía una persecución de las mancebías ilegales. Por otro lado, también se penalizaba la inducción a la prostitución de menores de veinte años, así como la inducción a la corrupción de los mismos (art. 536). A este respecto, el tipo cualificado lo encontramos en el art. 537 que señala que cuando los que inducen

«Fuesen personas que habitualmente se ocupen en este criminal ejercicio, ó sirvientes domésticos de las casas de los mismos jóvenes, de los establecimientos de enseñanza, caridad, corrección, beneficencia en que estos se hallaren, sufrirán la pena de tres a seis años de obras públicas. Esta pena será doble mayor, si a la prostitucion ó corrupcion de los jóvenes se añadiese la circunstancia de estraerlos al intento de cualquiera dellichas casas en que se hallen.» (*sic*).

Es decir, el delito del art. 536 recoge el tipo básico y el tipo cualificado lo encontramos en el art. 537 por razón del sujeto activo. Ocurre lo mismo en el caso del art. 539 (si el sujeto activo es un capellán, maestro...), en el art. 540 (tutores, curadores o parientes...), el art. 541 (en el caso de los progenitores, abuelos...) y en el art. 542 (aumenta la pena en caso de que esa corrupción se derive del abandono sufrido por el menor por parte de los progenitores...). Sea como sea y, como ya he advertido, la prostitución adulta o la inducción a la misma no se perseguía penalmente.

En lo que respecta al Código Penal de 1848, conocido como *Código Pacheco*, los delitos relativos a la prostitución se encuentran ubicados en el Libro II «Delitos y sus penas», concretamente en el Título X: «Delitos relativos a la honestidad», Capítulo III: «Del estupro y corrupción de menores», art. 367:

«El que habitualmente ó con abuso de autoridad ó confianza promoviere ó facilitare la prostitución ó corrupción de menores de edad, para satisfacer los deseos del otro, será castigado con la pena de prisión correccional.» (*sic*).

En este único artículo referido a la prostitución en este Código Penal se sanciona la habitualidad, el abuso de autoridad, el abuso de confianza y todo dirigido a la corrupción o prostitución de menores. A diferencia del Código Penal anterior, en esta nueva regulación no se especifica la edad de los menores por lo que podría entenderse menores que no habían alcanzado la mayoría de edad establecida en la época. Se aprecia también la introducción de un elemento subjetivo del injusto, es decir, un requisito intencional distinto del dolo que encontramos cuando se alude a la satisfacción de los deseos de otro y no de uno mismo. Las referencias a las casas de prostitución o mancebías desaparecen de este código. La prostitución adulta o la inducción a la misma siguen sin ser objeto de responsabilidad penal.

En la reforma de 1850 y en el Código Penal de 1870 no se introdujeron cambios en la tipificación de la conducta, únicamente alguna modificación en materia de pena, pero no en la conducta típica. Es decir, durante todo el siglo XIX, la prostitución ejercida por mujeres adultas, así como la inducción a la misma, no fue objeto de represaría penal por el hecho, intuyo, de no considerarse lo suficientemente nociva para la sociedad, sociedad a la que se pretendía proteger con estas regulaciones.

La misma línea se mantuvo en los códigos penales de principios del siglo XX (1928 y 1932). La Ley de Vagos y Maleantes (1933) no es una ley penal y no impone penas, sino medidas de control a los individuos considerados peligrosos para evitar la comisión de futuros delitos. En esta Ley, los proxenetas estaban incluidos por su peligrosidad, pero no lo estaban las prostitutas (art. 2).

El Código Penal de 1973 reserva un capítulo a los delitos relativos a la prostitución. Estos delitos van a depender de si el sujeto pasivo era mayor o menor de veintitrés años. En el caso de los menores, se penalizaba promover, facilitar o favorecer la prostitución (art. 452 bis). Respecto a los mayores de veintitrés, se sancionaba al que, por medio de engaño, violencia, amenaza, abuso de autoridad u otro medio coactivo determine, a persona mayor de veintitrés años, a satisfacer deseos deshonestos de otra. Estos ejemplos de conductas constitutivas de delito son sólo unos pocos del ímpetu prohibicionista que caracterizó en esta materia a este Código Penal.

En lo que respecta al actual Código Penal (1995), hay que señalar que ha sido objeto de múltiples reformas, algunas de las cuales han afectado al ámbito de la prostitución. No obstante, en esta investigación vamos a centrarnos únicamente en la regulación actual. Es decir, en lo que respecta a esta materia después de la reforma introducida por la LO 1/2015, de 30 de marzo.

La prostitución aparece en el vigente Código Penal en el art. 187. Se ubica dentro del Libro II, relativo a los delitos y sus penas. Dentro de este, en el Título VIII, relativo a «Los delitos contra la libertad e indemnidad sexuales», en el Capítulo V «Delitos relativos a la prostitución y a la corrupción de menores». En lo que respecta a esta investigación, me voy a centrar exclusivamente en la prostitución, dejando la corrupción de menores para otra ocasión.

«Artículo 187.

1. El que, empleando violencia, intimidación o engaño, o abusando de una situación de superioridad o de necesidad o vulnerabilidad de la víctima, determine a una persona mayor de edad a ejercer o a mantenerse en la prostitución, será castigado con las penas de prisión de dos a cinco años y multa de doce a veinticuatro meses.

Se impondrá la pena de prisión de dos a cuatro años y multa de doce a veinticuatro meses a quien se lucre explotando la prostitución de otra persona, aun con el consentimiento de la misma. En todo caso, se entenderá que hay explotación cuando concurra alguna de las siguientes circunstancias:

a) Que la víctima se encuentre en una situación de vulnerabilidad personal o económica.

b) Que se le impongan para su ejercicio condiciones gravosas, desproporcionadas o abusivas.»

En este primer apartado, se recogen dos conductas que voy a analizar.

La primera de las conductas tipificadas consiste en emplear violencia, intimidación o engaño, o abusar de una situación de necesidad o de vulnerabilidad de la víctima, para determinar a una persona mayor de edad a ejercer la prostitución o mantenerse en ella. En este caso vemos que el sujeto pasivo del delito es cualquier persona mayor de edad. Esto nos lleva a conocer cuál es el bien jurídico protegido: la libertad sexual y la indemnidad sexual (en el caso de personas mayores de edad con algún tipo de discapacidad que necesitan especial protección en este ámbito)[20].

La conducta típica consiste en coaccionar o ejercer la violencia o el engaño con el objetivo de obligar a una persona (matizo que, como vengo visibilizando, normalmente los sujetos pasivos de este delito son mujeres) a mantener relaciones sexuales en contra de su voluntad o a abusar de una situación de necesidad o de vulnerabilidad de la víctima. Dicho esto, se establecen dos escenarios en esta primera conducta típica. El primero de ellos, en el que el sujeto pasivo no ha ejercido nunca la prostitución y el segundo en el que sí la ha ejercido y lo que se hace es obligar a continuar ejerciéndola contra su voluntad.

Los medios comisivos son la coacción, la violencia o el engaño. En el caso de que una mujer, prostituta, ejerza la prostitución y el cliente no le pague, o no le pague el precio acordado, no podría aplicarse el art. 187.1 CP, alegando el engaño, sino que tendría que sancionarse a través del delito de estafa. También sería medio comisivo el abuso de una situación de necesidad o de vulnerabilidad. En estos últimos casos, no sólo se trataría de escenarios en los que la persona se encuentre en un estado de precariedad económica, que como ya sabemos es muy común en la prostitución, sino también de situaciones relacionadas con la inmigración y la problemática que esto plantea, algo que, evidentemente, está relacionado con la pobreza. En cuanto a la superioridad, caben todas las relaciones de jerarquía, como por ejemplo las presentes en el ámbito laboral.

La segunda conducta tipificada consiste en lucrarse de la prostitución de otra persona, lo que se denomina proxenetismo, incluso aunque esta persona preste su consentimiento. La explotación se considerará atendiendo a si la víctima se encuentra en una situación de vulnerabilidad derivada de sus circunstancias personales o económicas, o que en el ejercicio de la prostitución se impongan condiciones abusivas o desproporcionadas.

---

20. Con la Ley Orgánica 10/2022, de 6 de septiembre, de garantía integral de la libertad sexual, comúnmente conocida como «Ley del sólo sí es sí», se eliminó del Código Penal el concepto de indemnidad sexual. Esta desaparición no imposibilita la protección de este bien jurídico, sino su introducción dentro de un bien jurídico más amplio: la libertad sexual. De acuerdo a lo establecido en la circular 1/2023, de 29 de marzo, de la Fiscalía General del Estado la desaparición de la indemnidad sexual del título VIII del Código Penal no genera consecuencias al carecer de repercusión en la descripción, interpretación y, por supuesto, aplicación de los tipos penales. La modificación posterior de esta Ley no implicó cambios en este sentido.

En lo que respecta a la doctrina, se muestra partidaria de restringir esta conducta típica y exige que concurran otras circunstancias, como que el lucro sea directo y de considerable importancia, y que exista habitualidad en la obtención de la ganancia[21].

Las dos conductas típicas del art. 187.1 CP se consuman cuando, después de haber sido determinada al ejercicio de la prostitución, la víctima mantiene una o varias relaciones sexuales.

«Art. 187

2. Se impondrán las penas previstas en los apartados anteriores en su mitad superior, en sus respectivos casos, cuando concurra alguna de las siguientes circunstancias:

a) Cuando el culpable se hubiera prevalido de su condición de autoridad, agente de ésta o funcionario público. En este caso se aplicará, además, la pena de inhabilitación absoluta de seis a doce años.

b) Cuando el culpable perteneciere a una organización o grupo criminal que se dedicare a la realización de tales actividades.

c) Cuando el culpable hubiere puesto en peligro, de forma dolosa o por imprudencia grave, la vida o salud de la víctima.»

Este segundo apartado lo constituyen los tipos cualificados del delito. Es decir, los supuestos de agravación de la pena. Es una clasificación llevada a cabo por circunstancias concretas del sujeto activo, como trabajo, pertenencia a grupo criminal u organización, o cuando ha puesto en peligro la salud o vida del sujeto pasivo.

De lo anteriormente expuesto, se puede concluir que, a lo largo de la historia de los códigos penales españoles, la prostitución adulta consentida no ha sido perseguida, con independencia de la existencia de tratados criminológicos de primer nivel en su contexto histórico, como los de Lombroso y Ferrero, que asimilaban la delincuencia femenina a la prostitución[22]. En España estas investigaciones no tuvieron proyección en las primeras codificaciones penales, codificaciones sobre las que podrían haber ejercido influencia este tipo de obras. Por tanto, las valoraciones realizadas por MAQUEDA ABREU en su investigación «La prostitución: "el pecado" de las mujeres» no encajan con la regulación penal española en esta materia,

21. GÓMEZ RIVERO, 2019, p. 320.
22. Véase: LOMBROSO/FERRERO, 1903.

aunque si pudieran hacerlo con el sentir de una ciudadanía que desprecia a la prostituta y la despoja de su dignidad, con independencia del contexto histórico que estemos valorando. Por consiguiente, MAQUEDA ABREU realiza un estudio sobre la censura de la desviación de la prostituta y esto podría aceptarse desde la literatura decimonónica de la Escuela positiva y desde otras realidades. No obstante, insisto, no fue el caso de España en el ámbito jurídico-penal. A su vez, la autora hace alusión a una dicotomía: prostitutas y madre-esposa[23], en la que el valor positivo radicaba en la figura de madre-esposa y el valor negativo recaía en la prostituta. Estos dos roles atribuidos al colectivo femenino a los que hace alusión se pueden observar en las teorizaciones de Rousseau y de Sade. Rousseau les niega a las mujeres la ciudadanía en la idea de que tienen que dedicarse a la crianza de los menores; en cambio, Sade considera que las mujeres deben estar al servicio del placer masculino[24]. Si bien son roles atribuidos a las mujeres que han estado presentes y, en cierto sentido, lo siguen estando, no puedo compartir las afirmaciones que MAQUEDA ABREU realiza sobre los textos de filósofas feministas que se oponen a la prostitución, como ocurre con el caso de Ana de Miguel, a cuyos textos MAQUEDA ABREU se refiere con estas palabras:

«Son discursos que se apropian de la dignidad de las prostitutas —que las despersonalizan y las reifican— para poder negar su condición de mujeres libres. No es que desconozcan su libertad, sino que la ignoran a conciencia para evitar que puedan manchar la imagen ideal que han construido de lo femenino. Así, privándolas de su posición de sujetos, minimizan la afrenta a sus leyes de género.»[25]

En este sentido, conviene recordar que la prostitución reduce a la mujer a un cuerpo y, como bien apunta Alicia Puleo, «uno de los procedimientos de legitimación de las prácticas opresivas consiste en reducir a los individuos subordinados a la categoría de mero cuerpo»[26]. No hay que olvidar que los discursos que asimilan la prostitución voluntaria a la idea de que la mujer no es sólo cuerpo, sino que es cuerpo/mente y que, por tanto, decide, son discursos sesgados, porque la idea de mujer como cuerpo con conciencia (como se asume en los varones) no es algo que realmente esté presente en la

23. MAQUEDA ABREU, 2017, p. 67.
24. «Ningún hombre puede ser excluido de la posesión de una mujer, desde el momento en que es evidente que ésta pertenece a todos los hombres» para después añadir «tenemos el derecho de obligarlas a que se sometan a nuestros deseos, no en forma exclusiva, porque de ese modo caería en contradicción, sino de manera momentánea». DE SADE, 1999, pp. 151-152.
25. MAQUEDA ABREU, 2017, p. 77.
26. PULEO, 2015, p. 22.

prostitución, donde la voluntariedad del acto se encuentra condicionada por una situación de clase (pobreza, desamparo, exclusión o marginalidad), unida a sociedades patriarcales con un fuerte control que cosifican, sexualizan y reducen a la mujer a un cuerpo, con más motivo aún a la que utiliza ese cuerpo para dar placer: la prostituta. Por tanto, desde mi punto de vista, DE MIGUEL en ningún momento despersonaliza a la prostituta (centrándonos en la prostitución voluntaria), sino que visibiliza como en aras de una falsa libertad, muchas mujeres se prostituyen como forma de ganarse la vida en sociedades o bien desiguales, o bien igualitarias formalmente, pero no para las pertenecientes a los sectores más bajos del estrato social. Por tanto, considero que la dicotomía planteada por MAQUEDA ABREU prostituta/madre en la que la madre no es reducida a sexo y la prostituta sí es errónea, puesto que la madre es, igual que la prostituta, reducida a sexo, pero con la diferencia de que la prostituta utiliza el sexo para el placer y la madre para la procreación. En consecuencia, desde mi punto de vista, no existe un estigma vinculado a la prostitución[27], al menos no en la medida que lo plantea esta autora, sino un estigma vinculado a ser mujer, a ser reducida a un cuerpo, a ser reducida a sexo, que se hace más fuerte en el caso de las mujeres que se prostituyen o son prostituidas. Es por esto que el pecado de las mujeres no es ser prostitutas, es simplemente ser mujeres.

III. EL DELITO DE TRÁFICO DE SERES HUMANOS Y EL DELITO DE TRATA CON FINES DE EXPLOTACIÓN SEXUAL

El tráfico ilegal de seres humanos tiene su origen en la dura realidad que caracteriza la existencia de millones de personas en todo el mundo. La imposibilidad para mejorar sus condiciones de vida las empuja a desplazarse con el objetivo de conseguir una vida mejor. A las grandes miserias humanas (conflictos armados, hambrunas, inexistencia de servicios sanitarios, ausencia de agua potable...) le podemos añadir la llegada del cambio climático, que ha generado el fenómeno de las migraciones climáticas[28].

La imposibilidad de una migración legal hace que muchas personas opten por la inmigración ilegal y con ella por el tráfico de seres humanos. Una situación que aceptan con la esperanza de llegar a un lugar mejor y hacen suya la repetida máxima de la poeta somalí Warsan Shire: «No one puts their children on a boat unless the water is safer than the land»[29].

27. MAQUEDA ABREU, 2017, p. 67
28. Muy interesante a este respecto FELIPE PÉREZ, 2019.
29. «Nadie pone a su hijo en un barco salvo que el agua sea más segura que tierra».

En plena consonancia con lo anterior, la trata de seres humanos, en términos generales, aunque en esta investigación me centre en la trata de seres humanos con fines de explotación sexual, es una modalidad delictiva estrechamente vinculada a los movimientos migratorios[30]. A su vez, la trata de seres humanos que persigue la explotación sexual trae consigo una problemática de género, pues se puede señalar que consiste en unos actos preparatorios para la explotación sexual de las mujeres a través de la prostitución o de la pornografía.

La vinculación entre ambas modalidades delictivas encuentra su explicación en el componente migratorio; pero la diferencia radica, como muy acertadamente apunta MOLINA MARTÍNEZ, en el consentimiento, la explotación y la transnacionalidad.

En lo que al consentimiento se refiere, en el delito de tráfico, las personas migrantes consienten, si bien ese consentimiento es debido a esa necesidad de escapar de las duras realidades que marcan su vida, en muchas ocasiones desde sus inicios, desde la casilla de salida. Son esas personas que, ante la incapacidad de iniciar una migración legal, aceptan hacerlo irregularmente. En lo que respecta al delito de trata de seres humanos, existe un consentimiento viciado y, por tanto, equiparable a la ausencia del mismo, debido a que la víctima puede ser menor de edad o este se haya obtenido mediante violencia, engaño, abuso de superioridad, entre otros medios comisivos.

En lo que se refiere a la explotación, en el delito de tráfico el traficante no tiene, al menos no en términos generales, ninguna intención de explotar al inmigrante. Su trabajo consiste en ayudarlo a acceder al territorio de un país vulnerando los controles administrativos de entrada. Muy lejos de esta realidad encontramos el delito de trata, cuyo objetivo principal es la explotación de las víctimas. La explotación puede perseguir un único fin o varios de ellos, dentro del *numerus clausus que* establece este tipo penal.

Por último, en cuanto a la transnacionalidad se refiere, el delito de tráfico es un delito que exige la transnacionalidad de la conducta. En cambio, la trata de seres humanos puede ser nacional o transnacional en función de si los hechos se desarrollan dentro de España o abarcan otros países[31].

30. VILLACAMPA ESTIARTE/TORRES FERRER, 2021, p. 189.

31. MOLINA MARTÍNEZ, 2022, disponible en acceso abierto en https://www.educacion.gob.es/teseo/imprimirFicheroTesis.do?idFichero=VuVwn%2FbHlSg%3D (última revisión realizada el 10/12/2023).

1. EL DELITO DE TRÁFICO ILÍCITO DE MIGRANTES: UNA MODALIDAD DELICTIVA QUE TIENE COMO RAÍZ EL APROVECHAMIENTO DE AQUEL QUE BUSCA UNA VIDA MEJOR

El delito de tráfico ilícito de inmigrantes, por el carácter transnacional de la conducta tipificada, es una modalidad delictiva que podría decirse que se ha convertido en una preocupación global[32]. Esto se debe a que diversos países pueden verse afectados al ser unos el país de origen, otros el de tránsito y, finalmente, otros el de destino. El tipo básico, como explicaré más adelante, no requiere de ánimo de lucro; pero se puede observar que, en la mayoría de los supuestos, la ayuda es prestada como respuesta a un beneficio económico que se ha obtenido. Por tanto, es un delito en el que cohabitan la necesidad humana de buscar una vida digna y el aprovechamiento económico que se obtiene de la vulnerabilidad y la situación de necesidad en la que se encuentran algunas personas.

«Artículo 318 bis.

1. El que intencionadamente ayude a una persona que no sea nacional de un Estado miembro de la Unión Europea a entrar en territorio español o a transitar a través del mismo de un modo que vulnere la legislación sobre entrada o tránsito de extranjeros, será castigado con una pena de multa de tres a doce meses o prisión de tres meses a un año.

Los hechos no serán punibles cuando el objetivo perseguido por el autor fuere únicamente prestar ayuda humanitaria a la persona de que se trate.

Si los hechos se hubieran cometido con ánimo de lucro se impondrá la pena en su mitad superior.

2. El que intencionadamente ayude, con ánimo de lucro, a una persona que no sea nacional de un Estado miembro de la Unión Europea a permanecer en España, vulnerando la legislación sobre estancia de extranjeros será castigado con una pena de multa de tres a doce meses o prisión de tres meses a un año.

3. Los hechos a que se refiere el apartado 1 de este artículo serán castigados con la pena de prisión de cuatro a ocho años cuando concurra alguna de las circunstancias siguientes:

---

32. A este respecto PASCUAL MATELLÁN, 2022.

a) Cuando los hechos se hubieran cometido en el seno de una organización que se dedicare a la realización de tales actividades. Cuando se trate de los jefes, administradores o encargados de dichas organizaciones o asociaciones, se les aplicará la pena en su mitad superior, que podrá elevarse a la inmediatamente superior en grado.

b) Cuando se hubiera puesto en peligro la vida de las personas objeto de la infracción, o se hubiera creado el peligro de causación de lesiones graves.

4. En las mismas penas del párrafo anterior y además en la de inhabilitación absoluta de seis a doce años, incurrirán los que realicen los hechos prevaliéndose de su condición de autoridad, agente de ésta o funcionario público.

5. Cuando de acuerdo con lo establecido en el artículo 31 bis una persona jurídica sea responsable de los delitos recogidos en este Título, se le impondrá la pena de multa de dos a cinco años, o la del triple al quíntuple del beneficio obtenido si la cantidad resultante fuese más elevada.

Atendidas las reglas establecidas en el artículo 66 bis, los jueces y tribunales podrán asimismo imponer las penas recogidas en las letras b) a g) del apartado 7 del artículo 33.

6. Los tribunales, teniendo en cuenta la gravedad del hecho y sus circunstancias, las condiciones del culpable y la finalidad perseguida por éste, podrán imponer la pena inferior en un grado a la respectivamente señalada.»

El art. 318 bis.1 CP reproduce lo dispuesto en el art. 1.1.a) de la Directiva 2002/90/CE. A este respecto, se sanciona la ayuda de terceros en la inmigración ilegal. Ese inmigrante ilegal tiene que ser una persona extranjera no nacional de un Estado miembro de la UE y la ayuda que se presta es para conseguir vulnerar los controles administrativos para entrar o circular por un determinado país.

El bien jurídico protegido de este delito ha divido desde sus inicios a la doctrina. Por un lado, tenemos posiciones, como la de ARROYO ZAPATERO, que considera que el bien jurídico protegido es el control y la tutela de los flujos migratorios[33]. En el mismo sentido se posiciona GARCÍA SÁNCHEZ al afirmar que lo que se está protegiendo son los intereses estatales en el control de los flujos migratorios[34]. Sin embargo, el Título XV bis, aparece

33. Para más información sobre esta cuestión puede consultarse ARROYO ZAPATERO, 2001.
34. GARCÍA SÁNCHEZ, 2005, p. 882.

bajo la denominación «De los delitos contra los derechos de los ciudadanos extranjeros», que, a simple vista, no parece encajar con la valoración que realizan ARROYO ZAPATERO y GARCÍA SÁNCHEZ. A este respecto, otros autores se han posicionado en otra dirección. Es el caso de SERRANO-PIEDECASAS que afirma que el bien jurídico protegido es el derecho que tienen las personas migrantes a conseguir una plena integración social[35] o el de RODRÍGUEZ MESA que considera que se pretende proteger el estatus jurídico del ciudadano extranjero[36]. En la misma línea, aunque matizando la cuestión, PÉREZ CEPEDA señala que el bien jurídico protegido sería la dignidad humana[37]. Sin embargo, a pesar de lo establecido en el Título XV bis, considero que lo señalado por SERRANO-PIEDECASAS, RODRÍGUEZ MESA o PÉREZ CEPEDA parecería ser lo más cercano a lo que se pretende proteger, atendiendo a la nomenclatura del título; pero en la práctica, y siempre desde mi punto de vista, me parece que el legislador está protegiendo lo expuesto por ARROYO ZAPATERO y GARCÍA SÁNCHEZ.

En lo que respecta a los sujetos del delito, se trata de un delito común. Es decir, el sujeto activo puede ser cualquier persona, aunque el apartado 3 a) y el apartado 4 permitan agravar la pena por razón del sujeto activo (los jefes, administradores o encargados de organizaciones que se dediquen a la realización de la actividad tipificada, así como cuando la conducta típica sea realizada por aquellos sujetos que utilizan su condición autoridad, agente de esta o funcionario público[38]). En cuanto al sujeto pasivo, la doctrina mayoritaria, siguiendo el sentir de RODRÍGUEZ MESA, PÉREZ CEPEDA o

35. SERRANO-PIEDECASAS, 2000.
36. RODRÍGUEZ MESA, 2001.
37. PÉREZ CEPEDA, 2004.
38. Desde una perspectiva más práctica: «el tema del sujeto activo no plantea otros problemas que el de su identificación. Aunque parezca sorprendente, a la vista de los numerosos desembarcos de inmigrantes en toda la costa mediterránea del Sur de la Península, en pocas ocasiones se consigue enjuiciar la conducta de los patrones de las embarcaciones. Para comprobarlo basta con examinar las sentencias de Audiencias como las de Cádiz, Málaga, Granada o Almería en cuyos territorios se comete con muchísima frecuencia esta modalidad de tráfico ilegal de personas. Ello puede deberse a la gran extensión del territorio a vigilar que motiva que la intervención policial se produzca cuando ya se ha producido el desembarco y a las dificultades, una vez interceptados los ocupantes de la patera en tierra, para identificar al sujeto activo entre el grupo de extranjeros que pretendían entrar en España. Sin embargo, en el territorio de la Audiencia de Las Palmas sí es frecuente el enjuiciamiento de estas conductas, bien sea por la menor extensión de territorio (principalmente las islas de Fuerteventura y Lanzarote) o por la presencia de mayores efectivos dedicados a patrullar la costa, lo que ha permitido a aquella Audiencia analizar múltiples indicios que permiten identificar al autor del delito del resto de extranjeros que sólo pretenden trasladarse a nuestro país.» LÓPEZ CERVILLA, 2004, p. 3868.

SERRANO-PIEDECASAS, considera que el sujeto pasivo de este delito es el ciudadano no nacional de un país miembro de la Unión Europea. Aunque, a mi parecer, como ya he manifestado anteriormente, no considero que el legislador realmente quiera proteger los derechos, ni la dignidad del ciudadano extranjero, sino que quiere protegerse a sí mismo de la inmigración irregular. Por tanto, si bien para la mayor parte de la doctrina, el sujeto pasivo es el extranjero no nacional de un país miembro de la Unión Europea, para mí, el sujeto pasivo de esta modalidad delictiva es el Estado.

En cuanto a los elementos del tipo subjetivo, la realización de esta conducta es dolosa. La reforma que sufre esta modalidad delictiva con la LO 1/2015 introduce el término «intencionada» que excluye la posibilidad de ser cometida imprudentemente. Por consiguiente, las situaciones en las que se observan imprudencias, como sucede con los supuestos en los que los transportistas no controlan si los pasajeros tienen la documentación necesaria para poder entrar en el país, no pueden ser sancionados por esta modalidad delictiva (tipo subjetivo imprudente), sino que serán objeto de responsabilidad administrativa de acuerdo a lo dispuesto en el art. 54.2 a) de la Ley Orgánica de Extranjería.

El art. 1.2 de la Directiva 2002/90/CE prevé una excusa absolutoria[39] para el 318 bis.1:

«Los Estados miembros podrán decidir, en aplicación de su legislación y de sus prácticas nacionales, no imponer sanciones a la conducta definida en la letra a) del apartado 1 en los casos en que el objetivo de esta conducta sea prestar ayuda humanitaria a la persona de que se trate.»

39. Como dato interesante, el uso de este término «excusa absolutoria» en España se le atribuye al penalista Luis Silvela. Este autor se dio cuenta, mientras analiza el Código Penal de 1870, que se incluían unas circunstancias (sin denominación específica en nuestro derecho) que, cuando hacían referencia a delitos concretos, permitían excluir la sanción penal. A estas las denominó excusas absolutorias. En este sentido, el Tribunal Supremo ha señalado: «Bajo el nombre de excusas absolutorias se vienen comprendiendo un conjunto de circunstancias de dudosa y controvertida naturaleza jurídica, que colocadas junto al delito a que afectan, son de difícil clasificación, pero, prescindiendo de hacer un ensayo clasificatorio, la propia excusa absolutoria debe su origen a razones de política criminal que aconsejan dejar sin punición determinados hechos delictivos no obstante estar presentes en ellos las notas de antijuricidad tipificada y culpabilidad» (STS (Sala de lo Penal) de 26 de diciembre de 1986, RJ 1986, 7995). Para más información sobre las excusas absolutorias puede consultarse HIGUERA GUIMERÁ, 1993.

El motivo de esta excusa absolutoria es impedir que se sancione penalmente esta conducta típica cuando la razón por la que se lleve a cabo es una causa humanitaria.

En lo que respecta a la consumación del delito, nos encontramos ante un delito de mera actividad, no requiere que se produzca la entrada ilegal o la circulación del ciudadano extranjero por España.

Las penas para este delito se agravan (tipo cualificado) cuando hay ánimo de lucro (que ocurre en la mayoría de los supuestos), cuando los hechos se han cometido en el seno de una organización que se dedique a este tipo de prácticas (aquí el legislador está haciendo referencia a las mafias), cuando se pongan en peligro la vida o la integridad física la de las personas y también en lo supuestos anteriormente citados por razón de sujeto activo.

El problema de esta modalidad delictiva es que el bien jurídico no ha sido correctamente delimitado y todos los argumentos esgrimidos por la doctrina, y a los que me he referido, siguen estando en vigor después de la modificación introducida en el año 2015. El Estado parece querer protegerse a sí mismo de la llegada de flujos migratorios masivos y no tanto proteger a esas personas migrantes (a pesar del tipo cualificado que agrava la pena si hay riesgo para su vida o integridad física). Si bien este último punto puede hacernos dudar de ese bien jurídico que se quiere proteger, parece que lo fundamental es la persecución de las mafias que colaboran con esa inmigración irregular. No obstante, no podemos olvidar que el sujeto pasivo, si entendemos por él a la persona extranjera, desea este delito, es más, en numerosas ocasiones invierten todo su dinero y patrimonio en poder subirse a un cayuco para llegar a territorio español, sea o no sea España el país de destino. Es decir, por mucho que su vida peligre durante el trayecto, es un riesgo que desea asumir porque el lugar del que viene le parece todavía menos seguro. El bien jurídico debería delimitarse mejor en estos supuestos y sobre todo tener muy en cuenta las grandes miserias humanas que se esconden detrás de esta modalidad delictiva. Cargar contra las mafias es la vía fácil para evitar mirar a una realidad que a la Europa civilizada de los Derechos Humanos le cuesta afrontar y, peor aún, le cuesta ofrecer un tratamiento acorde a sus principios ante un problema que, sin duda, es sumamente complejo.

2. LA TRATA DE SERES HUMANOS CON FINES DE EXPLOTACIÓN SEXUAL

No sería hasta el año 2000, cuando las Naciones Unidas incluyeron la trata de seres humanos con fines de explotación sexual en su agenda política[40]. De aquí surgió el conocido como «Protocolo de Palermo» o, lo que es lo mismo, «Protocolo para prevenir, reprimir y sancionar la Trata de personas, especialmente mujeres y niños, que complementa la Convención de las Naciones Unidas contra la Delincuencia Organizada Transnacional». En el año 2005, la Comisión Europea redactó un documento a este respecto, donde recogía las recomendaciones que realizaba la Convención de las Naciones Unidas en el Protocolo de Palermo. Este documento se denominó «Convenio del Consejo de Europa sobre la lucha contra la Trata de seres humanos». En España, en el 2008, el Ministerio del Interior lanzó el Plan Integral de Acción contra la Trata de seres humanos con fines de explotación sexual.

La LO 5/2010, de 22 de junio, por la que se modifica el Código Penal, introduce un nuevo Título: el Título VII bis «De la trata de seres humanos». A su vez, modifica los arts. 313 y 318 bis con el objetivo de separar la trata de seres humanos del delito de ayuda a la inmigración ilegal, que, como sabemos, son dos modalidades delictivas diferentes, pero que tienden a confundirse. Se crea así el art. 177 bis para tipificar la trata en sus distintas modalidades de explotación. En este apartado nos centraremos exclusivamente en la trata con fines de explotación sexual, que constituye la modalidad de trata más visible y que se dirige a la explotación sexual en sus dos modalidades: la prostitución y la pornografía.

«Artículo 177 bis.

1. Será castigado con la pena de cinco a ocho años de prisión como reo de trata de seres humanos el que, sea en territorio español, sea desde España, en tránsito o con destino a ella, empleando violencia, intimidación o engaño, o abusando de una situación de superioridad o de necesidad o de vulnerabilidad de la víctima nacional o extranjera, o mediante la entrega o recepción de pagos o beneficios para lograr el consentimiento de la persona que poseyera el control sobre la víctima, la captare, transportare, trasladare, acogiere, o recibiere, incluido el intercambio o transferencia de control sobre esas personas, con cualquiera de las finalidades siguientes:

a) La imposición de trabajo o de servicios forzados, la esclavitud o prácticas similares a la esclavitud, a la servidumbre o a la mendicidad.

b) La explotación sexual, incluyendo la pornografía.

c) La explotación para realizar actividades delictivas.

40. LARA PALACIOS, 2014, p. 400.

d) La extracción de sus órganos corporales.

e) La celebración de matrimonios forzados.

Existe una situación de necesidad o vulnerabilidad cuando la persona en cuestión no tiene otra alternativa, real o aceptable, que someterse al abuso.

Cuando la víctima de trata de seres humanos fuera una persona menor de edad se impondrá, en todo caso, la pena de inhabilitación especial para cualquier profesión, oficio o actividades, sean o no retribuidos, que conlleve contacto regular y directo con personas menores de edad, por un tiempo superior entre seis y veinte años al de la duración de la pena de privación de libertad impuesta.

2. Aun cuando no se recurra a ninguno de los medios enunciados en el apartado anterior, se considerará trata de seres humanos cualquiera de las acciones indicadas en el apartado anterior cuando se llevare a cabo respecto de menores de edad con fines de explotación.

3. El consentimiento de una víctima de trata de seres humanos será irrelevante cuando se haya recurrido a alguno de los medios indicados en el apartado primero de este artículo.

4. Se impondrá la pena superior en grado a la prevista en el apartado primero de este artículo cuando:

a) se hubiera puesto en peligro la vida o la integridad física o psíquica de las personas objeto del delito;

b) la víctima sea especialmente vulnerable por razón de enfermedad, estado gestacional, discapacidad o situación personal, o sea menor de edad.

c) la víctima sea una persona cuya situación de vulnerabilidad haya sido originada o agravada por el desplazamiento derivado de un conflicto armado o una catástrofe humanitaria.

Si concurriere más de una circunstancia se impondrá la pena en su mitad superior.

5. Se impondrá la pena superior en grado a la prevista en el apartado 1 de este artículo e inhabilitación absoluta de seis a doce años a los que realicen los hechos prevaliéndose de su condición de autoridad, agente de ésta o funcionario público. Si concurriere además alguna de las circunstancias

previstas en el apartado 4 de este artículo se impondrán las penas en su mitad superior.

6. Se impondrá la pena superior en grado a la prevista en el apartado 1 de este artículo e inhabilitación especial para profesión, oficio, industria o comercio por el tiempo de la condena, cuando el culpable perteneciera a una organización o asociación de más de dos personas, incluso de carácter transitorio, que se dedicase a la realización de tales actividades. Si concurriere alguna de las circunstancias previstas en el apartado 4 de este artículo se impondrán las penas en la mitad superior. Si concurriere la circunstancia prevista en el apartado 5 de este artículo se impondrán las penas señaladas en este en su mitad superior.

Cuando se trate de los jefes, administradores o encargados de dichas organizaciones o asociaciones, se les aplicará la pena en su mitad superior, que podrá elevarse a la inmediatamente superior en grado. En todo caso se elevará la pena a la inmediatamente superior en grado si concurriera alguna de las circunstancias previstas en el apartado 4 o la circunstancia prevista en el apartado 5 de este artículo.

7. Cuando de acuerdo con lo establecido en el artículo 31 bis una persona jurídica sea responsable de los delitos comprendidos en este artículo, se le impondrá la pena de multa del triple al quíntuple del beneficio obtenido. Atendidas las reglas establecidas en el artículo 66 bis, los jueces y tribunales podrán asimismo imponer las penas recogidas en las letras b) a g) del apartado 7 del artículo 33.

8. La provocación, la conspiración y la proposición para cometer el delito de trata de seres humanos serán castigadas con la pena inferior en uno o dos grados a la del delito correspondiente.

9. En todo caso, las penas previstas en este artículo se impondrán sin perjuicio de las que correspondan, en su caso, por el delito del artículo 318 bis de este Código y demás delitos efectivamente cometidos, incluidos los constitutivos de la correspondiente explotación.

10. Las condenas de jueces o tribunales extranjeros por delitos de la misma naturaleza que los previstos en este artículo producirán los efectos de reincidencia, salvo que el antecedente penal haya sido cancelado o pueda serlo con arreglo al Derecho español.

11. Sin perjuicio de la aplicación de las reglas generales de este Código, la víctima de trata de seres humanos quedará exenta de pena por las infrac-

ciones penales que haya cometido en la situación de explotación sufrida, siempre que su participación en ellas haya sido consecuencia directa de la situación de violencia, intimidación, engaño o abuso a que haya sido sometida y que exista una adecuada proporcionalidad entre dicha situación y el hecho criminal realizado.»

La conducta típica puede consistir en varias acciones, como son la captación, el transporte, el traslado, el acogimiento, y el recibimiento (incluido el intercambio o la transferencia del control sobre las personas).

En lo que respecta a los medios comisivos, encontramos la violencia, la intimidación (se reconoce en este caso la violencia psíquica), el engaño o el abuso de superioridad, de necesidad o de vulnerabilidad de la víctima[41]. También formarían parte de estos medios comisivos la entrega o recepción de pagos para lograr el consentimiento de la persona que poseyera el control sobre la víctima.

Estos medios comisivos no van a ser necesarios en el caso de los menores de edad. Ahora bien, en los supuestos de sujetos pasivos menores de edad sin la existencia de medios comisivos, no podrá aplicarse el tipo cualificado que recoge la minoría de edad por el *non bis in idem*. Esto significa que sólo podrá aplicarse si el sujeto activo es menor, pero el delito de trata se lleva a cabo a través de alguno de los medios comisivos previstos.

Es decir, existen una trata forzada, que es la que se lleva a cabo empleando fuerza física (violencia) o psíquica (intimidación); una trata fraudulenta, que utiliza el engaño; y una trata abusiva, en la que el sujeto activo se aprovecha de la situación en la que se encuentra el sujeto pasivo.

Como he señalado anteriormente, se admite la trata nacional y transnacional. No se requiere, como en delito de tráfico, un carácter transnacional de la conducta. A este respecto, España puede ser el país de origen, de tránsito o de destino, y también el de origen y el de destino, aunque en la práctica esto es mucho menos probable.

En lo que a los sujetos del delito se refiere, el sujeto activo puede ser cualquier persona y el sujeto pasivo también, no requiriéndose ser un ciudadano no nacional de un país miembro de la Unión Europea, como en el caso del delito de tráfico.

---

41. Estos abusos tienen lugar, de acuerdo a lo dispuesto en la LO 1/2015, cuando la víctima «no tiene otra alternativa, real o aceptable, que someterse al abuso».

Respecto al tipo cualificado, la pena se agrava si se ha puesto en riesgo la vida, la integridad física o psíquica de las víctimas; en los supuestos de vulnerabilidad de la víctima, embarazo, enfermedad, discapacidad o minoría de edad; y por razón de sujeto activo: agente de la autoridad, autoridad o funcionario público que actúe prevaliéndose de su cargo, personas que pertenecen a una organización dedicada a la trata (mafias).

IV. SER MUJER VÍCTIMA DE TRATA Y PROSTITUIDA FORZOSAMENTE, Y SER PROSTITUTA EN UNA SOCIEDAD PATRIARCAL

A lo largo de esta investigación he sido consciente del escaso número de penalistas españoles que le han dedicado alguna publicación a la prostitución. Desconozco las razones, pero puede tener una doble explicación: que la prostitución siga siendo un tema tabú y, por tanto, no sea objeto de interés por parte de la doctrina jurídico-penal española, o bien, que el tema de la prostitución, al partir de un fuerte debate moral y ético, implica la realización de investigaciones que trascienden lo jurídico. Tal vez se deba a una fusión de ambas cosas. En cambio, es relativamente fácil encontrar publicaciones escritas por filósofas, generalmente feministas, que sí han trabajado esta temática en sus monografías y artículos[42].

Hay que partir del hecho de que en España la prostitución no ha sido regulada ni penalizada, sino que se mantiene en una especie de limbo jurídico, de vacío legal y existen, como ha podido observarse, determinadas conductas relativas a la práctica de la misma de forma forzada que son perseguidas penalmente. A su vez, tiene lugar otro tipo de persecución de la prostitución, al que alude VILLACAMPA ESTIARTE, y que tiene que ver no con el Derecho penal, sino con el Derecho administrativo y con cómo los distintos ayuntamientos han interpuesto sanciones a las prostitutas.

«Los ayuntamientos, a quienes en principio no debería competerles la determinación de las líneas básicas de la política general en la cuestión de la industria del sexo, han tirado de la habilitación legal contenida en la Ley de Bases de Régimen Local para disponer infracciones y sanciones en ámbitos como las relaciones de convivencia de interés local o el uso del espacio público en ausencia de ley sectorial. Sobre esta base, adoptando estrategias de prevención situacional, han sancionado tanto el ofrecimiento como la

42. Conviene destacar especialmente la obra de la catedrática de Ética Ana de Miguel donde aborda, entre otras cuestiones, el tema de la prostitución DE MIGUEL ÁLVAREZ, 2015.

compra de servicios sexuales en el espacio público en aras a la evitación de conductas incívicas, con las finalidades declaradas de que este tipo de actividades no entorpecieran el uso debido de determinados espacios públicos o de que los menores no fueran testigos del intercambio de sexo por dinero. La aproximación adoptada por la mayor parte de consistorios sobre el particular, con escasas excepciones, como la del ayuntamiento de Sevilla, ha sido la designada como prohibicionista suave, en tanto se ha sancionado tanto a trabajadoras sexuales como a clientes, si bien la sanción de sus conductas no ha sido penal, sino administrativa.»[43]

Es decir, en España, la explotación sexual es perseguida penalmente y por supuesto se sanciona la trata que persigue dicha explotación. Los ayuntamientos, como muy bien se analiza en artículo de VILLACAMPA ESTIARTE, han interpuesto sanciones, especialmente a la denominada prostitución callejera; pero esta vía, como era de esperar, no ha conseguido disminuir el número de mujeres que se prostituyen en las calles, sino profundizar en el estigma de la figura de la prostituta a través del Derecho administrativo sancionador.

Así las cosas, han quedado esclarecidas en esta investigación, al menos someramente, las diferencias entre trata, tráfico, prostitución voluntaria y prostitución forzosa. Esta diferenciación sirve para mejorar el abordaje del problema, pero no para negar la dureza que también esconde la denominada prostitución voluntaria.

Para la realización de este estudio, he partido intencionadamente de la definición de prostitución establecida por DE MIGUEL porque, a mi parecer, es la que más se acerca a la realidad de la práctica, si bien deja fuera algunos supuestos que, en términos estadísticos, considero poco relevantes.

«La prostitución es una práctica por la que los varones se garantizan el acceso al cuerpo de las mujeres.»[44]

Partiendo de esta definición, se llega a conclusiones muy diferentes a las planteadas por la penalista LLOBET ANGLÍ en su artículo «¿El fin de la prostitución acabará con la trata? Las cuatro falacias del discurso abolicionista». Vamos a detenernos en ello.

El hecho de que muchas teóricas feministas, desde el ámbito de la filosofía, tiendan a confundir las 4 realidades analizadas anteriormente (pros-

43. VILLACAMPA ESTIARTE, 2015, p. 445.
44. DE MIGUEL ÁLVAREZ, 2015, p. 48.

titución voluntaria, prostitución forzosa, tráfico y trata) no es un argumento válido a favor de la regularización de la prostitución voluntaria. Esto equivale a decir que, aunque algunas autoras equiparen la prostitución a la trata, es un error que no implica cambios en la realidad de la denominada prostitución voluntaria ni en el dilema moral que genera la misma. Si partimos de las dos posiciones históricas (abolir o regular[45]), las personas favorables a regular consideran que las trabajadoras sexuales deberían tener unos derechos laborales garantizados que les permitan realizar su trabajo en las mismas condiciones que cualquier otro trabajador. Sin embargo, en el ámbito del abolicionismo, se insiste en que la trabajadora sexual es, en la mayoría de los casos, una mujer. En cambio, si nos centramos en el discurso regulacionista de la penalista LLOBET ANGLÍ, a la que tomo como ejemplo por ser junto a MAQUEDA ABREU y VILLACAMPA ESTIARTE de las pocas que ha realizado investigaciones en este sentido, se refiere a la prostitución como un trabajo compartido entre hombres y mujeres, puesto que afirma, al explicar las posiciones regulacionistas: «deberían otorgarse a los/as trabajadores/as sexuales derechos fundamentalmente de contenido social (...)»[46]. En cambio, utilizando exclusivamente el femenino, nos encontramos a la penalista VILLACAMPA ESTIARTE y como ejemplo: «un modelo prohibicionista suave en materia de prostitución que ha contribuido a invisibilizar a las trabajadoras sexuales»[47].

Esta idea ya condiciona mucho el discurso dado que no es lo mismo enfocarlo desde un dato objetivo: las prostitutas son mayoritariamente mujeres, que ofrecer una verdad sesgada al hablar de trabajadoras y trabajadores del sexo, como si hubiera una representación por géneros más o menos igualitaria.

A este respecto, LLOBET ANGLÍ parte de la premisa de que los argumentos abolicionistas en contra de la prostitución, concretamente los que denomina juicios normativos éticos, son argumentos no discutibles, simplemente son opinables, y, desde una posición relativista, considera que se puede o no se puede estar de acuerdo, dando a entender que son argumentos indemostrables y que se esté de acuerdo con ellos o no, son puntos de vista igualmente válidos[48]. Este enfoque es claramente relativista porque lo que

45. Ya sabemos que estos dos escenarios tienen muchos matices y que podría haber más clasificaciones. No obstante, en términos reduccionistas, son las dos realidades con las que nos encontramos.
46. LLOBET ANGLÍ, 2020, p. 91.
47. Este es sólo un ejemplo, pero este uso se mantiene a lo largo de todo el artículo. VILLACAMPA ESTIARTE, 2015, p. 419.
48. LLOBET ANGLÍ, 2020, pp. 92-93.

viene a decir la autora es que los argumentos morales sobre la dignidad humana o la libertad de elección son simplemente posturas éticas al respecto que son susceptibles de opinión. Sin embargo, este relativismo se podría proyectar en cualquier opinión sobre cualquier temática, podríamos decir que es opinable el no permitir la venta de órganos, no permitir el trabajo infantil, no permitir las relaciones sexuales entre adultos y menores porque el relativismo te conduce a un todo vale, a un todo es opinable y no existe una forma más correcta que otra de interpretar las cosas. No hay que perder de vista que el relativismo es una corriente filosófica que niega las verdades absolutas y que ha sido criticada con frecuencia por ser una corriente subjetiva que llega a contradecirse a sí misma, pues la idea de que toda verdad es relativa no es una verdad absoluta y también sería relativa. En definitiva, el relativismo conduce, en muchas ocasiones, a callejones sin salida y a un todo vale que no permite la resolución de los problemas.

Entre esos argumentos indemostrables, la autora cita el argumento abolicionista de que no se puede hablar de una prostitución libre o voluntaria. Algo que, con sus matices, sí es demostrable. Uno de los motivos que lleva a miles de mujeres en el mundo a optar por la prostitución voluntaria es la pobreza porque la prostitución siempre ha ido acompañada por un problema de clases. Por tanto, una forma de obtener información sobre la libertad a la hora de tomar la decisión de prostituirse sería ofreciéndoles un trabajo digno o una renta básica a las prostitutas. De esta forma, aunque tal vez no con total exactitud, podríamos conocer cuántas prostitutas realmente quieren continuar ejerciendo la prostitución. Siguiendo la línea de pensamiento de los partidarios de la regulación, el trabajo con el que suelen equiparar la prostitución y que entra dentro de eso que denominan empleos no deseables es el trabajo doméstico, el cuidado o ejercer como auxiliar de clínica. Yo creo que, si a esas prostitutas callejeras a las que aludía la profesora VILLACAMPA se les ofreciera un trabajo en el hospital como auxiliares de clínica o se les concediera una renta básica equivalente al salario mínimo interprofesional, podríamos conocer, en función de sus rechazos o aceptaciones, hasta qué punto la prostitución es una actividad voluntaria. Es decir, si conseguimos eliminar el problema de clase que hay detrás de esta práctica, podremos observar si esa prostitución es voluntaria o no, o en qué porcentaje lo es.

En realidad, hay que partir de la idea de que las posiciones favorables a regular la prostitución se basan en que la prostitución es un trabajo más y que, como tal, hay que regularlo porque hay chicas que optan libremente por poner su cuerpo al servicio de los varones y que tienen, en aras de esa libertad, el derecho a hacerlo con plenas garantías. La idea de que la prostitución no es un trabajo como cualquier otro no es compartida por los regulacionistas; pero, para justificar esto, no vale esgrimir argumentos relativos a otros trabajos poco deseados, sino a las consecuencias que tiene este trabajo y cuáles son las consecuencias que tienen otros trabajos. Dice LLOBET ANGLÍ:

«Ahora bien, en primer lugar, aunque es cierto que muchas de las personas que ejercen la prostitución son mujeres, pobres e inmigrantes, ello también sucede en otros trabajos como el servicio doméstico o el cuidado de personas ancianas, sin calificarlos de trabajos forzados (proscritos, claro, por cualquier tratado de Derechos Humanos). Lo único que puede deducirse de estos datos es que las personas, en general, prefieren determinadas profesiones a otras, no siendo la prostitución un trabajo por el que opten personas con otras salidas profesionales (como sucede con los estudios, por cierto, en los que algunos tienen más demanda que oferta y a la inversa).»[49].

De nuevo, estamos ante una verdad a medias, pues, si bien es cierto que las mujeres pobres e inmigrantes suelen tender a ocupar puestos de trabajos relacionados con el cuidado de ancianos o el servicio doméstico, lo que diferencia estos trabajos de la prostitución son las consecuencias que tienen no sólo para el que los realiza, sino para la sociedad. El cuidado de ancianos es un trabajo que sirve para sostener la vida humana, hay personas que no podrían ducharse, comer, levantarse de una cama si no fuera por la cantidad de mujeres que realizan diariamente esos trabajos. Eso engrandece y beneficia a la sociedad. En cambio, la prostitución implica la sexualización de las mujeres, implica poner en venta el acceso a sus cuerpos y en países donde lo que se persigue es la igualdad real este tipo de prácticas perpetúan la cosificación de la mujer, su reducción a un cuerpo y reproducen la desigualdad sexual[50]. Por tanto, yo no equipararía estos trabajos no deseados realizados por mujer, pobre, extranjera entre ellos porque unos tienen una repercusión social y personal positiva, y otros negativa, al menos en lo que a la perspectiva social se refiere (me abstengo de comentar, porque tal vez no me corresponda a mí, sobre cómo se puedan llegar a sentir las mujeres que se prostituyen voluntariamente). En cambio, si tendría sentido realizar una comparativa con otros mercados, como es el mercado de órganos. ¿Por qué no permitir que las personas vendan sus órganos? Aquí, el argumento es el mismo que yo utilizaría en el caso de la prostitución voluntaria: porque esas decisiones tienen trascendencia personal, pero también social. En la venta de órganos se alude al argumento de la desigualdad (los pobres venderían sus

49. *Ibídem*, p. 99.
50. DE MIGUEL ÁLVAREZ, 2015, p. 50.

órganos, los ricos no porque no lo necesitan). Esto implica que se generaría un intercambio mercantil desigual y, por otro lado, está el argumento de la degradación del valor corporal[51].

«¿Pero es lícito comprar y vender riñones? Quienes dicen que no basan su objeción en dos motivos: argumentan que este mercado se aprovecha de los pobres, cuya decisión de vender un riñón puede no ser verdaderamente voluntaria (argumento de la justicia); o que este mercado fomenta un concepto degradante, cosificador, de la persona humana como conjunto de partes corporales de repuesto (argumento de la corrupción)»[52].

Dos argumentos que bien podían equipararse y servir para ponerle límites morales al mercado también en materia de prostitución, pero que generalmente se omiten y se recurre a comparar la prostitución con otros trabajos que, aunque puedan ser desiguales, no tienen la misma trascendencia que la prostitución.

Esto en relación a los juicios normativos éticos, pero si vamos a lo que la profesora LLOBET ANGLÍ considera debatible, por ser objeto de demostración, que son los juicios descriptivos, nos encontramos con lo siguiente: el uso de porcentajes elevados que algunos autores abolicionistas, así como las ONG, atribuyen a la prostitución forzada, porcentajes superiores al 80%[53]. Realmente es difícil establecer cuál es el porcentaje real de mujeres prostituidas forzosamente y, en este sentido, comparto el argumento de autora y es que normalmente para establecer estos porcentajes se utilizan conceptos de proxenetismo muy amplios, lo que, necesariamente, va a determinar porcentajes más elevados[54]. Por lo que, tal vez, debería definirse qué es y quiénes son los proxenetas y utilizar una definición unánime a la hora de realizar mediciones en los distintos países del mundo[55]. Consecuentemente, con la información de la que disponemos, podemos intuir que hay una gran cantidad de mujeres prostituidas forzosamente, pero no podemos saber a ciencia cierta cuántas.

Otro argumento utilizado desde posiciones abolicionistas y que esta penalista trata de desmontar es el hecho de que la prostitución pone en una

51. Por si fuera del interés del lector, puede consultar el artículo GARCÍA MANRIQUE, 2019, pp. 315 y ss.
52. SANDEL, 2013, p. 114.
53. En este sentido, la socióloga feminista Kathleen Barry aludía a esos porcentajes. BARRY, 1995.
54. LLOBET ANGLÍ, 2020, pp. 94-99.
55. O'CONNELL DAVIDSON, 1998, p. 45.

situación de peligro a las prostitutas que las lleva a ser víctimas de violencia. En este sentido, tirando de lógica regulacionista, la propuesta de la autora es que, si la prostitución se llevara a cabo en lugares controlados, «posiblemente» la violencia disminuiría[56]. No comparto este argumento, no porque no sea así, sino porque no es un argumento importante. Me recuerda a esas argumentaciones sobre las agresiones sexuales que se evitan cuando sí se puede consumir prostitución... Simplemente es ilustrativo de los perfiles violentos que caracterizan a la figura del consumidor masculino de prostitución. Sin embargo, que una forma de contener su violencia sea el regulado el acceso al cuerpo de una mujer no parece una buena alternativa. Llamativa me resulta la comparación del peligro que puede entrañar el ejercicio de la prostitución con el peligro derivado de otros oficios como el de los jugadores de fútbol americano[57].

El hecho de que existan trabajos peligrosos, cuya peligrosidad se pague (véase bombero o policía nacional), ¿podría equipararse a la peligrosidad que asume una prostituta?

«¿No podría, pues, una mayor remuneración pecuniaria compensar tales peligros a la persona que practica la prostitución, dadas sus alternativas, por ejemplo, servicio doméstico, cuidado de ancianos o enfermos, limpiadoras, etc., que son a las que normalmente pueden optar muchas mujeres que pertenecen a sectores populares y/o son inmigrantes?»[58]

Imaginemos esta misma afirmación referida a las personas que asumen peligros para su vida al vender un órgano, pero con la venta de este órgano obtienen más dinero que trabajando una serie de años como cuidadores de enfermos, ancianos... ¿Plantearíamos el debate en los mismos términos? ¿Por qué no se compara a la prostituta con el que vende el órgano o con la mujer que se somete a una gestación subrogada y sí con un jugador de fútbol americano?

El hecho de que existan oficios donde se asumen riesgos y que la prostitución pueda llevarte a asumirlos no implica que eso sea un motivo para regular la prostitución y rebatir el abolicionismo. Incluso igualando ambas prácticas, que, para mí, son imposibles de igualar, no se obtendría ningún bien asumiendo que se gana más dinero porque se asumen graves peligros. Por otro lado, presuponer que la prostitución ejercida por mujeres de clases bajas es una prostitución bien pagada o que genera ingresos, considero que

56. LLOBET ANGLÍ, 2020, pp. 99-100.
57. *Ibídem*, p.100.
58. Ibídem.

es un error, puesto que, las prostitutas, a excepción de la prostitución de lujo, son un sector bastante precario y proletarizado[59].

Por lo que considero que la prostitución y la trata son términos que se confunden, que desde posiciones abolicionistas se piensa que las mujeres prostituidas forzosamente son superiores en número a lo que posiblemente sean en la realidad, etc. Sin embargo, el hecho de que se den estos errores por parte de la doctrina sociológica, filosófica... no implica que la prostitución voluntaria sea un bien que hay que regular, sino una situación que tiene su origen en las sociedades patriarcales en las que se ha entendido que los hombres pueden acceder pagando al cuerpo de las mujeres y eso genera desigualdades sexuales, incluso, si no existiera la trata de seres humanos y la prostitución forzada, habría serios motivos para plantearse no regular la prostitución voluntaria y optar por alternativas.

La problemática, para no posicionarme abiertamente en el abolicionismo, al menos no sin una alternativa, la veo en la cantidad de mujeres que no les queda otra opción (los regulacionistas dirían que eso es libertad) de ejercer ese trabajo para poder subsistir. Es decir, no se trata de que no existan prostitutas que libremente quieren ser prostitutas, se trata de que todo apunta a que están condicionadas por sus casillas de salida (pobreza) y que no tienen alternativas laborales que les permitan conseguir salarios decentes. Por tanto, las posiciones regulacionistas de MAQUEDA ABREU o LLOBET ANGLÍ pasan por alto que la prostitución es una escuela de desigualdad sexual que tiene trascendencia en el resto de las mujeres y en nuestros cuerpos, en cómo nos perciben y nos tratan nuestros compañeros varones, en cómo son nuestras relaciones sexuales, y, en definitiva, en los imaginarios colectivos sexuales en los que la mujer es reducida a un cuerpo del que obtener placer. El Derecho penal tiene una función pedagógica importantísima al desvalorar conductas, es un perfecto constructor de subjetividades humanas, crea formas de ser persona. Si el Derecho penal prohíbe la prostitución, nos está diciendo que hay límites morales al mercado y este es uno de ellos, que los hombres no podrán acceder a los cuerpos de las mujeres pagando, como no pueden acceder al riñón de una persona pagando.

Sin embargo, la regularización manda el mensaje de que es normal pagar por acceder a los cuerpos de las mujeres y esto se hace en nombre de la libertad.

---

59. https://www.20minutos.es/noticia/198478/0/prostitutas/honorarios/empresarios/ (última revisión realizada 12/12/2023). Si bien es un artículo antiguo, ya se visibilizaba cómo las prostitutas forman parte del lumpenproletariado.

Desgraciadamente, la abolición de la prostitución no podría hacerse sin ofrecer una alternativa a las mujeres que se prostituyen, sin transferirles dinero, ese dinero es la única garantía de una libertad de elección (oferta de empleos y de rentas básicas). No obstante, esto hoy plantearía otros dilemas de por qué ofrecerles una renta básica a las trabajadoras sexuales y no a otras personas que se encuentran en situación de desempleo, pero sobre esto no puedo detenerme.

La solución neoliberal de la regularización con sus argumentos de que hay mujeres que quieren decidir por otras mujeres me parece totalmente desacertada. Si queremos vivir en países donde la igualdad entre hombres y mujeres sea real, tenemos que empezar a replantearnos estas prácticas. Afirmaciones tipo «sexualidad, aunque se practique a cambio de un precio, ha de ser considerada un bien disponible»[60] implican no tener en cuenta la consecuencia que esto tiene no sólo para la prostituta sino para el resto de las mujeres. En nombre de la libertad y el consentimiento viciados de muchas trabajadoras sexuales se aspira a construir escuelas de desigualdad.

V. CONCLUSIONES

El tráfico ilegal de seres humanos, la trata con fines de explotación sexual, la prostitución forzada y la prostitución voluntaria son cuatro realidades diferentes que tienden a ser confundidas en la literatura científica, así como en los diversos foros. Esto contribuye a que el diagnóstico y la propuesta de soluciones se hayan visto afectados por esta confusión, así como por el uso indistinto de todos estos conceptos. No obstante, el hecho de que tres de estas cuatro prácticas sean constitutivas de delito (el tráfico, la trata y la explotación sexual o prostitución forzada) no implica que la prostitución voluntaria sea algo positivo que deba regularse como si fuera un trabajo como cualquier otro. Desde los sectores regulacionistas se apela a los errores derivados de esta confusión para desmontar el discurso abolicionista, y abogar por la regulación de lo que consideran un trabajo cualquiera. Sin embargo, la prostitución voluntaria lleva implícito un debate moral que trasciende lo jurídico y, por esta razón, las herramientas que brinda el Derecho no son suficientes para resolver los problemas éticos derivados de esta práctica, práctica que debe ser repensada por la trascendencia que tiene para las propias mujeres que se prostituyen y para el resto de mujeres al contribuir a la desigualdad sexual.

60. LLOBET ANGLÍ P, 2022, p. 120.

VI. BIBLIOGRAFÍA

ALARIO GAVILÁN, M. (2018). «La influencia del imaginario de la pornografía hegemónica en la construcción del deseo sexual masculino prostituyente: un análisis de la demanda de prostitución», *Asparkia: Investigació feminista*, n.º 33, pp. 61-79.

ALARIO GAVILÁN, M. (2019). «La reproducción de la Violencia Sexual: Un análisis de la masculinidad hegemónica y la pornografía», en Blanco Ruiz y Sainz de Baranda Andújar (coord.): *Investigación joven con perspectiva de género*, Universidad Carlos III de Madrid, Madrid, pp. 55-66.

ARROYO ZAPATERO, L. (2001). «Propuesta de un eurodelito de trata de seres humanos», en Arroyo Zapatero y Berdugo Gómez de la Torre (coords.): *Homenaje al Dr. Marino Barbero Santos*, volumen II, Ediciones de la Universidad de Castilla-La Mancha/Salamanca, pp. 25-44.

BARRY, K. (1995). *The prostitution of Sexuality*, NYU Press, New York.

CIACCI, R. (2021). «¿Puede la economía aconsejar algo al gobierno sobre la abolición de la prostitución?», Disponible en: https://nadaesgratis.es/admin/puede-la-economia-aconsejar-algo-al-gobierno-sobre-la-abolicion-de-la-prostitucion

DE MIGUEL ÁLVAREZ, A.; TORRADO MARTÍN-PALOMINO, E. (2014). «Introducción: Debates y dilemas en torno a la prostitución y la trata», *Dilemata*, n.º 16, pp. 1-6.

DE MIGUEL ÁLVAREZ, A. (2014). «La prostitución de mujeres, una escuela de desigualdad humana», *Dilemata*, nº16, pp. 7-30.

DE MIGUEL ÁLVAREZ, A. (2015). Neoliberalismo sexual. El mito de la libre elección, Cátedra, Madrid.

DE SADE, M. (1999). *La filosofía en el tocador*, Tusquets, Barcelona.

FELIPE PÉREZ, B. (2019). Las migraciones climáticas ante el ordenamiento jurídico internacional, Aranzadi, Navarra.

GARCÍA MANRIQUE, R. (2019). «Venta de órganos y desigualdad social», *DOXA: Cuadernos de Filosofía del Derecho*, núm. 42, pp. 309-333.

GARCÍA SÁNCHEZ, B. (2005). «La pretendida protección jurídico-penal de los inmigrantes en el artículo 318 bis del Código Penal», *Anuario de Derecho penal y ciencias penales*, vol. LVIII.

GAVILÁN RUBIO, M. (2015). «Delitos relativos a la prostitución y a la trata de seres humanos con fines de explotación sexual. Algunas dificultades en la fase de instrucción», *Anuario Jurídico y Económico Escurialense*, XLVIII, pp. 103-130.

GÓMEZ RIVERO, M.C. (2019). Nociones fundamentales de Derecho Penal. Parte especial. Volumen 1, Tecnos, Madrid.

HIGUERA GUIMERÁ, J.F. (1993). *Las excusas absolutorias*, Marcial Pons, Madrid.

KOLLONTAI, A. (1921). «La prostitución y cómo combatirla. Discurso a la tercera conferencia de dirigentes de los Departamentos Regionales de la Mujer en toda Rusia». Disponible en https://www.marxists.org/espanol/kollontai/1921/001.htm

KOLLONTAI, A. (1978). *Autobiografía de una mujer emancipada*, Editorial Fontamara, Barcelona.

LARA PALACIOS, M. A. (2014). «La trata de seres humanos con fines de explotación sexual análisis comparativo del marco jurídico internacional, nacional y local», Revista Internacional de Pensamiento Político, vol. 9, pp. 399-423.

LLOBET ANGLÍ, M. (2020). «¿El fin de la prostitución acabará con la trata?: Las cuatro falacias del discurso abolicionista», *Revista del Laboratorio Iberoamericano para el Estudio Sociohistórico de las Sexualidades*, núm. 4, pp. 90-112.

LLOBET ANGLÍ, M. (2022). «Prostitución y consentimiento: ¿Una contradicción en los términos?», *RJIB. Revista jurídica de les Illes Balears*, núm. 21, pp. 89-120.

LOMBROSO. C y FERRERO, G. (1903). *La donna delinquente, la prostituta e la donna normale,* Fratelli Bocca Editori.

LÓPEZ CERVILLA, J.M. (2004). «Tráfico ilícito de personas. La reforma del artículo 318 bis del código penal», *Boletín del Ministerio de Justicia*, año 58, núm. 1978, pp. 3859-3892.

MAQUEDA ABREU, M.L. (2017). «La prostitución: el "pecado" de las mujeres», *Cuadernos electrónicos de filosofía del derecho*, núm. 35, pp. 64-89.

MENESES-FALCÓN, C. y URÍO, S. (2021). «La trata con fines de explotación sexual en España: ¿Se ajustan las estimaciones a la realidad?», *Revista Española de Investigación Social*, núm. 174, abril-junio, pp. 89-108.

MOLINA MARTÍNEZ, E.L. (2022). L*a protección de las mujeres víctimas de trata con fines de explotación sexual*, Tesis doctoral, Universidad de Alcalá de Henares, disponible en acceso abierto en https://www.educacion.gob.es/teseo/imprimirFicheroTesis.do?idFichero=VuVwn%2FbHlSg%3D

O'CONNELL DAVIDSON, J. (1998). *Prostitution, Power and Freedom*, University of Michigan Press, Michigan.

PASCUAL MATELLÁN, L. (2022). «La criminalización de la asistencia a los solicitantes de asilo en Hungría: (a propósito de la sentencia "Comisión/Hungría", C-821/19)», núm. 71, pp. 169-187.

PÉREZ CEPEDA, A. I. (2004). Globalización, tráfico internacional ilícito de personas y derecho penal, Comares.

PULEO, A. H. (2015). «Ese oscuro objeto de deseo: cuerpo y violencia», *Investigaciones feministas*, vol. 6, pp. 122-138.

RODRÍGUEZ MESA, M. J. (2001). Delitos contra los derechos de los ciudadanos extranjeros, Tirant lo Blanch.

SANDEL, M. (2013). Lo que el dinero no puede comprar. Los límites morales del mercado, Debate, Barcelona.

SERRANO-PIEDECASAS, J. R. (2000). «Los delitos contra los ciudadanos extranjeros» en *El extranjero en el derecho penal español, sustantivo y procesal (Adaptado a la nueva Ley Orgánica 4/2000)*, Manuales de Formación Continuada, núm. 5, CGPJ.

VILLACAMPA ESTIARTE, C. (2015). «A vueltas con la prostitución callejera: ¿hemos abandonado definitivamente el prohibicionismo suave?», *Estudios Penales y Criminológicos*, vol. XXXV, pp. 413-455.

VILLACAMPA ESTIARTE, C. y TORRES FERRER, C. (2021). «Aproximación institucional a la trata de seres humanos en España: valoración crítica», *Estudios penales y criminológicos*, vol. XLI, pp. 189-232.

6. Delimitación del concepto de trata de seres humanos. Especial referencia al fenómeno de la prostitución

ELENA BOZA MORENO*

[1]*Profesora Contratada Doctora de Derecho Penal*

Centro Universitario San Isidoro, adscrito a la Universidad Pablo de Olavide

eboza@centrosanisidoro.es

Resumen: con este estudio se pretende poner de manifiesto la reiterada y desde mi punto de vista, errónea equiparación entre prostitución y trata de personas. Destacando la necesidad de encontrar esos puntos diferenciadores que nos permitan, por un lado, demostrar que el ejercicio de la prostitución, desempeñado por personas mayores de edad y en pleno ejercicio de su libertad, puede ser considerado un trabajo, con ciertas peculiaridades, y por otro, esa distinción, permite dar identificar correctamente a las distintas víctimas de trata, que como bien saben, no son solo las víctimas de la explotación sexual. Normalmente, como uno de los principales argumentos de las políticas abolicionistas, la prostitución no puede ser considera como trabajo porque cuando hablamos de prostitución hacemos referencia directa a la trata de personas y a la explotación. Desde este estudio se analiza como ambos fenómenos, pese a estar relacionados, no son la misma cosa, y cómo es posible entender la prostitución como un trabajo sujeto en algunos casos a explotación laboral pero no sexual.

* Trabajo realizado en el marco de las actividades del Proyecto PID2020-117403RB-I00, Criminalidad organizada transnacional y empresas multinacionales ante las vulneraciones a los derechos humanos, y del Grupo de Investigación en Ciencias Penales y Criminológicas (SEJ-047), fruto de una Estancia de Investigación, realizada en la Universidad de Salamanca, por lo que agradezco a la Profesora Catedrática de Derecho Penal Dña. Laura Zúñiga Rodríguez por su oportunidad.

SUMARIO: I. INTRODUCCIÓN. II. LA TRATA DE SERES HUMANOS: CONCEPTO Y REGULACIÓN. III. DIFERENCIAS ENTRE LA TRATA DE SERES HUMANOS, LA EXPLOTACIÓN Y LA PROSTITUCIÓN. LA NECESIDAD DE DELIMITAR LOS CONCEPTOS. IV. CONCLUSIONES. V. BIBLIOGRAFÍA.

I. INTRODUCCIÓN

Actualmente existe un amplio sector que afirma que regular la prostitución como un trabajo no es la mejor opción por varias razones. En primer lugar, porque supondría un incremento tanto de la prostitución como del tráfico irregular de mujeres y empeoraría notablemente la situación de las mujeres víctimas del tráfico. A su vez, tendría un difícil encaje en nuestro ordenamiento jurídico, ya que chocaría tanto con preceptos constitucionales como la dignidad humana y la igualdad, como con el derecho laboral a disponer de un trabajo digno. Y por último, aunque no por ello menos importante, porque supondría la normalización de la prostitución en nuestra sociedad.

Estos argumentos reflejan un pensamiento en el cual se equipara la trata de personas para fines de explotación sexual, con la prostitución. De esta forma se niega la existencia de un ejercicio libre de la misma y se entiende que todo aquel que la ejerce, lo hace sometido o bajo explotación.

Los que defienden esta perspectiva enfatizan que no es cierto que las mujeres elijan entrar en la prostitución entre varias oportunidades de trabajo o que la prostitución signifique un empoderamiento para las mujeres[1]. La prostitución es un claro ejemplo de explotación económica y/o sexual en contra de las mujeres. Aseguran que las personas que la ejercen son víctimas frecuentes de delitos y que bastantes estudios confirman que se practica a menudo con miedo y violencia hacia ellas, así como que existe una gran probabilidad de llegar a ejercer la prostitución tras haber sido víctimas de

1. Al respecto, VILLACAMPA ESTIARTE, «la visión de la prostitución desde las filas del feminismo radical conducen básicamente a negar a la mujer su capacidad de tomar decisiones libres acerca de la posibilidad de prostituirse. El camino hacia la infantilización de la mujer, que no puede concebirse que pueda optar libremente por tamaña denigración y que, en el supuesto de hacerlo, fundamenta su decisión en razones de vulnerabilidad, de desconocimiento, de ausencia de otro tipo de oportunidades», en VILLACAMPA ESTIARTE (coord.), *Prostitución: ¿hacia la legalización?*, 2012, pp. 217-218.

abusos sexuales e incesto durante la infancia y adolescencia[2]. Las mujeres no eligen practicar la prostitución, sino que son coaccionadas o forzadas física, psicológica o económicamente a hacerlo, por lo que algunas autoras hablan de que existe una esclavitud sexual[3].

Además, solemos escuchar y leer en los medios de comunicación noticias acerca de la prostitución y la trata de personas. Noticias en las que mujeres son obligadas a prostituirse en contra de su voluntad. Estos sucesos nos conmueven fuertemente, como no puede ser de otra forma. Pero en la mayoría de las ocasiones se aprovechan este tipo de noticias para llegar a la conclusión de que la prostitución supone la esclavitud de las mujeres que la practican y, por tanto, debe ser condenada.

Dicha identificación se produjo ya en su día con la Convención para la Represión de la trata de personas y de la explotación de la prostitución ajena de 1949, que supuso el triunfo del modelo abolicionista[4], considerando punible tanto el proxenetismo como la explotación de la prostitución de otra persona aún cuando mediara consentimiento. En el preámbulo de este Convenio se considera que «la prostitución y el mal que la acompaña, la trata de personas para fines de prostitución, son incompatibles con la dignidad y el valor de la persona humana y ponen en peligro el bienestar del individuo, de la familia y de la comunidad». De esta manera, se asimila la prostitución con la trata de personas[5].

Sin embargo, en defensa de la postura legalizadora que venimos a respaldar con este estudio, consideramos imprescindible demostrar que cuando hablamos de trata de personas no necesariamente debemos incluir a la prostitución. Sin bien es cierto que ambos términos están relacionados, no son lo

---

2. Al respecto véanse, BINGHAM, N., *Yale Journal of Law & Feminism*, 1998, p. 82; DELACOSTE, F./ALEXANDER, P., (eds.), *Sex Work: writings by women in the sex industry*, 1987, p. 266.
3. Así por ejemplo, BARRY, K., *Female Sexual Slavery*, 1979; DWORKIN, A., *Michigan Journal of Gender & Law*, 1993, pp. 1-12; MACKINNON, C.A., «La prostitución se enmarca dentro de múltiples relaciones de dominación, degradación y sometimiento: del proxeneta hacia la prostituta, de los hombres sobre las mujeres, de los viejos sobre los jóvenes, de los ciudadanos sobre los inmigrantes, de los ricos sobre los pobres, de los violentos sobre las víctimas, de los relacionados socialmente sobre los aislados... de los respetados sobre los despreciados», *Michigan Journal of Gender & Law*, 1993, pp. 13-31.
4. Véase al respecto, MAQUEDA ABREU, *Prostitución, feminismos y derecho penal*, 2009, pp. 13 y ss.
5. Confróntese al respecto, REY MARTÍNEZ, Nuevas políticas públicas: Anuario multidisciplinar para la modernización de las Administraciones Públicas, 2006, p. 112.

mismo, desde el momento en el que defendemos la existencia de una elección libre y voluntaria de ejercer la prostitución y que nada tiene que ver con el abuso o la explotación por parte de un tercero. Como afirma Garaizabal, ofertar servicios sexuales es un trabajo que, sólo en algunos casos, pocos, pero sangrantes, se realiza en régimen prácticamente de esclavitud[6].

Para conseguir remarcar esta distinción es preciso, en primer lugar, definir y conocer qué es la trata de personas, a su vez, es necesario diferenciarla claramente del tráfico ilegal de inmigrantes. Una diferencia muy importante en la práctica porque mientras la primera es una grave violación de los derechos humanos, ya que implica coacción y anular la capacidad de decisión de la persona sobre su vida, obligándola a trabajar en régimen de esclavitud, el tráfico ilegal es decidido por quien lo utiliza y considerado muchas veces un mal menor para las personas inmigrantes que quieren entrar en nuestro país y no cumplen los requisitos que la Ley de Extranjería establece. Además, es preciso delimitar sus diferencias puesto que en un alto porcentaje migración y prostitución están relacionadas. A su vez, es necesario distinguir estos conceptos de una posible explotación laboral, que en la mayoría de los casos, cuando hablamos de prostitución, es confundida con la explotación sexual, cuando en realidad estos términos encuadran situaciones muy diferentes.

Posteriormente, una vez definidos estos conceptos analizaremos los puntos claves por los que es conveniente distinguir la trata de la prostitución, es decir, las consecuencias que, desde nuestro punto de vista, implicaría para el sector de la prostitución, el hecho de equipararla a la trata de personas o a la esclavitud.

II. LA TRATA DE PERSONAS: CONCEPTO Y REGULACIÓN

Tras la globalización que alcanzó a la industria del sexo, y puesto que el desarrollo de las actividades relacionadas con este sector se desempeñaba, además de por las mujeres nacionales del país del que se tratase, por las inmigrantes que viajaban de su país de origen a aquellos en los que se desarrollaba la actividad, se terminó de afianzar esa identificación entre prostitución y trata de personas. Puesto que si se negaba la posibilidad de que existiese la prostitución libre, se entendía que no era posible concebir que hubiera mujeres que libremente eligieran emigrar a otros países sabien-

6. Así, GARAIZABAL, intervención en mesa redonda, «Nosotras, las malas mujeres. Debates feministas sobre la prostitución», 2009.

do que iban a dedicarse a ejercer la prostitución[7]. De esta forma se creó la figura de la víctima inocente de las redes de tratantes que las sacan de su país para llevarlas a otro destino donde van a ser explotadas sexualmente[8]. Este enfoque, elaborado desde una esfera abolicionistas, junto con otras circunstancias[9] supuso el escenario perfecto para la elaboración del primer documento internacional sobre trata de personas, no vinculado estrictamente a la prostitución, hablamos de la Convención de las Naciones Unidas contra la Delincuencia Organizada Transnacional adoptada por la Asamblea General el 15 de noviembre de 2000[10], y sus tres protocolos, en especial el Protocolo para Prevenir, Reprimir y Sancionar la Trata de Personas, especialmente de mujeres y niños.

El Protocolo entro en vigor el 25 de diciembre de 2003. Está diseñado para fortalecer y mejorar la cooperación internacional con el propósito de prevenir y combatir la trata de personas y mejorar la protección y asistencia a víctimas de trata[11], respetando plenamente sus derechos humanos, así como promover la cooperación entre los Estados Parte para lograr esos fines[12].

Como hemos apuntado anteriormente este Protocolo complementa la Convención de las Naciones Unidas contra la Delincuencia Organizada Transnacional y se interpretará conjuntamente con la Convención. Las dis-

7. Véanse al respecto, MAQUEDA ABREU, *La prostitución en el debate feminista: ¿otra vez abolicionismo?*, 2008, pp. 194-195; MESTRE I MESTRE, en ORTS BERENGUER (coord.), *Prostitución y derecho en el cine*, 2002, p. 88; DOEZEMA, en OSBORNE (coord.), *Trabajador@s del sexo: derechos, migraciones y esclavitud en el siglo XXI*, 2004, p. 154.
8. En este sentido, AZIZE, Y., «se inicia lo que se conoce como enfoque trafiquista, en virtud del cual el desplazamiento internacional de migrantes se debe principalmente a operaciones clandestinas y criminales de mafias internacionales que engañan y explotan a los desplazados», «Empujar las fronteras: mujeres y migración internacional desde América Latina y el Caribe», en OSBORNE (coord.), *Trabajador@s del sexo: derechos, migraciones y esclavitud en el siglo XXI*, 2004, pp. 168-169; VILLACAMPA ESTIARTE, en VILLACAMPA ESTIARTE, *Prostitución: ¿hacia la legalización?*, 2012, p. 218. Véase también, MAQUEDA ABREU, *Prostitución, feminismos y derecho penal*, 2009, p. 78.
9. Como la confluencia con la ideología neoconservadora hegemónica en el poder en Estados Unidos en la década de los noventa.
10. Para un desarrollo del concepto «Criminalidad Organizada» véase, ZUÑIGA RODRÍGUEZ, *Revista Nuevo Foro*, 2016, pp. 64-114.
11. Obsérvese, NU, Protocolo para Prevenir, Reprimir y Sancionar la Trata de Personas, especialmente de Mujeres y Niños, 2000, p. 43.
12. Artículo 2 del Protocolo para Prevenir, Reprimir y Sancionar la Trata de Personas, especialmente de Mujeres y Niños.

posiciones de la Convención se aplicarán *mutatis mutandis*[13] al presente Protocolo, a menos que en él se disponga otra cosa[14].

En la segunda parte del Protocolo regula la protección de las víctimas de trata. Atendiendo a esta finalidad «cuando proceda y en la medida que lo permita su derecho interno, cada Estado Parte protegerá la privacidad y la identidad de las víctimas de la trata de personas, en particular, entre otras cosas, previendo la confidencialidad de las actuaciones judiciales relativas a dicha trata»[15], para lograrlo cada Estado se encargará de que su ordenamiento jurídico o administrativo interno prevea medidas con miras a proporcionar a las víctimas de trata, información sobre procedimientos judiciales y administrativos pertinentes y asistencia encaminada a permitir que sus opiniones y preocupaciones se presenten y examinen en las etapas apropiadas de las actuaciones penales contra los delincuentes sin que ello menoscabe los derechos de la defensa[16]. La protección que los Estados deben brindar a las víctimas de trata también abarca la necesidad de que estos tengan en cuenta, a la hora de aplicar las disposiciones de este texto, tanto el sexo, como la edad y las necesidades especiales de los niños, incluidos el alojamiento, la educación y el cuidado adecuados. De igual modo deben prever la seguridad física de las víctimas mientras se encuentren en el territorio del Estado en cuestión y medidas que les brinden la posibilidad de obtener indemnización por los daños que puedan sufrir[17].

En cuanto a la tercera parte del Protocolo, ésta hace referencia a las medidas de prevención y cooperación, así como a otras medidas contra la trata de personas[18]. Para lograr una prevención efectiva los Estados Parte procurarán aplicar medidas tales como actividades de investigación y campañas de información y difusión, así como iniciativas sociales y económicas, todas esas medidas o políticas llevadas a cabo incluirán, cuando proceda, la cooperación con organizaciones no gubernamentales, otras organizaciones pertinentes y otros sectores de la sociedad civil. Para mitigar factores como

13. Frase en latín que significa «cambiando lo que se deba cambiar».
14. Según lo establecido en el artículo 1 del Protocolo para Prevenir, Reprimir y Sancionar la Trata de Personas, especialmente de Mujeres y Niños.
15. Artículo 6.1 del Protocolo para Prevenir, Reprimir y Sancionar la Trata de Personas, especialmente de Mujeres y Niños.
16. Artículo 6.2 del Protocolo para Prevenir, Reprimir y Sancionar la Trata de Personas, especialmente de Mujeres y Niños.
17. Artículos 6.4, 6.5 y artículo 6.6. del Protocolo para Prevenir, Reprimir y Sancionar la Trata de Personas, especialmente de Mujeres y Niños.
18. Sobre este asunto véase, GALLAGHER, A.T., *The International Law of Human Trafficking*, 2012, p.37.

la pobreza o la falta de oportunidades, que son algunas de las circunstancias que hacen a las personas, especialmente mujeres y niños, vulnerables a la trata, los Estados deben adoptar medidas de cooperación bilateral y multilateral[19]. La cooperación entre Estados, engloba otras medidas como la información, para poder determinar si ciertas personas que cruzan o intentan cruzar una frontera internacional con documentos de viaje pertenecientes a terceros o sin documentos de viaje son autores o víctimas de la trata de personas; los tipos de documento de viaje que ciertas personas han utilizado o intentado utilizar para cruzar una frontera internacional con fines de trata de personas; y los medios y métodos utilizados por grupos delictivos organizados para los fines de la trata de personas, incluidos la captación y el transporte, las rutas y los vínculos entre personas y grupos involucrados en dicha trata, así como posibles medidas para detectarlos. La cooperación en este caso se dará entre los Estados Parte, las autoridades de inmigración u otras autoridades competentes[20].

Otra de las medidas que se recogen en esta parte del Protocolo son las medidas fronterizas, el artículo 11 establece que «sin perjuicio de los compromisos internacionales relativos a la libre circulación de personas, los Estados Parte reforzarán, en la medida de lo posible, los controles fronterizos que sean necesarios para prevenir y detectar la trata de personas».

Ahora bien, tras esta breve exposición de la finalidad y los objetivos marcados por el texto, lo siguiente que debemos preguntarnos es en qué consiste la trata de personas que motiva la aparición de este Protocolo. Pues bien, a los fines del mismo, es entendida como «la captación, el transporte, el traslado, la acogida o la recepción de personas, recurriendo a la amenaza o al uso de la fuerza u otras formas de coacción, al rapto, al fraude, al engaño, al abuso de poder o de una situación de vulnerabilidad o a la concesión o recepción de pagos o beneficios para obtener el consentimiento de una persona que tenga autoridad sobre otra, con fines de explotación. Esa explotación incluirá, como mínimo, la explotación de la prostitución ajena u otras formas de explotación sexual, los trabajos o servicios forzados, la esclavitud o las prácticas análogas a la esclavitud, la servidumbre o la extracción de órganos»[21].

---

19. Véase el artículo 9 del Protocolo para Prevenir, Reprimir y Sancionar la Trata de Personas, especialmente de Mujeres y Niños.
20. Artículo 10 del Protocolo para Prevenir, Reprimir y Sancionar la Trata de Personas, especialmente de Mujeres y Niños.
21. En este sentido, OIM/UNICEF, Guía Normativa: Trata de personas y tráfico ilícito de migrantes en México y América Central, 2002, pp. 142-145.

De esta definición se puede deducir que el concepto de trata de personas está constituido por tres elementos que deben existir conjuntamente, que son la acción, los medios y la finalidad de explotación.

Con respecto a la acción, que junto con los medios constituyen la parte objetiva del tipo, su determinación constituye un proceso, en el cual se describe el trayecto de la víctima desde su lugar de origen a su lugar de destino. Como argumenta Villacampa, la acción describe la conducta de la víctima desde que es captada, pasando por el transporte y el traslado, hasta la acogida o la recepción en su lugar de destino. Sin embargo, más allá del componente geográfico que requiere un cambio de ubicación en el espacio físico de la víctima, que no necesariamente tiene que ser transnacional y que si lo fuera no requiere el cruce de fronteras, la conducta se refiere al traspaso de poder frente a una persona. Lo que implica que el término trata aluda al comercio de personas[22].

Sin embargo, el tipo básico de la trata se ve afectado por la reforma del 2015 del Cp español. Reforma reflejada en los tres elementos que configuran la prohibición en el contenida.

Con respecto al primer elemento que hemos visto, la acción, dentro del catálogo de acciones típicas, la LO 1/2015 incorpora, como no podía ser de otro modo, y adaptándose a la Directiva 2011/36/UE, el intercambio o transferencia de control sobre la persona objeto de la trata, criminalizando aquellos en los que los que sin poder verificarse desplazamiento o movimiento alguno de la víctima, existe una clara determinación de su voluntad cosificación e instrumentalización[23].

En lo que al segundo elemento respecta, el Protocolo se refiere al empleo de medios coercitivos, fraudulentos o de carácter abusivo[24]. Con la salvedad de que la captación, el transporte, el traslado, la acogida o la recepción de

---

22. Así, VILLACAMPA ESTIARTE, en VILLACAMPA ESTIARTE, *Prostitución: ¿hacia la legalización?*, 2012, p. 227.
23. Sobre esta reforma véase, MARTÍN ANCÍN, La trata de seres humanos con fines de explotación sexual en el código penal de 2010: aportaciones de la Ley Orgánica 1/2015, 2017, p. 127.
24. En este sentido según, PÉREZ ALONSO, «se incluyen en el concepto, los supuestos de trata forzada, los de trata fraudulenta y los de trata abusiva. Entre los medios que configuran la trata como trata forzada, se cuenta, el empleo tanto de coacción, como de amenaza o fuerza, incluyéndose el rapto. En lo que a trata fraudulenta se refiere, los medios que la integrarían serían el empleo de fraude o engaño. Finalmente, la trata abusiva, se configuraría por el empleo de las situaciones de abuso de poder o abuso de una situación de vulnerabilidad de la víctima, así como la concesión o la recepción

un niño con fines de explotación se considerarán «trata de personas» incluso cuando no se recurra a ninguno de los medios enunciados anteriormente. En cuanto al término «niño», se entenderá toda persona menor de dieciocho años. El último de los conceptos que se analizan en el Protocolo es el consentimiento y se indica que el consentimiento dado por la víctima de trata a toda forma de explotación intencional que se ha descrito anteriormente, no se tendrá en cuenta cuando se haya recurrido para su obtención a cualquiera de los medios que hemos indicado[25], es decir, la amenaza, el uso de la fuerza u otras formas de coacción, al rapto, el fraude, engaño, abuso de poder, situación de vulnerabilidad o la concesión o recepción de pago o beneficio alguno[26]. Este texto mantiene pues el reconocimiento de que el tráfico no puede disociarse de la explotación de la prostitución[27].

En este punto, la reforma del Cp juega, nuevamente, un papel importante incluyendo un nuevo medio de comisión del delito[28]. Estamos refiriéndonos a la entrega o recepción de pagos para obtener el consentimiento de la persona que controla a las víctimas. Modalidad comisiva válida para reducir e las lagunas de impunidad respecto de conductas que claramente afectan al bien jurídico y que se dirige a limitar o disminuir las entregas onerosas de personas con fines de explotación por parte de quienes mantienen sobre una ellas una situación de poder que les impide cualquier manifestación de lo contrario[29].

Finalmente, todo este proceso persigue una finalidad concreta de explotación de la víctima. Esta explotación puede ser entendida de forma general y abierta o puede circunscribirse a unos determinados objetivos, consistentes en la explotación sexual, explotación laboral y la trata con la finalidad de la

---

de pagos o beneficios para conseguir el consentimiento de una persona que posea el control sobre otra», *Tráfico de personas e inmigración clandestina*, 2008, pp. 178-179.

25. Han desarrollado este tema, CHO, S./DREHER, A./NEUMAYER, E., *World Development*, 2013, pp. 67-82; CHUANG, J.A., *University of Pennsylvania Law Review*, 2010, pp. 1656-1725; FARRIOR, S., *Harvard Human Rights Journal*, 1997, pp. 213-255.
26. Véase el artículo 3 del Protocolo para Prevenir, Reprimir y Sancionar la Trata de Personas, especialmente de Mujeres y Niños.
27. Consúltense al respecto, MARCOVICH, M., Guide to the UN Convention of 2 December 1949 for the Suppression of the Traffic in Persons and of the Exploitation of the Prostitution of Others, 2001, pp.13-14. (Consultar http://www.catwinternational.org/Content/Images/Article/88/attachment.pdf; última visita el 09 de abril de 2016); PESMAN, A.M., Prosecuting Human Trafficking Cases as a Crime Against Humanity?, 2012, pp. 14-23.
28. Véase el art. 177 bis, apartado 1.
29. MARTÍN ANCÍN, La trata de seres humanos con fines de explotación sexual en el código penal de 2010: aportaciones de la Ley Orgánica 1/2015, 2017, p. 128.

extracción de órganos. Sin embargo, resulta obvio que el fenómeno que se encuentra relacionado con la prostitución es la trata para explotación sexual, es decir, aquel que tiene la finalidad de explotación de la prostitución ajena u otras formas de explotación sexual, como la pornografía. También en relación con las finalidades perseguidas, la reforma del legislador de 2015 aprovecha para tipificar la trata con la finalidad de concertar matrimonios forzosos, así como la explotación con la finalidad de que las víctimas cometan actos delictivos para los explotadores, esta última aunque implícitamente estaba incluida en el texto anterior, se ha querido clarificar su inclusión[30].

Sin embargo, pese a sus peculiaridades, podemos establecer como conclusión que tal y como se deduce de las acciones típicas que integran el concepto, esta encarna una conducta que se desenvuelve a lo largo del tiempo y que consta de varias fases, la recluta o captación de la víctima, el transporte de ésta y la explotación. No obstante, conviene aclarar que este último elemento integrante del fenómeno de la trata, no integra el concepto normativo de la misma, puesto que, la trata se identifica con el proceso que conduce a la esclavización, pero no incluye el período de esclavización en sí, lo que nos lleva a diferenciar el fenómeno de la trata por un lado y la explotación o esclavitud por otro[31].

Esta diferenciación entre esclavitud y trata nos lleva a una paralela diferenciación entre prostitución y trata. De esta forma, tanto si se mantiene la postura de una distinción entre prostitución libre y prostitución forzada, como si se mantuviese que cualquier forma de prostitución debe ser considera forzada, tal y como argumentan los abolicionistas, debe evitarse la confusión entre prostitución, trata y esclavitud.

A su vez, sobre la cuestión de la trata la Unión Europea ha adoptado distintas iniciativas y programas, desde 1996 hasta la actualidad. Dada la multiplicidad de instrumentos y con el objetivo de armonizar las disposiciones legales y reglamentarias de los Estados miembros en materia de cooperación policial y judicial en el ámbito de la lucha contra la trata de seres humanos,

30. Al respecto, MARTÍN ANCÍN, La trata de seres humanos con fines de explotación sexual en el código penal de 2010: aportaciones de la Ley Orgánica 1/2015, 2017, p. 129.
31. Confróntense al respecto, BALES, K. /TRODD, Z. /WILLIAMSON, A.K., *Modern slavery. The secret worl of 27 million people*, 2009, pp. 35 y ss.; VILLACAMPA ESTIARTE, «la trata constituye un simple mecanismo mediante el cual conseguir esclavizar a las personas, representa la referencia normativa al proceso de esclavización, pero no del resultado de tal proceso, que es en lo que consiste propiamente la esclavitud», en VILLACAMPA ESTIARTE, *Prostitución: ¿hacia la legalización?*, 2012, p. 232.

se adoptó la Decisión marco del Consejo 2002/629/JAI de 19 de julio de 2002. Esta Decisión se caracteriza por dejar entrever un cambio de rumbo respecto a la postura tradicional comentada en relación con la prostitución. En efecto, de lo establecido en el artículo primero de esta norma se deriva, *a sensu contrario*, la posibilidad de que exista consentimiento y de que el mismo sea tenido en cuenta[32]. Por otro lado, de la inclusión del consentimiento en este artículo se puede deducir, que la normativa comunitaria distingue, aunque sea implícitamente, por una parte, la trata o explotación sexual y, por otra, la prostitución libre. De igual modo puede desprenderse que de mediar consentimiento y no habiendo sido obtenido con fraude, abuso, o engaño, es posible explotar la prostitución ajena.

Como afirma Serra Cristóbal, el tratamiento que debe otorgarse a la prostitución no debería llevarnos, necesariamente y, de entrada, a una ubicación de la misma en el plano de la explotación, ni a entender que siempre quien ejerce la prostitución lo hace como resultado de una opción libre[33].

Ahora bien, esta distinción no es la única que se torna necesaria, sino que la peculiar relación que existe entre persona con la que se trafica e inmigrante, nos lleva a proceder a la distinción entre tráfico de migrantes y trata de personas, labor que ha llevado a las Naciones Unidas a elaborar paralelamente al Protocolo para Prevenir, Reprimir y Sancionar la Trata de Persona, otro Protocolo contra el tráfico ilícito de migrantes[34]. Es necesario referirse a esta distinción en primer lugar, porque si en muchos casos la situación de violencia, chantaje y engaño empieza en el país de origen, es posible que se extienda a la fase de desplazamiento, para reproducirse en el país de destino, también existen situaciones en las que organizaciones encargadas de la entrada clandestina agotan su actividad en el transporte y no tienen otros objetivos que la recaudación del precio pactado con el mismo emigrante. En segundo lugar, porque en el caso de la trata los individuos son reclutados directamente por parte de las personas que la gestionan a través de la amenaza, el uso de la fuerza, el engaño u otras formas de coacción, mientras que en el supuesto del trafico hay una estipulación de un contrato que cuenta con la voluntad de los potenciales emigrantes que disponen de un capital y se ponen en contacto con los representantes de las organizaciones que se

32. Véase el artículo 1 de la Decisión marco del Consejo 2002/629/JAI de 19 de julio de 2002.
33. Así, SERRA CRISTÓBAL, en SERRA CRISTÓBAL (coord.), *Prostitución y trata: marco jurídico y régimen de derechos*, 2007, pp. 361 y ss.
34. Véase al respecto, GARAIZABAL, intervención en mesa redonda, «Nosotras, las malas mujeres. Debates feministas sobre la prostitución», 2009.

encargan del desplazamiento. Sin embargo, hay que tener en cuenta que la diferencia entre estas dos prácticas no siempre es tan evidente, puesto que muchas veces el hilo que separa el tráfico de la trata es muy sutil o más bien inexistente. Es evidente que los inmigrantes que intentan entrar en un país sin autorización son particularmente vulnerables a la explotación. Puede ocurrir que una persona, tras haber recibido la ayuda de un traficante para entrar en un país de manera ilegal, se vea sometida a una relación de explotación que puede implicar la servidumbre por deudas, la prostitución o el trabajo forzoso[35]. En este sentido habrá que entender como víctimas de la trata de seres humanos y consecuentemente de alguna forma de esclavitud, a las personas que, aunque acudan libremente a la criminalidad organizada para emigrar, no poseen suficiente dinero y son obligadas a pagar los servicios ofrecidos, poniendo a disposición su propio cuerpo, así como las personas que aceptan ser objeto de lucro de las organizaciones criminales para poder salir de una situación de extrema pobreza en la que viven en su país de origen, y, por último, las personas secuestrada o vendidas y luego traficadas por las organizaciones criminales, en función de un sucesivo y sistemático lucro. Quedando fuera de esta definición tan solo el tráfico de migrantes relativo a las personas que solicitan de manera voluntaria a las organizaciones criminales, servicio para emigrar de manera clandestina, disponiendo de un capital propio para los gastos del viaje.

En definitiva, las principales diferencias entre trata de personas y tráfico de migrantes radican en primer lugar en la actividad, consistente en desplazamientos transfronterizos o dentro de las fronteras, en el caso de la trata, y en cruce irregular de fronteras, en el segundo caso.

En segundo lugar, con respecto al medio empleado, la trata se realiza mediante el engaño, el uso de la fuerza y otros tipos de coerción, frente a la presencia de consentimiento por parte del migrante, que caracteriza a la figura del tráfico de migrantes.

Con respecto al propósito, en la trata éste es la explotación, ya sea sexual, laboral o de otro tipo, mientras que en el tráfico de migrantes la finalidad es el cruce de fronteras.

Y finalmente el vínculo entre las partes marca una notable diferencia entre ambos tipos, de modo que la relación se convierte en una situación de explotación sexual, laboral, etc., donde se incautan los documentos a la víctima o se le restringe o impide la libertad de movimiento, en los supuesto

35. Confróntese al respecto, CERVANTES SÁNCHEZ, *Crítica*, 2004, p. 35.

de trata, mientras que la relación entre traficante y migrante finaliza en el momento en que pasa la frontera, momento en el que la persona migrante está en libertad de decidir sobre sus movimientos y desplazamientos[36].

Mientras que en la trata hay una persona cuyos derechos individuales han sido violados, en el tráfico sólo quedan comprometidos los intereses políticos del estado cuyas fronteras han sido traspasadas[37].

Todas estas cuestiones y argumentos expuestos nos llevan a delimitar la distinción entre tres situaciones que no deben confundirse, emigración para el ejercicio de la prostitución, trata de personas con fines de explotación sexual y prostitución libre.

Con respecto a la primera de ellas, la emigración para el ejercicio de la prostitución, a su vez, podemos encontrarnos con aquellos casos de extranjeros no comunitarios que, como una de las consecuencias más de la globalización[38], optan por emigrar a otro territorio para ejercer la prostitución. Es muy probable que dichas personas se encuentren en situación de irregularidad en el país de destino, puesto que, en la mayoría de los casos, el ejercicio de la prostitución no está contemplado como actividad económica o laboral susceptible de generar ningún tipo de permiso de estancia o de trabajo. Podemos, por otro lado, encontrarnos con inmigrantes con permiso de residencia o de estudios que, como actividad alternativa, para obtener un ingreso económico adicional, ejercen la prostitución. En estos casos dicha actividad se ejerce en la clandestinidad y pocas veces se sabe de ella. O, finalmente, cabe pensar en el supuesto de los inmigrantes que en un principio deseaban emigrar para ejercer la prostitución, pero que acaban cayendo en las redes de explotadores sexuales y se encuentran ejerciendo dicha actividad bajo unas condiciones de absoluta explotación. En estos casos aunque inicialmente existía consentimiento para ejercer la prostitución, con posterioridad ese consentimiento deja de ser libre, no es el resultado del ejercicio de su opción personal realizado con tal libertad. Es decir, el consentimiento fue obtenido de forma engañosa y para el ejercicio de la prostitución en condiciones muy diferentes a las que finalmente concurren.

Con respecto a la trata con fines de explotación sexual, ésta constituye un tipo de trata en la que la mayor parte de las víctimas son mujeres y niñas.

36. Confróntese al respecto, UNICEF, Información básica sobre trata de personas.
37. Al respecto véase, REPORT OF THE EXPERTS GROUP ON TRAFFICKING IN HUMAN BEING, European Commission, 2004, p. 48.
38. Confróntese al respecto, BECK-GERNSHEIM, E., en BECK-GERNSHEIM, E. / BUTLERY PUIGBERT, L., (eds.), *Mujeres y transformaciones sociales*, 2011, pp. 59-76.

En este sentido nos encontramos ante un supuesto muy distinto. Resulta indiscutible que la desigualdad real, y en ocasiones legal, entre hombres y mujeres en muchos de los países de donde provienen las víctimas del tráfico sitúa a las mujeres en una especial situación de vulnerabilidad. En dichos países, las mujeres suelen presentar un grado de formación educativa muy inferior a la de los hombres, además tienen mayores dificultades para lograr obtener un trabajo, y en el caso de que lo lograsen, sufren notorias desigualdades salariales. Además, en otras ocasiones, son objeto de abuso en su propio hogar. Todas estas circunstancias les impulsan a aceptar trabajos fuera de su comunidad, trabajos ofertados con unas condiciones que luego resultarán ser inciertas, siendo obligadas a ejercer la prostitución.

Esta actividad de trata conlleva en la mayoría de los casos multitud de crímenes y atentados contra los derechos más esenciales del ser humano. Así, hablar de trata implica en muchas ocasiones hablar de esclavitud, aunque conceptualmente hemos visto que no es esclavitud propiamente dicha, también conlleva hablar de servidumbre forzosa, de tratos inhumanos y degradantes, de servidumbres por deudas, de matrimonios impuestos, de relaciones sexuales forzadas, de violaciones, de embarazos indeseados y abortos provocados, de tortura, de secuestro, de daños corporales, de asesinato, de confinamiento, de falsificación de documentos, etc... Las mujeres víctimas de la trata para la explotación sexual pagan un precio horrible. Los daños físicos y psicológicos, inclusive las enfermedades, tienen con frecuencia efectos permanentes. Las mujeres que son forzadas a la esclavitud sexual pueden ser sometidas con drogas y estar expuestas a una violencia extrema. Además, cuando se traslada a dicha mujer a un lugar donde no puede hablar ni entender el idioma, ello agrava el daño psicológico que causa el aislamiento y la dominación de los tratantes. Como señala Pérez Cepeda, la esclavitud contemporánea conduce a la deshumanización, a la instrumentalización, a la comercialización y a la destrucción social del ser humano, y la negación de la mujer en tales situaciones implica la negación de su personalidad jurídica. El no respeto a su dignidad como persona y los maltratos inhumanos a los que puede verse sometida comportan la más grave negación de la humanidad, que es la violación por excelencia de la dignidad de la persona humana[39].

Por último, refiriéndonos a las personas que ejercen la prostitución por propia voluntad, entendemos que se trata de una actividad humana, libremente consentida, productiva y que es manifestación del derecho constitu-

39. Así, PÉREZ CEPEDA, Globalización, tráfico internacional ilícito de personas y Derecho Penal, 2004, p. 42.

cional a la libre elección de profesión u oficio, en particular, y del derecho al trabajo, en general, y que nada tiene que ver con la explotación sexual, la trata y el tráfico de migrantes. No obstante en este sentido cabe señalar, que en el supuesto de que nos refiramos a la prostitución como trabajo, es conveniente añadir que pueden darse situaciones de explotación laboral, si concurren circunstancias atentatorias contra los derechos del trabajador en cuestión[40], pero que no es equiparable a la explotación sexual que pueda derivar de la trata, es decir, hace referencia a las condiciones de realización del trabajo y no remiten únicamente a fines sexuales.

III. DIFERENCIAS ENTRE LA TRATA DE SERES HUMANOS, LA EXPLOTACIÓN Y LA PROSTITUCIÓN. LA NECESIDAD DE DELIMITAR LOS CONCEPTOS

En los últimos tiempos se han ido utilizando los términos de prostitución, trata, explotación sexual y laboral de manera indiscriminada[41]. Se ha generado así un clima social que tiende a confundir y no ayuda a identificar cada uno de estos conceptos, dificultando pues, la defensa de los derechos tanto de los trabajadores del sexo voluntarios como de las víctimas de trata.

Por todo ello afirmamos que existen varios motivos por los que no podemos confundir, prostitución, con trata, explotación sexual y explotación laboral.

La explotación, en términos generales, cuando hace referencia a las relaciones humanas, se emplea desde el punto de vista de la desigualdad social y la mala distribución del ingreso, o en el marxismo el resultado de la apropiación capitalista de la plusvalía, sin embargo, en términos específicos

40. Confróntense al respecto, REDTRASEX, «la explotación laboral implica menor paga que la mínima necesaria o legal, condiciones precarias de trabajo, ausencia de prestaciones básicas en el ámbito de trabajo, jornadas extendidas por más horas que las máximas dictaminadas por la ley, retribuciones monetarias que no contemplan vacaciones ni licencias por enfermedad, hasta el extremo del trabajo con características de semi-esclavitud», *8 razones para evitar la confusión entre trata de personas, explotación laboral, y trabajo sexual*, 2014, p. 1.
41. Como ejemplo de ello encontramos el Plan Integral contra la Trata de Seres Humanos con fines de Explotación Sexual, que aprobó el Gobierno en diciembre de 2008. En este Plan se produce una asimilación de trata y prostitución. Esta asimilación recorre todo el Plan y se hace notar especialmente en las medidas de sensibilización: control de anuncios, la sensibilización de la sociedad en la idea de que la prostitución es una grave vulneración de los derechos fundamentales de las mujeres y evitar el turismo sexual.

podemos hablar de distintas formas de explotación, ya sea sexual o laboral, entre otras.

Para referirse a las injusticias cometidas en el ámbito laboral, se utiliza el término explotación laboral. Es decir, es un término que en sus acepciones más frecuentes hace referencia a las relaciones laborales. Con respecto a la prostitución, para combatir la existencia de posible explotación laboral es necesario el reconocimiento de la misma como un trabajo y la regulación de las relaciones laborales cuando median terceros, haciendo especial hincapié en el reconocimiento de los derechos de las trabajadoras del sexo y en la defensa de su autonomía y libertad para decidir qué actos sexuales ofrecen y a qué clientes están dispuestas a ofrecérselos[42].

Confundir la explotación laboral con el trabajo forzoso o la esclavitud a lo único que lleva es a quitar gravedad a esto último y no ayuda a crear un pensamiento colectivo que condene la trata y la esclavitud, una lacra indeseable en sociedades democráticas que contemplan y defienden los derechos humanos[43].

Por otro lado, se invisibiliza la explotación laboral como un problema en sí mismo. La explotación laboral es una problemática en sí misma, que excede al trabajo sexual y tiene directa relación con la forma de producción vigente en el sistema económico dominante, al que queda sujeta toda la clase trabajadora. Con la visión moralizadora sobre el trabajo con el sexo, se cae en el reduccionismo de considerar que la explotación sólo atañe a las trabajadoras sexuales, reducción que luego es solapada por la confusión entre explotación sexual y proxenetismo, con trata de personas para fines de explotación sexual. No obstante, la explotación laboral es una condición de prestación de trabajo que es posible encontrar en una amplia variedad de empleos, y sobre la que hay que generar políticas públicas y controles exhaustivos para erradicarla, sin perjudicar a las personas que se encuentran en esa situación. En muchas ocasiones, para terminar con ella, se cierran fuentes de trabajo o no se tienen en cuanta los testimonios y necesidades de quienes se encuentran trabajando en esas condiciones[44].

42. Véase al respecto, LÓPEZ I MORA, en SERRA CRISTÓBAL (coord.), *Prostitución y trata. Marco jurídico y régimen de derechos*, 2007, pp. 157-202.

43. Así, GARAIZABAL, «Prostitución, trata y explotación sexual: necesidad de repensar conceptos», *Prostitución una visión (sub) objetiva, compleja y global*, 2014. (Consultar http://prostitucionrealidadessociales.blogspot.com.es/2014/05/prostitucion-trata-y-explotacion-sexual.html, última visita el 27 de mayo de 2017).

44. En este sentido véase, REDTRASEX, 8 razones para evitar la confusión entre trata de personas, explotación laboral, y trabajo sexual, 2014, p. 5.

Como afirman Montero y Zabala, reducir las distintas realidades de la prostitución a una definición ideológica previamente establecida en términos de agresión y esclavitud sexual no se ajusta a la complicada realidad, y por tanto no resuelve ninguno de los problemas. Sin reconocimiento de derechos para las personas que ejercen la prostitución se acentúa su vulnerabilidad y se favorece la impunidad de quienes se benefician de ello. Añaden que desde este punto de vista hablar de abolir o erradicar la prostitución representa una posición ideológicamente más confortable para quienes la defienden, pero muy poco útil en la práctica para las mujeres directamente implicadas[45]. Entendemos que la confusión entre estos conceptos trae consigo un conjunto de problemáticas.

Así, consideramos que esta confusión vulnera los derechos de los trabajadores sexuales. La continua asimilación de la prostitución con la trata, lleva a que se reconozca en la prostitución en sí, una forma de vulnerar los derechos humanos. Las leyes que luchan contra la trata, ponen en duda la elección y la decisión libre de las trabajadoras sexuales, sobre su trabajo y sus cuerpos, siendo en muchas ocasiones rescatadas en contra de su voluntad, e incluso sometidas a procesos médicos, psicológicos y legales a los que no deberían ser expuestas. Se les victimiza, y se les trata como mujeres sin voluntad o capacidad de elección y decisión, a las que hay que rescatar, reinsertar y reincorporar a la sociedad[46]. Esta actitud, reforzada por una visión abolicionista del trabajo sexual, les dificulta aún más la posibilidad de intervenir en la elaboración de políticas y de participar en espacios de incidencia, dado que se les presenta como mujeres sin capacidades, ni inteligencia, y a merced absoluta de factores externos[47].

45. Véase al respecto, MONTERO/ZABALA, *Revista Viento Sur*, 2006, p. 98.

46. En este sentido, GARAIZABAL, «la idea de que "la configuración de la explotación sexual hoy requiere de la trata", sobre todo cuando la prostitución la ejercen extranjeras, lleva a victimizar a las trabajadoras del sexo inmigrantes, que siempre son consideradas víctimas de trata. Se niega, así, la capacidad de decisión de las mujeres para ejercer la prostitución y se condena expresamente a quienes defendemos esta capacidad.», *Una mirada crítica al Plan español contra la trata*, 2009, p. 4. (Consultar http://www.colectivohetaira.org/WordPress/una-mirada-critica-al-plan-espanol-contra-la-trata/; última visita el 25 de mayo de 2017).

47. En este sentido confróntese, REDTRASEX, «El extremo de esta vulneración hacia sus derechos, se evidencia cuando ante un caso de allanamiento "en busca de locales donde se explota a mujeres víctimas de trata", ingresan a espacios, muchas veces cooperativos, en los que las trabajadoras sexuales están ejerciendo su profesión, de manera autónoma e intervienen su jornada. Las consecuencias son, por una parte, considerar a quien abre la puerta o firma el contrato de alquiler como explotador o quien está en complicidad con la trata; mientras que, por otra, es considerar a todas las mujeres que se encuentran trabajando allí como mujeres que deben ser rescatadas, cuando la

En consecuencia, a la hora de elaborar y desarrollar las medidas de sensibilización e información contra la trata de seres humanos con fines de explotación sexual, más allá de algunas que apuntan a la trata en sí, especialmente se contemplan, en primer lugar, la realización de campañas dirigidas a la sociedad sobre la vulneración de los derechos fundamentales de las mujeres que ejercen la prostitución; por otro lado, el control de los anuncios de contactos en los medios de comunicación; y las campañas para intentar evitar cualquier manifestación de turismo sexual. Es decir, se despliegan una serie de medidas en las que la trata queda subsumida y desaparece en el fenómeno general de la prostitución. Lo que, a su vez, conlleva a una discriminación y falta de asistencia a otras víctimas de trata explotadas en el servicio doméstico, campo, mendicidad, construcción, o matrimonios forzosos entre otros[48]. Es decir, en el debate se asume que las personas son objeto de trata únicamente para el trabajo sexual y al hacerlo, se ignora el hecho de que éstas son objeto de trata en otros muchos sectores como el trabajo doméstico, la construcción o la industria a pequeña escala. Por lo tanto, podríamos deducir que, aunque el trabajo sexual alguna vez fuera abolido y realmente desapareciera, la trata estaría lejos de terminar y las personas continuarían siendo víctimas para otros fines de explotación y esclavitud.

Desde mi punto de vista, esta línea, que más parece el intento de abolir la prostitución a través de las leyes contra la trata, además de ineficaz, va en contra de lo que establecen algunas recomendaciones internacionales elaboradas al calor del Protocolo de Palermo, que plantean que para combatir la trata de seres humanos es necesario también regular los diferentes sectores de la economía sumergida que pueden propiciar la explotación de la inmigración[49].

Muchas veces, la población profundiza sus prejuicios y estigmas hacia los trabajadores sexuales a partir de la confusión entre trata de personas y trabajo sexual, creyendo erróneamente que aquellos están en convivencia o complicidad con la trata, cuando en realidad no es así. Además, la idea infundada de que todas las mujeres son tratadas afecta a la manera en la

---

realidad es que no están allí en contra de su voluntad ni explotadas por nadie.», *8 razones para evitar la confusión entre trata de personas, explotación laboral, y trabajo sexual*, 2014, p. 3.

48. Véase al respecto GARAIZABAL, intervención en mesa redonda, «Nosotras, las malas mujeres. Debates feministas sobre la prostitución», 2009.

49. En este sentido véase, GARAIZABAL, *Una mirada crítica al Plan español contra la trata*, 2009, pp. 4-5. (Consultar http://www.colectivohetaira.org/WordPress/una-mirada-critica-al-plan-espanol-contra-la-trata/; última visita el 25 de mayo de 2017).

que la sociedad interpreta y comprende esa decisión laboral. Esta confusión, muchas veces alentada por los medios de comunicación, olvida que detrás de la trata de personas existen redes, mafias y crimen organizado, mientras que detrás del trabajo sexual hay personas decidiendo sobre sus cuerpos[50].

Como afirma Iglesias Skulj, mediante la confusión entre trabajo sexual y trata con fines de explotación sexual se olvida una cuestión central, las migraciones y el control de las mismas, dirigiéndose la atención hacia otros planos. Se ignoran aspectos relevantes del fenómeno migratorio y se adopta una visión que subsume la trata al trabajo sexual y viceversa[51].

Finalmente consideramos que esta confusión impide que se pueda abordar el tema desde la esfera de un reconocimiento laboral, lo que a su vez obstaculiza la sanción de leyes que protejan a las trabajadoras sexuales[52].

Por lo tanto, una definición incompleta del trabajo sexual, vista en conjunto con el punto anterior sobre la definición incompleta de la trata, y una confusión de ambos términos, conducirá a un debate cuya resolución, bastante improbable, no erradicará la trata en todas sus formas, ni abordará las cuestiones de las trabajadoras sexuales de modo satisfactorio para ellas. Solo cuando utilicemos descripciones completas para la trata y el trabajo sexual, y en consecuencias logremos entender que se tratan de fenómenos distintos, se volverá evidente que ambos se pueden abordar de una manera significativa y sostenible únicamente si se respetan los derechos de ambos grupos.

IV. CONCLUSIONES

En este estudio pretendemos mostrar la tendencia, más que afianzada, a confundir distintos términos que impiden el reconocimiento de la prostitución como un trabajo y que, por el contrario, reconocen en el ejercicio de la prostitución una forma de abuso, explotación y esclavitud. Dicha confusión consiste en equiparar la trata de personas con la prostitución, la explotación sexual y la explotación laboral.

---

50. Al respecto véanse, respecto GARAIZABAL, intervención en mesa redonda, «Nosotras, las malas mujeres. Debates feministas sobre la prostitución», 2009; MONTERO/ZABALA, *Revista Viento Sur*, 2006, p. 98.
51. Consultese al respecto, IGLESIAS SKULJ, *Investigaciones: Secretaría de Investigación de Derecho Comparado*, 2012, p. 16.
52. En este sentido, REDTRASEX, 8 razones para evitar la confusión entre trata de personas, explotación laboral, y trabajo sexual, 2014, p. 7.

En primer lugar, hemos visto que, tras la globalización, cuando se habla de tráfico de mujeres, niños y niñas se habla fundamentalmente de aquellas mujeres que llegan aquí para ejercer la prostitución, sin diferenciar entre quien viene por decisión propia a ello y quién ha venido engañada y chantajeada. Asimismo, tampoco se especifica al tratar este tema las diferentes condiciones en las que se puede ejercer la prostitución o trabajar en la industria del sexo. De manera que la mayoría de las veces se habla indistintamente tanto de tráfico de mujeres como de la esclavitud sexual, presuponiendo que todos los inmigrantes han sido traídos aquí, de manera engañada, para trabajar como prostitutas en unas condiciones de esclavitud, lo que da lugar a la idea de la victima de redes de tratantes.

Sin embargo, por el contrario, la mayoría de mujeres inmigrantes que vemos ejerciendo la prostitución callejera o las que lo hacen en muchos locales que hay en las ciudades, presentan una realidad muy diferente. Han venido, en la mayoría de los casos, sabiendo a lo que venían, a través de redes que les han facilitado el viaje y la entrada, aunque hayan tenido que pagar cantidades desorbitadas por ello. Ejercen la prostitución como forma de sobrevivencia económica. Ellas lo consideran un trabajo, una actividad que les da un dinero para vivir aquí e incluso para enviar una parte a su país. En la mayoría de los casos, es un modo de vivir duro, que cuesta esfuerzo y supone, demasiadas veces, aguantar penalidades varias, pero en definitiva, conocen a que vienen.

No obstante, esta preocupación y la idea de que todo aquel que ejerce la prostitución, y principalmente los migrantes, lo hacen sometidos, en condiciones de tráfico y explotación, desembocó en la creación de normativas de rango internacional con la finalidad de luchar contra la trata con fines de explotación sexual. Ejemplo de ello es el Protocolo para Prevenir, Reprimir y Sancionar la Trata de Personas, especialmente de mujeres y niños o también conocido como Protocolo de Palermo, destinado a fortalecer y mejorar la cooperación internacional con el propósito de prevenir y combatir la trata de personas y mejorar la protección y asistencia a víctimas de trata, así como promover la cooperación entre los Estados Parte para lograr esos fines.

Para lograrlo cada Estado se encargará de que su ordenamiento jurídico o administrativo interno prevea medidas con miras a proporcionar a las víctimas de trata, información sobre procedimientos judiciales y administrativos pertinentes y asistencia encaminada a permitir que sus opiniones y preocupaciones se presenten y examinen en las etapas apropiadas de las actuaciones penales contra los delincuentes sin que ello menoscabe los derechos de la defensa.

En virtud de este Protocolo la trata queda definida como la captación, el transporte, el traslado, la acogida o la recepción de personas, recurriendo a la amenaza o al uso de la fuerza u otras formas de coacción, al rapto, al fraude, al engaño, al abuso de poder o de una situación de vulnerabilidad o a la concesión o recepción de pagos o beneficios para obtener el consentimiento de una persona que tenga autoridad sobre otra, con fines de explotación. Esa explotación incluirá, como mínimo, la explotación de la prostitución ajena u otras formas de explotación sexual, los trabajos o servicios forzados, la esclavitud o las prácticas análogas a la esclavitud, la servidumbre o la extracción de órganos.

Concepto constituido por tres elementos, en primer lugar, la acción, que constituye un proceso, en el cual se describe el trayecto de la víctima desde su lugar de origen a su lugar de destino; en segundo lugar, los medios, que deben ser coercitivos, fraudulentos o de carácter abusivo; y por último, la finalidad, de explotación, consistentes a grandes rasgos en la explotación sexual, explotación laboral y la trata con la finalidad de la extracción de órganos.

Con respecto a este último elemento hemos visto que no integra el concepto normativo de la misma, puesto que, la trata se identifica con el proceso que conduce a la esclavización, pero no incluye el período de esclavización en sí, lo que nos lleva a diferenciar el fenómeno de la trata por un lado y la explotación o esclavitud por otro.

Por otro lado, es conveniente distinguir entre lo que son las redes que posibilitan la entrada ilegal de emigrantes de lo que son las mafias. El término mafia se refiere a aquellas estructuras organizadas que extorsionan a las personas, mediante chantaje, coacción y violencia, para obligarles a hacer algo en contra de su voluntad. Y esto, aunque se da en algunos casos, no puede hacerse extensible a la forma como mayoritariamente entran los inmigrantes en nuestro país. Es decir, es muy necesario diferenciar entre trata de personas y tráfico de migrantes, que queda resumida en la actividad, consistente en desplazamientos transfronterizos o dentro de las fronteras, en el caso de la trata, y en cruce irregular de fronteras, en el caso del tráfico de migrantes; por otro lado, la trata se realiza mediante el engaño, el uso de la fuerza y otros tipos de coerción, frente a la presencia de consentimiento por parte del migrante, que caracteriza a la figura del tráfico de migrantes; la finalidad perseguida de explotación en el supuesto de trata y cruce de fronteras en el segundo supuesto; y finalmente, el vínculo ente las partes es diferentes en un supuesto y en otro, siendo continuada en el supuesto de trata, frente a la relación en el tráfico, la cual finaliza en el momento en que pasa la frontera el migrante.

A modo de resumen exponemos la necesaria distinción entre trata, tráfico de migrantes, explotación sexual, explotación laboral y prostitución.

Se pueden observan numerosas variables de la trata de seres humanos, que se pueden simplificar en el siguiente esquema. Por un lado, una persona huyendo de una situación de discriminación, violencia, o pobreza se pone en manos de un tratante que le ofrece un trabajo en un país más desarrollado y la posibilidad de trasportarle de forma segura hasta allí. La víctima paga una tarifa, o más frecuentemente contrae una deuda con el tratante que piensa podrá pagar fácilmente con el sueldo prometido. El tratante bien pertenece a una mafia que controla todo el proceso o bien vende a la persona a otra organización que se encargará de explotarla en régimen de esclavitud. Si sobrevive al viaje, a su llegada a la tierra prometida comienza la pesadilla para la víctima, encerrada en su lugar de explotación descubre que el trabajo prometido suele ser en realidad la prostitución, en la mayoría de los casos, mendicidad, o pequeños robos, que el salario es mucho menor de lo acordado y que después de que el tratante descuente los gastos de comida, alojamiento, la deuda por el viaje, y todo tipo de multas por mal comportamiento, se queda en nada. Así, aislado física y culturalmente, sin conocer el idioma ni las leyes del lugar donde se encuentra, bajo amenazas, y sabiendo además su condición de inmigrante ilegal, la víctima se convierte en un esclavo sin posibilidad de solicitar ayuda, sin derechos.

Es decir, la finalidad de la trata es la explotación y la esclavitud en términos generales, y se torna imprescindible impulsar un abordaje integral contra la trata que contemple todas las formas de trata, independientemente del sexo de las víctimas y del sector laboral al que van encaminadas. Un abordaje integral que diferencie la trata de la prostitución voluntaria y de la explotación laboral. El discurso de la trata de mujeres focalizado exclusivamente en la finalidad de explotación sexual, deja de lado otros tipos de explotación contemplados por el delito de trata, como la laboral.

Siendo la explotación sexual y la laboral, dos tipos distintos de finalidad que implica la trata, hemos visto como la explotación laboral hace referencia a las condiciones de realización del trabajo y no remiten únicamente a fines sexuales. Con respecto a la prostitución, muchas veces proxenetas o propietarios de hoteles, cabarets, whiskerías, bares, casa de citas, clubes nocturnos, o de apartamentos en los que se prestan los servicios, exigen trabajar más horas o en condiciones nefastas para la salud, pero aún en estas condiciones, no tienen por qué ser personas tratadas, dado que se dedican al trabajo sexual por voluntad y elección personal, hablaríamos de explotación laboral pero no sexual, ni mucho menos de trata.

Por otro lado, distinguimos el término prostitución, o más concretamente, trabajo sexual, es la prestación de un servicio sexual a cambio de dinero, en el que todas las partes comprometidas lo hacen por decisión personal y con consentimiento propio. Las mujeres trabajadoras sexuales son mayores de edad y han decidido dedicarse a este trabajo, para poder solventar su economía familiar y/o personal.

A la pregunta de por qué no debemos confundir ninguno de estos conceptos, hemos expuesto una serie de argumentos, de los cuales extraemos a modo general, que esta confusión terminológica que se refleja en la legislación y su interpretación, deja desprotegidas a todas las personas que ejercen la prostitución por decisión propia, aumenta la vulnerabilidad de éstas y dificulta enormemente la identificación de las víctimas de trata.

A esto sumamos que se invisibiliza la explotación laboral como un problema en sí mismo.

Además, la continua asimilación de la prostitución con la trata, lleva a que se reconozca en la prostitución en sí, una forma de vulnerar los derechos humanos. Se victimiza a quien la ejerce, y se les trata como mujeres sin voluntad o capacidad de elección y decisión, a las que hay que rescatar, reinsertar y reincorporar a la sociedad. Se toman medidas en las que la trata queda subsumida y desaparece en el fenómeno general de la prostitución, lo que a su vez, conlleva a una discriminación y falta de asistencia a otras víctimas de trata explotadas, como pudieran ser las del servicio doméstico, puesto que como se ha visto, la explotación y esclavitud en la que desemboca la trata, alcanza distintos ámbitos, por lo que si el trabajo sexual fuera abolido, la trata estaría lejos de terminar y las mujeres y las niñas continuarían siendo sus víctimas, para otros fines de explotación y esclavitud.

La mera abolición del comercio sexual, o la penalización de las trabajadoras sexuales, no ayudará en absoluto para hacer frente, minimizar o erradicar estas razones subyacentes de la trata de mujeres y niñas. De hecho, cualquier movimiento para abolir el trabajo sexual, o considerarlo ilegal, sólo lo conducirá a la clandestinidad y de ese modo debilitará los derechos de la mujer en el trabajo sexual sin lograr, de ningún modo, el objetivo de defender los derechos de las personas vulnerables o víctimas de la trata.

Esta confusión también condiciona la opinión y la percepción de la sociedad respecto de la prostitución, creyendo erróneamente que aquellas están en connivencia o complicidad con la trata, cuando en realidad no es así.

Y finalmente consideramos que es imprescindible distinguir trata de prostitución, puesto que esto impide que se pueda abordar el tema desde la esfera de un reconocimiento laboral, ya que de considerar que ambas son lo mismo, estaríamos equiparando la prostitución a explotación y no sería posible defenderla como un trabajo.

V. BIBLIOGRAFÍA

AZIZE, Y., «Empujar las fronteras: mujeres y migración internacional desde América Latina y el Caribe», en OSBORNE (coord.), *Trabajador@s del sexo: derechos, migraciones y tráfico en el siglo XXI*, ed. Bellaterra, 2004.

BALES, K. /TRODD, Z. /WILLIAMSON, A.K., *Modern slavery. The secret worl of 27 million people*, Oneworld, Oxford, 2009.

BARRY, K., *Female Sexual Slavery*, New York: Avon Books, 1981.

BECK-GERNSHEIM, E., «Mujeres migrantes, trabajo doméstico, y matrimonio. Las mujeres en un mundo en proceso de globalización», en BECK-GERNSHEIM, E. /BUTLERY PUIGBERT, L. (eds.), *Mujeres y transformaciones sociales*, 2011.

BINGHAM, N., «Nevada sex trade: a gamble for the workers», *Yale Journal of Law & Feminism*, vol. 10, 1998. Disponible en http://digitalcommons.law.yale.edu/cgi/viewcontent.cgi?article=1137&context=yjlf. (Última visita el 17 de noviembre de 2017).

CERVANTES SÁNCHEZ, «Inmigrantes aquí y ahora: super explotación y/o esclavitud, ni siquiera ciudadanos...», *Crítica*, núm. 919, 2004.

CHO, S. /DREHER, A. /NEUMAYER, E., «Does Legalized Prostitution Increase Human Trafficking?», *World Development*, vol. 41, núm. 1, 2012.

CHUANG, J.A., «Rescuing Trafficking from ideological capture: Prostitution Reform and anti— trafficking law and policy», *University of Pennsylvania Law Review*, vol. 158, 2010.

COMISIÓN EUROPEA, Report of the experts group on trafficking in human being, Bruselas, 22 de diciembre de, 2004.

CONSEJO DE LA UNIÓN EUROPEA, Decisión marco del Consejo 2002/629/JAI de 19 de julio de 2002.

DELACOSTE, F./ALEXANDER, P. (eds.), Sex Work: writings by women in the sex industry, 1987.

DOEZEMA, J., «¡A crecer! La infantilización de las mujeres en los debates sobre tráfico de mujeres», en OSBORNE (ed.), *Trabajador@s del sexo: derechos, migraciones y tráfico en el S. XXI*, ed. Bellaterra, Barcelona, 2004.

DWORKIN, A., «Prostitution and male supremacy», *Michigan Journal of Gender & Law*, vol. I, 1993.

FARRIOR, S., «The International Law of Trafficking in Women and Children for Prostitution: making it live up to its potential», *Harvard Human Rights Journal*, 1997.

GALLAGHER, A.T., *The International Law of Human Trafficking*, Cambridge University Press, 2012.

GARAIZABAL, «Prostitución, trata y explotación sexual: necesidad de repensar conceptos», *Prostitución una visión (sub) objetiva, compleja y global*, 2014. (Consultar http://prostitucionrealidadessociales.blogspot.com.es/2014/05/prostitucion-trata-y-explotacion-sexual.html, última visita el 27 de noviembre de 2017).

GARAIZABAL, *Una mirada crítica al Plan español contra la trata*, 2009. (Consultar http://www.colectivohetaira.org/WordPress/una-mirada-critica-al-plan-espanol-contra-la-trata/; última visita el 25 de noviembre de 2017).

IGLESIAS SKULJ, «Prostitución y explotación sexual: la política criminal del control del cuerpo femenino en el contexto de las migraciones contemporáneas (el caso de España)», *Investigaciones: Secretaría de Investigación de Derecho Comparado*, núm. 1, 2012.

LÓPEZ I MORA, «Prostitución y estatuto profesional», en SERRA CRISTOBAL (coord.), *Prostitución y trata: marco jurídico y régimen de derechos*, Valencia, 2007.

MACKINNON, C., «Prostitution and Civil Rights», *Michigan Journal of Gender & Law*, vol. 22, 1993.

MAQUEDA ABREU, «La prostitución en el debate feminista: ¿otra vez abolicionismo?», en MUÑOZ CONDE (coord.), Problemas actuales del Derecho penal y de la Criminología. Estudios penales en memoria de la Profesora Dra. María del Mar Díaz Pita, Valencia, 2008.

MAQUEDA ABREU, Prostitución, feminismo y derecho penal, Granada, 2009.

MARCOVICH, M., Guide to the UN Convention of 2 December 1949 for the Suppression of the Traffic in Persons and of the Exploitation of the Prostitution of Others, North Amherst, MA: Coalition Against Trafficking in Women, 2001... Disponible en http://www.catwinternational.org/Content/Images/Article/88/attachment.pdf. (Última visita el 09 de diciembre de 2017).

MARTÍN ANCÍN, La trata de seres humanos con fines de explotación sexual en el código penal de 2010: aportaciones de la Ley Orgánica 1/2015, Valencia, 2017.

MESTRE I MESTRE, «¿Unas visitadoras internacionales? (Pantaleón y las visitadoras, de Pedro J. Lombardi)», en ORTS BERENGUER (coord.), *Prostitución y derecho en el cine*, 2002.

MONTERO/ ZABALA, «Algunos debates feministas entrono a la prostitución», *Viento Sur*, núm. 87, 2006. Disponible en http://www.juntadeandalucia.es/iam/catalogo/doc/2006/143478458.pdf. (Última visita el 16 de noviembre de 2017).

NACIONES UNIDAS, Protocolo para Prevenir, Reprimir y Sancionar la Trata de Personas, especialmente de mujeres y niños.

OIM/UNICEF, Guía Normativa: Trata de personas y tráfico ilícito de migrantes en México y América Central, 2002.

PÉREZ ALONSO, Tráfico de personas e inmigración clandestina, Valencia, 2008.

PÉREZ CEPEDA, Globalización, tráfico internacional ilícito de personas y Derecho Penal, Granada, 2004.

PESMAN, A.M., Prosecuting Human Trafficking Cases as a Crime Against Humanity?, Stockholm University, 2012.

REDTRASEX, 8 razones para evitar la confusión entre trata de personas, explotación laboral, y trabajo sexual, 2014.

REY MARTÍNEZ, «La prostitución ante el derecho: problemas y perspectivas», Nuevas Políticas Públicas. Anuario multidisciplinar para la modernización de las Administraciones Públicas, núm. 2, 2006.

SERRA CRISTÓBAL, «Mujeres traficadas para su explotación sexual y mujeres trabajadoras del sexo. Una recapitulación de la cuestión», en SERRA

CRISTÓBAL (coord.), *Prostitución y trata: marco jurídico y régimen de derechos*, 2007.

VILLACAMPA ESTIARTE, «La trata de seres humanos para explotación sexual: relevancia penal y confluencia con la prostitución», en VILLACAMPA ESTIARTE (coord.), *Prostitución: ¿hacia la legalización?*, Valencia, 2012.

ZÚÑIGA RODRÍGUEZ, «El concepto de criminalidad organizada transnacional: problemas y propuestas», *Revista Nuevo Foro*, vol. 12, núm. 86, 2016.

7. Atrapadas e invisibles: mujeres víctimas de trata con la finalidad de explotación sexual

ANA ISABEL GARCÍA ALFARAZ

Universidad de Salamanca

Resumen: El delito de trata de seres humanos presenta una especial gravedad, ya que se basa en la instrumentalización de las personas y su sometimiento a situaciones de explotación sexual con la finalidad de obtener un beneficio económico. Este proceso que, se encuentra fuertemente generizado, constituye una grave violación de los derechos humanos de las mujeres. Sin embargo, las víctimas no son percibidas ni tratadas como tales, tanto desde el punto de vista social (fundamentalmente, debido a la fuerte asociación existente con la prostitución), ni institucional (puesto que su protección no es prioritaria y se condiciona a la previa identificación de la víctima). De este modo, si verdaderamente se quiere erradicar la trata de seres humanos resulta indispensable adoptar una visión victimocéntrica y holística que tenga en cuenta la perspectiva criminológica y de derechos humanos incluyendo el componente de género del fenómeno.

I. LA TRATA DE SERES HUMANOS, ¿VINO VIEJO EN BOTELLAS NUEVAS?

La trata de seres humanos se suele bautizar como la nueva forma de esclavitud del siglo XXI[1] o una forma contemporánea de esclavitud[2]. Denominaciones éstas que engloban todas las formas de explotación extrema del ser humano a la vez que inciden en el hecho de que no se trata de un fenómeno delictivo novedoso (ABOSO, 2018, p. 5). Actualmente, la trata de seres humanos se erige como una típica manifestación de la criminalidad contemporánea en cuanto engloba aspectos de la criminalidad económica, transnacional y de género (MILITELLO, 2018). En sentido similar GARCÍA ARÁN que indica que esta criminalidad se caracteriza por presentar tres perspectivas: de género, de clase (referida a un contexto de desigualdad y pobreza) y transnacional (GARCÍA ARÁN, 2017, pp. 659-660). La trata constituye una de las mayores amenazas globales, de la que ningún país está exento, bien como punto de origen, tránsito o destino. En este sentido, sirva como ejemplo de ello el hecho de que «en 137 Estados se ha explotado a víctimas de por lo menos 127 países» (MARTÍN ANCÍN, 2017, pp. 45-46, UNODC, s.f.). Estamos ante un grave problema que, lamentablemente, a pesar de su larga trayectoria histórica, no sólo sigue estando de actualidad, sino que se encuentra potenciado por la presencia esencialmente de cuatro factores interconectados que se retroalimentan entre sí: el capitalismo neoliberal, tecnologías de la información y la comunicación (TIC's), la globalización y las restricciones a los flujos migratorios.

---

1. En el pasado, la esclavitud implicaba que una persona poseía legalmente a otra, pero la esclavitud moderna es diferente. Hoy en día, la esclavitud es ilegal en todas partes y ya no existe la propiedad legal de seres humanos. De este modo, en la actualidad, cuando se compran esclavos no se piden recibos ni documentos de propiedad, pero se adquiere el control completo y se utiliza la violencia o la amenaza de violencia para mantenerlo, ejerciendo sobre la víctima los atributos del derecho de propiedad (BALES, 2012, p. 29; SHAHINIAN, 2017, p. 32 y GARCÍA ARÁN, 2017, p. 661).
2. A pesar de su utilización como términos sinónimos, los instrumentos internacionales los diferencian. Así, el Convenio de Ginebra sobre la represión de la esclavitud de 25 de septiembre de 1926 (modificado por el Protocolo de 7 diciembre 1953), en su artículo 1 dispone que la esclavitud es: «el estado o condición de un individuo sobre el cual se ejercitan los atributos del derecho de propiedad o alguno de ellos»; mientras que la trata de esclavos «comprende todo acto de captura, adquisición o cesión de un individuo para venderle o cambiarle y en general, todo acto de comercio o transporte de esclavos». Posteriormente, estas distinciones se recogen en la Declaración Universal de Derechos Humanos de 1948 (art. 49) y en el Pacto de Derechos Civiles y Políticos de 1966 (art. 8.1º).

El capitalismo neoliberal hace referencia al modelo capitalista extremo, caracterizado por reducir el Estado a la mínima expresión (especialmente, la expresión del Estado social), imponiendo la dictadura del capital y las leyes de mercado (SANZ MULAS, 2022a, p. 101), guiado por el aumento del beneficio y la lógica utilitarista (PÉREZ CEPEDA, 2004, pp. 2 y ss). Bajo este modelo impera la idea de que todo aquello que puede proporcionar beneficios se puede comercializar, incluidos, por tanto, los seres humanos (COBO BEDÍA, 2016, p. 907; PORTILLA CONTRERAS, 2008, pp. 16 y ss), los cuáles se venden como esclavos (DEFENSOR DEL PUEBLO, 2012, p. 5). Las personas pasan a ser objetos susceptibles de ser comercializados, motivando por ende el desarrollo de la delincuencia organizada; ya que las organizaciones criminales advierten la presencia de un gran negocio comerciando con las personas como mercancías. El desarrollo de las TIC's también contribuye a la expansión de la trata puesto que facilitan e incentivan la demanda sexual. Se constata el amplio uso de estas tecnologías para la captación de víctimas mediante falsas promesas de empleo, seducción por novios falsos (*lover boy* o *romeo pimp*), sexteo seguido de amenazas y/o coacciones, etc. Además, las TIC's posibilitan el acceso a un mayor número no sólo de víctimas, sino también de clientes; su uso implica que no existen barreras geográficas o que resulte mucho más difícil la identificación de los autores, de los criminales, etc. (AGUILAR— CÁCERES ET. AL., 2021, p. 120), o que sean mucho más fáciles las transacciones económicas.

En cuanto a la globalización, ésta se entiende como un proceso económico cuyas consecuencias trascienden a otros ámbitos (social, cultural, político, etc.) y que, «basado en el lucro, quiere convertir el planeta en un espacio pensado para el libre flujo de mercancías, capitales y servicios, desdeñando cualquier barrera administrativa y enfrentándose abiertamente a éstas donde las hubiere» (CASALS, 2001, p. 17). La globalización, por tanto, facilita el movimiento internacional de personas y mercancías, la existencia de rutas transnacionales, aspectos que se aprovechan por la trata de seres humanos para extenderse por todo el mundo (GIMÉNEZ-SALINAS FRAMIS, 2019, p. 38; RIVAS VALLEJO, 2020, 41), facilitando también la interconexión entre las distintas formas de criminalidad o mercados ilícitos.

Igualmente, la globalización potencia las desigualdades entre el Norte y el Sur global[3], al existir un desequilibrio cada vez mayor en el reparto de los

3. Las expresiones «Sur global» y «Norte global» hacen referencia a la división del mundo atendiendo a criterios económicos, considerando que, en general, las economías más enriquecidas se encuentran en el hemisferio Norte, mientras que las más empobrecidas se sitúan en el Sur.

recursos, de las riquezas y como no de las oportunidades. Así, en relación con la trata de seres humanos con fines de explotación sexual, aquellos que tienen el poder, coaccionan, abusan, explotan a los que no lo tienen y se ven obligados (por su situación de desigualdad, desequilibrio) a doblegarse a los deseos, a las decisiones de los poderosos, convirtiéndose en esclavas del poder (CACHO, 2015). Se evidencia, por tanto, una relación de poder en la que unos venden y otros compran, y cómo los que compran, pagan, pueden exigir que hagan lo que quieran (GÓMEZ SUÁREZ, 2021, p. 246). Se afirma que la trata encarna el lado oscuro de la globalización (CASADEI, 2017, p. 102), del mundo globalizado en el que prevalecen los intereses económicos y se potencian las desigualdades sociales y económicas entre países y personas. Un mundo que favorece la libre circulación de mercancías y capitales, pero que limita los movimientos de personas. Desplazamientos desde el Sur hacia el Norte global que son inevitables y la respuesta a la globalización, el cambio climático, los desequilibrios existentes entre el Norte y el Sur, la pobreza, los conflictos sociales y armados, etc. (MAQUEDA ABREU, 2022, p. 260). Estos desplazamientos en busca de una vida mejor chocan con las políticas migratorias restrictivas (DAUNIS RODRÍGUEZ, 2009, p. 190), las cuales a su vez revelan a las organizaciones criminales como posibles aliados para poder burlar las restricciones estatales y así entrar y vivir en los países del Norte global. Obviamente, la presencia de condiciones precarias que obligan a emigrar facilita las situaciones de abuso y sometimiento (GARCÍA ARÁN, 2006, p. 10). En general, las razones por las que se decide migrar son comunes a hombres y mujeres (reconducibles a la idea de intentar mejorar la calidad de vida). Sin embargo, las normas sociales y culturales determinan que la experiencia sea distinta y que las mujeres acaben en mayor medida sometidas a situaciones de abuso, discriminación y, en general, de violación de sus derechos fundamentales (TORRADO MARTÍN-PALOMINO & CEBALLOS VACAS, 2023, p. 4).

Así, en el caso de las mujeres procedentes, normalmente, de sociedades «patriarcales», que limitan su movilidad, los proyectos migratorios sólo se llevarán a cabo cuando se contempla como una posibilidad de huir de las normas y constricciones patriarcales, o bien cuando existe una importante situación de vulnerabilidad socioeconómica (motivada por una mala situación económica, la precariedad laboral, etc.) y, entonces, la movilidad estará dirigida a lograr la subsistencia tanto propia como muy especialmente de sus familiares, a asumir las responsabilidades derivadas de las cargas familiares. Sin duda, estos escenarios favorecen el proceso de la trata y su explotación, generalmente, de carácter sexual (TORRADO MARTÍN-PALOMINO & CEBALLOS VACAS, 2023, p. 3). Máxime cuando, en ocasiones, es el propio entorno familiar el que incentiva el desplazamiento ante la posibilidad de conseguir ingresos, llegando incluso a convertirse en las proveedoras de la economía familiar. Se observa, por tanto, como los valores propios de la sociedad patriarcal y la especial situación de vulnerabilidad socioeconómica influyen en la captación de las víctimas, así como en su aceptación y sumisión a la explotación por el «bien» de la familia.

Estos cuatro factores expuestos condicionan, en mi opinión, en mayor o menor medida, el aumento del negocio de la industria del sexo dentro de la industria del ocio, pero también favorecen la trata de seres humanos con fines de explotación sexual, porque la trata de seres humanos se convierte en el principal medio para abastecer este mercado caracterizado por la presencia de una demanda superior a la oferta en la industria del sexo (CAMPO MARTÍN, 2021, p. 9; COBO BEDÍA, 2016, pp. 906 y ss; CUESTA & CORROCHANO, 2015), así como por el reclamo de cierto exotismo o la extranjería de las mujeres (GARCÍA ARÁN, 2006, p. 27), que también son más baratas (BAUCELLS LLADÓS & CUENCA GARCÍA, 2006, p. 148). Se estima que en el mundo se prostituyen cada año unos 4 millones de personas, generando anualmente entre 5 y 7 billones de dólares, cantidad que muy probablemente haya aumentado en las últimas décadas (COALITION AGAINST TRAFFICKING IN WOMEN, 2001, p. 2; GÓMEZ SUÁREZ, 2021, p. 16).

Asimismo, 2/3 de los beneficios obtenidos por el trabajo forzoso proceden de la explotación sexual, esto es, alrededor de 99.000 millones de dólares anuales a nivel mundial (OIT, 2014), unos 100.000 millones de dólares (OSCE, 2021, P. 13) y unos 150.000 millones de dólares si se suman los beneficios derivados del blanqueo de capitales (PARLAMENTO EUROPEO, 2016, Considerando G). En general, se trata de un negocio muy lucrativo, sobre todo para las redes de países en desarrollo (MENESES-FALCÓN & URÍO, 2021, p. 96), situado por detrás del tráfico de drogas y el tráfico de armas (MINISTERIO DEL INTERIOR, 2023). Constituye, por tanto, el tercer flujo financiero ilícito, convirtiendo a los seres humanos en meras mercancías, cosificándolas. No obstante, la trata de seres humanos presenta una característica exclusiva y específica: la posibilidad de reutilización del objeto del delito, porque el ser humano no es un bien que se consume y desaparece con un único uso, como sucede, por ejemplo, con las drogas; sino que se puede traficar reiteradamente con el mismo ser humano (FERNÁNDEZ OLALLA, 2012, p. 423). Conscientes de dicha característica, los tratantes y los explotadores persiguen mantener a la persona en esa situación indefinidamente, mientras puedan reportar una utilidad (POMARES CINTAS, 2017, p. 775;

SANCHA SERRANO, 2012, p. 119) o, al menos, hasta que abone la totalidad de la inflada deuda contraída con los explotadores. Este hecho motiva que sea habitual la venta de mujeres de un tratante a otro, consiguiendo adicionalmente «renovar la mercancía» de los clubs y aumentar con ello los beneficios económicos, que es el principal objetivo perseguido.

II. APROXIMACIÓN CRIMINOLÓGICA A LA TRATA DE MUJERES CON FINES DE EXPLOTACIÓN SEXUAL

1. INTRODUCCIÓN

La trata de mujeres con fines de explotación sexual (al igual que la trata de seres humanos) se caracteriza por ser un fenómeno global, multicausal complejo y con una enorme repercusión, en el que intervienen factores sociales, económicos y culturales y que exige un análisis criminológico. La adopción de este enfoque permite, de una parte, conocer la realidad a la que se pretende hacer frente con la regulación penal. Y, de otra parte, nos ofrece una visión crítica para advertir si las respuestas que ofrece la regulación existente son adecuadas o si, por el contrario, es necesario realizar cambios, formulando propuestas *de lege ferenda*.

Esta aproximación criminológica exigiría en primer lugar conocer cuantitativamente el fenómeno. Y he aquí el primer obstáculo y es que los datos que proporcionan los distintos organismos no siempre coinciden, porque no se debe olvidar que estamos ante un fenómeno global, transnacional, ilegal o clandestino, controlado mayoritariamente por organizaciones criminales y muy lucrativo (BLÁZQUEZ VILAPLANA, 2017, pp. 186-187), que exige una gran flexibilidad para poder adaptarse a los cambios normativos, estratégicos, etc.

Igualmente, desde un punto de vista cualitativo será necesario acudir a datos no estructurados y heterogéneos procedentes de las investigaciones empíricas realizadas previamente, de los protocolos e informes de las distintas organizaciones que estudian el fenómeno y de la amplia literatura existente en este campo.

La Oficina de Naciones Unidas contra la Droga y el Delito (UNODC, sigla en inglés) estima que cerca de 21 millones de personas son víctimas de trata, de los cuales un 72% son mujeres y niñas (UNODC, 2018).

Asimismo, según la Organización Internacional del Trabajo (OIT) en 2021 49,6 millones de personas vivían en condiciones de esclavitud moderna, de los cuáles 22 millones en situación de matrimonio forzoso y 27,6 millones en situación de trabajo forzoso, que a su vez se divide en: 17,3 en el sector privado, 3,9 impuesto por el Estado y 6,3 millones se encuentran en situación de explotación sexual comercial forzosa. Las mujeres y las niñas representarían el 77,78% de las víctimas de trata con fines de explotación sexual, es decir, asciende a la cantidad de 4,9 millones de víctimas (OIT, 2022).

A pesar de las dimensiones de este fenómeno, sus cifras ya alarmantes (4,9 millones de mujeres y niñas en todo el mundo), se estima que sólo se conoce la punta del iceberg (BAUCELLS LLADÓS & CUENCA GARCÍA, 2006, p. 112) y que existe igualmente una importante cifra negra, consecuencia de las peculiaridades de la conducta de trata en sí y de las víctimas de este delito (la falta de autopercepción como víctimas, la desconfianza hacia la policía, los jueces; la consideración alegal de la prostitución, la situación de irregularidad, el miedo, la presencia de prejuicios sociales, etc.). No en vano, la trata de seres humanos se ha considerado tradicionalmente un «delito invisible». Aspecto éste al que contribuye decisivamente la percepción social imperante y, como no, el empleo de las nuevas tecnologías de la información y la comunicación, que dificultan aún más la detección de las víctimas de trata (COUNCIL OF EUROPE, 2023, p. 41). Así, en el último informe publicado por la UNODC se recoge que, en 2020, por primera vez el número de víctimas de trata detectadas en todo el mundo disminuyó un 11% en comparación con 2019. Claramente, esta reducción fue una más de las consecuencias derivadas del COVID-19 y de las medidas de seguridad y de protección adoptadas por los Estados. El descenso más significativo en la detección se registró en la trata con fines de explotación sexual, concretamente, un 24% menos respecto al año anterior (Hallazgo 2). La explicación lógica de esta reducción reside en el hecho de que, normalmente, la explotación sexual se lleva a cabo al aire libre o en lugares públicos (tales como clubs o bares). Espacios públicos éstos que permanecieron cerrados durante la pandemia y la declaración del estado de alarma. Igualmente, contribuyó a este descenso que eran menos fáciles de detectar aquellos supuestos en los que la explotación sexual se desplazó hacia lugares menos visibles, para esquivar así las restricciones sanitarias y de movimiento vigentes (UNODC, 2023, pp. Iv, 17 y 25). En este sentido, en España más de la mitad del total de investigaciones realizadas contra la explotación sexual se dirigieron hacia viviendas particulares, a resultas de las cuales se obtuvo que una de cada tres víctimas estaba siendo explotada en estos espacios, que a diferencia de los espacios públicos son más invisibles (MINISTERIO DEL INTERIOR, 2023).

Tradicionalmente, España ha sido un país de tránsito y destino para las víctimas de trata de seres humanos, convirtiéndose de hecho en una de las actividades criminales más lucrativas en nuestro país, especialmente aquellas dirigidas a la explotación sexual (MINISTERIO DEL INTERIOR, 2023). Asimismo, la forma prevalente de trata de seres humanos en la Unión Europea es aquella con fines de explotación sexual, representando el 51% del total de víctimas de trata de seres humanos (PARLAMENTO EUROPEO, 2023, p. 10). Los datos sobre trata y explotación de seres humanos en España entre los años 2017 y 2021 reflejan asimismo que predomina claramente aquélla de carácter sexual, con un 61% del total (MINISTERIO DEL INTERIOR, 2023).

En cuanto a las víctimas de trata de seres humanos identificadas formalmente entre los años 2017 y 2021 éstas ascienden en España a 1.438 personas (que se distribuyen en 873 víctimas de trata sexual, 494 de trata laboral, 19 de trata para la mendicidad, 42 de trata para actividades delictivas y finalmente, 12 de trata para matrimonios forzados) y a 4.420, las víctimas de explotación sexual y laboral, en concreto, el número de víctimas de explotación sexual alcanza la cifra de 2.227.

Al igual que sucede a nivel mundial, las mujeres y las niñas constituyen la mayoría, precisamente, el 93% del total de las víctimas de trata con fines de explotación sexual, revelando, de este modo, la clara perspectiva de género que impera en esta actividad ilícita.

La trata de personas consiste en trasladar a la persona a otro lugar distinto, normalmente alejado del de su residencia con el objetivo de someterla a una explotación. La forma más clásica de trata es la explotación sexual de mujeres (LARA AGUADO, 2017, p. 79), que es la que se centran estás páginas.

Este delito contemplado en el art. 3 del Protocolo de Palermo establece que se entenderá por trata de personas:

«la captación, el transporte, el traslado, la acogida o la recepción de personas, recurriendo a la amenaza o al uso de la fuerza u otras formas de coacción, al rapto, al fraude, al engaño, al abuso de poder o de una situación de vulnerabilidad o a la concesión o recepción de pagos o beneficios para obtener el consentimiento de una persona que tenga autoridad sobre otra, con fines de explotación. Esa explotación incluirá, como mínimo, la explotación de la prostitución ajena u otras formas de explotación sexual, los trabajos o servicios forzados, la esclavitud o las prácticas análogas a la esclavitud, la servidumbre o la extracción de órganos».

Este delito se caracteriza por la presencia de tres elementos: medios, conductas y finalidades. Así, el delito de trata de seres humanos castiga diversas conductas: la captación, transporte, traslado, acogida, recepción, intercambio o traslado de control sobre una persona, mediante el uso de medios propios de la trata coactiva (violencia o intimidación), la fraudulenta (fraude o engaño) o la abusiva (aprovechando la situación de vulnerabilidad, confianza o superioridad sobre la víctima) con la finalidad de explotarla sexualmente. La trata es un delito de tendencia y consumación anticipada. Las conductas no son actos preparatorios, sino actos de consumación justificados por la cosificación de la persona previa a la explotación. La consumación del delito exige simplemente la concurrencia de tres elementos: los medios comisivos determinados (violencia, coacción, engaño, etc.), alguna de las conductas típicas (captación, traslado, recepción) y con la finalidad de explotación sexual de la víctima. No es necesario, por tanto, que se materialice la intención de explotar sexualmente a la víctima. De hecho, puede suceder que la intervención policial o la huida de la víctima impidan que se lleve a cabo la explotación sexual de la víctima.

La trata de seres humanos comprende distintas «fases», conductas (captación, traslado, recepción...), esto implica que será necesario conocer las peculiaridades de cada una de ellas para intervenir eficazmente, tales como las dinámicas de los flujos migratorios y las conexiones entre los países de origen y de destino de la trata, los tipos de trata, los *modus operandi* de la captación, los perfiles de las víctimas, los factores de vulnerabilidad, etc. que las ponen en riesgo de ser víctimas de trata.

Respecto a los medios comisivos, el más habitual en la trata de seres humanos con fines de explotación sexual es el abuso de situación de necesidad o vulnerabilidad de la víctima llegando al 60% de las víctimas en 2021. El engaño, tanto en el tipo de actividad a realizar como en las condiciones de la misma, se halló entre los años 2017 y 2021 en un 46% de los supuestos. Se les ofrece trabajar cuidando niños, en el servicio doméstico, recepcionistas, etc. y cuando llegan al país de destino les quitan la documentación, el dinero y se les obliga a pagar la deuda, imponiéndoles normalmente la prostitución (LARA AGUADO, 2017, p. 826).

En cuanto a la forma de captación, ésta depende de la nacionalidad de la víctima. Así, entre las víctimas del Este de Europa predomina la técnica del «*lover boy*» o «*romeo pimp*», consistente en seducir a las víctimas haciéndoles creer que están enamorados de ellas y proponiéndoles viajar al extranjero o incluso casarse; en cambio, las víctimas procedentes de Nigeria son captadas mediante rituales de «*vudú-yuyu*», en los que los proxenetas crean un vínculo con las mujeres que no romperán, porque si lo hacen ponen en peligro sus vidas y las de sus familiares (MINISTERIO DEL INTERIOR, 2023). En la actualidad, adquiere cada vez más relevancia la dimensión digital (sin obstáculos geográficos), siendo habitual el uso de las nuevas tecnologías, incluidos Internet y las redes sociales no sólo para captar a las víctimas, sino también para controlarlas, transportarlas o explotarlas, así como para trasladar los beneficios obtenidos.

Las principales manifestaciones de la trata con fines de explotación sexual son la explotación de la prostitución ajena, el turismo sexual y la pornografía (CACHO, 2015, p. 301), pero también los espectáculos sexuales, «*streaptease*», masajes eróticos (LARA AGUADO, 2017, p. 825), algunas formas de actuación de las fuerzas de pacificación (PÉREZ ALONSO, 2008, pp. 73-78) o la denominada esclavitud o servidumbre sexual[4], caracterizada porque no existe el lucro en sí, sino que consiste en la imposición mediante el uso de la fuerza o la amenaza para conseguir el control o poder absoluto una persona por otra (WEISSBRODT & LA LIGA CONTRA LA ESCLAVITUD, 2002, p. 37, pfo. 104), capta a la víctima para convertirla en su esclava sexual. Este tipo de esclavitud es representativo de los conflictos bélicos y las ocupaciones territoriales (BALES, 2012), forma parte de estrategias bélicas concebidas con el objetivo de humillar, desestabilizar familias y comunidades, etc. (DÍEZ PERALTA, 2017), constituyendo una grave infracción del derecho internacional humanitario. Son ejemplos paradigmáticos de esclavitud sexual las 200.000 esclavas sexuales coreanas al servicio del ejército japonés durante la Segunda Guerra Mundial, la explotación realizada en 1945 tras la entrada en Berlín por las tropas soviéticas, durante el genocidio de Ruanda, la guerra de Bosnia, etc. (CEREZO DOMÍNGUEZ, 2021, pp. 178 y ss; GARCÍA SEDANO, 2020, p. 241).

En este proceso intervienen personas encargadas de la captación, del traslado, de la recepción, de la explotación, etc. y en general, se aprecia la «costumbre» de que las víctimas y autores compartan nacionalidad, siendo más fácil, por ejemplo, el proceso de captación o incluso la explotación al existir unos lazos de origen más fuertes (MINISTERIO DEL INTERIOR,

4. Por el contrario, VILLACAMPA ESTIARTE defiende que el turismo sexual y las fuerzas de pacificación no son manifestaciones de la trata, sino causas que explican la presencia de la trata de seres humanos con fines de explotación sexual, así como el aumento de la demanda (VILLACAMPA ESTIARTE, 2011, pp. 68-69).

2023) o por la creación de un vínculo de confianza (ORGANIZACIÓN INTERNACIONAL PARA LAS MIGRACIONES, 2011, p. 51).

Obviamente, los sujetos activos de la trata pueden ser corporaciones o individuos, actuando solos o en una organización criminal. No obstante, esta grave vulneración de los derechos humanos a menudo y prioritariamente viene ejercida por grupos criminales organizados o paraorganizados (sin una estructura permanente) como medio para obtener importantes beneficios económicos. Si bien, nuestra legislación penal no exige que el sujeto activo sea una organización criminal, su presencia determinará, por ejemplo, la presencia de ramificaciones internacionales y, por ende, resultará indispensable acudir a mecanismos de cooperación judicial y policial. Exigiendo tener presentes otros aspectos como la posible corrupción de los funcionarios públicos o la estrecha colaboración de los líderes de las comunidades con las organizaciones criminales a cambio de obtener importantes compensaciones económicas (FERNÁNDEZ OLALLA, 2012, p. 425).

Lógicamente, la comisión de un delito de trata por parte de traficantes individuales o de organizaciones criminales determina algunas diferencias más allá del número de sujetos activos implicados, tales como el grado de estructuración u organización, el alcance, reparto de funciones o la versatilidad y flexibilidad para vincularse y desvincularse a otras formas de criminalidad según los intereses (ZÚÑIGA RODRÍGUEZ, 2018, p. 368). Pero igualmente será relevante, para implementar las estrategias de lucha contra la trata de seres humanos, conocer los medios de los que disponen, por ejemplo, tecnológicos, infraestructuras, si proporcionan la documentación necesaria para cruzar las fronteras, si en la actividad participan o se sirven de empresas o con apariencia empresarial, por ejemplo, para realizar el transporte o para ocultar a las víctimas, etc. Asimismo, el perfil del tratante cambiará atendiendo a si tiene relación con la víctima (pariente, amigo, «pareja», conocido de la comunidad o por Internet, líderes de la comunidad, etc.) o si tiene experiencia previa (exestafadores, exsoldados, profesionales en posiciones estratégicas, etc.) (ORGANIZACIÓN INTERNACIONAL PARA LAS MIGRACIONES, 2011, p. 53), son aspectos todos ellos que deciden el concreto *modus operandi* de la organización criminal (AGUILAR-CÁRCELES ET AL., 2021, pp. 124-126).

Otro aspecto interesante de cara a la prevención de la trata es si las conductas de trata forman parte de un negocio estructurado o si se trata de la comisión de un delito puntual, fruto de una oportunidad. Lógicamente, si la trata de seres humanos se presenta como un negocio, como como una actividad estructurada muy lucrativa, difícilmente la organización criminal va a abstenerse de la comisión del delito (ORGANIZACIÓN INTERNACIONAL PARA LAS MIGRACIONES, 2011, p. 11) ante la aparición de posibles dificultades u obstáculos, sino que simplemente se adaptará para poder continuar con la actividad delictiva. Máxime cuando existen vínculos con la criminalidad organizada o con la realización de otros tráficos ilícitos (MAQUEDA ABREU, 2000, p. 7). De hecho, desde hace unos años la criminalidad organizada ha diversificado aún más sus actividades, aprovechando no sólo los mercados ilícitos existentes, sino también descubriendo nuevas actividades que les procuren importantes beneficios a la par que implican escasos riesgos, por ejemplo, en el ámbito de la trata con fines de extracción de órganos (MOYA GUILLEM, 2020, p. 63).

En cambio, si el delito de trata es consecuencia de la oportunidad implica que cualquiera puede cometer un delito siempre y cuando se le presente esa oportunidad para delinquir (SERRANO MAÍLLO, 2009, pp. 64 y ss). Obviamente, el delincuente es un ser racional y, por ende, sólo caerá en la tentación, sólo tomará la decisión para cometer un delito concreto si conforme a las circunstancias que lo rodean, le compensa. Y no cabe duda de que será mucho más fácil reducir las oportunidades para sujetos individuales que para corporaciones. Así, incidiendo sobre la situación, se pueden reducir las oportunidades, entendidas en un sentido amplio y, por lo tanto, prevenir la comisión del delito de trata de seres humanos.

La oportunidad puede coadyuvar a explicar no sólo por qué se cometen delitos, sino también por qué una persona se convierte en víctima de un delito, por qué determinadas personas ofrecen mayores oportunidades para ser elegidas víctimas de un delito: sus actividades rutinarias, sus estilos de vida, sus características personales, socioeconómicas, etc. Esto es, la concurrencia de determinados factores de vulnerabilidad determina que la víctima sea un objetivo más fácilmente alcanzable. Máxime si se entiende que «existe una situación de vulnerabilidad cuando la persona en cuestión no tiene otra alternativa real o aceptable excepto someterse al abuso» (art. 2 de la Directiva 2011/36/UE). Así, se advierte la concurrencia de una situación de superioridad, por parte de los sujetos activos y de una situación de vulnerabilidad de las víctimas que prácticamente imposibilita que puedan evitar ser víctimas del delito.

La variedad y abundancia de perfiles respecto al sujeto activo diversifica las oportunidades y dificulta la prevención del delito de trata. En España, en 2021, por primera vez el número de mujeres tratantes con fines de explotación sexual detenidas ha sido superior al de hombres, un 53%. Corroborando la idea de que muchas de las víctimas con el tiempo desempeñan cargos de responsabilidad en las organizaciones criminales como «*madames*» o captadoras (MINISTERIO DEL INTERIOR, 2023), ocupando puestos más destacados que en el resto de formas de trata de seres humanos (PARDO MIRANDA, 2023, p. 69).

La diversidad de sujetos activos contrasta con el perfil de la víctima que, en el ámbito de la trata con fines de explotación sexual, prácticamente se limita al de mujer en situación de vulnerabilidad socioeconómica y procedente, generalmente, de países vías de desarrollo. En España, en los últimos años se ha asistido a importantes cambios. En este sentido, tradicionalmente, las víctimas de trata con fines de explotación sexual eran de nacionalidad rumana y nigeriana. No obstante, últimamente se ha experimentado un crecimiento de las víctimas de procedencia latinoamericana, alcanzando el 74% del total de las víctimas de trata con fines sexuales identificadas, y el 59% eran procedentes de Venezuela, Colombia y Paraguay. Respecto a las víctimas de explotación sexual, entre 2017 y 2021 el 98% eran mujeres y niñas, con una edad media entre los 33 y 37 años. Las nacionalidades más características en este ámbito fueron la colombiana, española y rumana (MINISTERIO DEL INTERIOR, 2023). En la Unión Europea las víctimas de trata con fines sexuales proceden en gran medida de otros Estados miembros de la UE, aunque muchas de ellas proceden también del sudeste asiático y de América Latina (PARLAMENTO EUROPEO, 2023, p. 11).

2. ETIOLOGÍA

La trata de seres humanos es un fenómeno global y complejo, en cuanto que no hay una única causa, sino multitud de causas que interaccionan y se retroalimentan favoreciendo su expansión (PÉREZ ALONSO, 2008, p. 58). La etiología de la trata de seres humanos se puede encontrar esencialmente en la presencia de causas estructurales derivadas del actual modelo económico que interactúan con variables económicas, socioculturales, demográficas y jurídicas. La trata de seres humanos puede ser interna (cuando la víctima no es trasladada de un Estado a otro) o transnacional, predominando esta última.

Normalmente, la trata de personas se inicia en un país de origen menos desarrollado, donde parte de su población busca mejores oportunidades en los países desarrollados. Este hecho motiva la clásica división de los factores explicativos en factores de empuje (*push factors*), que presionan desde los países de origen a las personas que se encuentren en situación de vulnerabilidad hacia la trata; y los factores de atracción (*push factors*) que ejercen su influencia desde los países de destino, ofreciendo mayores y mejores oportunidades formativas, laborales, económicas, sociales, etc. (VILLACAMPA ESTIARTE, 2013, pp. 299 y ss).

Dentro de los factores de empuje, se pueden observar diferentes causas estructurales, reconducibles todas ellas a una causa principal: la globalización económica de corte neoliberal, responsable del fuerte desequilibrio económico entre países y personas, y, por lo tanto, de la pobreza. Así, el 10% más rico de la población mundial se lleva actualmente el 52% de la renta mundial, mientras que a la mitad más pobre le corresponde simplemente el 6,5% de la renta mundial (ONU, 2023).

En los últimos años se aprecia un claro aumento de la tasa de pobreza. En el año 2020, 22 de los 39 países sobre los que se disponen datos registraron aumentos de las tasas nacionales de pobreza en comparación con el año anterior (Naciones Unidas, 2023, p. 12). En este sentido, más de 700 millones de personas vive en situación de extrema pobreza, esto es, con dificultades para satisfacer las necesidades más básicas, como la salud, la educación y el acceso a agua y saneamiento. La mayoría de las personas que viven con menos de 1,90 dólares al día viven en el África subsahariana.

Asimismo, el 8% de los trabajadores de todo el mundo, y sus familias viven en situación de extrema pobreza, es decir, el empleo que desempeñan y el salario percibido por él no les garantiza una vida digna (NACIONES UNIDAS, 2023). Por ejemplo, en India, Indonesia, Filipinas, Tailandia o Vietnam se paga a las trabajadoras 50 céntimos la hora, por 60 horas semanales, sin derechos ni garantías (FERRAJOLI, 2022, p. 33).

Lógicamente, el fuerte desequilibrio económico existente entre los países determina que exista una desigual distribución de las oportunidades en diversos ámbitos: formativos, ocupacionales, sociales entre la población de un mismo país, lo que motiva que algunas personas encuentren más dificultades para encontrar, por ejemplo, un empleo con un sueldo digno. Evidentemente, se advierte una mayor situación de vulnerabilidad en determinados colectivos: discapacitados, enfermos y por supuesto las mujeres. Se observa cómo, de nuevo, un aspecto clave vuelve a ser el género, demostrando que tanto la pobreza como la desigualdad tienen un fuerte componente de género (NACIONES UNIDAS, 2010, p. 113) y, que, por lo tanto, existe un vínculo entre las situaciones de especial vulnerabilidad a las que están sometidas las mujeres y las formas contemporáneas de esclavitud y sus manifestaciones (BLÁZQUEZ VILAPLANA, 2017, p. 187).

De hecho, los datos existentes demuestran como el género también es un componente importante en la trata con fines de explotación sexual. Afectando especialmente al colectivo de las mujeres y los menores. La mayoría de los seres humanos sometidos a la trata con fines de explotación sexual son mujeres y niñas (ANDREU IBÁÑEZ & CARMONA ABRIL, 2017, p. 249; MAQUEDA ABREU, 2002, p. 261). Se estima que más del 90% de las víctimas de trata con fines de explotación sexual son mujeres, en concreto el 67% mujeres adultas y el 25% niñas, frente al 5% de hombres y el 3% de niños (UNODC, 2021, p. 36). Estamos, por tanto, ante un fenómeno altamente generizado, en el que se perpetúan las relaciones de dominación y explotación hacia las mujeres (MENESES-FALCÓN & URÍO, 2021, p. 90). No obstante, las formas de explotación no se agotan en la explotación sexual; sino que comprenden también los matrimonios forzados, la explotación laboral en la agricultura, los trabajos domésticos o el cuidado de mayores.

Las mujeres son las que presentan una mayor probabilidad de convertirse en objetos de trata con fines de explotación sexual. Detrás de ello se encuentra la herencia de la sociedad patriarcal que, tradicionalmente, posiciona a las mujeres en clara desventaja social para encontrar un empleo y que también se ven golpeadas más fácilmente por la desigual distribución de las oportunidades económicas, laborales y sociales, por la pobreza, en definitiva. Aspectos estructurales que condicionan a las mujeres a intentar perseguir las oportunidades fuera y que muchas de ellas acaben finalmente sometidas a trata, porque no hay que olvidar que el endurecimiento de las políticas migratorias dificulta la entrada y la permanencia legal, aumentando por ende la situación de irregularidad, la economía sumergida, los abusos y también la trata.

En este punto conviene advertir que el riesgo de victimización no se distribuye uniformemente entre todas las mujeres, sino que intervienen factores como la situación de necesidad, de vulnerabilidad social, nacionalidad, etc., las cuales contribuyen a la vulnerabilidad ante la trata de niñas y mujeres pobres (RUIZ RESA, 2020, p. 680). En general, estas variables se clasifican fundamentalmente en socioeconómicas y culturales. Las variables de corte socioeconómico hacen referencia al desempleo, los limitaciones y obstáculos para acceder a la educación, la falta de escolarización, el abandono escolar, el alto coste de la educación, las condiciones de seguridad del barrio, la violencia social y/o política, las crisis económicas, etc., las cuáles a su vez no afectan por igual a todas las ciudades, regiones o países, ni a sus habitantes.

En cuanto a las variables culturales que inciden en la desigualdad, éstas remiten a la pertenencia a determinadas etnias, la existencia de patrones culturales relativos a la venta de hijos o a su envío a familiares lejanos, etc., pero también, de nuevo, a la presencia del patriarcado, por ejemplo, la violencia intrafamiliar para demostrar quien detenta el poder, el sometimiento a la autoridad patriarcal (padre o marido), infravalorando la condición de mujer, considerando que debe dedicarse a las labores del hogar y el cuidado de niños y ancianos, etc. (GIMÉNEZ-SALINAS FRAMIS, 2019, pp. 42-43).

Igualmente, derivado de la globalización y del capitalismo neoliberal encontramos otro factor global determinante: el cambio climático, que, de nuevo, coadyuva como efecto multiplicador de las desigualdades sociales y económicas. Como todos sabemos, el cambio climático es el responsable de desastres naturales repentinos (huracanes, inundaciones), pero también de consecuencias de desarrollo lento (aumento de la temperatura media, sequías, escasez de recursos, reducción de las tierras cultivables, inseguridad alimentaria, conflictos bélicos y/o sociales, migraciones, etc.). Efectos todos ellos que conducen a la población de determinadas regiones o países a situaciones de mayor vulnerabilidad, aumentando todavía más la desigualdad entre personas y países provocada por la globalización. En general, la mayoría de estos efectos negativos se concentran en el denominado Sur global porque son más vulnerables: su economía se basa fundamentalmente en el sector primario, existe un mayor autoconsumo, disponen comúnmente de menos recursos, infraestructuras o tecnologías para prevenir o neutralizar los daños derivados del cambio climático, etc.

Los efectos nocivos del cambio climático en estas regiones o países actúan como caldo de cultivo para la trata y/o la explotación, porque los ciudadanos ante la grave situación de vulnerabilidad generada por el cambio climático (y todas las amenazas globales que acechan: pobreza, inseguridad alimentaria, etc.), así como por su deseo de mejorar las condiciones de vida, acuden a menudo a las organizaciones criminales para que les ayuden a encontrar un trabajo, a migrar, etc.

Por último y lamentablemente de rabiosa actualidad, las guerras, los conflictos bélicos, sociales, etc., que constituyen un importante factor de empuje. La desigual distribución y esencialmente la escasez de recursos motiva luchas, demostrando que las causas son globales y están conectadas entre sí. Así, la inestabilidad política, la presencia de conflictos armados, etc. generan inseguridad e incertidumbre en la población, las expectativas económicas, sociales y políticas de los ciudadanos se reducen, impulsándolos a buscar alternativas en regiones o países más estables (IGLESIAS SKULJ, 2013, p. 208). Máxime cuando se asiste a una limitación (e incluso escasez o desabastecimiento) de recursos, y éstos acaban controlados en un mercado paralelo gestionado por organizaciones criminales. Organizaciones que, en su búsqueda de rentabilidad, aprovechan el contexto para ejercer de igual modo la trata y la explotación generalmente sobre mujeres y menores (GIMÉNEZ-SALINAS FRAMIS, 2019, pp. 43-44). Lamentablemente, son habituales las situaciones de abuso y explotación sexual e incluso de esclavitud sexual de las mujeres en los conflictos bélicos por parte de los soldados (CEREZO DOMÍNGUEZ, 2021, pp. 178 y ss).

En cuanto a los factores de atracción (*pull factors*), éstos se caracterizan porque desde los países de destino se muestran las ventajas sociales y económicas de las que disfruta la población, mejores salarios, mejores condiciones laborales (derechos de los trabajadores, prestaciones, etc.), las amplias oportunidades laborales (también para puestos no cualificados), la bonanza o la estabilidad económica y política (la ausencia de conflictos armados y sociales), etc. Todas estas ventajas hacen soñar a las personas que se encuentran en situaciones de vulnerabilidad con la posibilidad de una vida mejor, atrayéndolos hacia los países de destino.

Evidentemente, no todos los interesados en migrar a los «prósperos» países de destino podrán hacerlo de forma legal, sino que muchos de ellos deberán enfrentar este proceso al margen de los cauces legales, aumentando con ello su situación de vulnerabilidad, debido a la situación de irregularidad que se derivará en el país de destino, o al hecho de que acudirán a organizaciones criminales que aprovecharán para lucrarse no sólo facilitando la entrada, tránsito y/o permanencia, sino también explotando a las víctimas, obligándolas a pagar la enorme y creciente deuda contraída con el pasaje, etc.

Otro importante factor de atracción es la normativa o la respuesta jurídica que ofrecen los Estados de destino a este fenómeno. Bajo este factor se pretenden aglutinar diversas causas.

En primer lugar, la regulación existente respecto a la trata de seres humanos. Los tratantes prefieren aquellos países que presentan una legislación más permisiva (EUROPOL, 2016, p. 12). Evidentemente, la ausencia de regulación favorece el desarrollo de la trata de seres humanos. No obstante, desde el año 2000 son muchos los Estados que firmaron el Protocolo de Palermo, para prevenir, reprimir y sancionar la trata de personas o que lo han ratificado hasta la actualidad, exactamente 176 Estados, lo que supone el 91% de los Estados integrados en la Naciones Unidas. Esta ratificación implica, por tanto, que cuentan con un delito de trata tipificado en sus legislaciones penales.

Igualmente, la Convención del Consejo de Europa sobre la lucha contra la trata de seres humanos de 2005 ha contribuido a prevenir y combatir la trata de seres humanos; y a nivel de la UE las actuaciones se han centrado en tres ejes: la persecución y represión de los tratantes, procediendo a armonizar la respuesta penal de los Estados miembros; la prevención de la trata y la asistencia y apoyo a las víctimas; especialmente, mediante la Directiva 2011/36/UE del Parlamento Europeo y del Consejo, relativa a la prevención y lucha conta la trata de seres humanos y a la protección de las víctimas; siendo del mismo modo muy relevantes los Informes sobre los progresos realizados o la Estrategia de la UE en la lucha contra la trata de seres humanos (2021-2025) para conocer y valorar las dificultades y avances existentes en este campo.

No obstante, no basta con la existencia de una legislación penal, con tipificar el delito de trata de seres humanos (con fines de explotación sexual), sino que es necesario que éste se aplique, esto es, que se juzgue y se condene a los responsables de los delitos de trata. Y es esta parte aplicativa del Derecho penal (y del Derecho procesal penal) la que encuentra mayores dificultades. La primera relativa a la detección del propio delito de trata, máxime, cómo se ha apuntado anteriormente, cuando cada vez más se lleva a cabo en localizaciones menos visibles, las víctimas no se perciben como víctimas (por ejemplo, porque existe la creencia arraigada de que, si la víctima ejercía la prostitución en su país de origen, no puede ser víctima de trata), son reacias a denunciar, temen a las consecuencias de su situación de irregularidad, o simplemente, la falta de colaboración entre policías de distintos Estados (MARTÍN ANCÍN, 2017, p. 48). Una vez identificado el delito, surgen obstáculos adicionales para imputar a los responsables, existiendo pocas condenas y, por lo tanto, percibiéndose la idea de impunidad en los casos de trata. Inconvenientes derivados en último término del carácter transnacional de este delito, la presencia de organizaciones criminales, con división de funciones, importantes ramificaciones, o la enorme flexibilidad que poseen para escapar de la justicia. Profundizando en estos aspectos, SALAT PAISAL analiza las sentencias dictadas por las Audiencias provinciales en España durante los años 2011 a 2019 y concluye que, a mayor dilación procesal, mayores son las absoluciones, que el porcentaje de condenas es mayor en los casos de trata con fines de explotación sexual que laboral o que las sanciones son más severes en el caso de trata con fines de explotación sexual o frente a determinadas nacionalidades de los sujetos activos (SALAT PAISAL, 2021).

En segundo lugar, intrínsecamente relacionado con lo anterior, la existencia de déficits en la protección de las víctimas. La protección que se brinda a las víctimas de trata está condicionada no sólo a su previa identificación (la cual no es una tarea fácil), sino que también presenta otros importantes obstáculos, en cuanto a la disponibilidad de recursos o el hecho de que el disfrute de las prestaciones o derechos (documentación, alojamiento protegido, prestación económica, asistencia, etc.) se hacen depender de la denuncia previa (AGUILAR— CÁCERES ET. AL., 2021, p. 130-131).

En tercer lugar, se advierte otra de las consecuencias de la globalización y el capitalismo neoliberal, la desregulación en materia laboral para conseguir el ansiado crecimiento económico a costa esencialmente de los trabajadores y sus derechos (GARCÍA SEDANO, 2020, p. 149).

Y, en cuarto lugar, la proliferación de la economía irregular, trabajos domésticos, agricultura, prostitución. Evidenciando que resulta decisiva no sólo la respuesta jurídica de los Estados frente a la trata de seres humanos, sino también aquélla que se ofrece a la prostitución[5], en concreto la ausencia de regulación o una regulación deficitaria. La ausencia de regulación del mercado del sexo (GIMÉNEZ-SALINAS FRAMIS, 2019, p. 45) o de la actividad de la prostitución como actividad laboral (PÉREZ CEPEDA & QUINTERO OLIVARES, 2006, p. 158) empuja a la clandestinidad, favoreciendo la trata de seres humanos con fines de explotación sexual o que se aprovechen de las personas que ya ejercen la prostitución, se vulneren sus derechos, se sometan a explotación, etc.

Otro factor de atracción reside en el auge de los avances tecnológicos, el desarrollo en las infraestructuras, la presencia de una mejor y mayor accesibilidad a los medios de transporte, así como la reducción de las restricciones para circular entre algunos países, piénsese, por ejemplo, en el espacio Schengen, que han mejorado e incentivado los desplazamientos no sólo de mercancías, sino también de personas y como no, también de las víctimas de trata (GIMÉNEZ-SALINAS FRAMIS, 2019, p. 46).

Por último, conviene tener presente la perspectiva económica inherente al fenómeno de trata con fines de explotación sexual. Las distintas formas de explotación sexual: la prostitución, los espectáculos sexuales o el turismo

5. Esta realidad se abordará más detenidamente en otro apartado.

sexual implican una enorme rentabilidad para las organizaciones criminales, pero también para los Estados. En algunos países la concepción de la prostitución como un «trabajo sexual» se tolera e incluso se valora positivamente porque permite reducir la tasa de desempleo o aumentar el PIB. Pero esta tolerancia también conlleva a una colaboración con la prostitución organizada, el turismo sexual y por lo tanto con la trata de seres humanos (BALES, 2012, pp. 9, 69-70 y 72).

Los importantes beneficios económicos que generan para los Estados condicionan la propia lucha contra estas actividades ilegales, motivando que en ocasiones no se actúe tan severamente como cabría esperar (LARA AGUADO, 2012, p. 65). De igual forma, también se advierte que las organizaciones criminales requieren de la corrupción de funcionarios públicos para poder operar, permitiendo las actividades o incluso participando en ellas. Piénsese, por ejemplo, en policías, autoridades fronterizas, jueces, inspectores de trabajo, médicos, trabajadores de servicios sociales, etc. En este sentido, BALES considera que la corrupción es el segundo factor de atracción que determina la trata de seres humanos. E igualmente, considera el factor de la corrupción como el principal *push factor* de la trata de seres humanos desde un país (BALES, 2007, pp. 276-279).

3. TRATA DE SERES HUMANOS Y OTRAS FIGURAS AFINES

En un mundo globalizado es frecuente que los fenómenos aparezcan interconectados. Brevemente, se apuntarán dos fenómenos que presentan importantes vínculos con la trata de seres humanos: el tráfico ilícito de inmigrantes y la prostitución.

3.1. Tráfico ilícito de inmigrantes y trata de seres humanos: fenómenos interconectados

Tradicionalmente, se ha asistido a la confusión entre tráfico ilícito de inmigrantes (*«smuggling of migrants»*) y trata de seres humanos (*«trafficking in human beings»*). De hecho, hasta 2010 nuestro Código penal optaba por una respuesta jurídica unificada de la trata de seres humanos y la inmigración clandestina en el art. 318 bis. La reforma de 2010 crea el Título VII bis «De la trata de seres humanos» con el art. 177 bis, resolviendo así el solapamiento y fijando un tratamiento penal diferenciado a la par que se ajusta a la Resolución 55/25, de 15 de noviembre de 2000 de la Asamblea General de las Naciones Unidas que diferenciaba ambos fenómenos, destinando un Protocolo a cada uno de ellos. De un lado, el denominado Protocolo de Palermo, destinado a la prevención, represión y sanción de la trata de personas. De otro, el Protocolo contra el Contrabando de Migrantes por Tierra, Mar y Aire.

Lo cierto es que existen semejanzas entre ambas actividades delictivas: Primera, se encuentran motivadas por las mismas causas estructurales, principalmente la existencia de fuertes desigualdades económicas y sociales entre las personas y los Estados, que empujan a las personas a buscar mejores oportunidades.

Segunda, se trata de mercados ilícitos muy lucrativos generalmente gestionados por redes criminales que comercian con seres humanos, pero también con otros tráficos ilegales tales como armas o drogas.

No obstante, también existen importantes diferencias que justifican un tratamiento jurídico diferenciado, tales como: el bien jurídico protegido (la trata de seres humanos implica una vulneración de los derechos de las personas; mientras que el tráfico ilícito de inmigrantes simplemente constituye un quebrantamiento de las normas de extranjería); el consentimiento de la víctima (en el caso de trata no existe por la presencia de determinados medios comisivos tales como engaño, intimidación, violencia, etc.); la finalidad, en el caso de la trata de seres humanos es la explotación, por lo que la víctima permanecerá en todo momento controlada; mientras que en el tráfico ilícito de inmigrantes es la entrada ilegal del inmigrante en el país de destino a cambio de un precio, dejándolo libre en el país de destino; o el carácter interno o transnacional de la trata, mientras que el tráfico ilícito de inmigrantes siempre implica cruce de fronteras (GIMÉNEZ-SALINAS FRAMIS, 2019, pp. 31 y 32; LARA AGUADO, 2017, pp. 850-851; LLORÍA GARCÍA, 2019, pp. 358-360).

No obstante, a pesar de la clara diferenciación desde una perspectiva teórica, en la práctica, se aprecian solapamientos entre ambas figuras, dificultando su separación (MENESES-FALCÓN & URÍO, 2021, p. 90). Como se indicaba anteriormente, ambas actividades ilícitas aparecen vinculadas al fenómeno migratorio, cuyo inicio y final difiere atendiendo a las oportunidades y los abusos cometidos por los autores. Así, el proceso migratorio puede iniciarse de forma legal, es decir con el visado correspondiente, pero se convierte en estancia irregular cuando el visado caduca; o bien como tráfico de inmigrantes, por ejemplo, cuando las personas recurren a una organización criminal para acceder ilegalmente a un país, pero una vez que acceden a él, se encuentran en situación de irregularidad y con menos oportunidades y derechos que aquéllos que gozan del permiso de residencia y de trabajo y, por lo tanto, son mucho más vulnerables a las situaciones de abuso y de explotación por las organizaciones criminales. Sin olvidar que muchos de ellos deberán pagar los costes del viaje y sólo disponen de su cuerpo. De igual modo, puede producirse el proceso contrario, iniciar el proceso migratorio como trata de personas y terminar en el país de destino con la entrada ilegal del inmigrante, sin que se produzca la posterior explotación (GIMÉNEZ-SALINAS FRAMIS, 2019, pp. 32-33). No debe olvidarse que las redes de trata constituyen una alternativa migratoria válida para muchas mujeres (MENESES-FALCÓN & URÍO, 2021).

Resulta prioritario romper la vinculación entre trata de seres humanos y tráfico ilícito de inmigrantes por los terribles efectos que provoca en las víctimas de trata. Esta asociación provoca que las víctimas de trata sean percibidas como infractoras, por encontrarse en situación de irregularidad (PÉREZ CEPEDA, 2004, p. 23). Además, en general, las autoridades encargadas de la identificación conocen y aplican mejor la ley de extranjería; en cambio, no están tan sensibilizadas con el delito de trata, por lo que esa víctima no se percibe tanto como una víctima de trata sino como infractora de la normativa de extranjería, a la que «culpabilizan» de su situación, se considera que es la causante, la responsable de lo que le sucede (LARA AGUADO, 2017, p. 853). Por ejemplo, si decidió acudir a organizaciones criminales para entrar ilegalmente, es la responsable de que ahora la exploten sexualmente, porque si no hubiera optado por la inmigración clandestina, no sería objeto de explotación.

3.2. Prostitución y trata de personas: una asociación peligrosa

Frecuentemente, los medios de comunicación y la opinión pública asocian la prostitución y la trata de personas. Lógicamente, las valoraciones morales, los prejuicios y estereotipos vigentes en la sociedad desempeñan un papel importante. Pese a esta asociación, conviene establecer las diferencias existentes entre ambas, para evitar así los efectos nocivos que su asociación puede provocar en la consideración de la víctima de trata con fines de explotación sexual.

La actividad de la prostitución es uno de los negocios más antiguos del mundo y desde siempre se ha llevado a cabo en la clandestinidad, con cierto ostracismo. Por prostitución se entiende «la actividad de quien mantiene relaciones sexuales con otras personas a cambio de dinero» (REAL ACADEMIA ESPAÑOLA, 2014), siendo igualmente admisible cualquier otra contraprestación de contenido económico (GONZÁLEZ TASCÓN, 2020, p.

14). Esta definición «objetiva», aséptica de prostitución no tiene en cuenta los prejuicios que conlleva esta actividad o la existencia de distintas perspectivas o valoraciones, presentes cuando se habla de prostitución y que, en último término, condicionan el enfoque legal.

En general, la prostitución es considerada una consecuencia de la desigualdad de género. Se observa que estamos ante una cuestión de género, en cuanto que son mujeres la mayoría de las que ejercen la prostitución de forma voluntaria o forzada y son también mayoritariamente los hombres los que buscan sexo a cambio de dinero (MARTÍNEZ ESCAMILLA, 2015, p. 157). Una manifestación del patriarcado, entendido como un sistema de organización social en el que las posiciones de poder político, religioso, económico y militar lo detentan exclusiva o mayoritariamente los hombres (G. LERNER, 1990), demostrando así la dominación existente de los hombres sobre las mujeres. La sociedad identifica la prostitución con el sexo y no con la violencia sexual, legitimando la cultura patriarcal. La prostitución se percibe como una actividad de ocio, especialmente de los hombres, conforme a la «definición de las identidades de género caracterizadas por la verticalidad» (GÓMEZ SUÁREZ, 2021, p. 31), que responden mayoritariamente al modelo de masculinidad hegemónica hipersexual (Idem., pp. 42 y 48). Se dirige a que los varones puedan acceder a cuantos cuerpos de mujeres quieran (GIMENO, 2012). Las mujeres, por tanto, se perciben como un objeto que puede ser «comprado, vendido, utilizado y desechado» (CACHO, 2015, p. 277). Así, la construcción social del hombre en el imaginario colectivo como viril, hipersexual y fuerte, la misoginia, la idea de que la violencia sexual se produce porque las mujeres se consideran propiedad de los hombres, etc. justifican la existencia de la prostitución para satisfacer la demanda masculina de servicios sexuales a la vez que se protege a las mujeres de bien, dividiendo, por tanto, a las mujeres en honestas y deshonestas (BOZA MORENO, 2019, pp. 218-219) y condenando, por tanto, a la prostitución a la marginalidad, a la invisibilidad en locales o calles en la periferia. Denotando la hipocresía social, porque, de una parte, se reconoce que la prostitución cumple una función (satisface los deseos), pero, de otra, existe una percepción social peyorativa de la mujer dedicada a la prostitución, un fuerte proceso de etiquetamiento hacia ellas. En este sentido, se sostiene que esta estigmatización no se produciría en el caso de que fueran mayoritariamente los hombres los que ejercieran la prostitución (JULIANO CORREGIDO, 2004, p. 43), porque la sexualidad se entiende como un obstáculo exclusivamente para las mujeres (IGLESIAS SKULJ, 2013, pp. 17-18).

A grandes rasgos, el tratamiento dispensado a la prostitución responde a distintos modelos que se concretan en prohibir, abolir, regular o legalizar la prostitución, si bien éstos no presentan contornos muy precisos (BOZA MORENO, 2019, pp. 218 y ss; GARCÍA ARÁN, 2017, pp. 663 y ss; LOUSADA AROCHENA, 2017, pp. 632 y ss; MARTÍNEZ ESCAMILLA, 2015, pp. 163-164; RIVAS VALLEJO, 2017, pp. 571 y ss).

El modelo prohibicionista castiga el ejercicio de la prostitución a las prostitutas, proxenetas y/o clientes. Para este modelo la prostituta es una pecadora, una delincuente que contraviene la moral o la moral y el derecho (LOUSADA AROCHENA, 2017, p. 641).

El modelo abolicionista adopta una perspectiva de género, la prostituta es una víctima de la violencia de género, una víctima de esclavitud. Así, a diferencia del modelo prohibicionista no sanciona a la prostituta (considerada una víctima de violencia de género), pero sí defiende el castigo de todo lo que rodea a la prostitución: al cliente, al proxeneta, aunque sea con el consentimiento de la mujer. Sus defensores sostienen que la prostitución es una manifestación de los roles tradicionales de poder del hombre sobre la mujer y que, por tanto, debe desaparecer sin importar si la prostitución es voluntaria o forzada, porque ambas son reflejo de la subordinación de la mujer.

El modelo reglamentarista o regulacionista reclama la intervención sobre el mercado de la prostitución, manteniendo la prostitución en la marginalidad, presentándola como una actividad estigmatizada, limitando su actividad a determinados espacios, bajo el control de unos pocos y controlando a la mujer prostituta, porque se considera una creadora de riesgo para otros bienes jurídicos, fundamentalmente, desde un punto de vista sanitario.

Y, por último, el modelo legalizador o laboral defiende la consideración de la prostitución como un trabajo, conciliando así la libertad sexual, los derechos humanos y los derechos laborales y convirtiendo a la prostituta en una trabajadora legítima. Con este modelo se lograría la normalización de la prostitución, despojándola del carácter de marginalidad y estigmatización fuertemente asociado a ella.

En España ¿qué modelo se sigue? El tratamiento de la prostitución no se ajusta a ninguno de los modelos existentes. Nuestro Código penal sanciona las conductas de trata de seres humanos con fines de explotación sexual, la prostitución coactiva, esto es el proxenetismo o la explotación sexual de un tercero y el aprovechamiento o lucro de la explotación ajena, aún con el consentimiento de la persona prostituida (prostitución voluntaria), por ejemplo, la tercería locativa. Respecto a la prostitución voluntaria, ésta no se criminaliza[6], pero tampoco está legalizada, es, por tanto, alegal, «una situación esquizofrénica de alegalidad y de tolerancia» (GARCÍA ARÁN, 2017, p. 664) generadora de inseguridad jurídica. Esta indefinición implica que ejercer la prostitución no es ilícito, pero tampoco es un trabajo, un trabajo legítimo, reglado. Quiénes desempeñan este trabajo se encuentran en un limbo jurídico (BOZA MORENO, 2019; VILLACAMPA ESTIARTE, 2012b, p. 128); no están dados de alta en la Seguridad Social y no tienen reconocidos los derechos laborales (bajas por enfermedad, protección social o derecho a una pensión).

En general, se suele distinguir entre prostitución forzosa y prostitución voluntaria, centrándose en la libertad y el consentimiento de la «víctima», de modo que la no voluntariedad o el carácter forzado es lo que determina que estemos ante supuestos de explotación sexual. El consentimiento, por tanto, opera como exclusión de la atipicidad. Sin embargo, hasta qué punto es voluntario el ejercicio de la prostitución. ¿Tienen realmente el poder de decidir? No siempre es fácil conocer la voluntad de una persona, sin olvidar la importancia de la propia percepción de la prostitución que tenga el intérprete (ZÚÑIGA RODRÍGUEZ, 2018, pp. 363-364). En ocasiones, ante una situación de pobreza, desigualdad o ausencia de expectativas u oportunidades, esa decisión es la única posible en ese momento o en esas circunstancias. Sin embargo, la respuesta social es clara, si elige ejercer la prostitución, sabiendo que no es un trabajo reglado, entonces, en un tono moralista, se considera que no debe pedir la ayuda al Derecho porque ella misma se lo ha buscado, culpabilizando a la víctima de su situación, por ejemplo, de trata o explotación sexual por su decisión, pero no se culpabiliza a la sociedad, por el contexto social imperante o al Estado por su «dejadez».

Pero, además, ¿es tan nítida la distinción entre prostitución forzada y voluntaria? E incluso, se puede afirmar que por el mero hecho de que la prostitución sea voluntaria impide que pueda existir trata y/o explotación sexual. Obviamente, la prostitución puede ser el primer paso, porque puede ser inicialmente voluntaria pero que, posteriormente, exista una explotación o trata sobrevenida. Piénsese, por ejemplo, en una mujer que ejerce la prostitución en su país de origen y le prometen ejercerla en España ganando más, pero cuando

6. No obstante, la ausencia de regulación estatal ha posibilitado que algunos Ayuntamientos (como los de Barcelona, Valencia, Sevilla o Málaga) hayan perseguido la prostitución mediante ordenanzas municipales, criminalizando a las prostitutas (BOZA MORENO, 2019, pp. 226 y ss).

llega España las condiciones son otras, está sometida a una red, explotada sexualmente. ¿No es una víctima de trata? ¿No merece la consideración de víctima? Se aprecia claramente la aplicación de técnicas de neutralización de racionalizaciones o justificaciones que protegen de la propia responsabilidad, atribuyendo la culpa a los demás. Concretamente, la negación de la víctima considera que las víctimas tienen lo que se merecen, no se perciben propiamente como víctimas. Se niega la existencia de la víctima, convirtiéndola en una persona que merece ser lesionada (SYKES & MATZA, 1957, p. 668).

A propósito de la discusión sobre los límites del consentimiento y la libertad, Gimeno indica que no interesa tanto el consentimiento individual en cuanto que éste se encuentra viciado por el capitalismo, en mi opinión, ampliable al neoliberalismo, la globalización, etc.; sino que el debate debe centrarse en el consentimiento social, concretamente en dos aspectos. De una parte, el sistema social que convierte a los seres humanos en mercancías (y, por lo tanto, en objetos susceptibles de ser comercializados) y de otra, el patriarcado, que convierte a las mujeres en objetos sexuales consumibles por los hombres. Estamos, por tanto, ante una sociedad, un sistema social que construye a los hombres como consumidores y a las mujeres como mercancías sexuales destinadas al consumo (GIMENO, 2019).

Evidentemente, abordar la trata desde la perspectiva de la prostitución plantea importantes inconvenientes (LARA AGUADO, 2017, pp. 81, 85, 86 y 88).

La trata y la prostitución presentan aspectos comunes: el perfil de los sujetos implicados, en general, los clientes son hombres y quienes ejercen la prostitución y/o son víctimas de la trata de seres humanos son en su inmensa mayoría mujeres y niñas (normalmente, en situaciones de vulnerabilidad socioeconómica y procedentes de países en desarrollo) y, por lo tanto, puede que una misma persona pase por ambos fenómenos: prostitución y trata de seres humanos, o incluso se solapen, pero el tratamiento exige ser diferenciado. Máxime cuando la trata, en cuanto delito de tendencia se consuma, aunque no se materialice la explotación sexual de la víctima. Es suficiente con comprobar la presencia de determinados medios comisivos en la ejecución de alguno de los comportamientos contemplados (captación, traslado o recepción) con la finalidad, la intención de explotar sexualmente a la víctima.

III. LA VÍCTIMA PERCIBIDA COMO NO TAN VÍCTIMA

El aspecto central en la trata de seres humanos es que supone una afectación de derechos humanos, de principios y valores como la dignidad humana, el derecho a la vida, el derecho a la libertad, a la seguridad, a no ser sometido a la esclavitud o a la servidumbre, a no padecer torturas o tratos inhumanos, actos violentos, etc. (LARA AGUADO, 2012, p. 46). El bien jurídico protegido en el delito de trata de seres humanos es la dignidad humana, el derecho a ser tratado como persona, respetando su individualidad y los derechos que le son inherentes (MONGE FERNÁNDEZ, 2019, pp. 138-139; PÉREZ CEPEDA, 2004, pp. 170 y ss), pero también la libertad, que se limita mediante un férreo control de la persona. Generalmente, el delito de trata de seres humanos va acompañado de otros como la prostitución coactiva, la explotación laboral, la detención ilegal, las lesiones o la falsedad documental. De hecho, a menudo, se constata una pluriafectación de bienes jurídicos, y se asiste, por tanto, a concurso de delitos.

No obstante, a pesar de que se defiende que el delito de trata con fines de explotación sexual vulnera la dignidad humana, los derechos humanos, la víctima no se protege o, al menos, su protección no resulta prioritaria para los Estados (LARA AGUADO, 2012, p. 69).

Para la victimología, la víctima es quien puede sufrir cualquier afectación de sus derechos. Igualmente, la Declaración sobre los Principios Fundamentales de la Justicia para Víctimas del Delito y del Abuso de Poder, proclamada el día 29 de noviembre de 1985 por la Resolución n.º 4034 de la Asamblea General de la Organización de las Naciones Unidas contempla un concepto de víctima en sentido amplio. Así, son víctimas «las personas que, individual o colectivamente, hayan sufrido daños, inclusive lesiones físicas o mentales, sufrimiento emocional, pérdida financiera o menoscabo sustancial de los derechos fundamentales, como consecuencia de acciones u omisiones que violen la legislación penal vigente en los Estados Miembros, incluida la que proscribe el abuso de poder».

Sin embargo, desde un punto de vista operativo, sólo son víctimas de trata las personas formalmente identificadas por las autoridades competentes (MENESES-FALCÓN & URÍO, 2021, p. 98). Al margen de esta consideración general operativa, se debe tener en cuenta el debate en torno a qué determina que estemos ante una víctima. Evidentemente, existen múltiples respuestas tales como el color de la piel (la trata de personas con fines de explotación sexual aparece vinculado en sus orígenes a la trata de blancas, la captación de mujeres blancas para su explotación sexual en países asiáticos o árabes (GARCÍA SEDANO, 2020, p. 254) , y se usa esta expresión para diferenciarla del comercio de esclavos negros dirigidos a la explotación laboral), la edad, el sexo, la nacionalidad[7] o la marginalidad. Establecer los factores que influyen en una realidad compleja no es fácil. No obstante, en mi opinión, se deben tomar en consideración la presencia de determinadas variables que condicionan decisivamente el proceso de victimización, el proceso por el que una persona sufre las consecuencias negativas de un hecho traumático (TAMARIT SUMALLA, 2006, p. 29).

En primer lugar, no debe perderse de vista el componente de género existente en sociedades todavía con un marcado carácter patriarcal. Las cifras constatan la generización de la trata con fines de explotación sexual, las mujeres constituyen la inmensa mayoría de las víctimas de este fenómeno. Las mujeres por el mero hecho de serlo se encuentran más frecuentemente en situación de vulnerabilidad y, por lo tanto, es más fácil que se vulneren sus derechos. Esta vulneración se aprecia todavía con más nitidez cuando se trata de víctimas extranjeras, asistiendo a una doble victimización (ser mujer y ser inmigrante), debido a las mayores dificultades de detección, derivado del hecho de que muchas de las víctimas de trata han sido trasladadas de forma irregular. En este sentido, se considera que las mujeres inmigrantes como consecuencia de variables como el género o aquellas vinculadas a su condición de inmigrante, presentan un índice de victimización superior al resto (ORBEGOZO ORONOZ, 2009, p. 47). Asimismo, el hecho de dividir y clasificar a los seres humanos determina también empujar a las mujeres migrantes e ilegales a ocupar los puestos de trabajo que nadie quiere, los más precarios tanto en condiciones sociales como económicas (IGLESIAS SKULJ, 2011, p. 38) y como no también al ejercicio de la prostitución, que frente a esos trabajos plantean la posibilidad de obtener mayores ingresos (MARTÍNEZ ESCAMILLA, 2015, p. 173). Sin duda, la atribución al extranjero-inmigrante de un estatus de inferioridad legal y excluyente coincide con el perfil de víctima de trata (POMARES CINTAS, 2011, p. 5) a la par que la condición de irregular favorece la explotación sexual o laboral (PÉREZ CEPEDA & QUINTERO OLIVARES, 2006, p. 170). Además, el hecho de calificar a una persona como ilegal, implica atribuirle la condición de no ciudadana (MACUARE & OVALLES, 2021, p. 281), deshumanizarla y así justificar la restricción de derechos o el diferente tratamiento jurídico que se le dispense.

7. En torno a la prostitución se aprecia la dicotomía nacional versus extranjero, las inmigrantes la ejercen por voluntad propia; mientras que las españolas se ven empujadas por las crisis económicas, recibiendo la calificación de «víctimas», necesitadas de apoyo administrativo y social (AYUNTAMIENTO DE MADRID, 2014, p. 79).

Aparte del género y la condición de extranjero, existen otros factores como la vulnerabilidad social. Frecuentemente, no de carácter individual sino estructural, queriendo incidir en la idea de que las situaciones de vulnerabilidad no son tanto un «problema» individual, sino que se derivan del propio funcionamiento histórico del sistema cultural, social, político y económico existente, constatando el fuerte vínculo existente entre género, desigualdad y pobreza.

Estas variables contribuyen al mayor riesgo de victimización de la mujer, pero también a su mantenimiento en la condición de víctima puesto que no suelen denunciar las agresiones (PARDO MIRANDA, 2023, p. 62), los delitos de los que son víctimas, por desconfianza hacia la policía, las instituciones públicas, porque no se perciben como víctimas, no conocen sus derechos, se encuentran en situación de irregularidad, no conocen el idioma, temen las represalias de las organizaciones criminales, etc.

En segundo lugar, la sociedad, las creencias y estereotipos vigentes condicionan no sólo la percepción social respecto de las víctimas, sino también la respuesta y el alcance de la misma.

En la sociedad existen estereotipos, son inherentes a la naturaleza humana. Mediante ellos, a menudo inconscientemente, categorizamos a las personas en grupos, con el objetivo de simplificar el mundo que nos rodea. De este modo, son habituales los estereotipos negativos definidos por el grupo socialmente dominante: «extranjero», «ilegal», «moro», etc. Este proceso consiste en atribuir a un individuo características o funciones generales únicamente por su pertenencia aparente (no necesariamente real) a un grupo concreto. Lógicamente, los estereotipos producen generalizaciones o ideas preconcebidas sobre estos atributos o funciones de los miembros de un grupo social concreto, lo que hace innecesaria la consideración de las capacidades, necesidades, deseos y circunstancias de cualquier miembro concreto. En este contexto, los estereotipos de género ejercen un efecto particularmente atroz en las mujeres; ya que estos estereotipos perpetúan la construcción social y cultural de hombres y mujeres, atendiendo a las diferentes funciones físicas, biológicas, sexuales y sociales atribuidas y que han sido fundamentales para la perpetuación y legitimación de la subordinación jurídica y social de las mujeres (COOK, 2010, pp. 10 y ss). Pero también aquellos referidos al etiquetamiento como «irregulares», impidiendo que se perciban como víctimas de trata.

En tercer lugar y derivado de lo anterior, se asiste a una normalización de la utilización de las mujeres como consecuencia de la invisibilización de la prostitución, excluida de los acuerdos y protocolos internacionales y de la mayoría de las legislaciones nacionales. Este hecho plantea una cuestión clave: ¿cómo se puede prevenir un fenómeno que se niega, que se ignora? O lo que es más decisivo, cómo se va a lograr prevenir la trata con fines de explotación sexual si no se toma en consideración el fenómeno que lo motiva: la prostitución, la demanda de servicios sexuales, como indicaba el Plan de lucha contra la trata de mujeres con fines de explotación sexual de 2008.

Se invisibiliza un fenómeno y a sus «víctimas». El fuerte vínculo existente entre prostitución y trata dificulta la consideración de víctima a las víctimas de trata de seres humanos con fines de explotación sexual.

La concurrencia de género, desigualdad y pobreza determinan la presencia de una situación de vulnerabilidad y un mayor riesgo de victimización para las mujeres de convertirse en víctimas de trata, pero también de marginalidad reduciendo las oportunidades hacia los trabajos más precarios y hacia la prostitución, que en ocasiones se percibe como menos mala y con mayores ganancias que otros trabajos. Se observa una mayor victimización de las mujeres, pero ¿son víctimas? ¿Se perciben como víctimas de trata? La respuesta genérica es que no.

En primer lugar, por su invisibilidad. Muchas de las víctimas de trata no son detectadas, otras muchas no se perciben como víctimas por la presencia de un vínculo con el tratante, con el explotador que le impide su reconocimiento como víctima, por la existencia de falsos mitos, etc. Sin olvidar la alta selectividad del sistema penal a la hora de actuar. Esto es, los procesos de criminalización y de victimización no son objetivos.

Se afirma acertadamente que la actuación del Estado y de la administración de justicia es altamente selectiva tanto en la criminalización primaria como en la secundaria. Así, la criminalización primaria consiste en seleccionar qué conductas van a ser tipificadas como delitos o simplemente, como ilícitos administrativos, porque no todos los comportamientos están prohibidos, la sociedad a través de sus representantes políticos decide qué comportamientos son desviados, antisociales y deben prohibirse a la par que se etiqueta como desviado (o delincuente) a quiénes realizan esas conductas, reclamándose la intervención de las instancias de control social (BECKER, 1991, pp. 8 y ss; NEWBURN, 2017, pp. 227 y ss). Así, ante la ausencia de una regulación estatal sobre la prostitución voluntaria, diversos Ayuntamientos de ciudades españolas (Barcelona, Valencia, Sevilla, Málaga, Bilbao, Murcia, etc.) aprobaron ordenanzas municipales (con sus correspondientes sanciones) para perseguir la prostitución, criminalizando y sancionando administrativamente (con multas) a las prostitutas y/o los clientes (BOZA MORENO, 2019, pp. 226 y ss). La criminalización secundaria hace referencia a las distintas actuaciones que se llevan a cabo fundamentalmente, por la policía y los tribunales para identificar, imputar y juzgar a los responsables de un delito. Detectándose también cierta subjetividad en este tipo de criminalización, por ejemplo, cuando las actuaciones policiales se basan en perfiles étnicos o en el hecho de criminalizar a los sujetos más débiles, pero no a los sujetos poderosos (BARATTA, 2023).

Igualmente, el proceso de victimización es selectivo, la determinación de quiénes merecen ser considerados víctimas. En este proceso desempeña un papel esencial la presencia de los estereotipos y prejuicios relativos a las víctimas de trata con fines de explotación sexual. Factores que pueden afectar negativamente al ejercicio y defensa de sus derechos (GONZÁLEZ CANO, 2019, p. 211). Este aspecto ya ha sido advertido por el Comité de la Convención de la ONU para la Eliminación de todas las formas de Discriminación contra la Mujer (Comité CEDAW), concretamente en el aptdo. 26 de la Recomendación general núm. 33 sobre el acceso de las mujeres a la justicia[8] en el que se avisa de las graves consecuencias que tiene la presencia de estereotipos a nivel judicial para el disfrute de los derechos humanos de las mujeres. Su presencia compromete la imparcialidad y la integridad del sistema de justicia, porque los estereotipos distorsionan las percepciones y dan lugar a decisiones basadas en creencias preconcebidas y mitos sobre las mujeres, afectan a la credibilidad de los testimonios de las mujeres, pudiendo dar lugar a una aplicación defectuosa de las leyes. Siguiendo el enfoque de la «víctima adecuada», aquélla que muestra signos

8. «26. Los estereotipos y los prejuicios de género en el sistema judicial tienen consecuencias de gran alcance para el pleno disfrute de los derechos humanos de las mujeres. Pueden impedir el acceso a la justicia en todas las esferas de la ley y pueden afectar particularmente a las mujeres víctimas y supervivientes de la violencia. Los estereotipos distorsionan las percepciones y dan lugar a decisiones basadas en creencias preconcebidas y mitos, en lugar de hechos. Con frecuencia, los jueces adoptan normas rígidas sobre lo que consideran un comportamiento apropiado de la mujer y castigan a las que no se ajustan a esos estereotipos. El establecimiento de estereotipos afecta también a la credibilidad de las declaraciones, los argumentos y los testimonios de las mujeres, como partes y como testigos. Esos estereotipos pueden hacer que los jueces interpreten erróneamente las leyes o las apliquen en forma defectuosa. Esto tiene consecuencias de gran alcance, por ejemplo, en el derecho penal, ya que dan por resultado que los perpetradores no sean considerados jurídicamente responsables de las violaciones de los derechos de la mujer, manteniendo de esta forma una cultura de impunidad. En todas las esferas de la ley, los estereotipos comprometen la imparcialidad y la integridad del sistema de justicia, que a su vez puede dar lugar a la denegación de justicia, incluida la revictimización de las denunciantes».

inequívocos (daños físicos, psíquicos, etc.) conforme a las creencias existentes (NIEVES SANZ, 2022b, p. 423).

Desde una perspectiva de género será necesario centrarse en vencer la estereotipación del sistema de justicia desde la igualdad, sólo así se podrá ofrecer un tratamiento adecuado a las víctimas en las primeras diligencias, en la declaración testifical, etc. para evitar la victimización secundaria de la víctima, pero también la revictimización de las víctimas que han denunciado haber sufrido trata o explotación (GONZÁLEZ CANO, 2019, p. 214).

En segundo lugar, no sólo se invisibiliza a las víctimas, sino que la sociedad las culpabiliza. De una parte, aplicando técnicas de neutralización como la negación de la víctima, atribuyéndole a la víctima la responsabilidad de que se encuentre en esa situación, en gran medida como consecuencia del vínculo existente entre trata y tráfico ilícito de inmigrantes. Se ignora, se niega a la víctima de trata, porque prevale la visión de infractora de la legislación de extranjería. Se lo ha buscado, acudiendo a las organizaciones criminales para poder entrar ilegalmente, entrando y/o permaneciendo ilegalmente, etc. Esta técnica de justificación permite negar la condición de víctima, atribuyéndole la responsabilidad, ella es la única culpable de lo que le pasa. De otra parte, acudiendo a la conocida teoría del mundo justo (*Passim*. LERNER, 1980), que parte de la amplia creencia social y que está basada en dos premisas: «las cosas malas les suceden a las personas malas» y «las cosas malas le suceden a quienes se comportan mal». Esta creencia en un mundo justo, en la justicia permite a los ciudadanos protegerse, porque como se consideran buenos, no les pasarán cosas malas. Pero, igualmente, presenta un grave peligro, la redefinición de la víctima para mantener la creencia en el mundo justo. Así, si una persona ha sido víctima de un delito de trata con fines de explotación sexual es porque o es mala o se ha portado mal y tenderá a separarse de ella. Culpabilizando a la víctima por sus rasgos (que contienen maldad) o por «su mal comportamiento», siendo normales las expresiones «ella se lo buscó», «se lo merece», etc. Se aprecia, por tanto, como estos argumentos se ceban especialmente con las víctimas más vulnerables o que padecen los daños más graves o persistentes como es el caso de las mujeres víctimas de trata con fines de explotación sexual.

En tercer lugar, las víctimas de trata de seres humanos con fines de explotación sexual son consideradas simplemente prostitutas, diluyendo la diferencia entre prostitución y trata. ¿Qué se puede hacer? Las posibles respuestas se encuentran en los diferentes modelos para afrontar la prostitución, comentados anteriormente y que aquí, sin ánimo de ser exhaustiva, se plantean únicamente dos posibilidades: abolicionismo o profesionalización.

Primera, abolir la prostitución, para que simplemente permanezca la trata y la explotación sexual. De acuerdo con los datos existentes relativos al aumento de la prostitución sería utópico, máxime en España, que es el primer país de Europa y el tercero a nivel mundial en demanda de prostitución (ZÚÑIGA RODRÍGUEZ, 2018, p. 374). Supondría considerar a todas las prostitutas (voluntarias o forzadas) víctimas de la subordinación de la mujer al hombre. Esta posible solución, si bien se basa en una perspectiva de género, necesaria para afrontar esta problemática, pero quizás excesiva, porque supondría también negar la libertad de decidir a las mujeres y el derecho a ser tratado como persona y no como cosa conlleva el derecho a la libertad, a decidir. Presentándose como una postura peligrosa, porque, de una parte, ese afán exacerbado por evitar que la mujer sea un objeto, conlleva negar que es un sujeto capaz de tomar decisiones, considera que las mujeres no tienen capacidad de decidir por sí mismas (GARCÍA ARÁN, 2017, p. 665), en cierta forma las infantiliza, las identifica con personas desvalidas, incapaces, etc., legitimando que se puedan adoptar a proteccionismos desmedidos y, de otra parte, se olvida de que las mujeres también pueden ser tratantes y explotadoras. De hecho, en la trata con fines sexuales desempeñan puestos de responsabilidad en las organizaciones criminales.

Y segunda, legalizar la prostitución, pudiendo así facilitar su distinción con la trata. ¿Es la legalización de la prostitución la solución a la trata? Antes de plantear cualquier regulación, es necesario abordar con carácter previo y exhaustivo las causas de la prostitución y muy especialmente la desigualdad de género imperante, porque si no la ley, la regulación que se apruebe seguirá reflejando la desigualdad existente en la sociedad (GIMENO, 2012, p. 267).

En principio, legalizar la prostitución debería mejorar las condiciones de quiénes la ejercen la prostitución, convirtiéndolo en un trabajo legal, con reconocimiento de los derechos laborales, otorgando seguridad jurídica y visibilizando la actividad, incentivando las denuncias por abusos, etc. También supondría eliminar una parte importante de la economía sumergida, se pagarían impuestos, etc. Asimismo, en principio, implicaría normalizar el ejercicio de la prostitución voluntaria de adultos, como cualquier otro trabajo (CARMONA SALGADO, 2017, p. 684). No obstante, no se considera un trabajo digno (RIVAS VALLEJO, 2017, p. 595). No se elimina el estigma, sino que se refuerza (PARLAMENTO EUROPEO, 2023, aptdo. 21). Baste como ejemplo que en los países en los que se ha legalizado no se considera apropiado a los efectos de realizar un oferta de empleo a una persona desempleada o que las potenciales beneficiarias no reclaman la prestación por desempleo para no aparecer como prostitutas en la oficina de empleo (LOUSADA AROCHENA, 2017, p. 640). Pero, podría plantear también otras dificultades: ¿se regularizaría la situación del extranjero dedicado a la prostitución? En principio, los Estados están muy interesados en mantener políticas migratorias restrictivas y la legalización de la prostitución abriría la vía del permiso de residencia y trabajo para desempeñar esta profesión. No obstante, esta opción aparece vedada. Los países que han regularizado la prostitución no han establecido la posibilidad de regulación del extranjero dedicado a la prostitución (GARCÍA ARÁN, 2006, p. 30; RIVAS VALLEJO, 2017, p. 581). Y, además, la experiencia dice lo contrario, esto es, la legalización de la prostitución no ha conseguido acabar con la trata, las organizaciones criminales siguen captando, trasladando y también explotando sexualmente a las mujeres en países como Holanda o Alemania (RIVAS VALLEJO, 2017, p. 577). En este sentido, Pérez Freire advierte que, si se considera la prostitución como un trabajo, una elección vocacional, y no un abuso de los derechos humanos, las mujeres víctimas de explotación sexual serán vistas «como algo irremediable y/o admisible» (PÉREZ FREIRE, 2018, p. 64).

En general, la Unión Europea no se muestra favorable a la legalización de la prostitución, advirtiendo, en base a diversos estudios empíricos, de los importantes inconvenientes que plantea. Así, la Resolución del Parlamento Europeo, de 26 de febrero de 2014, sobre explotación sexual y prostitución y su impacto en la igualdad de género (2013/2103(INI)) en el Considerando X.34:

«Opina que considerar la prostitución como un "trabajo sexual" legal, despenalizar la industria del sexo en general y legalizar el proxenetismo no es la solución para proteger a las mujeres y las mujeres menores de edad de la violencia y explotación, sino que produce el efecto contrario y aumenta el riesgo de que sufran un mayor nivel de violencia, al tiempo que se fomenta el crecimiento de los mercados de la prostitución y, por tanto, el número de mujeres y mujeres menores de edad víctimas de abusos».

La postura de la Unión Europea se mantiene en el Informe sobre la regulación de la prostitución en la Unión: repercusiones transfronterizas e impacto en la igualdad de género y los derechos de las mujeres, de 30 de agosto de 2023. El aptdo. 16 contempla que la despenalización del proxenetismo y de la compra de sexo aumenta la demanda, empodera a los demandantes y normaliza la compra de sexo. Esta normalización conlleva un mayor uso de la violencia contra las mujeres y de un mayor sentimiento de superioridad respecto a las mujeres en situación de prostitución. Igualmente, indica que, la legalización tampoco consigue eliminar la estigmatización de las personas en situación de prostitución. Por último, establece que sólo si se reduce la demanda podrá reducirse el mercado de la prostitución y, por tanto, el número de los que son explotados en él, incidiendo en otros apartados en la importancia de la concienciación social para conseguirlo, destacando también la necesidad de incidir a través de las nuevas tecnologías.

IV. ALGUNAS REFLEXIONES POLÍTICO-CRIMINALES

La trata de seres humanos no sólo es un fenómeno del pasado, sino que continúa estando presente en la actualidad. La antigüedad o solera del fenómeno de la trata de seres humanos revela un aspecto cuando menos interesante: existen diferentes instrumentos internacionales, europeos, nacionales, etc. en los que se prohíbe expresamente la trata de seres humanos y se recogen las «garantías» para las personas víctimas de estos delitos. Igualmente, los Estados tipifican como delito la trata, pero lejos de desaparecer, la trata de seres humanos muestra una tendencia creciente, evidenciando que, la forma de enfrentar este problema no ha sido la adecuada o que, quizás, no existe una verdadera voluntad de erradicarla.

Evidentemente, la lucha contra la trata de seres humanos debe centrarse en un enfoque humanista, de protección de los derechos humanos. Esto es, dirigido a dotar de visibilidad a las personas y a los colectivos, que sean reconocidos como seres humanos, como ciudadanos (SHAHINIAN, 2017, p. 32), que recuperen su libertad, derechos y dignidad (MORA, 2017, p. 1017). Un enfoque orientado a «humanizar», para así hacer frente al hecho de considerar a las víctimas de trata como cosas, mercancías que pueden ser comercializadas y explotadas para satisfacer la demanda existente. En la sociedad se asiste a un proceso generalizado de deshumanización, de despojar de la humanidad a determinadas personas o colectivos, y es necesario humanizarlas. Piénsese, por ejemplo, en el Derecho penal del enemigo que divide a la población en ciudadanos y enemigos, en la separación nosotros y los otros, nacionales y extranjeros, legales e ilegales, privando a los que se consideran diferentes, inferiores, de los derechos que le son inherentes como seres humanos.

Esta idea de humanizar es importante por dos cuestiones: En primer lugar, porque la deshumanización se convierte en un proceso que legitima dispensar tratamientos diferenciados a los seres humanos, basándose en prejuicios, estereotipos, discriminando entre los «seres humanos» y los otros, los «*disposable people*» (BALES, 2012), los esclavos, los que se consideran objetos, los que están en situación irregular, etc. Un enfoque basado en los derechos humanos exige priorizar la protección de la víctima, obviando o sin tener en cuenta si la víctima ha vulnerado la legislación de extranjería (LARA AGUADO, 2017, p. 853).

En segundo lugar, cualquier intervención dirigida a la prevención, a la sensibilización, a la protección o a la atención debe enfocarse en los derechos humanos, en los derechos y las necesidades de las personas víctimas de la trata (MORA NIETO, 2022, p. 232), adoptando un enfoque victimocéntrico, informando a la víctima de los derechos que le asisten, como hacerlos efectivos, asegurando asistencia jurídica, sanitaria, psicológica, etc. (LARA AGUADO, 2017, pp. 831 y ss). Se exige, entonces, no sólo implementar instrumentos eficaces para la persecución, investigación y enjuiciamiento de estos delitos, sino que también será necesario analizar las causas, los roles que cumplen las personas afectadas, los factores de vulnerabilidad, su situación de vulnerabilidad, el riesgo de victimización, etc. (GONZÁLEZ CANO, 2019, p. 208). Es necesario centrarse en cada víctima, en sus características y necesidades específicas, en los concretos factores de vulnerabilidad que aumentan el riesgo de victimización. Esta exigencia constituye un paso previo para lograr otros fines prioritarios como es el fortalecimiento de la resiliencia, personal y comunitaria y la promoción del empoderamiento, con el objetivo de reducir las posibles situaciones de vulnerabilidad y así reducir el riesgo de victimización secundaria (de padecer los efectos de la intervención del sistema legal) o de revictimización, mediante el padecimiento de otros delitos adicionales a la trata (VILLACAMPA ESTIARTE, 2011, p. 86), porque si no se actúa sobre las causas estructurales que motivan la trata, ésta volverá a aparecer.

En este sentido, se debe advertir que el hecho de que exista un delito de trata de seres humanos tipificado o que incluso estemos ante la presencia de una buena regulación penal no basta, se debe dar el paso desde la proclamación a la efectividad (LARA AGUADO, 2017, p. 842; VILLACAMPA ESTIARTE, 2017, p. 448). Será necesario formar a los agentes para que éstos puedan detectar e identificar a las posibles víctimas de trata, de explotación sexual, así como de instruirlos en la aplicación de los diferentes mecanismos de protección, asesoramiento y apoyo disponibles. Sin olvidar la necesidad un enfoque multiagencias (CASADEI, 2017, p. 112), garantizando la coordinación entre todos los agentes que trabajan en la lucha contra la trata de seres humanos, por ejemplo, mediante programas de formación conjunta de todos: FFCC de seguridad, jueces, trabajadores sociales, ONG's, inspectores de trabajo, sindicatos, etc. Sólo garantizando una buena formación y coordinación en la implementación de las estrategias y mecanismos existentes se podrá luchar de manera eficaz contra la trata de seres humanos.

La existencia de obstáculos en la aplicación de las normas y protocolos contra la lucha de la trata es un rasgo presente en todos los países y se evidencia en las escasas identificaciones de las víctimas, así como en las exiguas detenciones y condenas a los responsables del delito de trata (BHOOLA, 2017, p. 57).

Según el último Informe Global sobre Trata de Personas de la UNDOC, durante la pandemia se detectaron menos casos de trata de personas con fines de explotación sexual. El cierre de los espacios públicos y las restricciones de movilidad adoptadas por los Estados motivaron el desplazamiento de la actividad hacia lugares menos visibles y seguros, dificultando la identificación de las víctimas.

Asimismo, a nivel mundial, el número de condenas por el delito de trata de personas también disminuyó un 27% en 2020 con respecto al año anterior. No obstante, estos descensos fueron más acentuados en el Sur de Asia (56%), Centroamérica y el Caribe (54%) y Sudamérica (46%), acelerando una tendencia a más largo plazo registrada por UNODC desde 2017.

Un aspecto relevante es que el proceso de identificación de las víctimas se realiza mayoritariamente mediante «auto-rescate», cuando las víctimas de trata de personas se escapan y denuncian a las autoridades (41%), seguido por las localizaciones realizadas por las autoridades (28%), y por la denuncia de los miembros de la comunidad y la sociedad civil (11%). Estos datos muestran una dinámica preocupante, porque reflejan que la principal forma de identificación es el auto-rescate, pero al mismo tiempo las denuncias son escasas, porque muchas de las víctimas no se identifican como tales, tienen miedo, consideran a los policías corruptos, etc. y si éstas no denuncian los hechos y por lo tanto, no podrán ser identificadas y por ende protegidas (UNODC, 2023). De acuerdo con los datos resulta evidente la presencia de una importante cifra negra, porque no debe olvidarse que la propia vulnerabilidad de las víctimas, el sometimiento a la explotación dificultan, la iniciativa de denunciar los hechos, así como la transformación de víctimas en responsables de la misma organización dificulta enormemente que denuncien los hechos de los que fueron víctimas y vayan contra los «jefes» (MARTÍN ANCÍN, 2017, p. 49; PARDO MIRANDA, 2023, p. 62). En general, se aprecia que para las personas u organizaciones criminales las actividades de trata con fines de explotación sexual son muy rentables, no sólo económicamente, sino también a nivel de riesgos asumidos, menores que en el tráfico de armas o drogas (PÉREZ CEPEDA, 2004, p. 34). Escapan de la detección por las autoridades, resulta muy difícil probar el delito de trata, las condenas suelen ser muy escasas y, en muchos casos, la corrupción se presenta como una importante aliada en muchos Estados (MORA NIETO, 2022, p. 230).

Una visión adecuada de la trata de seres humanos debe tener presente no sólo la represión del fenómeno delictivo (que constituye la clásica visión criminogénica o punitivista) y su prevención, sino que también debe dirigirse a la protección de la víctima (GARCÍA ARÁN, 2006, p. 19). En este sentido, conviene no confundir protección victimocéntrica con protección tuitiva. No hay que generalizar y considerar a todas las mujeres dedicadas a la prostitución como víctimas, porque implicaría negar la libertad y la autonomía (IGLESIAS SKULJ, 2011, p. 44), a la par que se fomenta el control sobre un grupo, incapaz de tomar decisiones y se impone un determinado discurso moral.

Igualmente, también es preciso que no se redireccione la intervención en la víctima, por ejemplo, al control del tráfico de inmigrantes ilegales (MAQUEDA ABREU, 2007, p. 16). Existe, como denomina CASADEI, una engañosa inversión de las prioridades (2017, p. 103). En primer lugar, consecuencia del paradigma migratorio y criminocéntrico (PÉREZ ALONSO, 2020, p. 650), los Estados confunden a las víctimas de trata con los infractores, puesto que las víctimas de trata también son consideradas infractoras de las normas administrativas que regulan la entrada, tránsito y permanencia en el país, debido a su situación irregular (CASADEI, 2017, pp. 103 y 112). Y, en segundo lugar, los Estados usan a las víctimas para cumplir otros objetivos como es llegar a los tratantes, a las organizaciones criminales, centrando su interés en las víctimas por la información que pueden proporcionar o por su utilidad para el sistema de justicia penal (LARA AGUADO, 2017, p. 842). Tratando, por tanto, a las víctimas como meros peones en su lucha contra los traficantes y no como seres humanos que necesitan protección y asistencia y merecen respeto (OFICINA DE LAS NACIONES UNIDAS CONTRA LA DROGA Y EL DELITO, 2007, p. 106). Debe evitarse la victimización secundaria, intentando buscar un equilibrio entre los derechos de la víctima y los demás derechos procesales (GONZÁLEZ CANO, 2019, p. 209). Pero también la revictimización, incidiendo en las causas estructurales, si éstas permanecen, continuará la situación de vulnerabilidad, y será muy fácil que vuelvan a convertirse en víctimas de trata o explotación sexual.

Es prioritario adoptar un enfoque victimocéntrico, integral y holístico (VILLACAMPA ESTIARTE, 2012a, p. 412; VILLACAMPA ESTIARTE, 2017, pp. 447-450). Conviene tener presente que la trata de seres humanos no se configura como un único comportamiento, sino que engloba distintas conductas y diversos medios comisivos que, de seguro, implican diferentes *modus operandi*, por ejemplo, las dinámicas de captación, la mecánica de los flujos migratorios, etc. Igualmente, será necesario conocer el perfil del sujeto activo y de la víctima, los factores de vulnerabilidad, las causas estructurales, pero también las individuales, y muy especialmente desde una perspectiva de género, porque las desigualdades sociales, económicas y culturales que afectan a las mujeres deciden la situación de vulnerabilidad, tanto en su lugar de origen como de destino, primordialmente cuando se trata de mujeres extranjeras (MORA NIETO, 2022, p. 231). Asimismo, se debe abordar el análisis de las políticas migratorias existentes o la estructura de las relaciones laborales, puesto que también inciden en la mayor vulnerabilidad a la trata (VALVERDE-CANO, 2023, p. 238). Sólo desde un conocimiento integral del fenómeno de trata de seres humanos con fines de explotación sexual se podrán valorar las estrategias existentes y plantear en su caso alternativas eficaces para prevenirla. Si se toma en consideración el modelo de las 3P, se intervendrá sobre tres ejes: persecución, protección y prevención.

Perseguir a los infractores, a los tratantes, como se ha indicado no es suficiente con la tipificación del delito de trata, sino que son necesarios medios para hacerla efectiva, para detectar, imputar y condenar a los responsables. Se requieren recursos materiales, pero también humanos, organizados y coordinados. Sería positiva la creación de unidades específicas como existen en violencia de género, o una mayor especialización de las Unidades contra las Redes de Inmigración Ilegal y Falsedad Documental (UCRIF), dirigidas específicamente a la trata.

Proteger a la víctima: Debe ser uno de los pilares prioritarios, para ofrecer una adecuada protección deberá centrarse en las necesidades específicas de cada víctima. Siendo igualmente necesaria la dotación de medios materiales para identificarlas, asesorarlas, protegerlas etc., pero también humanos, la dotación de personal suficiente y formado para atender esta problemática concreta. Es necesario seguir trabajando y fortalecer los ámbitos asistenciales para con las víctimas (VILLACAMPA ESTIARTE, 2017, p. 467).

Y, por último, prevenir la trata con fines de explotación sexual desde distintas perspectivas, para así conseguir una prevención integral.

En primer lugar, resulta imprescindible la concienciación y sensibilización social, que se implemente una tolerancia cero hacia las conductas de trata con fines de explotación social. De nada sirven las normas (por muy penales que sean) si los ciudadanos no comparten los valores de esas normas, la importancia de la dignidad humana y el respeto a los derechos humanos. Los ciudadanos deben compartir y promover los valores y los principios recogidos en las normas, sólo así ejercerán su labor de control social, denunciando los hechos constitutivos de trata, contribuyendo a la difícil tarea de la identificación de las víctimas. La sensibilización social también será clave para eliminar ciertos estereotipos y prejuicios sociales imperantes. En general, fruto de la falta de sensibilización social y del fuerte rechazo social hacia las prostitutas, la víctima de trata con fines de explotación sexual no se percibe socialmente como una persona a la que se le han vulnerado sus derechos humanos, la dignidad humana; sino simplemente como una prostituta (LARA AGUADO, 2012, p. 80), evidenciando de esta forma como el estigma asociado a la mujer prostituta condiciona la propia consideración de las víctimas de trata con fines de explotación sexual.

Asimismo, los medios de comunicación ejercen un papel esencial en la labor de concienciación, en cuanto que ellos pueden contribuir a dar visibilidad y la merecida consideración al fenómeno de la trata de seres humanos como un problema social que es necesario erradicar; también a difundir las campañas de sensibilización y concienciación social, similares a las de violencia de género, delitos de odio o seguridad vial existentes o incluso pueden incidir en desincentivar la demanda, por ejemplo, la industria del sexo, como causa de la trata con fines de explotación sexual (LARA AGUADO, 2017, pp. 857-860). No hay que olvidar que los medios de comunicación son los que deciden qué es noticia y cuál es el enfoque que se le da a la misma. Igualmente, los medios de comunicación pueden influir positivamente en las víctimas, animándolas a denunciar, mostrando el éxito de las operaciones policiales, evitando estereotipos o priorizando la defensa de los derechos humanos (LARA AGUADO, 2017, p. 860).

Un aspecto clave en la concienciación es la educación en valores, pero desde una perspectiva de género, teniendo presente que la consecución de la igualdad debe afrontarse desde un eje emancipador que contribuya al fortalecimiento y empoderamiento de las mujeres tanto en la esfera pública como privada y no simplemente prohibiendo las diferencias de trato. La prevención de la violencia sexual comienza fomentando la igualdad entre hombres y mujeres. La trata con fines de explotación sexual presenta un claro componente de género. Muchas de las desigualdades sociales, económicas y culturales vienen motivadas por el género, desigualdades que deciden la situación de vulnerabilidad (pobreza, precariedad laboral, marginalidad, etc.) y, por ende, en mayores posibilidades de convertirse en víctimas de trata con fines de explotación sexual.

Es necesaria la educación para vencer las desigualdades, pero también será necesario adoptar medidas socioeconómicas para afrontar las causas estructurales, centradas esencialmente en la desigualdad y la pobreza, resultando imprescindible la intervención en terceros países (en los países de origen) mediante la cooperación internacional para garantizar la existencia de alternativas reales. Estrategias que deberán tender a reducir las desigualdades entre el Norte y el Sur global. Desigualdades que cada vez son mayores, fruto del orden económico, social y político imperante. La globalización, el capitalismo neoliberal, el cambio climático, etc. potencian un desequilibrio en el reparto de los recursos, riquezas y oportunidades entre las personas y los países situados en el Norte y el Sur global. Y mientras sigan existiendo las violencias visibles e invisibles (BÖHM, 2020, pp. 270 y 271), las personas querrán huir de la pobreza, del hambre, de la incertidumbre, de la falta de oportunidades, etc. Y ni las normas, ni los muros ni las políticas migratorias restrictivas podrán impedirlo, simplemente contribuirán a la expansión de las actividades, mercados ilícitos y ganancias de las organizaciones criminales, que seguirán comerciando con migrantes, con seres humanos, y los explotarán aprovechándose de la situación.

Ante las cifras tan alarmantes de mujeres (y niñas) víctimas de trata con fines de explotación sexual es necesario no sólo visibilizar esta lacra, sino también asumir la responsabilidad, porque su existencia es un fracaso de todos. Asumir no sólo una responsabilidad jurídica, sino también política y moral en sentido amplio (ARCOS RAMÍREZ, 2017, pp. 77 y ss). Pero ¿quiénes pueden ser considerados responsables? Evidentemente, dependerá del tipo de responsabilidad. Está claro que desde un punto de vista jurídico los responsables y así aparece tipificado en las legislaciones penales serán los tratantes, quiénes utilizando determinados medios comisivos (violencia, intimidación, engaño, etc.) realicen alguna de las conductas previstas; captación, traslado, recepción, etc., con la finalidad de explotar sexualmente a la víctima (art. 177 bis CP), pero la responsabilidad no finaliza en los sujetos activos (individuales u organizaciones criminales), sino que también es posible exigir responsabilidad al Estado en cuyo interior se produjo la trata por no haber evitado la vulneración de los derechos humanos, existiendo dos posibilidades: por carecer de instrumentos jurídicos que permitan perseguir las violaciones de derechos humanos o proteger a las víctimas; o bien por la falta de medios o voluntad política para dotarlos de eficacia. Estaríamos ante una responsabilidad derivada del papel, la función que debe cumplir el Estado. La jurisprudencia del Tribunal Europeo de Derechos Humanos (caso *Rantsev v. Cyprus and Russia*, Sentencia del TEDH de 7 de enero de 2010) está admitiendo que los Estados tienen la obligación de actuar con la diligencia debida para impedir que se comentan violaciones de derechos humanos (como ocurre con la trata) dentro de su territorio (LARA AGUADO, 2017, pp. 864-865; PÉREZ ALONSO, 2020, p. 664).

Y por último se propone la responsabilidad de la comunidad internacional, que debe velar por la erradicación de todas las formas de esclavitud, máxime cuando imperan fenómenos como la globalización o el capitalismo neoliberal, que determinan la reducción del Estado, pero también motivan la presencia de causas estructurales globales. Así, si se quiere erradicar la trata, un problema global y causado fundamentalmente por causas globales, la intervención no puede ser exclusivamente estatal, sino que se debe adoptar un enfoque global.

En mi opinión, los Objetivos de Desarrollo Sostenible (ODS) recogidos en la Agenda 2030 identifican claramente los retos globales que se deben afrontar para conseguir un mundo menos polarizado, más igualitario y justo y así poder eliminar las causas estructurales que motivan la trata con fines de explotación sexual, así como otros problemas globales.

No es utópico pensar que en nuestras manos está la posibilidad de luchar contra la trata de mujeres con fines de explotación sexual. Se puede revertir la invisibilización y la tolerancia social hacia la trata de mujeres con fines de explotación sexual. De hecho, la percepción sobre la violencia doméstica ha cambiado y en la actualidad la sociedad está sensibilizada y preocupada realmente. Hace décadas la violencia doméstica se consideraba un asunto doméstico, privado en el que el Estado y la sociedad nada tenían que decir. Piénsese, en los numerosos refranes transmisores de la sabiduría popular y de las normas sociales que avalaban esta realidad: «a la mujer y la mula vara dura», «los trapos sucios se lavan en casa», «la mujer en casa y con la pata quebrada», «a la mujer y a la burra, cada día una zurra», etc. Sin embargo, los medios de comunicación, la opinión pública y la alarma social generada motivaron el cambio, la incorporación de los delitos de malos tratos, la creación de unidades especiales en las FFCC de seguridad, de Fiscalías y Juzgados especializados, se dotó de recursos materiales y humanos, etc. con el objetivo de hacer frente a esa lacra social. Nada impide que la sociedad se despierte y lo reclame, de hecho, en noviembre de 2022 se aprobó el Anteproyecto de Ley Orgánica contra la Trata y la Explotación de Seres Humanos, con el objetivo de aprobar una ley integral que aborde todas las formas de trata y de explotación. Dado su marcado carácter transversal es necesario no sólo un tratamiento normativo conjunto, sino una visión global del fenómeno (LLORÍA GARCÍA, 2019, p. 357). Una norma que adopte no sólo un enfoque punitivista, sino también de prevención y sensibilización de la sociedad, dirigido igualmente a la protección de la víctima holística, sin olvidar aspectos como la victimización secundaria, centrada en la víctima y sus cuidados. La protección de la víctima no puede seguir estando contemplada en la legislación de extranjería. De una parte, porque contribuye a reforzar el vínculo entre trata y tráfico tan lesivo para las víctimas de trata y, de otra parte, la trata puede ser interna o transnacional, por lo que las víctimas no son exclusivamente mujeres extranjeras, sino también españolas o nacionales de un Estado miembro de la Unión Europea. En resumen, es necesaria una ley con una visión transversal y global en la que tengan cabida aspectos jurídicos (penales, procesales, laborales, civiles, administrativos y penitenciarios), pero también educativos, psicológicos, asistenciales, etc.

Por último, teniendo en cuenta el importante componente de género que tiene la trata de seres humanos con fines de explotación sexual, puede que sea conveniente abordar una normativa integral no para todos los tipos de trata, sino específica para la realizada con una finalidad de explotación sexual.

V. CONCLUSIONES

A lo largo de estas páginas se ha puesto de manifiesto el fenómeno de la trata de mujeres con fines de explotación sexual como una realidad poliédrica.

En primer lugar, como una forma de esclavitud, esa institución del pasado, que a pesar de estar proscrita y de los esfuerzos por erradicarla, subsiste a nivel mundial. Se trata de una forma contemporánea de esclavitud que viola los derechos humanos, inherentes a todas las personas.

En segundo lugar, como un delito tipificado en la mayoría de las legislaciones penales, al menos la de los 176 Estados que han ratificado el Protocolo de Palermo, demostrando que los esfuerzos no se deben limitar al reconocimiento formal del delito, sino que hay que aplicarlo y este proceso exige mayores esfuerzos y determinación, tales como la creación de unidades especializadas de FFCC de seguridad, Fiscalías y Juzgados.

Y en tercer y último lugar, como una forma de violencia de género, donde la violencia sobre ellas recae precisamente porque son mujeres. El género es lo que constituye su esencia como personas (GUISASOLA LERMA, 2019, p. 179). La trata de mujeres y la prostitución forzada son manifestaciones de la violencia contra la mujer, art. 2 de la Declaración sobre la eliminación de la violencia contra la mujer, de 20 de diciembre de 1993.

El género en la trata de seres humanos con fines de explotación sexual es una variable determinante. Más del 90% de las víctimas son mujeres y niñas. Por consiguiente, no se puede ignorar el componente o la perspectiva de género, porque este factor actúa como un efecto multiplicador. Determina la desigualdad, el acceso desigual a los recursos (educativos, ocupacionales, sociales, etc.), menores oportunidades laborales y sociales y por ende una mayor probabilidad de marginalidad, exclusión social, pobreza, etc. Todos estos factores deciden una mayor «vulnerabilidad» y un mayor riesgo de victimización, de convertirse en víctimas de trata de seres humanos. Sólo con educación desde la igualdad se podría romper la fuerte asociación existente entre género, desigualdad y pobreza, reduciendo considerablemente el riesgo de victimización de la trata de seres humanos, pero también de marginalidad y exclusión social.

Educación desde la igualdad, eliminando las construcciones sociales (propias del patriarcado) creadas en torno a hombres y mujeres y los roles sociales atribuidos. Consecución de la igualdad desde una perspectiva de la emancipación de la mujer en las esferas pública y privada (POMARES CINTAS & MAQUEDA ABREU, 2022, p. 1). Igualmente, educar desde la humanidad, en el sentido de que ningún ser humano debe ser cosificado, convertido en objeto para la explotación de otro. Los derechos humanos pertenecen a todos sin importar el género, la nacionalidad, procedencia o riqueza acumulada.

La educación para trabajar en definitiva para conseguir que socialmente la trata de seres humanos con fines de explotación sexual se perciba como una forma de violencia de género. Apelando a un cambio como el acontecido con el tratamiento de la violencia doméstica y la violencia de género, regulados en una ley integral: la LO 1/2004, de 28 de diciembre, de Medidas de Protección Integral contra la Violencia de Género.

La existencia de la trata en general y de la trata con fines de explotación sexual en particular debe valorarse como un fracaso social, porque la existencia de la trata de mujeres con fines de explotación sexual depende en última instancia de la sociedad, de todos nosotros.

Un enfoque simple consistiría en centrarse en la ley de la oferta y la demanda. La trata con fines de explotación sexual existe porque la sociedad, sus ciudadanos demandan servicios sexuales y además de forma creciente. De hecho, España es el primer país de demanda de prostitución. La existencia de consumidores sexuales aumenta la demanda, generando oportunidades de negocio, se percibe como una forma de obtener beneficios económicos por parte de los tratantes, máxime cuando existe una desregulación o ausencia de regulación de determinadas actividades laborales, incluida la prostitución. No obstante, limitarse a este aspecto sería demasiado simple o pobre. Erradicar la trata de seres humanos exige conocer este fenómeno, su etiología, porque sólo desde el conocimiento se puede actuar sobre las causas (fundamentalmente) estructurales que la originan y perpetúan. Causas que dependen esencialmente de fenómenos globales como la globalización, el neoliberalismo capitalista y otros fenómenos derivados en última instancia de ellos: el cambio climático, la desregulación de los mercados laborales, la inseguridad alimentaria, la pobreza, la desigual distribución de la riqueza, la ausencia de oportunidades, etc. Todas estas causas en el contexto económico y social imperante propician la trata de personas, que los seres humanos sean tratados como mercancías para ser explotados. Estamos ante causas globales, que afectan a todos los países, pero sus efectos no son uniformes, son desiguales y presentan un diferente alcance. En general, algunas personas, regiones o países presentan una mayor probabilidad de exposición.

Frente a problemas globales, las respuestas no deben ser locales, sino globales. Se propone una Constitución de la Tierra FERRAJOLI, 2022) o un gobierno global, una cooperación internacional al máximo nivel (SANZ MULAS, 2022a, p. 105) para poder protegernos localmente; o un enfoque global desde la cooperación internacional. En este sentido, desempeña un papel decisivo la Agenda 2030. Este instrumento pretende abordar problemas y necesidades globales actuales con un objetivo social común: el desarrollo global y humano sostenible. Así, los Estados se comprometieron a:

> «poner fin a la pobreza y el hambre en todo el mundo de aquí a 2030, a combatir las desigualdades dentro de los países y entre ellos, a construir sociedades pacíficas, justas e inclusivas, a proteger los derechos humanos y promover la igualdad entre los géneros y el empoderamiento de las mujeres y las niñas, y a garantizar una protección duradera del planeta y sus recursos naturales» (NACIONES UNIDAS, 2015, p. 3).

El cumplimiento de los compromisos indicados en este párrafo supondría alcanzar al menos los siguientes objetivos: erradicar la pobreza (ODS

1), erradicar el hambre (ODS 2), reducir las desigualdades (ODS 10), conseguir la igualdad de género (ODS 5), etc. Pasos todos ellos decisivos para aniquilar la trata de seres humanos, porque estos objetivos inciden sobre las principales causas estructurales que deciden la trata de seres humanos.

VI. BIBLIOGRAFÍA

ABOSO, G. E. (2018), Trata de personas: La criminalidad organizada en la explotación laboral y sexual (2a. ed.). Buenos Aires.

AGUILAR-CÁRCELES, M. M., VINAGRE-GONZÁLEZ, A. M., & SOTO-CASTRO, J. E. (2021), «Victimización por delitos contra la dignidad y libertad sexual: La mujer como víctima de trata de seres humanos con fines de explotación sexual», en Rodríguez González: *La vulnerabilidad de las víctimas desde la perspectiva de género. Una visión criminológica*, Madrid, pp.109-138.

ANDREU IBÁÑEZ, R., & CARMONA ABRIL, M. A. (2017), «La trata de seres humanos con fines de explotación sexual: Una forma de violencia de género», *Dilemata*, n. 24, pp. 247-266.

ARCOS RAMÍREZ, F. (2017), «Globalización, pobreza y esclavitud contemporánea: Una mirada cosmopolita», en Pérez Alonso, Mercado Pacheco, Olarte Encabo, Lara Aguado, Ramos Tapia, Pomares Cintas y Esquinas Valverde (coord.): *El derecho ante las formas contemporáneas de esclavitud*, Valencia, pp. 77-99.

AYUNTAMIENTO DE MADRID. (2014), Estudio sobre el tratamiento publicitario e informativo de la prostitución y la trata de seres humanos con fines de explotación sexual en los medios de comunicación. Madrid.

BALES, K. (2007), «What Predicts Human Trafficking?», *International Journal of Comparative and Applied Criminal Justice*, n. 31(2), pp. 269-279. https://doi.org/10.1080/01924036.2007.9678771

BALES, K. (2012), *Disposable people new slavery in the global economy* (Rev. ed. with a new preface.). Berkeley. https://doi.org/10.1525/9780520951389

BARATTA, A. (2023), Criminología crítica y crítica del derecho penal: Introducción a la sociología jurídico-penal (Segunda edición). Madrid.

BAUCELLS LLADÓS, J., & CUENCA GARCÍA, M. J. (2006). «El perfil criminológico del tráfico para la explotación sexual en España: Un fenómeno viejo con características nuevas», en García Arán (dir.): *Trata de personas y explotación sexual*, Granada, pp. 109-156.

BECKER, H. S. (1991), Outsiders: Studies in the sociology of deviance. New York.

BHOOLA, U. (2017), «Los nuevos retos para la erradicación de las formas contemporáneas de esclavitud», en Pérez Alonso, Mercado Pacheco, Olarte Encabo, Lara Aguado, Ramos Tapia, Pomares Cintas y Esquinas Valverde (coord.): *El derecho ante las formas contemporáneas de esclavitud*, Valencia, pp. 53-61.

BLÁZQUEZ VILAPLANA, B. (2017), «La trata de personas con fines de explotación sexual en España: Elementos para la reflexión», *Revista Espiga*, n. 17(34), pp. 183-196.

BÖHM, M. L. (2020), «El delito de maldesarrollo», en Pérez Alonso y Olarte Encabo (dir.): *En Formas contemporáneas de esclavitud y derechos humanos en clave de globalización, género y trata de personas*, Valencia, pp. 269-307.

BOZA MORENO, E. (2019), «La prostitución en España: El limbo de la alegalidad», *Estudios Penales y Criminológicos*, vol. XXXIX, pp. 217-301.

CACHO, L. (2015), Esclavas del poder: Un viaje al corazón de la trata sexual de mujeres y niñas en el mundo, Barcelona.

CAMPO MARTÍN, L. (2021), «La prostitución en el seno de los sistemas de poder: Patriarcado, capitalismo neoliberal y colonialismo en el nuevo contexto global», *Disjuntiva. Crítica de les Ciències Socials*, n. 2(2), Article 2. https://doi.org/10.14198/DISJUNTIVA2021.2.2.1

CARMONA SALGADO, C. (2017), «Argumentos políticocriminales y jurídicos a favor de regularizar la prostitución voluntaria de adultos en el ordenamiento español a partir de la conflictiva figura del art. 187.1,2° CP en materia de proxenetismo lucrativo», en Pérez Alonso y Olarte Encabo (dir.): *En Formas contemporáneas de esclavitud y derechos humanos en clave de globalización, género y trata de personas*, Valencia, pp. 677-693.

CASADEI, T. (2017), «Sujetos vulnerables, trata y formas contemporáneas de esclavitud: El papel de las instituciones», en Pérez Alonso, Mercado Pacheco, Olarte Encabo, Lara Aguado, Ramos Tapia, Pomares Cintas y Esquinas Valverde (coord.): *El derecho ante las formas contemporáneas de esclavitud*, Valencia, pp.101-116.

CASALS, C. (2001), Globalización: Apuntes de un proceso que está transformando nuestras vidas, Barcelona.

CEREZO DOMÍNGUEZ, A. (2021), «Violencia contra las mujeres en conflictos armados como ejemplo de macrovictimización: La violencia sexual o basada en el género como arma de guerra», en Varona Martínez (dir.): *Macrovictimización, abuso de poder y victimología: Impactos intergeneracionales*, Cizur Menor, pp. 177-199.

COALITION AGAINST TRAFFICKING IN WOMEN. (2001), *Guide to the New UN Trafficking Protocol*. https://catwinternational.org/wp-content/uploads/2019/09/Guide-to-the-New-UN-Trafficking-Protocol.pdf

COBO BEDÍA, R. (2016), «Un ensayo sociológico sobre la prostitución», *Política y sociedad*, n. 53(3), pp. 897-914.

COOK, R. J. (2010), *Gender stereotyping transnational legal perspectives*, Philadelphia. https://doi.org/10.9783/9780812205923

COUNCIL OF EUROPE. (2023), 12th General Report GRETA — Group of Experts on Action against Trafficking in Human Beings.

CUESTA, S. G., & CORROCHANO, E. H. (2015), «Poblaciones mercancía: Una reflexión desde el proceso de investigación sobre la trata sexual en España», *Journal of Feminist, Gender and Women Studies*, 1, Article 1. https://doi.org/10.15366/jfgws2015.1.002

DAUNIS RODRÍGUEZ, A. (2009)., El Derecho penal como herramienta de la política migratoria. Granada.

DÍEZ PERALTA, E. (2017), «Los crímenes de esclavitud y de esclavitud sexual en el marco de un conflicto armado: Principales hitos en la jurisprudencia penal internacional», en Pérez Alonso, Mercado Pacheco, Olarte Encabo, Lara Aguado, Ramos Tapia, Pomares Cintas y Esquinas Valverde (coord.): *El derecho ante las formas contemporáneas de esclavitud*, Valencia, pp. 251-280.

España. Defensor del Pueblo. (2012), *La trata de seres humanos en España: Víctimas invisibles*. https://www.defensordelpueblo.es/wp-content/uploads/2015/05/2012-09-Trata-de-seres-humanos-en-Espa%C3%B1a-v%C3%ADctimas-invisibles-ESP.PDF

EUROPOL. (2016), *Situation Report Trafficking in human beings in the EU*. https://www.europol.europa.eu/cms/sites/default/files/documents/thb_situational_report_-_europol.pdf

FERNÁNDEZ OLALLA, P. (2012), «La trata de personas con fines de explotación sexual: Perspectiva del Ministerio Fiscal en la represión del delito de trata», en Lara Aguado (dir.): *Nuevos retos en la lucha contra la trata de personas con fines de explotación sexual: Un enfoque interdisciplinar*, Cizur Menor, pp. 415-440.

FERRAJOLI, L. (2022), Por una Constitución de la Tierra. Madrid.

GARCÍA ARÁN, M. (2006), «Introducción», en García Arán (dir.): *Trata de personas y explotación sexual*, Granada, pp. 1-31.

GARCÍA ARÁN, M. (2017), «Trata de personas y regulación de la prostitución», en Pérez Alonso, Mercado Pacheco, Olarte Encabo, Lara Aguado, Ramos Tapia, Pomares Cintas y Esquinas Valverde (coord.): *El derecho ante las formas contemporáneas de esclavitud*, Valencia, pp. 655-676.

GARCÍA SEDANO, T. (2020), «En la encrucijada: Retos ante las formas contemporáneas de esclavitud», en Gallo y García Sedano (coord.): *Formas modernas de esclavitud y explotación laboral*, Montevideo, pp. 139-322.

GIMÉNEZ-SALINAS FRAMIS, A. (2019), «La trata de personas como mercado ilícito del crimen organizado: Factores explicativos y características», en Martín Ostos (dir.): *La tutela de la víctima de trata: Una perspectiva penal, procesal e internacional*, Barcelona, pp. 27-60.

GIMENO, B. (2012), *La prostitución*. Barcelona.

GIMENO, B. (2019, septiembre 24), *El feminicidio invisible: Feminicidio por prostitución*. Beatriz Gimeno. https://beatrizgimeno.es/2019/09/24/el-feminicidio-invisible-feminicidio-por-prostitucion/

GÓMEZ SUÁREZ, Á. (2021), El putero español: Quiénes son y qué buscan los clientes de prostitución en España. Madrid.

GONZÁLEZ CANO, M. I. (2019), «Algunas reflexiones sobre los nuevos paradigmas de la tutela procesal de la víctima del delito de trata», en Martín Ostos (dir.): *La tutela de la víctima de trata: Una perspectiva penal, procesal e internacional*, Barcelona, pp. 207-241.

GONZÁLEZ TASCÓN, M. M. (2020), «Aspectos jurídico penales de la explotación sexual de las personas adultas en la prostitución y de otras conductas relacionadas», *Revista Electrónica de Ciencia Penal y Criminología*, n. 22-10, pp. 1-43.

GUISASOLA LERMA, C. (2019), «Formas contemporáneas de esclavitud y trata de seres humanos: Una perspectiva de género», *Estudios Penales y Criminológicos*, vol. XXXIX, pp. 175-215.

IGLESIAS SKULJ, A. (2011), «El control penal de las trabajadoras del sexo en el ámbito de las políticas contra la trata de mujeres con fines de explotación sexual (el caso español)», *Derecho Penal y Criminología*, n. 32(92), pp. 22-41.

IGLESIAS SKULJ, A. (2013), Trata de mujeres con fines de explotación sexual: Análisis político-criminal del artículo 177 bis del Código Penal. Valencia.

JULIANO CORREGIDO, M. D. (2004), «El peso de la discriminación: Debates teóricos fundamentaciones», en Osborne (dir.): Trabajador@s del sexo: Derechos, migraciones y tráfico en el siglo XXI (pp. 43-56). Barcelona.

LARA AGUADO, Á. (2012), «La trata como grave violación de derechos humanos: Incoherencias entre la concepción de la trata como atentado a los derechos humanos y su regulación a nivel interno e internacional», en Lara Aguado (dir.): *Nuevos retos en la lucha contra la trata de personas con fines de explotación sexual: Un enfoque interdisciplinar*, Cizur Menor, pp. 45-107.

LARA AGUADO, Á. (2017), «El avance irresistible de la concepción de la trata como violación de derechos humanos: Luces y sombras de las políticas protectoras de las víctimas en la normativa internacional e interna», en Pérez Alonso, Mercado Pacheco, Olarte Encabo, Lara Aguado, Ramos Tapia, Pomares Cintas y Esquinas Valverde (coord.): *El derecho ante las formas contemporáneas de esclavitud*, Valencia, pp. 823-869.

LERNER, G. (1990), *La creación del patriarcado*. Barcelona.

LERNER, M. J. (1980), The belief in a just world: A fundamental delusion. New York & London.

LLORÍA GARCÍA, P. (2019), «El delito de trata de seres humanos y la necesidad de creación de una ley integral», *Estudios Penales y Criminológicos*, vol. XXXIX, pp. 353-402.

LOUSADA AROCHENA, J. F. (2017), «El tratamiento legal de la prostitución: ¿Forma de esclavitud o trabajo sexual?», en Pérez Alonso, Mercado Pacheco, Olarte Encabo, Lara Aguado, Ramos Tapia, Pomares Cintas y Esquinas Valverde (coord.): *El derecho ante las formas contemporáneas de esclavitud*, Valencia, pp. 631-654.

MACUARE, M., & OVALLES, A. (2021), «Mujeres inmigrantes en España: Análisis con perspectiva de género de los riesgos de victimización», en Rodríguez González: *La vulnerabilidad de las víctimas desde la perspectiva de género. Una visión criminológica*, Madrid, pp. 277-287.

MAQUEDA ABREU, M. L. (2000), «El tráfico de personas con fines de explotación sexual. Jueces para la democracia», *Jueces para la democracia*, n. 38, pp. 23-29.

MAQUEDA ABREU, M. L. (2002), «Una nueva forma de esclavitud: El tráfico sexual de personas», en: *Inmigración y derecho penal: bases para un debate*,

Valencia, pp. 255-272. https://dialnet.unirioja.es/servlet/articulo?codigo=605443

MAQUEDA ABREU, M. L. (2007), «¿Es la estrategia penal una solución a la violencia contra las mujeres?», Indret, n. 4, 1-43. https://www.raco.cat/index.php/InDret/article/view/78458/102446

MARTÍN ANCÍN, F. (2017), La trata de seres humanos con fines de explotación sexual en el Código Penal de 2010: Aportaciones de la Ley Orgánica 1/2015. Valencia.

MARTÍNEZ ESCAMILLA, M. (2015), Prostitución, trata e inmigración irregular, en Alcácer Guirao, Martín Lorenzo y Valle Mariscal de Gante (coord.): *La trata de seres humanos: Persecución penal y protección de las víctimas*, Madrid, pp. 155-187.

MENESES-FALCÓN, C., & URÍO, S. (2021), «La trata con fines de explotación sexual en España: ¿Se ajustan las estimaciones a la realidad? / Trafficking for the Purpose of Sexual Exploitation in Spain: Estimates and Reality», *Revista Española de Investigaciones Sociológicas*, n. 174. https://doi.org/10.5477/cis/reis.174.89

MILITELLO, V. (2018), «La tratta di esseri umani: La politica criminale multilivello e la problematica distinzione con il traffico di migranti», *Rivista italiana di diritto e procedura penale*, n. 1, pp. 86-108.

MINISTERIO DEL INTERIOR. (2023), *Trata de seres humanos*. https://www.policia.es/_es/colabora_trata

MONGE FERNÁNDEZ, A. (2019), «Aspectos concursales del delito de trata de seres humanos», en Martín Ostos (dir.): *La tutela de la víctima de trata: Una perspectiva penal, procesal e internacional*, Barcelona, pp. 131-152.

MORA, R. (2017), «APRAMP: Asistencia y protección integral a mujeres y niñas víctimas de trata», en Pérez Alonso, Mercado Pacheco, Olarte Encabo, Lara Aguado, Ramos Tapia, Pomares Cintas y Esquinas Valverde (coord.): *El derecho ante las formas contemporáneas de esclavitud*, Valencia, pp. 1013-1038.

MORA NIETO, R. (2022), «Asistencia y Protección Integral a Mujeres y Niñas Víctimas de Trata Con Fines de Explotación Sexual», *Anales de la Cátedra Francisco Suárez*, n. 2, pp. 225-252. https://doi.org/10.30827/acfs.vi.25189

MOYA GUILLEM, C. (2020), La trata de seres humanos con fines de extracción de órganos. Análisis criminológico y jurídico-penal. Valencia.

NACIONES UNIDAS, Oficina del Alto Comisionado para los Derechos Humanos (2010), *Principios y directrices recomendados sobre derechos humanos y trata de personas.* https://acnudh.org/principios-y-directrices-recomendados-sobre-derechos-humanos-y-trata-de-personas/

NACIONES UNIDAS. (2015), Resolución aprobada por la Asamblea General el 25 de septiembre de 2015. Transformar nuestro mundo: La Agenda 2030 para el Desarrollo Sostenible. https://www.un.org/sustainabledevelopment/es/2015/09/la-asamblea-general-adopta-la-agenda-2030-para-el-desarrollo-sostenible/

NACIONES UNIDAS. (2023), Informe de los Objetivos de Desarrollo Sostenible 2023: Edición especial.

NEWBURN, T. (2017), *Criminology* (Third edition). London & New York.

OFICINA DE LAS NACIONES UNIDAS CONTRA LA DROGA Y EL DELITO. (2007), *Manual para la lucha contra la trata de personas.* Naciones Unidas. https://www.unodc.org/pdf/Trafficking_toolkit_Spanish.pdf

OIT. (2022), *Estimaciones mundiales sobre la esclavitud moderna: Trabajo forzoso y matrimonio forzoso-Resumen Ejecutivo.* https://www.ilo.org/global/topics/forced-labour/publications/WCMS_854797/lang--es/index.htm

OIT. (2014, mayo 20), OIT: *El trabajo forzoso genera 150.000 millones dólares de ganancias anuales* [Noticia]. http://www.ilo.org/global/about-the-ilo/newsroom/news/WCMS_243308/lang--es/index.htm

ONU. (2023, febrero 7), *El 10% de la población concentra actualmente el 52% de la riqueza global* | Noticias ONU. (2023, febrero 7). https://news.un.org/es/story/2023/02/1518412

ORBEGOZO ORONOZ, I. (2009), «La mujer inmigrante desde la Victimología», *Eguzkilore: Cuaderno del Instituto Vasco de Criminología,* n. 23, pp. 45-57.

ORGANIZACIÓN INTERNACIONAL PARA LAS MIGRACIONES. (2011), *Manual para la detección del delito de trata de personas orientado a las autoridades migratorias.* https://www.ecampus.iom.int/pluginfile.php/14569/block_html/content/Manual_para_la_deteccion_del_delito_de_trata.pdf

OSCE, Office of the Special Representative and Co-ordinator for Combating Trafficking in Human. (2021), *Discouraging the demand that fosters trafficking for the purpose of sexual explotation.* Vienna.

PARDO MIRANDA, M. (2023), El delito de trata de seres humanos: Un estudio político-criminal. Madrid.

PARLAMENTO EUROPEO. (2016), Informe de 13 de junio de 2016 sobre la lucha contra el tráfico de seres humanos en las relaciones exteriores de la Unión Europea (2015/2340 (INI)). https://www.europarl.europa.eu/doceo/document/A-8-2016-0205_ES.html

PARLAMENTO EUROPEO. (2023), Informe de 30 de agosto de 2023 sobre la regulación de la prostitución en la Unión: Repercusiones transfronterizas e impacto en la igualdad de género y los derechos de las mujeres (2022/2139 (INI)). https://www.europarl.europa.eu/doceo/document/A-9-2023-0240_ES.pdf

PÉREZ ALONSO, E. J. (2008), Tráfico de personas e inmigración clandestina. (Un estudio sociológico, internacional y jurídico-penal). Valencia.

PÉREZ ALONSO, E. J. (2020), «Política legislativa y criminal de la Unión Europea contra la trata de seres humanos», en Pérez Alonso y Olarte Encabo (dir.): *En Formas contemporáneas de esclavitud y derechos humanos en clave de globalización, género y trata de personas*, Valencia, pp. 647-677.

PÉREZ CEPEDA, A. I. (2004), Globalización, tráfico internacional ilícito de personas y derecho penal: Ley orgánica 11-2003, de 29 de septiembre, de medidas concretas en materia de integración social de los extranjeros. Granada.

PÉREZ CEPEDA, A. I., & QUINTERO OLIVARES, G. (2006). «Las normas penales españolas: Cuestiones generales», en García Arán (dir.): *Trata de personas y explotación sexual*, Granada, pp. 157-195.

PÉREZ FREIRE, S. (2018), «Imaginarios sociales de la prostitución y la trata sexual: Transferencias en la invisibilidad», *Atlánticas. Revista Internacional de Estudios Feministas*, n. 3 (1), pp. 62-84.

POMARES CINTAS, E. (2011), «El delito de trata de seres humanos con finalidad de explotación laboral», *Revista electrónica de ciencia penal y criminología*, n. 13, pp. 1-15.

POMARES CINTAS, E. (2017), «Directrices para el análisis y persecución penal de la explotación económica en condiciones de esclavitud o similares», en Pérez Alonso, Mercado Pacheco, Olarte Encabo, Lara Aguado, Ramos Tapia, Pomares Cintas y Esquinas Valverde (coord.): *El derecho ante las formas contemporáneas de esclavitud*, Valencia, pp. 775-793.

POMARES CINTAS, E., & MAQUEDA ABREU, M. L. (2022), «Mujeres: Entre la igualdad y un nuevo orden moral», *Mientras tanto*, n. 210, pp. 1-5.

PORTILLA CONTRERAS, G. (2008), El Derecho penal entre el cosmopolitismo universalista y el relativismo postmodernista. Valencia.

REAL ACADEMIA ESPAÑOLA. (2014), *Diccionario de la lengua española* (23a ed.). https://dle.rae.es

RIVAS VALLEJO, P. (2017), «Aspectos laborales de la prostitución voluntaria: Perspectiva comunitaria y modelos comparados», en Pérez Alonso, Mercado Pacheco, Olarte Encabo, Lara Aguado, Ramos Tapia, Pomares Cintas y Esquinas Valverde (coord.): *El derecho ante las formas contemporáneas de esclavitud*, Valencia, pp. 569-597.

RIVAS VALLEJO, P. (2020), «Las fronteras entre los conceptos de esclavitud, trabajo forzoso y explotación: Perspectiva laboral y de género», en Pérez Alonso y Olarte Encabo (dir.): *En Formas contemporáneas de esclavitud y derechos humanos en clave de globalización, género y trata de personas*, Valencia, pp. 39-90.

RUIZ RESA, J. D. (2020), «El género en la regulación jurídica de la trata de personas», en Pérez Alonso y Olarte Encabo (dir.): *En Formas contemporáneas de esclavitud y derechos humanos en clave de globalización, género y trata de personas*, Valencia, pp. 679-701.

SALAT PAISAL, M. (2021), «¿Qué influye en las condenas por el delito de trata de seres humanos? Un estudio a partir de un análisis de sentencias judiciales», *Revista General de Derecho Penal*, n. 35, pp. 1-39.

SANCHA SERRANO, E. M. (2012), «Aproximación a la trata de personas», en Lara Aguado (dir.): *Nuevos retos en la lucha contra la trata de personas con fines de explotación sexual: Un enfoque interdisciplinar*, Cizur Menor, pp. 109-125.

SANZ MULAS, N. (2022a), «Neoliberalismo transpandémico, cambio climático y desgobierno global: Retos desde la política criminal», en Ferré Olivé, Serrano-Piedecasas Fernández, Demetrio Crespo, Pérez Cepeda, Núñez Paz, Zúñiga Rodríguez y Sanz Mulas (coord.): *Homenaje al profesor Ignacio Berdugo Gómez de la Torre*: Vol. 1: *Liber Discipulorum Schola Iuris Criminalis Salmanticensis*, Salamanca, pp. 99-113.

SANZ MULAS, N. (2022b), «Pacto Migratorio y trata de seres humanos: Las mujeres migrantes como mercancía», en Sanz Mulas (dir.): *(In)cumplimiento por el Estado Español del Pacto Mundial de Migraciones: cuestiones preliminares desde la perspectiva de género*, Valencia, pp. 391-427.

SERRANO MAÍLLO, A. (2009), *Oportunidad y delito*. Madrid.

SHAHINIAN, G. (2017), «Aproximación a la realidad de las formas contemporáneas de esclavitud», en Pérez Alonso, Mercado Pacheco, Olarte Encabo, Lara Aguado, Ramos Tapia, Pomares Cintas y Esquinas Valverde (coord.): *El derecho ante las formas contemporáneas de esclavitud*, Valencia, pp. 31-52.

SYKES, G. M., & MATZA, D. (1957), «Techniques of neutralization: A theory of delincuency», *American Sociological Review*, n. 22(6), pp. 664-670.

TAMARIT SUMALLA, J. M. (2006). «La victimología: Cuestiones conceptuales y metodológicas», en Echeburúa Odriozola, Baca Baldomero y Tamarit Sumalla (coord.): *Manual de victimología*, Valencia, pp. 17-50.

TORRADO MARTÍN-PALOMINO, E., & CEBALLOS VACAS, E. M. (2023). «La infancia enajenada: Niñas y adolescentes extranjeras víctimas de la trata con fines de explotación sexual». *Migraciones*, n. 57, pp. 1-5.

UNODC. (s. f.), *La trata de personas: Compraventa de seres humanos*. Recuperado 5 de octubre de 2023, de https://www.unodc.org/toc/es/crimes/human-trafficking.html

UNODC. (2021), Global Report on Trafficking in Persons 2020. Vienna.

UNODC. (2023), Global Report on Trafficking in Persons 2022. Vienna.

VALVERDE-CANO, A. B. (2023), Más allá de la trata: El derecho penal frente a la esclavitud, la servidumbre y los trabajos forzados. Valencia.

VILLACAMPA ESTIARTE, C. (2011), El Delito de trata de seres humanos: Una incriminación dictada desde el derecho internacional. Cizur Menor.

VILLACAMPA ESTIARTE, C. (2012a), «El delito de trata de seres humanos en el Código Penal Español», en Lara Aguado (dir.): *Nuevos retos en la lucha contra la trata de personas con fines de explotación sexual: Un enfoque interdisciplinar*, Cizur Menor, pp. 387-414.

VILLACAMPA ESTIARTE, C. (2012b)., «Políticas de criminalización de la prostitución: Análisis crítico de su fundamentación y resultados», *RDPC*, n. 7, pp. 81-142.

VILLACAMPA ESTIARTE, C. (2013), «La moderna esclavitud y su relevancia jurídico-penal», *Revista de Derecho Penal y Criminología*, n. 10, pp. 293-342.

VILLACAMPA ESTIARTE, C. (2017), «El delito de trata de seres humanos en derecho penal español tras la reforma de 2015», en Pérez Alonso, Mercado Pacheco, Olarte Encabo, Lara Aguado, Ramos Tapia, Pomares Cintas y Esquinas Valverde (coord.): *El derecho ante las formas contemporáneas de esclavitud*, Valencia, pp. 447-468.

WEISSBRODT, D., & LA LIGA CONTRA LA ESCLAVITUD. (2002), *La Abolición de la Esclavitud y sus Formas contemporáneas*. https://www.ohchr.org/es/publications/special-issue-publications/abolishing-slavery-and-its-contemporary-forms

ZÚÑIGA RODRÍGUEZ, L. (2018), «Trata de seres humanos y criminalidad organizada transnacional: Problemas de política criminal desde los derechos humanos», *Estudios Penales y Criminológicos*, vol. XXXVIII, pp. 361-408.

8. La trata de menores con fines de explotación sexual a través de la pornografía infantil

ROSMARI MORENO ACEVEDO

Universidad Pablo de Olavide

Resumen: Este trabajo aborda el análisis del fenómeno de la Trata de Seres Humanos (TSH), y especialmente, cuando dicha criminalidad va destinada a la explotación sexual de menores a través de la pornografía infantil. En este sentido, como se verá a continuación, tanto la TSH como la pornografía infantil tienen carácter global, de ahí que la Comunidad Internacional busque afrontar su persecución a través de una serie de textos normativos internacionales y comunitarios, que nuestro legislador asume como Estado Parte mediante la transposición de los diversos instrumentos normativos en el Código Penal. De este modo, en el presente capítulo el lector observará la realización del estudio de los elementos jurídico-penales que caracterizan la tipificación del delito de TSH con referencia concreta al tipo básico (art. 177 bis.1) en relación con la trata de menores (art. 177 bis 2) para su explotación sexual, en la pornografía.

Como consecuencia de la inclusión de la pornografía en el tipo de injusto de TSH, se analiza pormenorizadamente el concepto de material pornográfico infantil que se introdujo en la reforma de 2015 en el art. 189.1 *in fine*.

I. INTRODUCCIÓN

La TSH tiene por objetivo la cosificación de las personas para su explotación a cambio de beneficios ya sean económicos o de otra índole para los responsables de esta forma de esclavitud. Su configuración como práctica ilícita que atenta contra la dignidad del ser humano y, por tanto, en contra de la esencia misma de la persona se ha producido fundamentalmente durante el siglo XX. Ya desde los inicios del siglo pasado la Comunidad Internacional venía observando que la TTSH constituye un fenómeno criminal de carácter global, de ahí que diversos textos a nivel supranacional venían subrayando la profunda inmoralidad de dicha práctica y exigían a los Estados esfuerzos concertados a fin de poner fin a toda forma de esclavitud, servidumbre, explotación sexual o laboral y análogas, así como en general acabar con todos aquellos fenómenos asociados con el moderno concepto de trata de personas.

Como he señalado, este fenómeno que es mundial se ha visto intensificado por la proliferación de las nuevas tecnologías de información y la comunicación, y por el proceso de globalización que presentan las distintas formas de explotación, quizás la más visible sea la TSH con fines de explotación sexual en la que se incluye no sólo la primera que nos viene a la cabeza como es la prostitución, sino que existen otras, la pornografía, que afecta a un grupo especialmente vulnerable como son los menores de edad.

La Trata de personas se ha convertido en una de las actividades criminales más rentable junto con el tráfico de drogas. En concreto, en nuestro país, según datos recientes del Ministerio del Interior[1], las víctimas de trata para la explotación sexual entre los años 2017 y 2021 suponen un 61% y paralelamente a lo que sucede a nivel mundial un 93% son mujeres y niñas. No debe sorprender el dato aportado por el Ministerio cuando señala que en un 98% de los casos las personas detenidas por estas acciones son mujeres que han pasado de ser víctimas de trata sexual a convertirse posteriormente en «esclavistas del sexo» o «madames», o bien en captoras.

1. https://www.interior.gob.es/opencms/es/servicios-al-ciudadano/trata/situacion-en-espana/

Es por ello, que con estas cifras tan desgarradoras que ejemplifican la situación nacional de nuestro país, el legislador haya asumido a través de distintas transposiciones determinados instrumentos normativos operados por la Comunidad Internacional y los Organismos de ámbito regional con la pretensión de perseguir y sancionar tales actividades delictivas.

Dicho esto, en el presente trabajo se analiza el delito de TSH previsto en el art. 177 bis. 1 (tipo básico) en relación con su apartado segundo. Y a su vez, el concepto de material pornográfico infantil introducido por la reforma de 2015 en su artículo 189.1 *in fine.*

II. ANTECEDENTES LEGISLATIVOS INTERNACIONALES SOBRE LA REGULACIÓN DE LA TRATA DE SERES HUMANOS

El antecedente legislativo en esta materia se remonta a 1904, año, en el que se formalizó el Acuerdo Internacional para asegurar una protección eficaz contra el tráfico criminal, conocido hasta el momento como «Trata de Blancas» que constituye el primer instrumento jurídico internacional que considera a niños y niñas como víctimas potenciales de explotación laboral y sexual. En los Estados Parte se comprometen a establecer los mecanismos necesarios para la persecución del delito, la repatriación de las víctimas y el intercambio de información. A partir de entonces, se suceden distintos instrumentos normativos con carácter vinculante y de referencia mundial en materia de Derechos Humanos, así como de Trata de personas en el que cabe mencionar la Convención Internacional para la Supresión de Trata de Mujeres y Menores de 1921[2].

Posteriormente, en 1948 se firma por la ONU la Declaración Universal de Derechos Humanos cuyo contenido es mucho más amplio y completo que el anterior instrumento jurídico internacional del que cabe resaltar su art. 4, cuyo tenor literal señala que: «nadie estará sometido a esclavitud ni servidumbre, la esclavitud y la trata de esclavos están prohibidas en todas sus formas». Pues bien, esta Declaración Universal de la ONU supone un hito histórico en tanto que comprende la explotación de miles de personas como un atentado contra la dignidad humana y los derechos garantizados en ella. Con lo cual se marca una diferencia en la lucha contra la TSH. Pero, no será el único texto jurídico internacional, pues, le siguen otros como el Convenio para la Represión de la Trata de Personas y de la Prostitución ajena

2. España ratifica el instrumento jurídico en 1924. RD de Adhesión: https://www.boe.es/datos/pdfs/BOE/1924/086/A01578-01579.pdf.

de la Asamblea General de UN, de 2 de diciembre de 1948, cuya pretensión es un primer intento del Organismo internacional por erradicar la trata y, a su vez, marca el camino para la creación de textos legislativos que reflejen este fenómeno criminal, como son la Convención Suplementaria sobre la abolición de la esclavitud, trata de esclavos e instituciones, y prácticas análogas a la esclavitud, de 7 de septiembre de 1956, y la Convención sobre la eliminación de todas las formas de discriminación contra la mujer, de 18 de diciembre de 1979[3].

El instrumento internacional más importante en materia de protección de menores es la Convención de los Derechos del Niño, de 20 de noviembre de 1989[4]. A lo largo de su Preámbulo se reconoce que los niños —según su art. 1 es todo individuo menor de dieciocho años— son sujetos de derecho y merecedores de una protección especial. Así, se equiparán los derechos de los niños a los de los adultos, contenidos en la Declaración Universal de los Derechos Humanos y el Pacto Internacional de Derechos Civiles y Políticos, entre otros instrumentos. Consecuencia de ello es que los Estados Parte están obligados a garantizar la adopción de medidas de protección y mecanismos necesarios para asegurar la salvaguarda de sus derechos y libertades.

No obstante, la mencionada Convención no alberga ninguna mención al fenómeno de la trata infantil. Por ello la Organización de Naciones Unidas celebra la Convención contra la Delincuencia Transnacional Organizada en el año 2000. En ella los Estados Parte firman, además, del Protocolo de las Naciones Unidas para prevenir, reprimir, y sancionar la trata de personas, especialmente de mujeres y niños —conocido como Protocolo de Palermo—, dos protocolos adicionales cuyo contenido refuerza los acuerdos tomados en el primero. En efecto, el mencionado Protocolo de Palermo de 15 de noviembre de 2000, preceptúa la primera definición marco de la TSH en su artículo 3 a). De este modo, señala el meritado artículo que: «La captación, el transporte, el traslado, la acogida o la recepción de personas, recurriendo a la amenaza o al uso de la fuerza u otras formas de coacción, al rapto, al fraude, al engaño, al abuso de poder, o de una situación de vulnerabilidad o a la concesión o recepción de pagos o beneficios para obtener el consentimiento de una persona que tenga autoridad sobre otra, con fines de explotación.

3. Años más tarde en 1998, se firma el Estatuto de Roma de la Corte Penal Internacional, el cual es considerado como el primer texto punitivo referente a los delitos contra la TSH y en el que se incrimina entre otros ilícitos penales, la violación, esclavitud sexual, la prostitución forzada, la esterilización forzada y los abusos sexuales.
4. Documento elaborado por la Asamblea General de Naciones Unidas y que España ratificó el 21 de diciembre de 1990.

Esa explotación incluirá, como mínimo, la explotación de la prostitución ajena u otras formas de explotación sexual, los trabajos o servicios forzados, la esclavitud, o las prácticas análogas a la esclavitud, la servidumbre o la extracción de órganos».

Asimismo, el artículo 3 de la Convención de Palermo ordena dos consideraciones relevantes. La primera relativa al consentimiento dado por la víctima de la trata, es decir, considera que en toda forma de explotación intencionada no será vinculante el consentimiento cuando se haya recurrido a los medios comisivos que se señalan en el precepto. La segunda es que el instrumento incorpora un fragmento referente a la trata infantil: «La captación, el transporte, el traslado, la acogida o recepción de un niño con fines de explotación se considerará "trata de personas" incluso cuando no se recurra a ninguno de los medios enunciados».

En el ámbito europeo, la lucha contra la trata infantil se acomete a través de varios textos normativos, concretamente, el Convenio del Consejo de Europa para la Protección de los niños contra la explotación y abuso sexual, o denominado Convenio de Lanzarote, de 25 de octubre de 2007[5]. En sus arts. 34 y 35 se contempla el deber de los Estados firmantes de adoptar las medidas necesarias para erradicar el delito de trata infantil con fines de explotación, considerado a todos los efectos como una violación de los derechos del menor de edad[6]. Pero, como he señalado, no es el único instrumento normativo de carácter europeo que se aprueba. Con anterioridad a él, nuestro país asumió otros compromisos que marcan cierta diferencia con el Convenio de Palermo. En efecto, en 2005 se suscribe el Convenio de Consejo de Europa sobre la Lucha contra la trata de seres humanos o Convenio de Varsovia de 16 de mayo de 2005. Y en último lugar, cabe mencionar, la Directiva europea 2011/36/UE, de 5 de abril, relativa a la prevención y lucha contra la trata de seres humanos y la protección de las víctimas, que sustituye a la Decisión Marco 2022/629/JAI del Consejo.

III. LA INCLUSIÓN DEL DELITO DE TRATA DE SERES HUMANOS EN EL CÓDIGO PENAL Y SUS POSTERIORES REFORMAS

El tratamiento jurídico-penal de la TSH en nuestro Código Penal aparece tras la inclusión como delito autónomo en el art. 177 bis, en virtud

5. Ratificado por España en 2010.
6. La firma por parte de España del Convenio de Lanzarote trajo consigo la reforma del Código Penal en 2010, la cual incorpora el delito de trata de personas en el art. 177 bis.

de la reforma del Código Penal operada por la LO 5/2010, de 22 de junio. Con esta incorporación el legislador busca alcanzar varios objetivos. Por un lado, establecer un tipo penal conforme a las exigencias establecidas en los instrumentos normativos internacionales en los que España es Parte[7]. Y de otro, constituir la definitiva diferenciación, al menos en teoría, entre las conductas de tráfico ilegal de migrantes y la trata de seres humanos que hasta esa fecha se encontraban tipificadas en un mismo artículo, el art. 318 bis, a pesar de consistir en dos fenómenos delictivos muy distintos[8].

Como acabo de señalar, la reforma de 2010 instaura un tratamiento diferenciado entre las figuras de tráfico ilegal de extranjeros y la de trata de seres humanos, de ese modo, ubica este último delito en un nuevo art. 177 bis destinado al Título VII bis creado exclusivamente para regular la figura delictiva y cuya rúbrica lleva por nombre «De la trata de seres humanos». Si se observa, la ubicación sistemática elegida por el legislador es la de colocarlo entre el Título VI —delitos contra la libertad— y el Título VII —referido a los atentados contra la integridad moral—. Y, por otra parte, conforma el art. 318 bis sólo para las conductas relacionadas con el tráfico ilegal de extranjeros. Ahora bien, es este punto es importante matizar que el precepto presentaba importantes incoherencias en su redacción, habida cuenta que no se había eliminado de su descripción el apartado que aludía a los medios comisivos que caracterizan a la figura de la trata de seres humanos —como la violencia, intimidación, engaño, etc.—.

En cuanto a las conducta típicas incluidas con la reforma de 2010 en el art. 177 bis, 1, cabe mencionar el establecimiento en el tipo básico de un

7. La introducción y redacción del art. 177 bis en nuestro Código Penal responde casi exclusivamente a las recomendaciones internacionales contenidas principalmente en el Protocolo de Palermo y el Convenio de Varsovia. A este respecto hay que señalar, el deficiente acomodo entre la reforma del Código Penal y la normativa europea, esto es, el art. 177 bis se crea adolecido de lagunas respecto de la Directiva 2011/36/UE, de 5 de abril, relativa a la prevención y lucha contra la trata de seres humanos y a la protección de las víctimas que sustituye a la Decisión Marco 2002/629/JAI del Consejo de Europa. De modo que, si bien es cierto que la reforma de 2010 tuvo en cuenta algunos extremos del Proyecto que finalmente materializo la mencionada Directiva, no es menos cierto que la reforma operada años más tarde por LO 1/2015, de 30 de marzo, tuvo que emplearse a fondo a fin de recoger otras cuestiones que fueron excluidas en la redacción inicial de la reforma de 2010. MARTÍN ACÍN, 2017, p. 165.

8. Las conductas relativas a la inmigración clandestina o delito de tráfico ilegal de personas giran en torno a la colaboración en el desplazamiento transfronterizo de extranjeros-inmigrantes que pretenden establecerse ilegalmente en territorio ajeno, como establece la Directiva 2002/90/CE del Consejo, de 28 de noviembre, destinada a definir la ayuda a la entrada, a la circulación y a la estancia irregulares.

listado cerrado de modalidades típicas cuya comisión puede realizarse de forma alternativa, que consisten en «captar, transportar, trasladar, acoger, recibir o alojar a una persona»[9] empleando para ello determinadas formas que atentan contra el bien jurídico protegido que van desde la violencia, intimidación, el engaño, hasta el abuso de una relación de superioridad, necesidad o vulnerabilidad de la víctima, a fin de conseguir alguna de las finalidades que ordena el precepto —imposición de trabajo o de servicios forzosos, la esclavitud o prácticas similares a la esclavitud, a la servidumbre, o a la mendicidad; la explotación sexual, incluida la pornografía; y la extracción de los órganos corporales—. Consecuentemente, la trata se caracteriza afirma CUGAT MAURI, 2010, p. 161 por tres notas básicas:

a. La transferencia de una persona de un lugar o una situación a otra, mediante la captación, trasporte, traslado, acogimiento, recepción o alojamiento.

b. El empleo de unos medios comisivos que determinan el vacío de consentimiento (apartado 3): la violencia, intimidación, engaño o abuso de una situación de superioridad o de necesidad o de vulnerabilidad de la víctima.

c. La orientación a algunos de los fines legalmente previstos: a) la explotación laboral, en sentido amplio; b) la explotación sexual; c) la extracción de órganos. Y señala que se trata de una lista cerrada como se establece en la DM 2002/629/JAI del Consejo, de 19 de julio, relativa a la lucha contra la TSH[10].

E incorpora un apartado segundo y tercero, referentes al tipo específico de trata de menores de edad para fines de explotación, donde no es necesario para imputar a su autor, que intervengan en el hecho delictivo algunas de las formas o medios descritos en el apartado primero (art. 177 bis, 2), y la irrelevancia del consentimiento de la víctima de trata cuando se hayan utilizado los medios descritos en el apartado primero (art. 177 bis, 3).

Asimismo, se añadieron tres modalidades de agravaciones conforme a la Directiva europea 2011/36/UE —art. 4.2— referentes a la indeterminada

9. Sobre la originaria redacción de los verbos típicos en la reforma de 2010, CANO PAÑOS, 2015, p. 425, critica que, en concreto, los verbos trasladar y transportar resultan redundantes al constituir conceptos idénticos, además, de señalar que incluir tan variadas formas de conductas resultan ser reiterativas y de poca ayuda a fin de determinar adecuadamente la tipicidad.
10. CUGAT MAURI, 2010, p. 161.

puesta en peligro de la víctima del delito de trata —letra a)—, minoría de edad —letra b)— y, por último, la relativa a la especial vulnerabilidad de la víctima, por razón de enfermedad, discapacidad o situación —letra c)—.

Ahora bien, dado que la mencionada Directiva europea se aprobó con posterioridad a la reforma de 2010 no se incluyeron en el texto legal las novedades que reflejaba la Directiva europea, de ahí que con motivo de la reforma operada por LO 1/2015, de 30 de marzo, el legislador se vio obligado a incorporarlas. En efecto, según la Exposición de Motivos, la razón de la reforma en esta materia es la de superar las imprecisiones y lagunas identificadas en la primera redacción ofrecida en 2010, además, invoca la aprobación de la Directiva 2011/36/UE del Parlamento y del Consejo europeo, de 5 de abril[11]. Con tal reforma se configura un nuevo tipo básico de trata de seres humanos del art. 177 bis, 1, en el que se amplía su contenido en lo que respecta a la acción, medios y a las finalidades. En primer lugar, en relación a las acciones típicas incorpora una nueva conducta y suprime una de las que aparecía en su descripción original que provocaba el solapamiento de algunos verbos entre sí. Así que para evitar dicho problema el legislador de 2015 suprime el verbo típico «alojar»[12] a la víctima por otro que resultase más adecuado y en el que se entendiese incluido aquél. Esa técnica de eliminar del contenido del precepto el verbo «alojar» se fundamenta en la deducción de que el significado del mismo está incluido en otro verbo típico «acoger», que ya se encontraba inmerso en la descripción del tipo[13].

11. VILLACAMPA ESTIARTE 2015a, p. 4. Según la autora la mayor parte de las modificaciones que se realizan en el delito de trata no es a causa de la aprobación de la Directiva europea 2011/36/UE, sino que se deben realmente a un intento por parte del legislador de 2015 de mejorar las imprecisiones observadas en la anterior redacción, cuestión, que según algunas voces no se consigue, y son cada vez más autores los que reclaman una Ley integral que regule tal fenómeno delictivo. Así, lo defienden entre otros: GUISASOLA LERMA, 2019; LLORIA GARCÍA, 2019.

12. La doctrina ve con acierto la supresión del verbo típico «alojar». Entre tantos, POMARES CINTAS, 2021, p. 1070.

13. Para VILLACAMPA ESTIARTE (2016), p. 1250, el origen de la supresión reside en el hecho de que ni el art. 2 de la Directiva 2011/36/UE, ni el art. 3 del Convenio de Varsovia de 2005 tipifican la acción de alojar, y añade la autora, que encontrándose previstas en el texto legal las conductas de «acoger» y «recibir», extraerla de la redacción no supone ningún desequilibrio, pues, el alojamiento sigue a la recepción, con lo cual la conducta precedente ya se halla incriminada. A la misma conclusión llega CANO PAÑOS, 2015, p. 425.

    Por otra parte, ciertas voces arguyen que los verbos «recibir» y «acoger» son términos equivalentes, si bien acoger además de implicar el recibir a la víctima, o cobijarla, sino que tiene una connotación de permanencia en el sentido de darle refugio o albergue. En tal sentido se expresa POMARES CINTAS, 2021, p. 1070, siguiendo la idea defen-

La nueva conducta típica prevista es «*...el intercambio o transferencia de control sobre esas personas que son objeto de trata*» [14]. La incorporación permite criminalizar los casos en los que, a pesar de no poderse verificar el desplazamiento o movimiento de la víctima, sí existe una clara determinación de su voluntad, cosificación e instrumentalización. De tal manera, que con ello se consigue desechar la idea de que el desplazamiento del sujeto pasivo forme parte del resultado típico.

En segundo lugar, los cambios introducidos inciden en los medios comisivos que se emplean para la realización de la *conducta delictiva*. En efecto, la reforma de 2015 se centra en ampliar los ya previstos, esto es, además, de la violencia [15], intimidación [16] o el engaño [17], así como el abuso de una situación de superioridad o de necesidad o de vulnerabilidad de la víctima, incluye la «*entrega o recepción de pagos para obtener el consentimiento de la persona que controla a las víctimas*» [18]. Pues bien, si se observa, a través de esta modalidad se tipifica el control que tiene un tercero sobre la víctima y que mediante una contraprestación se desprende de ella, como si fuese una «mercancía». Este medio comisivo incide aún más en la cosificación y deshumanización de la persona [19] y que generalmente podrá considerarse de trata abusiva. De esta

---

dida por VILLACAMPA ESTIARTE y también en la STS 53/2014, de 4 de febrero, (ECLI:TS:ES:2014:487).

14. No se entiende muy bien como estando incluida esta conducta en el Protocolo de Palermo de 2000, el legislador de 2010 no la incorporó al texto legal. VILLACAMPA ESTIARTE, 2015a, p. 4.
15. La doctrina entiende como violencia la física y esta violencia física puede aparecer en cualquier fase del proceso de la trata. DAUNIS RODRÍGUEZ, 2013, p. 93.
16. Señala DAUNIS RODRÍGUEZ, 2013, p. 94, que habrá de entenderse por intimidación el constreñimiento psicológico, amenaza de palabra u obra de causar un daño injusto al sujeto pasivo que termina sometiéndose a los actos de trata debido a la presión. En estos mismos términos, PÉREZ CEPEDA, 2004, p. 266.; GUARDIOLA LAGO, 2007, p. 355.
17. La trata denominada fraudulenta en la que aparece el engaño como una especie de «enganche», «gancho», que vicia la voluntad o el consentimiento de la víctima de trata y que a diferencia de las dos anteriores la voluntad del sujeto pasivo no llega a doblegarse o desaparecer por completo, sino que disminuye. DAUNIS RODRÍGUEZ, 2013, p. 95.

    La jurisprudencia también se ha manifestado sobre este tipo de modo de comisión del delito de trata en ATS 164/2014, de 13 de octubre (ECLI:TS:ES:2014/1415A); STS 53/2014, de 4 de febrero (ECLI:TS:ES:2014/487).
18. Modalidad que aparece descrita en la Directiva 2011/36/UE. Afirma VALLE MARISCAL DE GANTE, 2021, p. 147, nota a pie núm. 78 que, en un principio esta nueva posibilidad presenta problemas exegéticos, pero para la autora, realmente, supone que pueda abarcarse de forma más completa las diferentes formas de dominio y control que se presenta en el delito de trata.
19. MEMENTO PRÁCTICO LEFEBVRE PENAL, 2021, marginal 9120, p. 1086.

manera, el sujeto activo se aprovecha de la falta de libertad de la víctima para someterla a la trata a través del consentimiento del tercero que la controla a cambio de algún tipo de pago o beneficio que percibe el poseedor previo. Lo que permite el traspaso de la posesión de la víctima, manteniéndose la situación de sometimiento de ésta.

Lo que interesa de esta modalidad que se introduce es que permite reducir posibles lagunas de impunidad respecto de conductas que afectan al bien jurídico protegido y que se dirigen a limitar o disminuir las entregas de personas con fines de explotación de aquéllos que ostentan sobre las víctimas una situación de poder que les imposibilita manifestar su voluntad en libertad. Acertadamente señala MARTÍN ACÍN, 2017, p. 128 que «se trata de una relación directa entre este medio comisivo y el intercambio o transferencia de control que permite castigar no sólo al sujeto que transfiere el poder sobre la víctima, sino, también, al tercero que para conseguir o adquirir su dominio, entrega a aquél un pago o un beneficio»[20]. En definitiva, a través de la tipificación de este modo de comisión se abarca el tracto completo que se inicia con los supuestos de venta, permuta o alquiler de la víctima de la trata a que se refiere la conducta típica de intercambio o transferencia de control sobre las personas[21].

A propósito de esos medios o modos de cometer el delito, la reforma de 2015 introduce una definición de lo que se ha de entender por «situación de necesidad»[22] o «vulnerabilidad»[23], conceptos que, por otra parte,

20. MARTÍN ACÍN, 2017, p. 128; VILLACAMPA ESTIARTE, 2015a, p. 4. A su vez, señala CANO PAÑOS 2015, p. 424, que el motivo de incluirse este *modus operandi* en la descripción del tipo se debe principalmente, a la omisión que al respecto hizo el legislador de 2010, dado que la LO 5/2010 se aprobó antes que la Directiva europea en la se preveía. Y añade, según su opinión que, si bien tal conducta pretende dar respaldo punitivo a una de las características asociadas a este delito como es la compraventa, el intercambio, permuta o alquiler de la víctima, no es menos cierto el hecho de que su incorporación resulta problemática a los efectos de la prueba debido a la confusión que resulta de la traducción que en su día se hizo del contenido de la Directiva europea. Sobre todo, en lo que respecta al término «beneficio», toda vez que éstos pueden ser futuros o difíciles de identificar en una organización criminal.
21. Afirma POMARES CINTAS, 2021, p. 1070, que se trata de un delito de medios determinados en donde los procedimientos configuran el campo en el que se desarrolla el ejercicio del poder de control o dominio que caracteriza la naturaleza de este delito como antesala de la esclavitud. En la misma línea se expresan VILLACAMPA ESTIARTE, 2015b, p. 405: PÉREZ ALONSO, 2008, p. 323-331.
22. En el sentido de que se estime para los casos de abuso de situación de necesidad por razones económicas VILLACAMPA ESTIAARTE, 2015b, p. 406.
23. Considero válida la afirmación realizada por VILLACAMPA ESTIARTE, 2015b, p. 406, en el sentido de que la autora considera que la apreciación de la especial vulnerabili-

deben interpretarse de forma restrictiva como manifiesta algún autor[24]. Tales definiciones que se describen en el artículo se asemejan a la forma en la que la Directiva 2011/36/UE caracteriza a la situación de vulnerabilidad, en el sentido de que la persona no tiene otra alternativa, real o aceptable, que someterse al abuso[25].

Finalmente, en cuanto a las formas de explotación además de las que ya se encontraban tipificadas tras la reforma de 2010 —como la explotación para trabajos forzados, esclavitud, servidumbre o mendicidad; la explotación sexual[26]; la extracción de órganos— se incorpora al texto legal la explotación para la realización de actividades delictivas, letra c)[27] y la explotación

---

dad de la víctima en el tipo básico ha de estar destinada para los supuestos en que la persona no tenga otra alternativa que someterse al abuso.

24. VILLACAMPA ESTIARTE, 2015a, p. 5, a fin de no incluir en los supuestos de trata aquéllos en «que el constreñimiento de la voluntad de la víctima resulte excesivamente sutil, haciendo el juego a los que se empecinan en identificar cualquier forma de prostitución como manifestación de la trata...».
25. Art. 2.2 de la Directiva 2011/36/UE.
26. Señala GUARDIOLA LAGO, 2023, pp. 10 y ss. que la expresión *«explotación sexual»* referida a menores y también a la adulta (ESIA) es indeterminada, por cuanto no existe un concepto claro y, además, subsiste una falta de acuerdo sobre los delitos que integran esa denominación. Es decir, no se encuentra definida pero sí reconocida por los instrumentos supranacionales y las legislaciones de los Estados, aunque, aunque la autora sostiene que la expresión encuentra su desarrollo en el ámbito extralegal como los Congresos Mundiales —Estocolmo 1996, Yokohama 2001— y siempre se sitúa en ellos la ESIA junto a los abusos sexuales.
Sin embargo, esta situación descrita varía a raíz de la aprobación de la Directiva europea 2011/93/UE, del Parlamento europeo y del Consejo, de 13 de diciembre, relativa a la lucha contra los abusos sexuales y la explotación sexual de los menores y la pornografía infantil. Así, en su articulado se separan las infracciones relacionadas con la explotación sexual (art. 4), las de pornografía infantil (art. 5) y embaucamiento de menores con fines sexuales por medios tecnológicos (art. 6). Declarando el instrumento normativo que se consideran infracciones relacionadas con la explotación sexual, los delitos relacionados con la participación del menor en espectáculos pornográficos y la prostitución.
27. Cabe reseñar, que el delito de trata con fines de explotación puede aparecer de forma única, así, por ejemplo, los llamados «muleros» cuando se trata de tráfico de drogas, o bien pueden darse en la práctica de forma concomitante junto con otras formas de explotación. Actividades delictivas más frecuentes que pueden concurrir, por ejemplo, el tráfico de drogas en el sentido del «menudeo» a los clientes de un burdel por mujeres que son explotadas sexualmente, la mendicidad relacionada con delitos patrimoniales como el hurto. Además, cabe añadir que tal modalidad no aparece incluida en ningún texto internacional hasta su regulación en la Directiva 2011/36/UE, art. 2.2. En cuanto a su tipificación la doctrina lo considera positivo.

para contraer matrimonio forzado, letra e) del art. 172, bis, 1[28], ambas bien acogidas por la literatura científica.

Junto a las modificaciones reseñadas en el tipo básico del art. 177 bis 1, la reforma de 2015 también incide sobre los tipos cualificados que ya se encontraban redactados a partir de las modificaciones operadas en 2010. Así, los tipos agravados en relación al sujeto pasivo ya existentes en el art. 177 bis. 4, pasan a reducirse a dos modalidades: por un lado, la letra a) en la que se concreta en qué consiste la grave puesta en peligro de la víctima que conforme a la Directiva europea se estima que es poner en peligro la vida o la integridad física o psíquica de la víctima y, de otro, en la letra b) se añade como causas a valorar la especial vulnerabilidad de la víctima junto a las que ya existían, es decir, la discapacidad o enfermedad, el estado gestacional de la víctima o la minoría de edad.

En orden a estas consideraciones cabe subrayar algunas referidas a la penalidad. En este sentido, incluye una segunda novedad que incide en la protección de la víctima frente a las conductas de trata. Me refiero a la introducción del delito de trata de seres humanos en el art. 57 CP como uno más de aquellos que menciona y que su realización permite imponer las penas de alejamiento del art. 48 CP. Y se extiende la posibilidad de acordar el decomiso ampliado al condenado por el delito de TSH conforme al art. 127 bis 1 a).

28. Según el Informe de la Comisión al Parlamento europeo y al Consejo, 2016, p. 8, lo que antes suponía una práctica residual, en la actualidad y debido a la crisis migratoria el número de casos ha ido en aumento a fin de conseguir la residencia nacional https://eur-lex.europa.eu/legalcontent/ES/TXT/PDF
Respecto de esta modalidad afirma VILLACAMPA ESTIARTE, 2015b, p. 408, que tras la aprobación del art. 172 bis.1, referente al delito específico a las coacciones para contraer matrimonio, cabe la posibilidad de que concurra un concurso de delitos (ideal-medial) entre esta figura y la del art. 177 bis.1, e) si el matrimonio efectivamente llega a contraerse. Sin embargo, la autora estima que para no considerar superfluo el art. 172, bis.1 cabe considerar que constituye una cláusula de cierre del sistema que permite la incriminación de conductas de forzamiento antecedentes a la realización de matrimonios forzosos que no caben en el tipo de trata de seres humanos. Esto es, porque no integran ninguna de las modalidades previstas en el propio art. 177 bis, 1 como la captación, traslado, transporte, etc. De lo contrario, habría que acudir a la figura propia del delito de trata.
Por otro parte, en relación a las formas de explotación incorporadas y a las ya descritas, señala LLORIA GARCÍA, 2019, p. 398, que no estaría de más que el legislador hubiese incluido una cláusula abierta en sustitución de la casuística que aparece en el art. 177 bis y así permitir cualquier supuesto de tráfico de personas que se realice en contra de la voluntad de la víctima y, con independencia de la clase de explotación de se pretenda realizar.

La LO 8/2021, de 4 de junio, de Protección integral de la infancia y la adolescencia introduce a través de la Disposición final 6.17 un tercer párrafo en el tipo básico relativo a la pena accesoria de inhabilitación especial para cualquier profesión, oficio o actividad con independencia de que sean retribuidas o no cuando su desempeño conlleve un contacto regular y directo con menores de edad, cuando la víctima de trata sea un menor de edad.

Finalmente, la última de las reformas operadas que afectan al art. 177 bis, proviene de la reciente LO 13/2022, de 20 diciembre en virtud de la cual se añade a los tipos cualificados en relación al sujeto pasivo del apartado 4 una nueva letra c) que agrava la conducta cuando la situación de vulnerabilidad de la víctima de trata haya sido originada o agravada por el desplazamiento derivado de un conflicto armado o de una catástrofe humanitaria.

IV. EL BIEN JURÍDICO PROTEGIDO

La Exposición de Motivos de la LO 5/2010, de 22 de junio, declara que los bienes jurídicos objeto de tutela en el art. 177 bis son distintos de los protegidos en el delito de tráfico ilegal de inmigrantes del art. 318 bis. Así, la Ley Orgánica señala que no es la «defensa de los intereses del Estado en el control de los flujos migratorios» sino, fundamentalmente, bienes jurídicos individuales «la dignidad y la libertad del sujeto pasivo».

Con la referencia que realiza el legislador a la defensa de la dignidad y la libertad en el delito de trata de seres humanos como bienes jurídicos protegidos en la Exposición de Motivos, se adhiere a lo convenido en otros instrumentos internacionales como el Protocolo de Palermo sobre Trata de Personas de 2000, Convenio de Varsovia de 2005 y la Directiva europea 2011/36/UE —que sustituye a la Decisión Marco 2002/629/JAI—.

Así, se admite por una mayoría de la literatura científica que el objeto de tutela en el delito de trata de personas es doble, esto es, la dignidad y libertad de los sujetos pasivos. Ahora bien, dentro de este grupo de autores mayoritarios se incluye aquellos otros autores que sin perjuicio de reconocer la dualidad de bienes jurídicos optan a su vez, por la necesidad de delimitar el contenido del bien jurídico, dignidad. En efecto, para este sector doctrinal la dignidad como bien jurídico protegido es un valor fundamental que resulta ser demasiado difuso, ambiguo y complejo a la hora de dotarlo de contenido. A ello se le suma el hecho de que la propia CE no le reconoce la categoría de derecho fundamental —se regula en art. 10.1 CE y aparece como uno de los fundamentos del orden político y social— y, por ende, no puede ser objeto de recurso de amparo en el supuesto de que ésta sea vulnerada. De ahí que para estos autores es más apropiado considerar que lo que se defiende en el artículo 177 bis es la integridad moral, toda vez que la trata supone un trato inhumano, degradante, vejatorio y, por tanto, un atentado a la integridad moral[29]. De ese modo, la integridad moral sería un reflejo de la dignidad en el catálogo de los derechos fundamentales de nuestro Ordenamiento jurídico y la dotaría de un contenido positivo, aunque, el contenido no coincida en ambos bienes jurídicos. Por ende, lo que subyace de tal postulado es que la dignidad no puede constituir un bien jurídico protegido en un delito en tanto que la dignidad siempre queda afectada en todos los delitos contra las personas.

En el lado opuesto a la vertiente mayoritaria aparecen determinados autores que afirman que el objeto tutelado en el art. 177 bis es la dignidad de la persona. En este sentido, las más acérrimas defensoras cabe mencionar a PÉREZ CEPEDA, 2004, p. 173[30] y VILLACAMPA ESTIARTE, 2016, p. 1246. En concreto, esta última autora sustenta su posición en tres pilares: por un lado, estima que, pese a que la dignidad puede conformar un conglomerado de derechos fundamentales al dotarla de contenido positivo, esto no impide apreciarlo como objeto de tutela en el delito, por cuanto que el delito no lo constituye una acción singular, sino que en él se describen «un proceso en que a la persona le es negada sistemáticamente su condición como tal. Dicha sistemática negación de su condición de ser humano puede concretarse en ocasiones, en vulneraciones de su libertad de obrar, de su libertad ambulatoria, de su integridad física y, también, de su integridad moral». En segundo lugar, añade, que al tratarse de un bien jurídico individual no es

29. En tal sentido, sostiene CANO PAÑOS, 2015, p. 422, que lo protegido en el delito de trata de seres humanos es la integridad moral como modalidad específica del bien jurídico, dignidad, en tanto que la utilización del ser humano para la obtención de fines mercantilistas supone la anulación de la persona. Entre otros autores que defienden la idea de la doble protección de bienes jurídicos entre lo que se encuentra la integridad moral MUÑOZ CONDE 2023, p. 203; POMARES CINTAS, (2011), p. 6; PÉREZ MACHÍO, 2005, p. 6; PÉREZ ALONSO, 2008, p. 177; ESQUINAS VALVERDE, 2022, p. 162; RODRÍGUEZ MESA, 2000, p. 165. Y en este mismo sentido parece que la jurisprudencia se pronuncia en SAP de Valencia, de 21 de junio (ECLI:ES:APV:2018:2350). Por su parte, CABANES FERRANDO, 2018, p. 195, estima que es doble el objeto tutelado. En efecto, para la autora es la dignidad humana y la libertad en sentido amplio lo que se vulnera con la realización de las conductas típicas del art. 177 bis. Y en la misma dirección de que lo que se protege es la dignidad y la libertad, JAEN VILLEJO/ PERRINO PÉREZ, 2015, p. 91.

30. PÉREZ CEPEDA, 2004, p. 173, ya antes de la reforma opera en 2010, la autora afirmaba que el objeto de tutela del art. 318 bis es «la dignidad de los ciudadanos extranjeros...y de los derechos humanos en general frente al peligro que representa el tráfico».

posible aceptar el hecho de que el delito proteja anticipadamente ninguno de los bienes jurídicos que pueden acabar siendo puestos en peligro concreto o lesionados en caso de que se verifique la situación de explotación, o al menos no más allá del umbral del riesgo meramente estadístico o abstracto[31]. Y finalmente, opina, que éste es el sentir de los textos internacionales.

En definitiva, para la mayoría de la literatura científica son dos los valores fundamentales protegidos en el delito de trata de personas, por un lado, consideran la integridad moral como lesionada o puesta en peligro, en un intento por concretar el contenido de dignidad, por cuanto que para ellos sostener como bien jurídico protegido la dignidad de la persona les resulta un concepto demasiado difuso y ambiguo. Y en consecuencia, para este sector el delito de trata de seres humanos constituye un delito específico contra la integridad moral, la cual consideran el objeto tutelado; y de otro, optan por apreciar la libertad en sentido amplio de la víctima —ya sea la libertad sexual, ambulatoria, etc.— el segundo de los objetos tutelados De ahí que estimen acertada la ubicación sistemática que ha proporcionado el legislador al delito de trata de seres humanos situándolo a caballo entre el Título VII, referente a los delitos de tortura y contra la integridad moral, y el Título VIII destinado a los delitos contra la libertad sexual[32].

V. MODALIDADES TÍPICAS: LA TRATA DE MENORES CON FINES DE EXPLOTACIÓN SEXUAL, ART. 177 BIS, 1 Y 2

Como anuncia el título de este apartado el análisis va encaminado tanto al tipo básico —art. 177 bis 1 como al tipo específico de la trata de menores de edad, art. 177 bis 2 con la finalidad de su explotación sexual, incluida la pornografía. Por este motivo es necesario aclarar desde un principio las características que definen al tipo básico en relación con los apartados segundo y tercero, no sin antes significar, algunos apuntes sobre la protección jurídico-penal de los menores de edad.

Sobre la inclusión del delito de trata la doctrina mayoritaria estima que, si no se hubiese previsto específicamente, todas aquellas conductas que se mencionan en el tipo básico podrían considerarse como actos preparatorios o

31. VILLACAMPA ESTIARTE, 2016, p. 1246; ALONSO ÁLAMO, 2007, p. 5; MARTÍN ANCÍN, 2017, p. 174.
32. CARMONA SALGADO, 2015, p. 8 se posiciona en el grupo de autores que apoyan la idea de que en el delito de trata de personas del art. 177 bis se protegen dos bienes jurídicos. Sin embargo, para la autora es la dignidad junto a la libertad lo que se blinda en el mencionado artículo y no la integridad moral del sujeto pasivo de trata.

incluso constituir actos de codelincuencia ligados al delito que se materializa, es decir, la explotación del sujeto pasivo —en nuestro caso la captación para la explotación sexual o la cooperación necesaria para su explotación sexual como señala algún autor—. Pero, para evitar la insuficiente respuesta se ha optado por configurar el tipo como un delito mutilado en dos actos. De tal manera, que con la reforma operada en 2010 el acto preparatorio pasa a ser un delito autónomo, en tanto en cuanto el delito posterior se circunscribe en un elemento subjetivo del injusto del delito preparatorio que se comete con la finalidad de que sea cometida la segunda infracción penal. En consecuencia, para la doctrina mayoritaria nos hallamos ante un delito mutilado en dos actos[33] y no de resultado cortado[34].

El legislador de 2010 otorga una mayor protección a los menores de edad como sujetos pasivos del delito de trata, conforme a los términos establecidos en el art. 3 b) del Protocolo de Palermo de la ONU de 2000, el art. 4 c) del Convenio de Varsovia del Consejo de Europa de 2005 y respecto del art. 2.5 de la Directiva 2011/36/UE. De este modo, conforme a los apartados segundo y tercero del art. 177 bis se prevé, por un lado, que la realización de cualquiera de las conductas tipificadas en el tipo básico frente al sujeto pasivo menor de edad con el fin de ser explotado dará lugar a la comisión del delito de trata, aún, cuando sobre los menores no se haya utilizado ninguno de los procedimientos comisivos establecidos en dicho apartado (art. 177 bis 2). De otro, la irrelevancia del consentimiento de la víctima para ser explotada. Pues, como señala POMARES CINTAS, 2011, p.14, teniendo en cuenta el nexo entre las conductas típicas y la finalidad de utilización posterior del menor, éste no puede consentir válidamente en el ejercicio de la prostitución o en el hecho de participar en espectáculos exhibicionistas o pornográficos o en la elaboración de material pornográfico infantil[35], ni a los demás fines de explotación descritos en el tipo básico[36]. Es más, incluso si se utilizase frente a ellos cualquier medio comisivo de los que se preceptúan, el consentimiento otorgado por aquéllos también resultaría irrelevante en virtud del art. 177 bis 3.

---

33. Defienden esta idea entre otros autores, VILLACAMPA ESTIARTE, 2016, p. 1256; MORALES PRATS/GARCÍA ALBERO, 2009, p. 336.; TAMARIT SUMALLA, 2001, p. 1843.
34. No obstante, en ambos casos forman parte de lo que la doctrina y en concreto ROXIN, clasifica como *delitos de tendencia intensificada*.
35. MORENO ACEVEDO, 2023, pp. 274 y ss. manifiesta que tratándose de ilícitos relacionados con la pornografía infantil, el menor de edad carece de capacidad para consentir un acto pornográfico en el que se vean inmersos, por tanto, no cabe apreciar la cláusula contenida en el actual art. 183 quater.
36. POMARES CINTAS, 2011, p. 14.

La estructura que presenta el tipo básico del delito de TSH del art. 177 bis 1, se circunscribe a tres requisitos o elementos conforme a las exigencias de los textos internacionales mencionados, a saber, la acción, medios empleados y finalidades de explotación de la víctima. De esta manera, se engloban un conjunto de comportamientos alternativos con un alcance amplio en su significación gramatical que se refieren a las diversas fases de la trata de personas[37] y que si bien según la doctrina anterior a la reforma de 2015 expresaban la idea de movimiento o desplazamiento de personas de un lugar a otro, como característica del concepto de Trata[38], tras la modificación de 2015 tal planteamiento no puede sustentarse al incorporarse el ilícito penal referido a el *intercambio o transferencia de control sobre esas personas*, por lo que en consecuencia no cabe hablar de delitos de movimiento o desplazamiento.

De los tres elementos o características referidas, cabe afirmar, que dos son objetivos como son las conductas de carácter alternativo y los medios comisivos; y un elemento subjetivo del injusto conformado por la finalidad que persigue el autor, es decir, la explotación de la víctima mediante las diferentes modalidades que menciona el precepto.

Las conductas que se incriminan en el tipo básico del art. 177 bis. 1 llevan aparejada una pena privativa de libertad de cinco a ocho años y son: *captar*[39]*, transportar, trasladar, acoger*[40]*, o recibir a una persona nacional o extranjera, incluyendo el intercambio o transferencia de control sobre esas personas*. Si se observa, la pretensión del legislador con la incorporación de los distintos verbos típicos es la de impedir que se produzcan lagunas de impunidad, aunque ello provoque cierta reiteración en su descripción como se ha afirmado por parte de la literatura científica[41]. No obstante, a pesar de esa falta de técnica legislativa, lo destacable es que lo que se persigue a través de su

37. TERRADILLOS BASOCO, (2010), p. 210.
38. Entre otros autores, DAUNIS RODRÍGUEZ, 2013, p. 82.
39. Afirma, MARTÍN ANCÍN, 2017, p. 196, que el hecho de que el legislador de 2010 ni el de 2015 no hayan incorporado al Código penal la «contratación» como medio comisivo, a pesar de que sí viene descrita en el art. 4 a) del Convenio del Consejo de Europa de 2005 se debe a que puede hallarse incluida en la captación.
40. Como ya he señalado con anterioridad, el verbo típico «alojar» fue suprimido por la reforma de 2015. Otra de las cuestiones a tener en cuenta es que el legislador español de 2010 omitió incluir en el texto punitivo la referencia al rapto o secuestro de la persona como medio comisivo que aparecía descrito en los instrumentos normativos internacionales y que en opinión de BOLDOVA PASAMAR se debió a que se entendió que las modalidades de secuestro pueden ser entendidas como subsumidas en la violencia o en la intimidación. BOLDOVA PASAMAR, 2008, p. 101.
41. Entre estos autores cabe mencionar a VILLACAMPA ESTIRATE, 2016, p. 410. POMARES CINTAS 2011, p. 9, concreta que recibir y acoger son términos equivalentes.

ilicitud es la de evitar que diversos comportamientos puedan contribuir a la explotación de seres humanos, que se producen habitualmente a través de distintas fases con la intervención de una pluralidad de sujetos, y ello con independencia de que se pueda constatar la prueba de la existencia de una organización criminal[42].

Según la descripción que ofrece el tipo básico, no se requiere un desplazamiento transfronterizo de la víctima. Por ende, el delito puede cometerse en territorio español. En el caso de que adquiera carácter transnacional, la conducta típica debe perpetrarse desde España, con destino a España o en tránsito por España como lugar de paso, en el que otro país es el punto de partida y el destino otro distinto[43]. Por consiguiente, se excluye la posibilidad de perseguir la trata que se cometa en el extranjero y que no guarde una relación de conexión con España[44].

Los verbos típicos utilizados para describir las distintas acciones no presentan problemas de interpretación, basta por tanto con la realización de una sola de las conductas típicas —al tratarse de un delito mixto alternativo—, el empleo de alguno de los medios comisivos y que vayan dirigidas a la consecución de cualquiera de las finalidades de explotación para que se constituya el tipo de injusto, aunque como se ha señalado con anterioridad, la finalidad de explotación efectiva no forma parte de la conducta típica, y en consecuencia, no es necesaria para su consumación.

Abundando en las concretas acciones típicas, cabe subrayar, de acuerdo con el planteamiento que ofrece POMARES CINTAS, 2021, p. 1082 al respecto de la trata sexual que al igual que cualquier tipo de trata, debe reunir las características de un régimen asimilado a la esclavitud[45], es decir, en nuestro caso de esclavitud sexual. Así, por ejemplo, mediante la captación o el intercambio o el traspaso del control sobre la víctima, a través de la cesión al tratante del menor por parte de los padres para ser explotado y siempre

42. Manifiesta la Circular FGE 5/2011, que el delito de TSH recoge todo el proceso por el que se moviliza a una persona de un lugar a otro para su dominación y explotación.
43. PÉREZ ALONSO, (2010), p. 325. Al respecto, debe tenerse en cuenta conforme a lo manifestado *supra* que desde la introducción del delito de trata en 2010 como delito autónomo hasta que se produjera la reforma de 2015, la doctrina vino opinando que el art. 177 bis 1 constituía un *delito de movimiento*, pero tal posicionamiento es inexacto a partir de la modificación operada por LO 1/2015, por cuanto que el legislador incorpora dentro de las acciones típicas el intercambio o transferencia de control de las víctimas y, por tanto no es posible seguir sosteniendo que es un delito de movimiento.
44. CUGAT MAURI, 2010, p. 161.
45. POMARES CINTAS, 2021, p. 1082.

que la iniciativa parta del sujeto activo[46]. Y como ya se ha destacado en otra ocasión, según el art. 177 bis 2 no es preciso para poder subsumir dicha conducta en el delito de TSH que concurra o se utilicen los procedimientos o medios que describe el apartado primero cuando las víctimas sean menores de edad. Aunque, piénsese, por ejemplo, en el supuesto de que los padres del menor efectivamente reciben por el traspaso de control del menor pagos o beneficios de cualquier tipo. En tal caso hipotético, como es lógico cabe pensar que los hechos quedarían circunscritos en el tipo básico.

Respecto del segundo de los elementos de carácter objetivo el referido a los medios o procedimientos de comisión, aunque no es necesaria su concurrencia para conformar el tipo específico de la trata de menores, a tenor del art. 177 bis 2, pudiera ocurrir que efectivamente estos procedimientos concurriesen junto a la acción típica y la finalidad o intención, en su caso, de explotar sexualmente a los menores. En tal supuesto, la utilización de alguno de los medios comisivos implicaría doblegar o anular la voluntad decisoria del sujeto pasivo, para debilitar su resistencia frente a un comportamiento preordenado a someterla a la explotación asimilada a la esclavitud o explotación forzada. Estos procedimientos típicos comisivos que menciona expresamente el tipo básico son: *violencia, intimidación*[47] *o engaño*[48] *o abusando de una situación de superioridad o de necesidad o de vulnerabilidad de la víctima*[49]

46. En este sentido, POMARES CINTAS, 2011, p. 9.
47. Según la jurisprudencia menor la violencia a la que se refiere el precepto ha de ser la física ejercida sobre la víctima. Y en cuanto a la intimidación —vis compulsiva— debe ser idónea para doblegar la voluntad del sujeto pasivo o bien referida a la resistencia que ha de emplear la víctima para no ser sometido a las conductas de explotación posteriores, como así se manifiesta en la SAP de Cádiz, 18 de octubre, (ECLI:ES:APCA:2002:2671). Ambos modos o procedimientos consustanciales al dominio o poder de control que caracteriza la Trata han de ser utilizados para que se impute objetivamente el tipo en el momento en que se realice la captación, traslado o recibimiento de la víctima orientados a los fines de la Trata.
48. La jurisprudencia se ha pronunciado en diversos Autos y Sentencias del Tribunal Supremo en los que se estima que el engaño comprende determinadas maniobras, ardides o estrategias idóneas para originar un error en la víctima, de modo que determine su falta de resistencia respecto al objeto del explotador del comportamiento, cuya real transcendencia desconoce. Así se pronuncia en los ATS de 13 de febrero, (ECLI:ES:TS:2014:1415ª); ATS de 8 de marzo, (ECLI:ES:TS:14:25ª); STS, de 4 de febrero, (ECLI:ES:TS:2014:487).
49. Habida cuenta que ambos conceptos ya habían sido criticados desde su inclusión en el anterior art. 318 bis por la reforma operada por LO 4/2000, de 11 de enero, sobre los derechos y libertades de los extranjeros en España y su integración social, tanto por la doctrina especializada en el tema como por la jurisprudencia que los tacharon de confusos por su indeterminación, lo que a la postre ocasionó problemas interpretativos, números autores especializados en la materia pretendieron determinar los concep-

y la incorporación en 2015 de la *entrega o recepción de pagos o beneficios para lograr el consentimiento de la persona que posee el control sobre la víctima*[50].

En el ámbito del tipo subjetivo de las diferentes conductas típicas en la TSH aparece el tercer elemento junto con el dolo que caracteriza estos ilícitos penales. Esto es, otro elemento subjetivo del injusto que está compuesto por las finalidades de explotación. De tal manera que se requiere que el autor —«tratante»— persiga intencionalmente cualquiera de las finalidades de explotación que preceptúa el art. 177 bis 1[51]. Así, las finalidades que se describen en el artículo son: la explotación laboral en sentido amplio, la explotación para realizar actividades delictivas, la explotación sexual, incluida la pornografía, la finalidad de someter a la víctima a un matrimonio forzoso y la finalidad de extracción de órganos corporales de la víctima.

Por otro lado, en orden a las formas de comisión de los delitos de TSH, cabe reseñar, que estas conductas de participación de los sujetos activos en las distintas fases del proceso de la TSH son consideradas por la doctrina como actos de autoría directa de ejecución, siendo indiferente el hecho de que se haya producido su ejecución al principio o al final de todo el proceso

---

tos. Así, por ejemplo, VILLACAMPA ESTIARTE, 2011), p. 117; ORTS BERENGUER/ GONZÁLEZ CUSSAC, 2004, p. 649; TERRADILLO BASOCO, 2010, p. 210. Ahora bien, para subsanar este problema de indeterminación de ambos conceptos el legislador de 2015 introduce en su reforma una cláusula en el propio precepto 177 bis, en virtud de la dispuesto en la Directiva europea 2011/36/UE, art. 2.2, estableciendo que la situación de necesidad o de vulnerabilidad ha de ser de tal intensidad que la persona no tenga «otra alternativa real o aceptable excepto someterse al abuso». Por su parte sostiene VILLACAMPA ESTIARTE, 2015, p. 406, a propósito de los medios comisivos *abuso de una situación de necesidad o de vulnerabilidad de la víctima* que a pesar de la distinción que realizó el legislador de 2015, ambos conceptos deben ser interpretados de forma restrictiva en el sentido de entender la situación de necesidad únicamente por razones económicas y, por ende, estimar sólo aquellos casos en los que la persona no tenga más alternativa que someterse al abuso por esa situación y dejar la situación de vulnerabilidad sólo para los supuestos de la situación de carácter personal de la víctima, no cualquier situación. Para IGLESIAS SKUNLJ, 2015, p. 600, la vulnerabilidad debe partir de una definición en la que se tenga en cuenta «las condiciones externas de una persona y los recursos, no sólo materiales, con los que cuenta para defenderse contra los impactos negativos que esas condiciones pudieran generarle».

50. Este último procedimiento o medio de comisión se introduce con motivo de evitar lagunas de impunidad y para completar el significado de los supuestos de venta, permuta o alquiler de víctima, VILLACAMPA ESTIARTE, 2015, p. 405.
51. TERRADILLOS BASOCO, 2010, p. 212, afirma sobre las finalidades de explotación en la Trata que, aunque constituyen otro elemento subjetivo del injusto, según su opinión, también desempeñan una función de restricción de la vertiente objetiva del tipo, acotando el contenido del injusto.

de la Trata. De lo que se deduce, que el resultado provoca la adopción de la idea de un concepto unitario de autor, en virtud del cual, los actos de colaboración se convierten en autoría[52]. Ahora bien, como acertadamente alude LLORIA GARCÍA, 2016 para determinar la autoría es preciso que estos actos de colaboración o participación cumplan con las finalidades típicas y, a su vez, los sujetos activos participen en los medios comisivos, pues de lo contrario, deben de apreciarse las figuras del cooperador necesario o la de cómplice[53].

El resultado material o consumación del delito nunca será la explotación de la víctima, en tanto que se ha subrayado que la finalidad de explotación se configura como un elemento de subjetivo del injusto y esa finalidad del autor es la que mueve la acción. Abundando, cabe resaltar, que al tratarse de un delito que se califica como un delito de consumación anticipada, no cabe por tanto la comisión en grado de tentativa[54].

Finalmente, a los efectos penológicos hay que tener presente la cláusula establecida en el apartado noveno del art. 177 bis, en virtud del cual: «En todo caso, las penas previstas en este artículo se impondrán sin perjuicio de las que correspondan, en su caso, por el delito del art. 318 bis de este Código y demás delitos efectivamente cometidos, incluidos los constitutivos de la correspondiente explotación». La cláusula nos viene a indicar la posibilidad de concurrir en un posible concurso de delitos en el supuesto de confirmarse, por ejemplo, la comisión del delito de la migración ilegal o fraudulenta (art. 318 bis) o la captación o utilización de menores en espectáculos exhibicionistas o pornográficos, o la elaboración de material pornográfico infantil (art. 189.1 a)).

52. Coincide con este planteamiento la jurisprudencia menor en la SAP Madrid, de 8 de marzo, ECLI:ES:APM:2013:10161.
53. LLORIA GARCIA, 2016, p. 336.
54. De hecho, para DAUNIS RODRÍGUEZ, 2013, pp. 84 y ss., el delito se consuma desde la propia captación del sujeto pasivo; sin embargo, como acertadamente manifiesta el autor, el delito de trata suele abarcar otras fases la acción puede continuar su recorrido por las mismas. Así, en las concretas acciones que se producen en la última fase, es decir, el acogimiento, recibimiento, el intercambio o transferencia de control o dominio de la víctima, el delito se consuma cuando se recibe al sujeto pasivo en el lugar donde se pretende explotar sin necesidad de que efectivamente se produzca su explotación; cuando se acoge a la víctima durante unos días, semanas para trasportarla posteriormente al lugar donde será explotada o donde se ceda el dominio a un tercero para que sea explotada.

VI. LA PORNOGRAFÍA INFANTIL COMO FORMA DE EXPLOTACIÓN SEXUAL: EL CONCEPTO DE MATERIAL PORNOGRÁFICO INFANTIL

Desde las consideraciones expuestas, nótese como la pornografía queda incluida en el delito de TSH como forma de explotación sexual. Dicho esto, se deduce que la pornografía infantil como forma de explotación sexual inquieta especialmente a la Comunidad Internacional habida cuenta que las víctimas son menores de edad.

Centrándome especialmente en la pornografía infantil como fenómeno criminal viene observándose desde hace varias décadas que la misma posee carácter global, sobre todo, desde la constatación del uso malintencionado que se lleva a cabo en relación a los avances tecnológicos. Es decir, a través de las TICs ese tipo de criminalidad ha ido proliferando y, a su vez, perfeccionando con el paso de los años. La constatación del uso podríamos llamarlo «fraudulento» de las TICs ha llevado a la Comunidad internacional a justificar la regulación de determinadas conductas criminales a fin de evitar la victimización de los menores, los cuales se encuentran en una posición más de desvalimiento en comparación con el resto de los miembros de la sociedad. Consecuentemente, frente a estas conductas delictivas se suscriben una serie de documentos normativos como el Convenio de Lanzarote, de 23 de octubre de 2007, aprobado por el Consejo de Europa, cuyo texto se considera como un texto normativo internacional[55]; Convenio de Ciberdelincuencia de Budapest, de 22 de noviembre de 2001 del Consejo de Europa[56]. Y dentro de nuestro ámbito europeo cabe resaltar entre otros muchos instrumentos la Decisión Marco 2004/68/JAI y la Directiva europea 2011/93/UE que la sustituye, con la pretensión de armonizar la legislación penal de los Estados miembros mediante la previsión de diferentes conductas delictivas relacionadas con los abusos o agresiones sexuales y la explotación de los menores —que incluyen la pornografía infantil, así como la solicitud a través de las TICs por parte del adulto para que el menor envíe material pornográfico

55. Además de los 47 Estados miembros de la UE, ratifican este texto normativo internacional otros 45 Estados en los que se incluyen, por ejemplo, Turquía, Suiza, República Checa, etc.
56. El Convenio de Ciberdelincuencia de Budapest constituye un tratado internacional que incluye a 64 Estados Parte de diversos continentes como España, Chile, Argentina, Estados Unidos, Canadá, entre otros. Se trata del primer tratado sobre delitos cometidos a través de Internet y otras redes informáticas.

a aquél—, y en los que se insta a los Estados a que regulen estas acciones delictivas en el ordenamiento interno de cada país miembro[57].

En este contexto se promueve la reforma del Código Penal en virtud de la LO 1/2015, de 30 de marzo que sigue a la Directiva 2011/93/UE, de 13 de diciembre, del Parlamento Europeo y del Consejo, y que delimita definitivamente el objeto material de los delitos de pornografía infantil, es decir, el contenido del concepto de material pornográfico infantil. De esta manera, el Preámbulo de la reforma de 2015 afirma que su introducción al Código Penal lleva por objeto acabar con determinadas dudas respecto de la subsunción de ciertos comportamientos y de simplificar a la vez la redacción del art. 189.

La obligatoriedad que supuso trasponer la Directiva 2011/93/UE en lo que respecta a los delitos de pornografía infantil se refleja en la instauración del concepto normativo de material pornográfico infantil de forma literal a como venía descrito en la Directiva. Por ende, las diferentes demandas que provenían tanto de la literatura científica como de la jurisprudencia se vieron en un principio cubiertas, en tanto que se dejaba de tener que interpretar el término pornografía infantil y de paso establecía una mayor seguridad jurídica con su inclusión[58].

Pero, si bien la incorporación del concepto *material pornográfico infantil o pornografía infantil* al texto legal evitaba interpretaciones subjetivistas y criterios valorativos poco precisos, la perspectiva que da el tiempo, nos lleva a afirmar que esa tarea no se ha conseguido del todo como se expondrá en este apartado.

La expresión *«pornografía infantil»* descrito en el inciso final del art. 189.1 se refiere tanto a la pornografía en cuya elaboración hayan sido utilizados menores de dieciocho años como a la pornografía juvenil y, además, el legislador amplía el ámbito de lo que se considera pornográfico en relación con

57. Debido a su importancia, es necesario mencionar la Directiva europea 2000/31/CE, de 8 de junio, cuya aprobación obliga al Estado español a transponer su contenido mediante la Ley de Servicios de la Sociedad de la Información y Comercio electrónico (LSSI). Asimismo, cabe mencionar la Directiva 2013/40/UE, de 12 de agosto, la cual motivo la reforma de 2015 en relación a la inclusión en el CP de nuevos tipos delictivos cometidos a través de las TICs y, a su vez, la reforma en la LECrim en la que se contemplan nuevas medidas de investigación y la creación de una nueva figura como el agente encubierto informático.

58. Además de la incorporación del término normativo de material pornográfico infantil, la LO 1/2015 sustituyó el concepto de «incapaces» por «personas necesitadas de especial protección».

los sujetos con discapacidad necesitados de una especial protección. Pues bien, este inciso final del artículo presenta cuatro supuestos distintos que abarcan las diferentes modalidades de pornografía o material pornográfico que se observa en la realidad criminológica, A saber, la pornografía real y simulada expresa, virtual y técnica —pseudopornografía—. Así las letras a) y b) están referidas tanto a menores de edad como a las personas con discapacidad necesitadas de especial protección y las letras c) y d) sólo se circunscriben para los menores de edad.

Dicho esto, el concepto de material pornográfico se describe y es de aplicación para todo el Título VIII de la siguiente forma:

«a) Todo material que represente de manera visual a un menor o persona con discapacidad necesitada de especial protección participando en una conducta sexualmente explícita, real o simulada.

b) Toda representación de los órganos sexuales de un menor o persona con discapacidad necesitada de especial protección con fines principalmente sexuales.

c) Todo material que represente de forma visual a una persona que parezca ser un menor participando en una conducta sexualmente explícita, real o simulada, o cualquier representación de los órganos sexuales de una persona que parezca ser un menor, con fines principalmente sexuales, salvo que la persona que parezca ser un menor resulte tener en realidad dieciocho años o más en el momento de obtenerse las imágenes.

d) Imágenes realistas de un menor participando en una conducta sexualmente explícitas o imágenes realistas de los órganos sexuales de un menor, con fines principalmente sexuales»[59].

Con todo, como es sabido la doctrina no recibió con agrado ni su incorporación ni el modo en que resultó descrito el concepto en el art. 189.1. Así, algunos autores exponen ciertas críticas como, por ejemplo, la incapacidad del concepto de resolver determinados vacíos legales que precisan ser cubiertos[60]; por la forma en la que el legislador ha resuelto tipificar las modalidades de material pornográfico reflejan ciertas ideas moralizantes que han servido de base para configurarlo, además, de resaltar la falta de un bien jurídico al

59. La reforma de 2015 excluye del precepto «la utilización de la voz» que aparecía antes descrito en el art. 189.7 CP.

60. GÓMEZ TOMILLO, 2015, p. 591.

que proteger[61]. En parecidos términos, otros arguyen en relación a algunas modalidades de pornografía infantil que quiebran del principio de intervención mínima respecto de la protección de los bienes jurídicos y, consecuentemente, se permite la tutela de contenidos moralizantes en el ámbito del Derecho Penal[62]. Y, por último, se critica la actuación del legislador de 2015 en materia de pornografía infantil, pues, no constituye un paso hacia delante en la lucha contra la pornografía infantil, toda vez que el legislador se limita a pegar el contenido de la Directiva europea 2011/93/UE. Y sus consecuencias son las definiciones redundantes que aparecen en el precepto sobre el mismo término y las dificultades que ello produce cuando se pretende identificarlo[63]. O bien, que la definición establecida resulta ser compleja y exhaustiva en alguno de sus extremos que plantean dudas importantes[64].

En definitiva, se admite casi por la totalidad de la literatura científica que la implementación del concepto legal de pornografía infantil debió atribuir ciertas ventajas en aras del principio de legalidad, sin embargo, la realidad ha demostrado ser muy contraria, en tanto que la descripción provoca y manifiesta las discrepancias existentes en la doctrina cuando se lleva a cabo la interpretación del concepto. Y a ello se añade otro problema como sostiene alguna autora, refiriéndose al hecho de la ampliación del ámbito de aplicación de los tipos penales del art. 189 que incluye acciones de distinta gravedad, que origina que se diluya la finalidad de los preceptos en los que el concepto de pornografía opera[65].

1. MATERIAL QUE REPRESENTE A UN MENOR PARTICIPANDO EN UNA CONDUCTA SEXUALMENTE EXPLÍCITA, REAL O SIMULADA

De la modalidad típica descrita en la letra a) *in fine* del art. 189.1 que se analiza a continuación cabe precisar varias cuestiones. En primer lugar, la alusión genérica a «*material*» comprende toda una variedad de objetos que representen a personas, como las fotografías, vídeos, películas, o cualquier dispositivo que reproduzca la imagen de una persona.[66].

61. ORTS BERENGUER, 2015a, pp. 650 y ss.
62. MORALES/GARCÍA, 2016, p. 1385; LAMARCA PÉREZ, 2019, p. 217.
63. MORILLAS FERNÁNDEZ, 2015, p. 476.
64. ESQUINAS VALVERDE, 2022, p. 208; FERNÁNDEZ TERUELO, 2022, p. 698.
65. CARUSO FONTÁN, 2020, p. 361.
66. A mi juicio, queda excluido del ámbito de aplicación de esta modalidad típica aquel material que no constituya una representación visual del menor real que se encuentre participando en una conducta sexual explícita. Por ende, el material al que se refiere

El sujeto representado en el material ha de ser menor, es decir, todo sujeto menor de dieciocho años que éste identificado en el momento de realizarse el material pornográfico. Por otro lado, en nuestro Código Penal no se diferencia entre niños y jóvenes, aunque sí aparece tal diferencia en la consecuencia jurídica del delito, en tanto que el legislador imputa una mayor carga de antijuricidad material derivada de la edad temprana del menor, al distinguir entre menores con o sin consentimiento sexual, es decir, dieciséis años, como así prevé el tipo agravado del art. 189.2 a). Consecuentemente, la pena es mayor si el menor utilizado en la realización del material pornográfico es menor de la edad de consentimiento sexual —dieciséis años—. Ahora bien, la doctrina que mantiene el Tribunal Supremo sobre tal agravación es que sólo es aplicable a la utilización directa de un menor real y, por tanto, únicamente al tipo previsto en art. 189.1 a) Cp.

En segundo lugar, el material pornográfico ha de ser *visual*, siguiendo de ese modo a lo establecido en el art. 2 c) de la Directiva europea 2011/93/UE, de 13 de diciembre, que define el concepto de pornografía infantil y desechando la posibilidad de considerar punible la elaboración del material que sea exclusivamente de audio o escrito[67].

En tercer lugar, la definición dispensada indica que el menor tiene que «*participar*». Sobre la conjunción del verbo descrita en la modalidad de pornografía, cierto sector doctrinal plantea que la pretensión legislativa es que el menor no aparezca sólo en la escena sexual. En consecuencia, según tal afirmación, excluyen de tal modalidad el supuesto del menor que se está masturbando y en el material no se aprecie visualmente sus genitales. En este sentido, creo oportuno señalar que tal planteamiento merece ser matizado, pues, a mi juicio, que el menor aparezca masturbándose sólo no impide que la acción se considere típica y quepa incluirla en la letra a)[68], siempre que se muestre reflejado sus genitales. No obstante, lo que se acaba de afirmar poco importa a los efectos de su tipicidad, en tanto que la masturbación del menor viéndose sus genitales y sin la presencia de terceras personas queda subsumida en la letra b) de dicho párrafo[69].

---

el art. 186 en nada tiene que ver con este tipo de material pornográfico. De la misma opinión, ESCUDERO GARCÍA-CALDERÓN, 2016, p. 453.

67. GARCÍA NOGUERA, 2014, p. 104.
68. BOLDOVA PASAMAR, 2016, p. 54.
69. Es el planteamiento manifestado en numerosas las sentencias. Así, por ejemplo, véanse, SAP de Alicante de 23 de febrero (ECLI:ES:APA:2011:788); SAP de Alicante de 6 de marzo (ECLI:ES:APA:2012:645); SAP de Madrid, de 2 de diciembre (ECLI:ES:APM:2013:18447), entre otras.

En último lugar, sobre la *conducta sexual explícita* se afirma que para considerarla dentro del ámbito del concepto de material pornográfico debe de ocasionar al titular del bien jurídico protegido intranquilidad, malestar, «desasosiego». O, dicho de otro modo, cierta capacidad de afectación al bien jurídico protegido[70] lo cual no recoge la definición legal y que permitiría limitar su contenido. Aunque, es cierto que tal exigencia es difícil demostrar, además, de ser subjetiva, sobre todo cuando se trata de los jóvenes y adolescentes que están en esa fase de crecimiento, en tanto que en esos casos emergen dudas sobre si realmente una conducta sexual explícita les ocasiona malestar o intranquilidad. De ahí, que los Tribunales acudan a las circunstancias y la finalidad que se persigue con el material, por ejemplo, con una imagen para establecer si ésta tiene la consideración de obscena o no[71].

Con todo, además, la *«conducta sexualmente explícita»*, tiene que ser apta para involucrar al espectador en un contexto sexual. Consecuentemente, no puede abarcar cualquier acción sexual, por ejemplo, un beso, sino que el comportamiento sexual debe de estar impregnado por un carácter explícito para poder ser considerado como pornográfico.

En otro orden, la circunstancia referida a que la conducta sexualmente explícita sea *«real o simulada»*, a saber, que el hecho sea verdadero o que constituya una ficción, parece ser irrelevante[72], en tanto que no es un requisito más en el comportamiento sexualmente explícito que debe aparecer representado, sino que, más bien pretende eliminar cualquier duda sobre si el acto ha de responder o no a la realidad. De todos modos, cabe reseñar que la participación en una conducta simulada ya viene referenciada en la

70. En este sentido, ORTS BERENGUER, 2015a, p. 655. Para BOLDOVA PASAMAR, 2016, p. 54, tampoco se trataría de una conducta constitutiva de un delito de pornografía infantil, el supuesto de la conducta sexual de tercero «ante» un menor que se limita a observar o estar presente, pues no hay participación directa de aquél.

71. La jurisprudencia sobre este asunto ha determinado que por pornografía infantil ha de entenderse «todo material capaz de perturbar, en los aspectos sexuales, el normal curso de la personalidad en formación de los menores o adolescentes». Así, por ejemplo, las SSTS, de 5 de febrero (ECLI:ES:TS:1991;488), de 12 de noviembre (ECLI:ES:TS:2008:6677). Esta misma tendencia aparece en otras tantas, como en las Sentencias de las Audiencias Provinciales de Valencia, de 23 de junio (ECLI:ES:APV:2010:3122); de Madrid, de 8 de febrero (ECLI:ES:APM: 2011:480); de Cantabria, de 16 de abril (ECLI:ES:APC 2014:569).

72. No existe polémica alguna en la doctrina sobre este respecto, sólo se ha discrepado en lo referente a la simulación del sujeto pasivo y no sobre la conducta sexual. Sin embargo, ESCUDERO GARCÍA-CALDERON, 2015, p. 454, expresa que con esta fórmula se cierra el debate surgido en torno a la calificación que merecen los casos de utilización de menores o personas con discapacitadas en la realización de actos sexuales simulados, esto es, conductas sexuales fingidas que realmente no tienen lugar.

letra d) del inciso final del art. 189.1 CP cuando se hace mención a las imágenes realistas, por lo que comporta una reiteración habida cuenta que el legislador ya menciona dichas imágenes en los supuestos de simulación[73]. En definitiva, puede afirmarse que la circunstancia de si el comportamiento sexual representado es real o no, es irrelevante en todos los supuestos del art. 189 CP.

2. REPRESENTACIÓN DE LOS ÓRGANOS SEXUALES DE UN MENOR CON FINES PRINCIPALMENTE SEXUALES

La letra b) del art. 189.1 *in fine* prevé también como pornografía infantil, el desnudo de un menor o persona con discapacidad cuando queden representados sus órganos sexuales con fines principalmente sexuales. Si se observa, la diferencia entre este precepto y el contenido de la letra a) del mismo inciso es que no hay una representación de una conducta sexualmente explícita, sino, únicamente, la representación de la imagen de los órganos sexuales del sujeto en cuestión. Por ende, si estos órganos sexuales son fotografiados o filmados y no existe una actividad sexual subyacente, conforma *a priori* un desnudo que nuestra jurisprudencia y de acuerdo con la mayoría de la doctrina, acertadamente, consideran como no pornográfica *per se*[74].

El sustantivo «*representación*» que se vuelve a repetir en la letra b) deberá ser visual, aunque el CP no lo mencione expresamente, en tanto que tiene que existir cierta coherencia con lo previsto en las letras a) y c), o bien la letra d) dado que se alude a la imagen. Además, la representación ha de captar partes reales de una persona real, en concreto, las partes referidas a sus «órganos sexuales» exteriores, con independencia de que muestre sólo una parte o la totalidad de ellos.

A los efectos prácticos, cabe destacar que las imágenes que revelen los órganos genitales de una persona de forma evidente no presentan dificultad alguna. El problema surge más bien cuando se trata de determinar si esa parte del cuerpo pertenece o no a un menor[75]. Para solventar esos casos y poder aplicar esta modalidad de pornografía infantil se hace necesario constatar a través de la identificación que se trata de los genitales del sujeto pasivo.

73. ESCUDERO GARCÍA-CALDERON, 2015, p. 453.

74. Entre otras muchas, la STS de 20 de octubre (ECLI:ES:TS:2003:6439) sostiene que «... la imagen de un desnudo (sea de un menor o adulto, varón o mujer) no puede ser considerada objetivamente material pornográfico, con independencia del uso que de las fotografías pueda posteriormente hacerse...».

75. Así lo exponen ORTS BERENGUER, 2015b, p. 257; MUÑOZ CONDE, 2017, p. 231.

Si no hay posibilidad de conocer la identidad y edad del menor habría que incardinar la conducta en la modalidad de la letra c), referenciada a cualquier representación que parezca ser un menor, o bien la letra d), supuesto este último en el que sólo resulta necesario constatar la imagen realista de los órganos sexuales de un menor.

La expresión *«fines principalmente sexuales»*, se refiere a las imágenes que representen órganos sexuales reales —aparentes o realistas en la letra c) y en la d) de un menor o de una persona que aparente ser un menor—. A mi modo de ver, la expresión redactada en el artículo constituye un planteamiento equivocado, por cuanto que la finalidad que se persigue no es un elemento inherente a las imágenes en el supuesto del desnudo[76]-frente a lo que ocurre cuando se trata del supuesto de la imagen de una conducta sexualmente explícita en la que puede concurrir la tendencia objetiva a excitar sexualmente—, sino que, más bien, ha de relacionarse con el autor, el poseedor, o el espectador de dicha imagen exclusivamente[77].

En la línea argumentada, la finalidad que señala el precepto, a mi juicio, corresponde en todo caso a un elemento subjetivo especial del tipo distinto al dolo, que en puridad no debería formar parte de la definición de pornografía infantil que se recoge en el art. 189.1 *in fine*[78]. Ahora bien, desde la

76. En esta línea argumental se pronuncia el Tribunal Supremo en Sentencia de 20 de octubre, (ECLI:TS:ES: 2003:6439) y que viene a decir: «...la imagen de un desnudo —sea de menor o adulto, hombre o mujer— no puede ser considerada objetivamente material pornográfico, con independencia del uso de las fotografías que pueda posteriormente hacerse...». Del mismo modo, se reconoce en las SAP de Valencia, de 23 de junio (ECLI:ES:APV:2010:3308); SAP de León, de 27 de diciembre (ECLI:ES:APLE:2011:1548); SAP de Guadalajara, de 29 de noviembre (ECLI:ES:APGU:2011:417), entre otras.
77. Para BOLDOVA PASAMAR, 2016, p. 57, que las imágenes de los genitales externos no tienen fines sino la representación de situaciones o actos insertados en un determinado contexto dirigido a la provocación sexual para poder ser calificado como pornográfico.
78. En este sentido, la Circular FGE 2/2015, pp. 5 y ss., señala que los «fines principalmente sexuales» que permiten calificar la representación de los órganos sexuales de un menor como pornografía deberán tener reflejo en el propio material, no siendo suficiente con la mera intencionalidad de quien lo posee o difunde. Distinto es su criterio respecto a quien lo elabora, pues el animus del sujeto activo que entra en contacto con el menor y que obtiene las fotografías, videos de los órganos sexuales de éste, puede ser determinante para calificar el resultado como pornográfico. ORTS BERENGUER, 2015b, p. 257, se plantea si los fines pueden depender del soporte en el que quede insertada la imagen o representación, de manera que una imagen en un libro científico sobre sexualidad infantil no se considerará pornografía, pero sí se apreciará si la misma imagen aparece en una revista pornográfica. Por su parte QUERALT JIMÉNEZ, 2015,

perspectiva de su interpretación literal es necesario precisar que el carácter pornográfico de la imagen o representación de un desnudo no puede depender exclusivamente de la finalidad subjetiva del sujeto activo. En efecto, la naturaleza pornográfica de una imagen o representación debe considerarse desde una óptica objetiva. De este modo, para llegar a la conclusión de que la imagen de los órganos sexuales de un menor es pornográfica y, por tanto, ilícita su elaboración, difusión, tenencia o visualización es preciso que concurran en el sujeto activo, además, de los elementos del tipo subjetivo, ciertas características dentro del contexto en el que se desarrolla la acción, es decir, la presencia del carácter provocativo, libidinoso de tal imagen o representación[79].

Todo ello me lleva a pensar en consecuencia, que de tener en consideración la expresión *«fines principalmente sexuales»* puede excluirse de tal definición aquellos materiales que aun representando los órganos sexuales de un menor tengan otras finalidades como, por ejemplo, científicas, médicas[80]. A este respecto, la Directiva europea 2011/93/UE estable en el Considerando 17 la posibilidad de incluir en la descripción de las infracciones penales un elemento adicional en la expresión *«de forma ilícita»* que nuestro legislador a la postre no quiso incorporar. La decisión de su exclusión fue bien acogida por un sector de la literatura científica, argumentando, que las representaciones de los órganos sexuales con fines científicos, médicos, etc. ya quedan excluidas de la definición de material pornográfico al no concurrir en tales representaciones los *«fines principalmente sexuales»* exigidos[81].

p. 284, manifiesta que estos fines se refieren a que la pornografía para considerarla como tal y deben tener algún tipo de relación con la satisfacción sexual, razón por la que quedarían excluidas, por ejemplo, las láminas educativas que muestran la evolución de los órganos sexuales en la evolución de la infancia a la pubertad y añade que «...la pornografía sin referencia a la satisfacción sexual está incompleta y no es pornografía...».

79. ORTS BERENGUER. 2016, p. 660, postula que lo que se determina en los tipos penales es una «conducta con fines principalmente sexuales» del autor que se manifiesta en que «la representación sea de por sí excitante desde el punto de vista sexual o pretenda serlo, esto es, que tenga una connotación libidinosa, pero no en los fines del productor, distribuidor o vendedor, cuyo fin es lucrarse».

80. QUINTERO OLIVARES, 2016, p. 153.

81. En tal sentido, MUÑOZ CONDE, 2023, p. 287.

3. LA PORNOGRAFÍA INFANTIL TÉCNICA REALIZADA POR MAYORES DE EDAD QUE APARENTAN SER MENORES

La letra c) del art. 189.1 *in fine* preceptúa lo que la doctrina ha venido denominando, *pseudopornografía*[82], es decir, una forma de pornografía infantil técnica realizada por personas mayores de edad que aparentan ser menores.

La descripción del artículo resulta ser, en mi opinión, bastante farragosa e innecesaria y su redacción denota una incorrecta técnica legislativa, pues, obsérvese, que según la redacción en el material no aparecen menores de edad involucrados, ni tampoco puede deducirse que éstos sean reales. No obstante, cabe significar que el propio legislador es consciente de ello a la vista de las posibilidades casuísticas que ofrece la realidad, pues, se permite comprobar a través de de la cláusula descrita en el propio precepto, si cuando el sujeto cometió la acción, representación o imagen, poseía la mayoría de edad, como así parece indicar la misma: *«salvo que la persona que parezca ser un menor resulte tener en realidad dieciocho años o más en el momento de obtenerse las imágenes»*[83].

La excepción que representa la mencionada cláusula es fiel reflejo de lo redactado en el art. 5.7 de la Directiva europea 2011/93/UE como exclusión de la punibilidad de esas conductas. La cláusula parte de una presunción *iuris tantum* en la que se admite la inversión de la carga de la prueba[84] para los casos dudosos, a tenor de la concreción negativa que se establece en el precepto. De esta manera, la defensa tendrá que aportar la prueba de descargo lo que implica, en mi opinión, el menoscabo de la presunción de inocencia que se presume en todo proceso penal. No obstante, esta última

---

82. El Convenio de Ciberdelincuencia, en los arts. 9.2, letras b) y c) preveía ambas formas de pornografía virtual. En este punto cabe aclarar que la pornografía infantil técnica y la pseudopornografía —pornografía aparente— o pornografía virtual son dos formas de pornografía virtuales que van referidas al menor.

83. MUÑOZ CONDE, 2019, p. 245, resalta a este respecto que el hecho de incluirse esta salvedad en la letra c) la pretensión del legislador es solventar posibles problemas de error sobre el elemento objetivo del tipo. Por otro lado, señala TERRADILLOS BASOCO, (2019), p. 378, que el establecimiento de esta cláusula en el articulado no resuelve posibles problemas, sino que los complica aún más, dado que es una contradicción castigar una conducta en la que ha intervenido una persona mayor de edad, cuando estamos hablado de pornografía infantil en la que han de participar menores de edad, sino, no es infantil.

84. BOLDOVA PASAMAR, 2016, p. 58, manifiesta que se trata de una prueba diabólica, puesto que la edad adulta no es visible frente a las personas menores que están cercanas a esa edad adulta, e incluso el material puede tener un origen desconocido o haberse realizado en el extranjero, lo que imposibilitaría la determinación de la identidad y edad de la persona representada.

afirmación que sostengo no me impide concluir el valor añadido que supone su incorporación, pues, de no preverse tal excepción sólo cabría calificar como pornografía infantil todas aquellas imágenes o representaciones elaboradas con personas adultas por el mero hecho de que visualmente aparentasen ser menores de edad[85].

De otra parte, con la intención de evitar caer en excesos de incriminación en esta modalidad de pornografía y también quizás, en mi opinión, fundamentada en el principio de seguridad jurídica, la Circular FGE 2/2015, de 20 de junio, exige que los protagonistas del material pornográfico sean menores y «...se les represente como menores»[86]. La propia Circular asevera que en aquellos supuestos dudosos, es decir, si la persona tiene 16, 17 o 18 años y no fuere posible su identificación, no se podrá imputar el hecho por ninguno de los tipos penales del art. 189 CP, pues, sólo cabe apreciar la comisión de la conducta de forma dolosa y no imprudente[87]. Asimismo, se requiere la confirmación de que se tratan de representaciones visuales, por lo que queda excluido el material de audio o el escrito.

Así las cosas, como ya he afirmado en líneas anteriores, si en un principio se alabó la inclusión del concepto de pornografía infantil, pues, permitía dotar de una mayor seguridad jurídica al propio concepto, también es destacable y no por ello es contradictorio que el concepto de material pornográfico y, en concreto, la modalidad de pornografía infantil incluida en la letra c) está revestida de numerosas críticas y todas ellas con acertado criterio. En efecto, por un lado, se objeta por algunos autores la dificultad que supone probar la edad de los menores que salen representados cuando éstos están

85. GARCÍA ÁLVAREZ, 2015, p. 176, critica que se equipare el material de carácter sexual que se ha elaborado con menores de edad, con el realizado con adultos que parecen ser m6enores, aunque tenga un aspecto aniñado, porque realmente no han sido utilizados menores en la elaboración y, por tanto, para esta autora no se puede hablar de pornografía infantil, aunque el precepto regule una presunción iuris tantum. Al respecto, ya se pronunció en su Informe FGE de 8 de Enero de 2013, al Anteproyecto de la Ley Orgánica por la que se modificaría la LO 10/1995, de 23 de noviembre del CP, en el que se afirmaba que la justificación a su tipificación estaba basada en que dichas conductas banalizaban y podrían contribuir a que se aceptase la explotación sexual de los niños y porque vulneraban la dignidad de la infancia en su conjunto, además, de que resultaba difícil distinguir entre una imagen real y una imagen computarizada en el ordenador.

86. Circular FGE 2/2015, p. 10, señala que: «...la vía de la pornografía técnica no puede utilizarse para criminalizar la posesión o difusión de las imágenes de personas a las que no se las presenta como menores, o a las que no se consigue identificar y respecto de las que existen dudas sobre si sobrepasan o no los dieciocho años».

87. MUÑOZ CONDE, 2017, p. 231.

cercanos a la edad adulta —18 años— y se discrepa en torno a la inversión de la carga de la prueba —la presunción *iuris tantum*—. En tales casos se manifiesta que es la acusación a quien le corresponde acreditar la minoría de edad y discapacidad de los sujetos que intervienen en los hechos[88]. Es más, a propósito del principio *in dubio pro-reo*, se señala que el principio surte efecto en aquellos supuestos en los que resulte compleja la determinación de si las imágenes son auténticas o si, por el contrario, han sido manipuladas.

De igual modo, esas mismas voces se oponen a incardinar como pornografía infantil técnica (letra c), aquellos supuestos en los que no se utilice realmente a los sujetos pasivos, en tanto que no existe utilización de éstos en la elaboración del material, ni siquiera de forma indirecta habida cuenta que esa apariencia de menor se consigue a través de, por ejemplo, disfraces, maquillajes, etc. En tal caso se afirma que habría de aplicarse alguna de las conductas relacionadas con la intimidad o el derecho a la propia imagen, es decir, el art. 197.2 CP en relación con el apartado 3 del mismo artículo, siempre que la imagen obtenida y posteriormente manipulada proceda de una base de datos reservados protegidos por el derecho a la intimidad, como podrían ser un PC, ordenador portátil privado o incluso el propio móvil, y no a través de la imputación por la letra c) del art. 189.1 *in fine*.

Y de otro, se halla aquella parte de la literatura que manifiesta que en la modalidad de pornografía de la letra c) falta la afectación al bien jurídico protegido, pues no existe realmente ningún sujeto pasivo al que lesionar o poner en peligro su indemnidad sexual[89].

---

88. GÓMEZ TOMILLO, 2015, p. 593; BOLDOVA PASAMAR, 2016, p. 59.

89. Entre los defensores de tal planteamiento cabe mencionar a MORILLAS FERNÁNDEZ, 2015, p. 475, a quien le resulta incongruente la decisión legislativa de incorporar a la definición de pornografía infantil, la letra c). Y añade que en estos supuestos se prevé una pornografía infantil simulada o técnica en donde el adulto se hace pasar por un menor su conducta no produce la afectación del bien jurídico, indemnidad sexual, habida cuenta que el sujeto pasivo de la acción típica, representación, no existe. En parecidos términos se expresa ORTS BERENGUER, 2016a, p. 654; 2016b, p. 258, afirma que se está en presencia de un delito de peligro abstracto remoto, pues sin utilización real de un menor, sea cual sea el espectáculo o material elaborado «...ni hay bien alguno necesitado de protección penal, como exigen los principios de proporcionalidad y ofensividad, sólo hay un espectáculo, una grabación, filmación, etc., que pueden ser tildadas de mal gusto, pero lesión o puesta en peligro de un bien jurídico de un bien jurídico, ni por asomo....solamente una incomprensible y temida confusión de los planos éticos y jurídico explican la creación de tipos de acción como varios de los contenidos en el art. 189, que jurídicamente, constitucionalmente, carecen de fundamentación, y político-criminalmente, de racionalidad...». La misma opinión parecen ofrecer MORALES/GARCÍA, 2016, p. 394, para quienes la introducción del art. 189.1

En definitiva, parece ser que el legislador al incriminar tal modalidad pretende dar preferencia a la sanción de determinadas apetencias sexuales del sujeto activo (pederasta) y no priorizar la posible lesión o puesta en peligro del bien jurídico protegido —ya sea libertad o indemnidad sexual—, vulnerándose, de este modo, el principio de ofensividad[90].

Por su parte, CARUSO FONTÁN, 2020, p. 362 va más allá, al poner de relieve que la introducción de la pornografía técnica en el concepto de pornografía infantil puede crear dudas al consumidor de pornografía sobre la legalidad de su conducta[91]. Sin embargo, sobre tal asunto, parte de la literatura científica destaca lo favorable de su punición, dado que existen imágenes en Internet que explotan la ambigüedad conscientemente, lo que provoca que sea muy difícil en muchos casos averiguar si se trata de mujeres jóvenes representadas como niños, o si son niños reales representados de manera que imitan el comportamiento sexual de un adulto[92].

Con todo, lo cierto es que la modalidad de pornografía técnica plantea muchas dudas constitucionales que han de ser eliminadas a través de una interpretación enormemente restrictiva, por cuanto de no ser así, caeríamos en el error de dar por bueno la creación de un nuevo delito de sospecha como manifiesta FERNANDEZ TERUELO 2022, p.702, que se uniría al ya existente delito previsto en el art. 166 (no dar paradero de la víctima de secuestro o detención ilegal)[93].

---

letra c) CP carece de fundamento material en relación con la protección real de menor, la indemnidad sexual y tiene difícil defensa desde la perspectiva del principio de exclusiva protección de los bienes jurídicos. Por otro lado, sostienen que el modelo que defiende el legislador es la inexistencia del bien jurídico, indemnidad sexual, que presumiblemente se comprende defendido en la letra c) del art. 189.1. Y achacan esta incongruencia al error que se produjo cuando se dejó de definir la pornografía infantil como representación visual del abuso sexual de un menor puesto que tal modelo «...sí fundamentaba adecuadamente la punibilidad en conductas que incentivaban (conductas de producción) y que perpetuaban (las de tráfico) la real victimización del menor en su esfera sexual...».

90. Por cuanto, no se afecta al bien jurídico del menor porque tal es inexistente, ni tampoco la del adulto representado, por cuanto como señala TERRADILLOS BASOCO, 2019, p. 378, éste tiene capacidad para decidir el contenido de las actividades sexuales no lesivas que realiza con otro.
91. CARUSO FONTÁN, 2020, p. 362.
92. QUAYLE, E/JONES, 2011, p. 17.
93. FERNÁNDEZ TERUELO, (2022), p. 702, afirma que al sujeto activo se le castiga o bien porque se sospecha que en las imágenes puede haber un menor o porque en ellas un mayor de edad aparece caracterizado como un menor y no se puede demostrar que lo sea.

4. LA PORNOGRAFÍA INFANTIL VIRTUAL O ARTIFICIAL

La letra d) del inciso final del art. 189.1 describe la última de las distintas modalidades de pornografía o de material pornográfico, y en ella se hace referencia a la denominada *pornografía realista, virtual, o artificial* —que resulta ser otra de las variantes de la pseudopornografía-[94].

Al igual que las diversas modalidades de material pornográfico que se han descrito anteriormente, la que ahora se analiza también se incluye en la definición de pornografía suscrita por los Estados Parte. Concretamente, en primer lugar, aparece en el Convenio de Ciberdelincuencia de Budapest y, posteriormente, es asumida por la DM 2004/68/JAI y la Directiva europea 2011/93/UE que la sustituye y cuya previsión aparece en su art. 2 c). De su lectura, llama la atención que el legislador español de 2015 incorpora literalmente la redacción de la modalidad redactada en el instrumento de ámbito europeo a nuestro Código Penal. Aunque, a este respecto es bien es cierto que en la reforma de 2003 ya se preveía un concepto parecido, o al menos, esa parecía ser la pretensión perseguida cuando el legislador reguló una suerte de pornografía virtual o *morphed images*[95].

Ahora bien, deteniéndonos en la descripción de ambos preceptos —anterior art. 189.7 y el actual art. 189.1 inciso final letra d)— cabe significar que ambas regulaciones presentan diferencias en la redacción. En efecto, el

---

94. La pseudopornografía consiste en la representación de imágenes ficticias creadas parcialmente con rasgos o características de un patrón real, esto es, menor identificable, encontrándose, antes de la reforma de 2015, regulada como tipo independiente en el art. 189.7. Este precepto la definía como «todo material pornográfico en el que no habiéndose utilizado directamente menores o incapaces, se emplee su voz o imagen alterada o modificada a través de artificios técnicos...». Como venimos analizando, tras la modificación operada en 2015 desaparece como tipo autónomo, y se incorpora como parte del concepto normativo de pornografía infantil, pudiendo castigarse como pornografía técnica [letra c)] o bien pornografía virtual [letra d)]. MORILLAS FERNÁNDEZ, 2015 p. 475, si bien reclamaba en 2004 un concepto normativo de pornografía infantil en base al principio de legalidad, tras la redacción que se establece del concepto de pornografía en la reforma de 2015, lo critica. En concreto, respecto de la modalidad de pornografía virtual, se posiciona en contra de su regulación y señala la falta de lesión al bien jurídico, indemnidad sexual; DE LA ROSA CORTINA, 2011, p. 109, defiende la regulación de la pseudopornografía como una subespecie de pornografía, aunque no se representen menores reales.
95. La reforma de 2003 introdujo un contenido en el art, 189.7 con una técnica bastante defectuosa y que, en puridad, resulto poco rigurosa con el contenido de la pornografía técnica y virtual. Así, el meritado artículo hacía referencia al material pornográfico de esta forma: «...no habiendo sido utilizados directamente menores o incapaces, se emplee su voz o imagen alterada o modificada...».

antiguo art. 189.7 tipificó como material pornográfico, toda imagen en la que no se han utilizado a menores o incapaces directamente, pero sí la imagen o la voz alterada, o modificada de éstos[96], y además el material que resulte tiene que ser destinado al tráfico.

La modificación que se realiza en 2015 elimina el art. 189.7[97] —antigua pseudopornografía— y un nuevo contenido se incorpora al art. 189.1 d), conforme a la modalidad de pornografía virtual. En la nueva modalidad no se precisa que contenga la presencia real del menor, pues, la realidad de la imagen del sujeto se consigue a través de los sistemas informáticos que pueden computarizar la imagen de éstos[98]. Asimismo, otra característica que presenta su incorporación es el hecho de que se prescinde de incluir en su contenido, la exclusión de punibilidad que se establece en el art. 5.8 de la Directiva europea, que dispone la discrecionalidad de los Estados miembros de incorporarla o no para aquellos supuestos en los que el material así creado esté en posesión para uso privado y no exista riesgo de difusión, —a diferencia de lo que el Proyecto de reforma de 2013 previa, pues, contaba en su regulación con la cláusula aludida—.

Pasando a comentar la interpretación de la modalidad, cabe resaltar que la expresión que alude a *«imágenes realistas de un menor»* comprende todas aquellas imágenes que se aproximen lo más posible a cualquier realidad. Es decir, ello significa que de manera extensiva se tipifican todos aquellos casos en los que sea casi imperceptible destacar en la representación gráfica que lo que se observa no es realmente un menor de edad, o bien, que lo que allí se observa no se corresponde con los órganos sexuales reales de éste. De lo que cabe deducir que se trata de tipificación de una modalidad de pornografía en la que un menor o los órganos sexuales del menor no se encuentran representados «en carne y hueso». Esto implica, que sólo es necesario que su representación sea realista para incardinarla en la modalidad,

96. Para GÓMEZ TOMILLO, 2005, pp. 34 y ss., se trata de la simple inserción de voces o imágenes de menores reales.
97. Para GARCÍA NORIEGA, 2014, p. 109, el hecho de que se suprima con la reforma de 2015 el art. 189.7, no implica la atipicidad de tal conducta, pues la antigua pornografía virtual del aludido artículo queda subsumida en la actual modalidad de pornografía virtual —letra d)— y en la pornografía técnica —letra c)—. BOLDOVA PASAMAR, 2016, p. 59, afirma que la modalidad que se recoge en la letra d) no necesita de un modelo humano y por tanto va más allá que el supuesto que recogía el antiguo art. 189.7, de ahí que se haya suprimido.
98. Para BOLDOVA PASAMAR, 2016, p. 59, se trata de supuestos en los que el material se realiza mediante recreación informática ex novo o mediante alteración informática de una persona real.

ejemplificando, creando el material pornográfico a través de un *software* que permita recrear la imagen de un menor real[99].

En mi opinión, la decisión político criminal de sancionar este tipo de material[100] infringe varios principios limitadores del Derecho Penal. Así, por ejemplo, los principios de ofensividad, de proporcionalidad y de intervención mínima o de necesidad, puesto que, al no existir la afectación de ningún bien jurídico, ya sea indemnidad/libertad sexual, dignidad, derecho a la propia imagen, etc., la intervención del Derecho Penal carece de legitimidad[101]para actuar. Por ello, cabe plantear críticamente, que el castigo de tales supuestos se aproxima peligrosamente a un Derecho penal de autor, en tanto que parece que el motivo por el que se incrimina son más bien las tendencias sexuales del sujeto y no la lesividad real de su comportamiento.

Como así ocurriera con la tipificación de la pornografía infantil técnica (letra c del art. 189.1) la interpretación de la letra d) ha suscitado en la doctrina un profundo debate que no resulta pacífico. En efecto, este hondo debate jurídico-penal puede resumirse en dos vertientes confrontadas que, por un lado, intentan buscar una significación a la previsión para justificarla, aunque reconocen al mismo tiempo la existencia de ciertas dificultades legales en la tipificación. Y por otro, aquella parte de la literatura científica que se opone a la incriminación de la modalidad típica.

Así, MORALES/GARCÍA, subrayan que, el realismo que sanciona el legislador en esta modalidad va referido a la representación de un objeto material irreal[102]. De este modo, rechazan, por tanto, el hecho de que se haya

99. Deben tratarse de imágenes que se puedan confundir con la realidad y que puedan engañar sobre la apariencia de realidad, de forma continuada, a un espectador medio. En Derecho comparado tenemos un ejemplo de la tipificación en el Código Penal de EE.UU. § 2256 que define, a los efectos de la pornografía virtual o realista, el término indistinguible como prácticamente idéntico. En la que la representación que se realiza puede provocar en una persona común, creer que se trata de un menor real en una conducta sexualmente explícita. El código estadounidense no incluye en esta definición los dibujos, caricatura, pinturas, etc. En nuestro país, la Circular FGE 2/2015, p. 8, afirma que se excluyen de esta conducta típica los dibujos, caricaturas, etc.

100. La anterior reforma de 2010 declinó introducir en el texto legal la modalidad de pornografía realista o virtual.

101. La misma opinión ofrecen respecto de la falta de lesividad hacia al bien jurídico protegido, RAGUÉS I VALLÉS, 2012, p. 297 y MARTÍN LORENZO, 2012, pp. 1305 y ss., que aplaude la decisión del legislador de 2010 de no incorporar al texto legal esta modalidad de pornografía infantil.

102. MORALES/GARCÍA, 2016, p. 396. Para estos autores los dibujos animados no entran dentro del tipo, como ejemplo, los dibujos nipones del género manga *hentai*, en los que se representan jóvenes preadolescentes de ambos sexos teniendo relaciones sexuales

incorporado el término «*realista*» en la letra d), pues, con ello se criminaliza una conducta basada en la lesividad sobre un objeto material real que no existe en la representación gráfica[103]. Es más, aunque su postura va en contra de su criminalización, señalan como posible justificación material dos razones: por un lado, de carácter procesal y de otra, sustantiva.

En primer lugar, en cuanto a las razones de carácter procesal estas las fundamentan en el carácter probatorio. Esto es, arguyen, que debido al desarrollo de la informática y de los medios tecnológicos se hace casi imposible distinguir, cuándo estamos ante un menor de edad real y cuándo aparente. En segundo lugar, en cuanto a las de orden sustantivo, señalan que están cimentadas en el conocimiento que se tiene de los «usos» que se da a la pornografía infantil. Abundando en estos posibles usos de la pornografía infantil, mencionan, de un lado, que el consumo de ese tipo de material puede incentivar los abusos sexuales —con la modificación introducida por LO 10/2022, constituirían agresiones sexuales-[104]. De otro, la pornografía infantil juega un papel fundamental en los abusos por parte de los pedófilos en tanto que le sirve para justificar su conducta, ayudarles a seducir a sus víctimas y proporciona un medio para chantajear a los niños de los que han abusado con el fin de evitar posibles denuncias[105].

En definitiva, para estos autores la punición de la *pornografía virtual* se justifica como delito de peligro abstracto, esto es, haciendo ver que la extensión del objeto de protección del precepto llega al ámbito de prevención del abuso o a su utilización como una especie de «material preparatorio» para, según los autores, «...gestionar riesgos potenciales, difusos, e indeterminados». Sin embargo, en mi opinión, tal justificación merece ser matizada, toda

---

con otros niños. En este sentido, en otras legislaciones penales de nuestro entorno este tipo de género está prohibido. También es de la misma opinión de rechazar en este material los dibujos mangas o parecidos, BOLDOVA PASAMAR, 2016, p. 59.

103. MORALES/GARCÍA, 2016, p. 396, son muy críticos en cuanto a que el legislador asuma en la pornografía técnica la exclusión de punibilidad cuando se comprobase que el actor tenía más de 18 años cuando realizó el material pornográfico, como consecuencia de ello se enerva la tipicidad de la conducta art. 189.1 *in fine* c) y apuntan que, sin embargo, no se proceda de la misma forma con la modalidad de pornografía virtual (letra d), tal y como se preveía en el Proyecto de reforma de 2013 cuando el material «...ha sido producido y está en posesión de su productor estrictamente para su uso privado (...) y que el acto no implique riesgo de difusión del material». A su vez, objetan que la reforma de 2015 tendría haber dado la solución a tal contradicción, mediante el establecimiento de un concepto restrictivo de realismo.

104. Se señala que el acceso a la pornografía infantil podría llevar a algunos sujetos a descubrir una tendencia sexual oculta (pedofilia) y a quienes la sobrellevan, a justificarla.

105. A lo que llaman «manual de conducta o aprendizaje».

vez que, si su fundamentación se realiza en base a la indemnidad sexual del menor, constituye, más bien, un peligro presunto «*iuris et de iure*» de agresión sexual con la reforma de 2022 —y no abuso sexual— y, además, en el que resulta irrelevante que lo que parece real, no lo sea.

Aún con todo, estos mismos autores reconocen que tal aparente justificación genera un modelo de prevención que acarrea consecuencias devastadoras si se aplica a otros ámbitos, puesto que podría postularse la incriminación del material gráfico en el que quedase representado la comisión de un delito real o aparente, especialmente delitos violentos[106]. En suma, según se infiere, para los autores el razonamiento de su tipificación se circunscribe, de un lado, en una peligrosidad subjetiva (derecho penal de autor) y, de otro, en la protección de una moral pública. Por lo que consecuentemente se está asistiendo a la quiebra del principio de exclusiva protección de los bienes jurídicos o principio de ofensividad.

Por su parte, BOLDOVA PASAMAR, 2016, p. 60, asevera, que la justificación de tal tipicidad no está del todo clara, además, rechaza su incriminación, como también lo hizo con la pornografía técnica. Aunque, matiza, reconociendo que al igual que sucede con la pornografía técnica, son razones prácticas las que fundamentan su incriminación. Pues, según el autor, cada vez es mayor la perfección de la realidad virtual y resulta muy difícil diferenciar cuándo se está ante una realidad y cuándo ante una ficción. Al mismo tiempo, también indica que «...cuando se trate de imágenes realistas y perfectamente identificables como una recreación informática, no debería de considerarse esta modalidad de pornografía para integrar el tipo de un delito sexual...»[107].

Los planteamientos críticos a su tipificación no acaban con los descritos, a éstos se añaden otros. En efecto, en este sentido, cabe mencionar a DE LA ROSA CORTINA, 2011, p. 31, que apoya la incriminación de la modalidad basándose en dos razones: de un lado, sostiene que si no estuviese criminalizada tal modalidad, la realización de tal material ilícito podría contribuir a que se consolidasen fijaciones perversas y que aumentase la probabilidad llevarlas a la práctica en la vida real[108]. Y, de otro, alude, que, de no incriminarse este tipo de material, se estaría ante su trivialización y ello contribuiría a la aceptación de la explotación sexual de los menores[109].

106. MORALES/GARCÍA, 2016, p. 395.
107. BOLDOVA PASAMAR, 2016, p. 60.
108. En los mismos términos, GIL RUBIO, 2008, p. 3.
109. Para DE LA ROSA CORTINA, 2011, p. 31, el fundamento de la punición es que, aunque no afecte a niños reales concretos, sí que genera la banalización del abuso a menores,

En este contexto de posiciones a favor o bien en contra de la tipificación de la *pornografía virtual, artificial*[110], la Fiscalía General del Estado, tras la aprobación de la reforma de 2015, también se pronuncia y admite, que con la incriminación de esta modalidad de pornografía, se protege en realidad un bien jurídico supraindividual, la dignidad e indemnidad sexual de la infancia en general, la cual se vería afectada, es decir, poniéndola en peligro, si la circulación de este material se permitiera[111]. Pero, a su vez, el propio organismo del Ministerio Público se contradice, a mi modo de ver, por cuanto que rechaza ese mismo peligro, cuando se trata de la posesión de ese material para uso privado, siempre y cuando no exista riesgo de difusión[112].

En consecuencia, si bien gran parte de la doctrina no encuentra una justificación clara que motive su tipicidad, o bien, incluso son contrarios a la misma[113], existe otro sector de la literatura científica que la intenta argumentar, pero, matizando, que su aplicación debe ser restrictiva. Así, los defensores de su tipificación basan tal planteamiento en razones prácticas y, por supuesto, en la preocupación que de manera global viene generándose en torno a la necesidad de perseguir y sancionar toda conducta relacionada con la pornografía infantil a nivel internacional. De ese modo, se destaca que cada vez resulta más difícil distinguir debido a los avances tecnológicos cuándo se trata de una realidad y cuándo de una ficción[114], pero, exigiendo llegado el caso, que la modalidad se aplique de forma restrictiva. Es decir,

---

pues, es evidente que puede conllevar un estímulo para ciertas personas incrementar este deseo sexual o incluso puede generar el surgimiento del deseo sexual hacia los menores, con el consiguiente incremento de riesgo de ataque a la libertad o indemnidad sexual de los mismos. CABRERA MARTÍN, M., (2003), pp. 402 y 416, afirma que estas conductas pueden constituir una provocación para la comisión de abusos sobre menores y la exaltación a las conductas pederastas.

110. CAROU GARCÍA, 2018, p. 35, manifiesta que con la tipificación de la pornografía virtual se protege la seguridad y la infancia en general.
111. El propio Informe Consejo Fiscal de 8 de enero de 2008, reconoce que este tipo de material puede contribuir al incremento de la explotación sexual de los menores. No obstante, del mismo modo que aboga por su tipificación, al mismo tiempo que estable en la Circular FGE 2/2015 límites en su aplicación. En efecto, para la FGE dispone que sólo se considerarán «imágenes realistas», potencialmente subsumibles en el concepto de pornografía infantil, aquéllas que se aproximen en alto grado a la representación gráfica de un auténtico menor, o de sus órganos sexuales. Excluyendo, por tanto, los dibujos animados, mangas, o representaciones similares, pues no constituiría *per se* imágenes realistas, habida cuenta que no perseguirían ese acercamiento a la realidad.
112. Circular FGE 2/2015, p. 5.
113. En contra de su tipificación, además de los señalados *supra*, cabe mencionar, entre otros, a TERRADILLOS BASOCO, 2019, pp. 378 y ss.; RODRÍGUEZ MESA, 2013, p. 249; PÉREZ MACHÍO, 2020, p. 211.
114. Entre ellos cabe mencionar a DÍAZ CORTÉS, 2015, p. 34.

cuando las imágenes sean realistas y no se pueda identificar al sujeto porque tales imágenes constituyen una recreación informática, es preferible no subsumir la conducta en el tipo penal[115].

Por su parte, el criterio que mantiene el Ministerio Público va más allá, al mantener que es suficiente con que las imágenes persigan acercarse a la realidad[116].

Dicho esto, lo cierto es que a pesar del lógico rechazo social que suscita todo lo relativo a la sexualidad referida a los menores, pues, no se comprende que existan sujetos que disfrutan con el visualización de este tipo de material y a pesar de que el objeto material no esa real, en mi opinión, es acertada la afirmación de CARUSO FONTÁN, 2011, p. 41, al señalar que la misión del Derecho Penal no es la de inculcar a los ciudadanos qué comportamientos han de ajustarse a la moral sexual colectiva, sino que su objetivo tiene que ir encaminado a evitar la lesión o puesta en peligro de bienes jurídicos fundamentales[117]. Y ello se fundamenta en el principio de intervención mínima o de necesidad que debe regir en el Derecho Penal.

VII. ALGUNAS CONSIDERACIONES CONCLUSIVAS

De todo lo expuesto anteriormente en relación al art. 177 bis y del art.189.1 *in fine* cabe realizar una serie de reflexiones a modo de conclusión. La inclusión de la tipificación expresa del art. 177bis por LO 5/2010 así como su importante reforma acaecida en 2015 no impide considerar que el tipo continúa adoleciendo de determinados defectos que impiden no sólo el correcto castigo a los responsables del delito, sino que se observa la incorrecta protección que se realiza sobre sus víctimas. De este modo, se destaca por la mayoría de la doctrina que sería necesario, por ejemplo,

115. Entre otros, BOLDOVA PASAMAR, 2016, p. 60; ORTS BERENGUER, 2015, p. 651 y ss. A propósito de fundamentar en contra la criminalización de la pornografía virtual, este último autor ha manifestado que es preferible que el sujeto utilice para satisfacer sus deseos sexuales imágenes o representaciones virtuales o artificiales donde realmente, no se utiliza a un menor, que conseguir a cualquier precio imágenes con menores reales, ORTS BERENGUER, E., 2015, p. 253.
A favor de su tipificación, afirmando que la pornografía virtual «sirve para alimentar al mundo de la explotación sexual de los niños», MCLACHLAN, 1998, p. 142.

116. La Circular FGE 2/2015, p. 8, señala que consisten en imágenes que traten de imitar la realidad, imágenes que no son reales, pero que lo parezcan y, en consecuencia, aquellas que se aproximen en alto grado a la representación gráfica de un auténtico menor o de sus órganos sexuales.

117. CARUSO FONTAN, 2011, p. 41.

ampliar las formas de explotación para así evitar considerar un catálogo cerrado de posibilidades que impidan incluir nuevas y crecientes formas de explotación de las víctimas[118]. Otro de los defectos de los que parece adolecer el artículo, aunque no me haya detenido en él, es en relación con la excusa absolutoria del apartado 11 y la escasa posibilidad de aplicación que presenta[119]. Asimismo, se reclama por la mayoría de la literatura la oportuna creación de un tipo penal de esclavitud que permitiera conectar de manera más correcta la trata con una concreta forma de explotación, al mismo tiempo que se revisen el resto de formas de explotación que contiene nuestro Código Penal[120].

Como se ha expuesto, esa combinación de posesión de dominio en la que se encuentra una persona sobre otra y la situación de explotación a la que se le somete es suficiente para afirmar que la trata de personas constituye una vulneración de los Derechos humanos de las víctimas. De ahí que, la falta de libertad y capacidad de decisión de las víctimas, y su cosificación permite afirmar que la TSH supone una lesión absoluta contra la dignidad de la persona.

Por otra parte, respecto de la tipificación del concepto de material pornográfico que asumió nuestro legislador de 2015 de manera íntegra de la Directiva 2011/93/UE, cabe reprochar la inclusión en el texto legal de las letras c) y d) del art. 189.1 referidas a la pornografía técnica y virtual, en tanto que no existe un menor real implicado en esas conductas y, por tanto, ni siquiera un bien jurídico al que proteger. En efecto, pareciese que la previsión de la reforma de 2015 en esta materia es la de intervenir frente al mero deseo de obtener satisfacción sexual con la idealización de menores, aunque no exista menor alguno que se haya visto afectado por el comportamiento típico, lo que en definitiva parece ser una cuestión relativa a la moral sexual colectiva. Pero, ello no debe confundirnos, es decir, el lógico rechazo social que emana de todo lo que se refiere a la sexualidad con menores no debe justificar la intervención del Derecho Penal cuando no hay bien jurídico afectado.

---

118. Señala como ejemplos VALLE MARISCAL DE GUANTE, 2021, p. 150, las adopciones ilegales, captación para la maternidad subrogada, captación por grupos islamistas, etc.
119. No es posible aplicar una excusa incompleta lo que dificulta en muchos supuestos su apreciación.
120. En tal sentido LLORIA GARCÍA, 2019, pp. 399, refiere la necesidad de regular un tipo abierto en el que se integren todos los tipos de explotación, la revisión de los delitos conexos y sus penas y la creación de un delito de esclavitud.

En consecuencia, a efectos *de lege ferenda* sería conveniente suprimir del concepto de material pornográfico, ambas modalidades de pornografía infantil —letras c) y d)— en tanto que no existe un menor real cuyo bien jurídico se vea afectado.

VIII. BIBLIOGRAFÍA

ALONSO ÁLAMO, M. (2007), «¿Protección penal de la dignidad? A propósito de los delitos relativos a la prostitución y a la trata de seres humanos para la explotación sexual», *Revista Penal*, núm.19, pp. 1-34.

BOLDOVA PASAMAR, M.A. (2008), «Trata de seres humanos en especial menores», *Revista de Derecho migratorio y extranjería*, núm. 17, pp. 51-112.

BOLDOVA PASAMAR, M.A. (2016), «El nuevo concepto de pornografía infantil: una interpretación realista», *Revista Penal*, núm. 38, pp. 40-67.

CABANES FERRANDO, M. (2018), *La trata de seres humanos: concepto desde el marco normativo: una aproximación al delito*, Bosch.

CABRERA MARTÍN, M. (2003), «La pornografía infantil: nuevos retos para el Derecho Penal», *Jornadas sobre Derechos de los menores, documentos de trabajo*, Publicaciones de la Universidad Pontificia de Comillas, pp. 203-256.

CANO PAÑOS, M.A. (2015), «Capítulo decimotercero. Los delitos de violencia doméstica y en el ámbito familiar o asimilado y los de trata de seres humanos», en Morillas Cuevas, L. (dir.), *Estudios sobre el Código Penal reformado (Leyes Orgánicas 1/2015 y 2/2015)*, Dykinson, pp. 415-432.

CARMONA SALGADO, C. (2015), «Trata de seres humanos para su explotación sexual. Argumentos a favor de una regulación española que normalice el ejercicio por adultos de la prostitución voluntaria», *La Ley Penal*, núm. 113, pp. 1-18.

CAROU GARCÍA, S. (2018), «El agente encubierto como instrumento de lucha contra la pornografía infantil en Internet. El guardián al otro lado del espejo», *Cuadernos de la Guardia Civil. Revista de Seguridad Pública*, núm. 56, pp. 23-40.

CARUSO FONTÁN, V. (2020), «La pornografía infantil en la legislación española. Apuntes sobre un viaje en retroceso a la superación de concepciones morales», en Bustos Rubio/Abadías Selma (dirs.), *Una década de reformas penales. Análisis de diez años de cambios en el Código Penal (2010-2020)*, Bosch, pp. 357-371.

CARUSO FONTÁN, V. (2011), Delitos contra la libertad e indemnidad sexuales y protección del menor», *Revista Penal*, núm. 28, pp. 29-43.

CUGAT MAURI, M. (2010), «La trata de seres humanos: la universalización del tráfico de personas y su disociación de las conductas infractoras de la política migratoria (arts. 177 bis, 313, 318 bis», en Quintero Olivares, G. (dir.), *La Reforma Penal de 2010: análisis y comentarios*, Aranzadi, pp. 157-164.

DAUNIS RODRÍGUEZ, A. (2013), *El delito de trata de seres humanos: art. 177 bis*, Tirant lo Blanch.

DE LA ROSA CORTINA, J.M. (2011), *Los delitos de pornografía infantil. Aspectos penales y procesales, y criminológicos*, Tirant lo Blanch.

DÍAZ CORTES, L.M. (2015), «Una aproximación al estudio de los delitos de pornografía infantil en materia penal: el debate sobre la libertad sexual y la influencia de la Directiva 2011/92/UE en la reforma de 2015», *Revista de Derecho Penal y Criminología*, 3ª época, núm.13, pp. 13-50.

ESCUDERO GARCÍA-CALDERÓN, B. (2015), «El delito de pornografía infantil» en Quintero Olivares, G. (dir.), *Comentarios a la reforma penal de 2015*, Aranzadi, pp. 447-458.

ESQUINAS VALVERDE, P. (2022), «Delitos contra la libertad sexual (II)», en Marín de Espinosa Ceballos, E. (dir.), *Lecciones de Derecho Penal. Parte Especial*, 3ª ed., Tirant lo Blanch, pp. 199-215.

ESQUINAS VALVERDE, P. (2023), «El delito de trata de seres humanos», en Marín de Espinosa Ceballos, E. (dir.), *Lecciones de Derecho Penal. Parte Especial*, 3ª ed., Tirant lo Blanch, pp. 161-176.

FERNÁNDEZ TERUELO, J.G. (2018), «Expansión de la represión penal de la pornografía infantil: la indemnidad sexual de los adultos que parecen menores y de los personajes 3D», *Revista Penal*, núm. 42, pp. 67-81.

FERNÁNDEZ TERUELO, J.G (2022), «Análisis interpretativo y evolución legislativa del tipo penal de pornografía infantil (art. 189 CP)», en Marín Espinosa Ceballos, E./Esquinas Valverde, P. (dirs.), *Los delitos contra la libertad e indemnidad sexuales: Propuesta de reforma*, Aranzadi, pp. 683-715.

GARCÍA ÁLVAREZ, P. (2015), «La reforma de los Capítulos II bis IV y V 141-del Título VIII del CP en el proyecto de la LO de 20 de septiembre de 2013», en Muñoz Conde, F. (dir.), *Análisis de las reformas penales. Presente y Futuro*, Tirant los Blanch, pp. 141-189.

GARCÍA NOGUERA, I. (2014), «La pornografía infantil en Internet: principales aspectos de la transposición de la Directiva 2011/92/UE», *Revista de Internet, Derecho y Política*, núm. 19, 2014, pp. 105-116.

GIL RUBIO, J. (2008), «Pedofilia Virtual», *Diario La Ley*, núm. 696, pp. 1-23.

GÓMEZ TOMILLO, M. (2005), «Derecho penal sexual y reforma legal: análisis desde una perspectiva político criminal», *Revista Electrónica de Ciencias Penales y Criminología*, núm. 07-04, pp. 1-35.

GÓMEZ TOMILLO, M. (2015), «Delitos con la libertad e indemnidades sexuales», en Gómez Tomillo, M. (dir.), *Comentarios prácticos al Código Penal*, t. II, 1ª ed., Aranzadi, pp. 613-622.

GUARDIOLA LAGO, M.J. (2007), *El tráfico de personas en el Derecho Penal español*, Aranzadi.

GUARDIOLA LAGO, M.J. (2023), «El concepto de explotación sexual infantil y adolescente: una realidad jurídica y criminológica indeterminada», *Revista General de Derecho Penal* (40) 2023, pp. 1-38.

GUISASOLA LERMA, C. (2019), «Formas contemporáneas de esclavitud y trata de seres humano: una perspectiva de género», *Estudios Penales y Criminológicos, vol. XXXIX*, pp. 175-215.

IGLESIAS SKULJ, A. (2015), «De la trata de seres humanos, art. 177 bis», en González Cussac, J.L., *Comentarios a la Reforma del Código Penal de 2015*, 2ª ed., Tirant lo Blanch, pp.593-601.

LAMARCA PÉREZ, C. (2019), «Delitos contra la libertad e indemnidad sexuales», en Lamarca Pérez, C. (coord.), *Delitos. La parte especial del Derecho Penal*, Colex, pp. 209-226.

LLORIA GARCÍA, P. (2016), «Trata de seres humanos», en Boix Reig, F.J. (dir.), *Derecho Penal. Parte Especial*, Vol. 1., Tirant lo Blanch, pp. 326-352.

LLORIA GARCÍA, P. (2019), «El delito de trata de seres humanos y la necesidad de creación de un Ley integral», *Estudios penales y Criminológicos, vol. XXXIX*, pp. 353-401.

MARTÍN ACÍN, F. (2017), *La trata de seres humanos con fines de explotación sexual en el Código Penal de 2010. Aportaciones de la LO 1/2015*, Tirant lo Blanch.

MARTÍN LORENZO, M. (2010), «Libertad e indemnidad sexuales» en Ortiz de Urbina Gimeno, I. (coord.), *Reforma Penal de 2010. Ley Orgánica 5/2010*, Colecciones Memento Experto, pp. 1305-1425.

MCLACHLAN, R. (1998), «Los menores víctimas de delitos. Especial referencia a la pederastia», *Revista catalana de seguridad pública*, núm. 3, pp. 135-141.

MEMENTO PRÁCTICO FRANCIS LEFEBVRE PENAL (2021), «Capítulo 29. Trata de seres humanos», en Molina Fernández, F. (coord.), Lefebvre, marginales 9055-9198.

MORALES PRATS, F./GARCÍA ALBERO, R. (2011), «Delitos contra la libertad e indemnidad sexuales», en Quintero Olivares, G. (dir.), *Comentarios a la Parte Especial del Código Penal*, 9º ed., Aranzadi.

MORALES PRATS, F./GARCÍA ALBERO, R. (2016), «Delitos contra la libertad e indemnidad sexuales», en Quintero Olivares, G. (dir.), *Comentarios a la parte especial del Derecho Penal*, vol. 1, 10ª ed., Aranzadi, pp. 1269-1405.

MORENO ACEVEDO, R. (2023), *Los delitos de pornografía infantil. Especial referencia al tipo básico y tipos cualificados*, Aranzadi.

MORILLAS FERNÁNDEZ, D.L. (2012), «Nuevas directrices político-criminales en materia de pornografía infantil: hacia una reforma del art. 189 del CP», *Cuadernos de Política Criminal*, núm. 108, pp. 67-118.

MORILLAS FERNÁNDEZ, D.L. (2015), «Los delitos contra la libertad e indemnidad sexuales», en Morillas Cuevas, L. (dir.), *Estudios sobre el Código Penal reformado (Leyes Orgánicas 1/2015 y 2/2015)*, Dykinson, pp. 433-485.

MUÑOZ CONDE, F. (2017), *Derecho penal. Parte Especial*, 21ª ed., Tirant lo Blanch.

MUÑOZ CONDE, F. (2023), *Derecho Penal. Parte Especial*, 25ª ed., Tirant lo Blanch.

ORTS BERENGUER, E. (2015a), «Determinación a la prostitución (arts. 187, 188, 189 y 192 CP), en González Cussac, J.L. (dir.), *Comentarios a la reforma del Código Penal de 2015*, 2ª ed., Tirant lo Blanch, pp. 637-662.

ORTS BERENGUER, E. (2015b), «Delitos contra la libertad e indemnidad sexuales III: Exhibición y provocación sexual. Prostitución, explotación sexual y corrupción de menores» en Vives Antón, TS, *Derecho Penal. Parte Especial*, 4ª ed., Tirant lo Blanch, pp. 253-271.

ORTS BERENGUER, E. (2019), «Delitos contra la libertad e indemnidad sexuales III: Exhibición y provocación sexual. Prostitución, explotación sexual y corrupción de menores», en González Cussac (coord.), *Derecho Penal. Parte Especial*, 6ª ed., Tirant lo Blanch, pp. 247-272.

RODRÍGUEZ MESA, M.J. (2000), *Torturas y otros delitos contra la integridad moral cometidos por funcionarios públicos*, Comares.

RODRÍGUEZ MESA, M.J. (2013), «La Directiva 2011/92/UE relativa a la lucha contra los abusos sexuales y la explotación sexual de los menores y la pornografía infantil. Especial referencia a su transposición en el Anteproyecto de Reforma del Código Penal», *Revista de Derecho y Proceso Penal*, núm. 32, pp. 227-267.

PARRA GONZÁLEZ, A.V. (2016), «Pornografía infantil. Contexto Criminológico y Jurídico», *Interacciones y Perspectiva. Revista de Trabajo Social*, vol. 6°, núm.1, pp. 23-41.

PÉREZ ALONSO, E. (2008), *Tráfico de personas e inmigración clandestina (un estudio sociológico, internacional y jurídico-penal)*, Tirant lo Blanch.

PÉREZ CEPEDA, M.J. (2004), *Globalización, tráfico internacional ilícito de personas y derecho penal: la Ley Orgánica 11/2003, de 29 de septiembre, de medidas concretas de integración social de extranjeros*, Comares.

PÉREZ MACHÍO, A.I. (2005), «El delito contra la integridad moral del art.173.1 del vigente Código Penal. Aproximación a los elementos que lo definen» *Revista Penal*, núm. 15, pp. 1-38.

PÉREZ MACHÍO, A.I. (2020), «La criminalización de la pornografía infantil virtual y técnica: ¿una manifestación de la necesaria tutela penal reforzada de los menores de edad?, en Pérez Machío, A.I./De la Mata Barranco, N. (dirs.), *La integración social del/la menor víctima a partir de la tutela reforzada*, Aranzadi, pp. 358-391.

POMARES CINTAS, E. (2011), «El delito de trata de seres Humanos con finalidad de explotación laboral», *Revista Electrónica de Ciencia Penal y Criminología*, 13-15 (2011), pp. 1-31.

POMARES CINTAS, E. (2021), «El delito de trata de seres humanos», en Álvarez García, F.J. (dir.), *Tratado de Derecho Penal. Parte Especial (I)*, 3ª ed., Tirant lo Blanch, pp. 1060-1115.

QUAYLE, E/JONES, T. (2011), *Sexual abuse: A Journal of Research*, núm. 23, pp. 1-21.

QUINTERO OLIVARES, G. (2016), *Compendio de la Parte Especial del Derecho Penal*, Aranzadi.

RAGUÉS I VALLÉS, R. (2012), «Los delitos contra la libertad y la indemnidad sexuales: otra vuelta de tuerca» en Silva Sánchez, J.M. (dir.), *El nuevo Código Penal. Comentarios a la reforma*, La Ley, pp. 281-300.

SAINZ-CANTERO CAPARRÓS, J.E. (2016), «Delitos contra la libertad e indemnidad sexuales II. Acoso sexual. Exhibicionismo y Provocación

Sexual. Delitos relativos a la prostitución y a la explotación sexual y corrupción de menores. Disposiciones Comunes a los delitos anteriores», en Morillas Cuevas, L. (dir.), *Estudios sobre el Código Penal reformado (Leyes Orgánicas 1/2015 y 2/2015)*, 2ª ed., Dykinson, pp. 267-292.

SÚAREZ ESPINO, M.L. (2007), «Los derechos de comunicación social en la jurisprudencia del tribunal Europeo de Derechos Humanos y su influencia en el Tribunal Constitucional español», *Revista de Derecho Constitucional Europeo de la Universidad de Granada*, núm. 7.

https://www.ugr.es/~redce/REDCE7/articulos/17mlidiasuarezespino.htm

TAMARIT SUMALLA, J.M. (2001), «Problemática derivada de la liberación de la prostitución voluntaria en adultos en el Código Penal de 1995», en Quintero Olivares, G./Morales Prats, F. (coords.), *El nuevo Derecho penal español. Estudios penales en homenaje al Profesor José Manuel Valle Muñiz*, Aranzadi, pp. 1843

TERRADILLOS BASOCO, J.M. (2010), «Trata de seres humanos (art. 177 bis y Disposición Final Segunda», en Álvarez García, F.J./González Cussac, J.L. (dirs.), *Comentarios a la Reforma Penal de 2010*, pp. 207-218, Tirant lo Blanch.

TERRADILLOS BASOCO, J.M. (2019), «Pederastia y pornografía», en Rodríguez Mesa, M.J. (dir.), *Pederastia. Análisis jurídico-penal, social y criminológico*, Aranzadi, pp. 415-459.

VALLE MARISCAL DE GANTE, M. (2021), «El delito de trata de seres humanos: evolución y perspectiva», *Anuario Facultad de Derecho. Universidad de Alcalá XVI (2021)*, pp. 131-156.

VILLACAMPA ESTIARTE, C. (2014), «Víctimas de trata de seres humanos: su tutela a la luz de las últimas reformas penales sustantivas y procesales proyectadas», *InDret, Revista para el Análisis del Derecho, núm. 2*, pp. 1-31.

VILLACAMPA ESTIARTE, C. (2015a), «La trata de seres humanos tras la reforma del Código Penal de 2015», *Diario La Ley, núm. 8554*, pp. 1-12.

VILLACAMPA ESTIARTE, C. (2015b), «El delito de trata de seres humanos», en Quintero Olivares, G., *Comentarios a la reforma de 2015*, 1ª edición, Aranzadi, pp. 399-419.

VILLACAMPA ESTIARTE, C. (2016a), «Título VII BIS. De la trata de seres humanos», en Quintero Olivares, G., *Comentarios a la Parte Especial del Derecho Penal*, 9ª ed., Aranzadi, pp. 1231-1270.

VILLACAMPA ESTIARTE, C. (2016b), «De la trata de seres humanos», en Quintero Olivares, G., *Comentarios al Código Penal español*, t. I, 7ª ed., Aranzadi, pp. 401-435.

VILLACAMPA ESTIARTE, C. (2017), «El delito de trata de seres humanos en Derecho Penal español tras la reforma de 2015», en Pérez Alonso, E. (dir.), *El derecho ante las formas contemporáneas de esclavitud*, Tirant lo Blanch, pp. 447-467.

9. La trata de seres humanos con fines de explotación sexual: aproximación desde una perspectiva de género con especial referencia al procedimiento de asilo y refugio y la protección frente a la expulsión

CARLOS JAVIER MARTÍNEZ MUÑOZ

Investigador

Universidad Pablo de Olavide

Resumen: Se eleva especialmente trascendente una aproximación al fenómeno de la trata de seres humanos en su variante que tiene como fin la explotación sexual desde una perspectiva de género, principalmente, por la dimensión que en la actualidad asume la trata como violación de los derechos humanos de las mujeres derivada de la globalización y como negocio especialmente rentable para los autores de la trata. Habitualmente, las mujeres son más afectadas por desigualdades en cuestiones básicas como la educación, el desarrollo laboral o el acceso a la cultura, algo directamente relacionado con la situación de la mujer en la sociedad, lo que las hace especialmente vulnerables e idóneas para ser capturadas por el negocio. En este sentido, hay dos ítems fundamentales en el proceso de elevar a derecho las garantías del respeto de los Derechos Humanos, el derecho de asilo y la protección frente a la expulsión del territorio de las víctimas.

VA DE GÉNERO. VI. LA CUESTIÓN DEL CONSENTIMIENTO Y EXENCIÓN DE PENAS PARA LAS VÍCTIMAS. VII. LAS VÍCTIMAS DE TRATA EN EL PROCEDIMIENTO DE ASILO Y REFUGIO Y LA PROTECCIÓN FRENTE A LA EXPULSIÓN DEL TERRITORIO. 1. Excurso: Víctimas de trata solicitantes de asilo en el Anteproyecto de Ley Orgánica integral contra la trata y la explotación de seres humanos. VIII. CONCLUSIONES. IX. BIBLIOGRAFÍA.

I. INTRODUCCIÓN: EL *PROTOCOLO CONTRA LA TRATA* DE NACIONES UNIDAS PARA ESTABLECER EL CONTEXTO Y EL CONCEPTO DE TRATA DE SERES HUMANOS

La preocupación social de la que nace este capítulo, parte de la elevación de la dimensión que en la actualidad[1] ha adquirido la trata como violación de los derechos humanos derivada de la globalización y como negocio altamente rentable para los tratantes. En efecto, como recuerda el Ministerio de Igualdad del Gobierno de España[2], la trata es, junto con el tráfico de drogas y el tráfico de armas, uno de los tres negocios ilícitos más lucrativos.

Se rodea de factores determinantes que hay que tener en cuenta en la relación contextual: así, la cultura, el origen o la religión son, a menudo, muy relevantes para determinar si una situación puede encuadrarse como una forma de explotación de las que prevé el tipo de trata. Especialmente relevante es el contexto en la trata con fines de explotación sexual, que es la variante que me ocupa en este estudio. Generalmente las mujeres se ven más afectadas por las desigualdades en cuestiones básicas como la educación o el desarrollo en el ámbito laboral, ello, directamente relacionado, por tanto, con la situación de la mujer en la sociedad y la feminización de la pobreza; eleva a las mismas como especialmente vulnerables y con especial predisposición para ser capturadas.

1. El incremento de los flujos migratorios que tuvo lugar con el comienzo de la década de 1980, hacia Europa occidental y el aumento de la presencia de mujeres migrantes en el mercado del sexo en los países europeos hicieron que la trata con fines de explotación sexual reapareciera en el continente europeo hasta convertirse en lo que supone hoy. Una figura que, desde la adopción de la Convención de 1949 desapareció del escenario social y de la agenda política, salvo en cuestiones puntuales. Siguiendo a SOLANA RUIZ (2011), «La trata de seres humanos con fines de explotación sexual: análisis conceptual e histórico», en García Castaño / Kressova (coords.), Actas del I Congreso Internacional sobre Migraciones en Andalucía, Granada, p.918.
2. https://violenciagenero.igualdad.gob.es/

La trata como tal supone una conducta criminal que atenta contra los derechos humanos de las personas contra las que se dirige, sin hacer distinción en todo el mundo. Como tal, requería una respuesta global capaz de marcar unas líneas de actuación a los Estados que pusiesen de manifiesto, cuanto menos, las cuestiones básicas a proteger, por ejemplo, la dignidad humana. Reconoce la comunidad internacional que la lucha contra la trata requiere un enfoque integral y multidisciplinario, pues el alcance transnacional del delito requiere igualmente una intervención que nazca de la cooperación de los Estados transfronterizos[3].

A pesar de que el concepto de trata es un término contemporáneo, la conducta que describe es repetida a lo largo de la historia, esto es, la mercancía de personas explotadas para el beneficio de otras, o la esclavitud como ejemplo más claro, se han sucedido desde *siempre* en la historia de la humanidad.

En el año 2000, la Asamblea General de las Naciones Unidas adopta el *Protocolo para prevenir, reprimir y sancionar la trata de personas, especialmente mujeres y niños* (en adelante, *Protocolo*), que va a ofrecer la primera definición oficial consensuada internacionalmente de la trata y que, como decía, va a solicitar la actuación cómplice de los Estados, a los que requiere, principalmente, para promulgar leyes nacionales que penalicen la trata; prevenir y combatir la trata; proteger y asistir a las víctimas; y cooperar con otros Estados para el cumplimiento satisfactorio de lo anterior. El Protocolo que vino a complementar la *Convención contra la Delincuencia Organizada Transnacional* (UNTOC) de Naciones Unidas (ambos textos deben interpretarse y aplicarse de forma sincronizada y conjunta), se eleva el principal instrumento legal sobre la trata. Ya en el Preámbulo, se reconoce la insuficiencia de la que se parte en materia en virtud a los textos legales existentes antes de la promulgación del Protocolo[4]. En muchos de estos casos el foco estaba puesto en la prevención de la esclavitud, sobre lo que el Protocolo va a ser determinante al ampliar el limitado concepto de la misma hacia otras formas de control y ampliación, igualmente, de los tipos de explotación. Por otro

3. En este sentido, BALES (2004), «Disposable People: New Slavery in the Global Economy», *Berkeley: University of California Press.* En el mismo sentido se expresa en el Preámbulo del Protocolo: «una acción efectiva para prevenir y combatir la trata de personas, especialmente mujeres y niños, requiere un enfoque internacional integral en los países de origen, tránsito y destino».

4. «A pesar de la existencia de una variedad de instrumentos internacionales que contienen reglas y medidas prácticas para combatir la explotación de personas, especialmente mujeres y niños, no existe un instrumento universal que aborde todos los aspectos de la trata de personas».

lado, muchos de los textos preexistentes se centraban en prohibir la trata, a diferencia de lo que impondrá el Protocolo que va a adoptar un enfoque integral del delito, incluyendo la protección de los derechos humanos de las víctimas y, en términos generales, la prevención del delito. A pesar de ello, se trata de instrumentos relevantes para la trata de personas[5].

Así, el artículo 3.a. define la trata del siguiente tenor literal: «La trata de personas significa el reclutamiento, transporte, transferencia, albergue o recepción de personas, mediante la amenaza o el uso de la fuerza u otras formas de coerción, secuestro, fraude, engaño, abuso de poder o de una posición de vulnerabilidad o de dar o recibir pagos o beneficios para lograr el consentimiento de una persona que tiene control sobre otra persona, con fines de explotación. La explotación incluirá, como mínimo, la explotación de la prostitución de otros u otras formas de explotación sexual, trabajo o servicios forzados, esclavitud o prácticas similares a la esclavitud, la servidumbre o la extracción de órganos humanos».

Si bien del artículo 5 del Protocolo se requiere la actuación de los Estados para que sean ellos quienes promulguen la legislación penal nacional oportuna para el castigo de las conductas descritas en el artículo 3, arriba citado.

II. LA TRATA EN EL CÓDIGO PENAL ESPAÑOL

Como se introducía antes, la trata es un fenómeno delictivo cada vez más frecuente internacionalmente, mediante el cual, abusando —generalmente— del binomio que conforman una situación de superioridad del tratante y la situación de necesidad en la que se encuentran muchas personas en países subdesarrollados, se trafica con ellas para, entre otros motivos, el que me atañe en este capítulo, explotarlas sexualmente.

5. Entre otros: Universal declaration of Human Rights of 1948; Covenant on Civil and Political Rights of 1966; Convention to Suppress the Slave Trade and Slavery of 1926; Supplementary Convention on the Abolition of Slavery, the Slave Trade and Institutions and Practices Similar to Slavery of 1956; Convention for the Suppression of the Traffic in Persons and of the Exploitation of Prostitution of Others of 1949; Convention on the Elimination of All Forms of Discrimination against Women of 1979; Declaration on the Elimination of Violence against Women of 1993; Convention on the Rights of the Child of 1989; Optional Protocol to the Convention on the Rights of the Child, on the Sale of Children, Child Prostitution, Child Pornography of 2000; ILO Convention No 182 on the Elimination of the Worst Forms of Child Labour of 1999; Convention on the Rights of All Migrant Workers and Members of their Families of 1990.

La reforma operada por la LO 5/2010, de 22 de junio, del Código Penal, introduce, en el Título VII bis con un único artículo, el 177 bis, dedicado a tipificar la trata de seres humanos. Una ubicación estratégica, pues va a continuación de los delitos contra la libertad (Título VI) y los delitos contra la integridad moral (Título VII); en tanto que, las conductas típicas —violencia, intimidación, engaño, abuso de situación de superioridad o de necesidad o vulnerabilidad de la víctima, o la entrega o recepción de pagos o beneficios para lograr el consentimiento de la persona que poseyera el control sobre la víctima— atentan contra la libertad del sujeto, pero también contra su dignidad, y, en consecuencia, contra su integridad moral[6].

Esta inclusión fue obligada, principalmente, por los compromisos que España asumió a nivel internacional. Cierto es que, anteriormente, ya en el año 2000, el delito de tráfico ilegal de personas del art. 318 bis, asumía ligeramente la sensación de protección, por lo que no se puede afirmar una absoluta indiferencia por parte del legislador, pero nada más. En general, la regulación existente a la materia, previa a 2010 era insuficiente e inútil para el fin de protección, y con graves imprecisiones técnicas. Además, «se desoía la tendencia cada vez más asentada internacionalmente a deslindar, como realidades diferenciadas, el control de fronteras y los límites jurídicos a la residencia legal de los foráneos, con la relevancia penal que tales conductas, en su caso, puedan entrañar, de una realidad mucho más sangrante, la del traslado de personas al primer mundo y su trato durante el tránsito y una vez en él cual si fueren cosas para ser explotadas»[7].

1. ANÁLISIS DEL TIPO BÁSICO

El tipo básico está recogido en el apartado primero del art. 177 bis, en el cual se describen las conductas tipificadas y se prevé una pena de entre cinco y ocho años de prisión.

1.1. Tipo objetivo

El *bien jurídico protegido*, como se anunció antes, tiene una doble vertiente, por un lado, la libertad de la víctima y, por otro, su integridad moral, como

6. Siguiendo a MUÑOZ CONDE (2022), *Derecho Penal. Parte especial*, 24° edición, Valencia, pp. 200.
7. VILLACAMPA ESTIARTE (2010), «El delito de trata de personas: análisis del nuevo artículo 177 bis CP desde la óptica del cumplimiento de compromisos internacionales de incriminación», *Anuario da Facultade de Dereito da Universidade da Coruña*, Núm. 14, p. 822.

consecuencia del atentado a su dignidad. Sin embargo, teniendo en cuenta que este capítulo se centrará en la trata con fines de explotación sexual, hay que asumir también, que se vulneran no solo la libertad y la integridad moral, sino también la libertad sexual, la integridad física, la salud o la intimidad.

En cuanto a los *sujetos*, ni para ser sujeto activo ni pasivo existe ningún requisito, pudiendo ser cualquier persona nacional o extranjera, sin perjuicio de los tipos cualificados por ser autoridad, agente la autoridad o funcionario público; o por pertenecer a una organización. En cualquier caso, teniendo en cuentas las características del delito, los miembros de una red criminal, como sujetos activos, serán considerados autores y no cómplices, pues no se considera necesario que los sujetos intervinientes estén coordinados para la realización, pues la labor de éstos se caracteriza, normalmente, por ser una ejecución o colaboración en cadena[8].

La *conducta típica*, siguiendo el tenor literal de lo dispuesto en el articulado penal, consistirá en: captar, trasladar, acoger o recibir a alguien, incluyendo intercambiar o transferir el control sobre las mismas; siempre y cuando éstas se realicen mediante alguna de las formas que atentan contra la libertad y que se recogen en el artículo: violencia, intimidación, engaño, abuso de situación de superioridad o de necesidad o vulnerabilidad de la víctima, o entrega o recepción de pagos o beneficios para lograr el consentimiento de quien tuviera el control sobre la víctima[9]. Igualmente, está presente como elemento típico del delito el criterio de territorialidad, pues el delito tiene que cometerse con un nexo a España, ya sea dentro, en tránsito o con destino[10]. Además, el sujeto activo debe actuar con fines de explotación, por lo que se trata de un delito de dolo específico. En esencia, la trata es «un proceso mediante el cual se arranca y segrega a una persona de su hábitat natural y social, de forma forzada, fraudulenta o abusiva, pasando a estar sometida por el tratante que dispone de ella como si de una cosa se tratara con el propósito final de explotarla en beneficio ajeno»[11].

---

8. Siguiendo, entre otros, SANTANA VEGA (2010), «El nuevo delito de trata de seres humanos (LO 5/2010, 22-6)», *Cuadernos de política criminal,* núm. 104, 2011, p. 85; QUERALT JIMÉNEZ, *Derecho Penal español, Parte especial*, 6ª edición, p. 183.
9. Así se expone, por ejemplo, en la STS 196/2011 de 23 de marzo.
10. Entre otras, STS 910/2013 de 3 de diciembre, STS 191/2015 de 9 de abril o STS 827/2015 de 15 de diciembre.
11. PÉREZ ALONSO (2021), «El bien jurídico protegido en el delito de trata de seres humanos», *Liber Amicorum al Profesor José Miguel Zugaldía Espinar,* Valencia p. 521.

En lo relativo a la delimitación entre *tentativa y consumación*, hay que aclarar que no se requiere conseguir la efectiva explotación, sino que será suficiente con que el sujeto pasivo ya haya sido captado para ello o esté en disposición de configurarse objeto de algunas de las conductas típicas. Su consumación se circunscribe al paso de la víctima de una situación de no sometimiento a una situación de sometimiento[12].

El hecho de que se anticipe la punibilidad antes de que el conjunto de la conducta se lleve a cabo, y que, además, el apartado octavo ya castigue expresamente los actos de provocación, conspiración y proposición; hace que la delimitación entre tentativa y consumación sea en muchas ocasiones difusa[13], y que el precepto adquiera una extensión probablemente desmesurada.

1.2. Tipo subjetivo

En primer lugar hay que aclarar que se trata de un delito de consumación anticipada, como se afirmaba antes; no siendo, por tanto, necesario, que se materialicen efectivamente las conductas tipificadas en el apartado primero del art. 177 bis: «imposición de trabajo o de servicios forzados, la esclavitud o prácticas similares a la esclavitud, a la servidumbre o a la mendicidad; la explotación sexual, incluyendo la pornografía; la explotación para realizar actividades delictivas; la extracción de sus órganos corporales; la celebración de matrimonios forzados».

En efecto, la trata de seres humanos va a elevarse típica en cuanto se lleven a cabo con algunos de los fines citados. Con la realización de cualquiera de ellos será suficiente. No obstante, en este caso, el capítulo versará cuando la configuración del delito como típico tenga lugar por realizarse el mismo con el fin de explotación sexual.

El apartado octavo del artículo establece la punibilidad de los actos preparatorios, pues el castigo se va a extender a la provocación, conspiración y proposición; para lo que se prevé la pena inferior en uno o dos grados.

---

12. En este sentido, VILLACAMPA ESTIARTE (2011), El delito de trata de seres humanos. Una incriminación dictada desde el Derecho Internacional, Pamplona, p. 57.
13. Para su explicación, Muñoz Conde propone el siguiente ejemplo: «tener a personas ya captadas para destinarlas a los fines de explotación laboral o sexual internadas en algún lugar, sin que aún se hayan comenzado a realizar estas actividades, tiene que ser considerado delito consumado. Tenerlas ya dispuestas para realizar las actividades, pero aún con posibilidades de escapar o de negarse a la explotación, sería tentativa». En MUÑOZ CONDE (2022), *Derecho Penal. Parte especial*, 24º edición, Valencia, p. 202.

En resumen, del mismo parecer que otros autores: «La trata es un proceso que lleva a la explotación final, pero no es dicha explotación en sí misma considerada, por más que también deshumaniza y restringe o anula su libertad personal. Por ello, también constituye en sí misma una explotación instrumental y transitoria como vía para alcanzar el objetivo de una explotación (económica) de la persona de carácter más permanente»[14].

2. TIPOS CUALIFICADOS

Siguiendo la redacción del artículo, hay descritas tres cualificaciones: una cualificación de carácter general en el punto cuarto; una cualificación por la posición o entidad del autor en el punto quinto; y una cualificación por pertenencia a una organización en el punto sexto.

En cuanto a la cualificación general, se establece que se impondrá la pena superior en grado cuando concurran una serie de cuestiones tasadas relativas a la víctima. Estas son: que se hubiera puesto en peligro la vida o la integridad física o psíquica, la especial vulnerabilidad de la víctima por enfermedad, discapacidad, situación personal o minoría de edad; o cuando esa vulnerabilidad haya sido originada o agravada por el desplazamiento derivado de un conflicto armado o una catástrofe humanitaria[15]. Teniendo en cuenta que la conducta típica del delito incluye abusar de la vulnerabilidad de la víctima, la cualificación relativa al mismo término no será aplicable cuando el tipo se ha construido sobre esa conducta, pues de lo contrario se estaría vulnerando el principio de *non bis in idem*. Igualmente, entendiendo lo dispuesto en el apartado dos, al considerarse trata cualquiera de las conductas descritas en el artículo que se materializaran sobre «menores de edad con fines de explotación», tampoco se aplicará la cualificación que versa sobre la minoría de edad del sujeto pasivo, pues tal situación ya ha sido tenida en consideración.

En segundo lugar, el apartado quinto del artículo establece otra cualificación por el carácter de autoridad, agente de la autoridad o funcionario público del sujeto activo del delito. En este caso, se impondrá la pena superior en grado y, además, la inhabilitación absoluta de seis a doce años a los que ejecutasen el delito de trata prevaliéndose de alguna de estas situaciones

14. PÉREZ ALONSO (2022), «Propuesta de incriminación de los delitos de esclavitud, servidumbre y trabajo forzoso en el Código Penal español», *Revista Electrónica de Ciencia Penal y Criminología*, 24-07, p. 4.
15. Apartado que se introdujo en la modificación operada por el artículo único de la LO 13/2022, de 20 de diciembre de 2022.

descritas. Si, además, concurre alguna de las cualificaciones del apartado cuarto, la pena se impondrá en su mitad superior.

Por último, se establece en el apartado sexto una cualificación por pertenencia del sujeto activo a una organización o asociación de más de dos personas (aunque fuese transitoria) dispuesta para tal fin. Para este escenario se impone que se aplique la pena superior en grado del apartado primero, con el añadido de «inhabilitación especial para profesión, oficio, industria o comercio por el tiempo de la condena». Si concurre alguna de las cualificaciones del apartado cuarto, se impondrá la pena en su mitad superior; y si concurre alguna de las cualificaciones del apartado quinto, se impondrán las penas indicadas en ese apartado en su mitad superior. Este apartado tiene un segundo párrafo que se dedica especialmente a quienes fueran jefes, administradores o encargados de las organizaciones o asociaciones antes mencionadas; a los cuales se aplicará la pena en su mitad superior, que podría elevarse a la superior en grado, cuestión que sucederá, en todo caso, cuando concurran las cualificaciones del apartado cuatro o cinco.

El artículo prevé también la ejecución del delito teniendo en cuenta la posibilidad de que el sujeto activo sea *persona jurídica*. Así el apartado séptimo estima que la multa del triple al quíntuple del beneficio obtenido, y la posibilidad de imponer, según las reglas establecidas en el art. 66 bis CP, las penas de las letras b a g del art. 33.7 CP, a saber: disolución de la persona jurídica, suspensión de actividades, clausura de locales y establecimientos, prohibición de realizar en el futuro determinadas actividades, inhabilitación para la obtención de subvenciones, ayudas, etc.; o la intervención judicial para salvaguardar los derechos de los trabajadores. La persona jurídica deberá responder tanto si la trata es cometida en su provecho por cualquier persona, actuando a título individual o como parte de un órgano de una persona jurídica cuando ostente un cargo directivo de ésta; como si es cometida por alguien que, no ostentando un cargo de directivo, actúe en provecho de la persona jurídica (cuando el delito se haya cometido como consecuencia de la falta de control de la autoridad competente sobre el actuante). El hecho de que se opte por pena de multa en vez del de cuotas, parece una decisión acertada[16], entendiendo que lo que se pretende es establecer una suerte de confiscación estructural de las ganancias obtenidas con un negocio que, como dije al principio, es altamente lucrativo.

16. Del mismo parecer, VILLACAMPA ESTIARTE (2010), «El delito de trata de personas: análisis del nuevo artículo 177 bis CP desde la óptica del cumplimiento de compromisos internacionales de incriminación», *Anuario da Facultade de Dereito da Universidade da Coruña*, Núm. 14, p. 854.

Teniendo en cuenta que la trata se configura, a grandes rasgos, como un proceso mediante el cual se traslada internacionalmente a seres humanos para someterlas o explotarlas, es lógico que sea habitual en la práctica la coexistencia con otros delitos como el favorecimiento a la inmigración ilegal o la explotación como tal. Por ello, en cuanto a los *concursos*, establecida la regla en el apartado noveno, dispone el artículo la necesidad de imponer las penas establecidas en el mismo «sin perjuicio de las que correspondan, en su caso, por el delito del artículo 318 bis [...] y demás delitos efectivamente cometidos, incluidos los constitutivos de la correspondiente explotación».

Finalmente, existe una excusa absolutoria para las víctimas, en tanto puedan verse obligadas a cometer delitos como consecuencia de la explotación que sufren. Así se establece en el apartado once: «la víctima de trata de seres humanos quedará exenta de pena por las infracciones penales que haya cometido en la situación de explotación sufrida, siempre que su participación en ellas haya sido consecuencia directa de la situación de violencia, intimidación, engaño o abuso a que haya sido sometida y que exista una adecuada proporcionalidad entre dicha situación y el hecho criminal realizado».

III. TRATA Y MIGRACIÓN: FENÓMENOS FRECUENTEMENTE UNIDOS

En términos generales, ambos fenómenos suponen el traslado de personas de un país a otro, pero, mientras que la trata es un delito contra las personas, la migración clandestina —o tráfico ilícito— es un delito contra el Estado, ya que lo que busca es facilitar la entrada irregular en el país de destino.

La jurisprudencia se ha sustentado en las declaraciones que el legislador hacía en la exposición de motivos de la LO 5/2010 y que versaban sobre la necesidad de reconocer que el delito de tráfico de migrantes es distinto de la trata de seres humanos y admitir que tienen que ser regulados en función a lo dispuesto en el derecho internacional.

La tipificación de la trata, tal y como se configura en el Código penal, se diferencia del delito de migración clandestina del art. 318 bis, en tanto que en la primera prevalece la protección de la dignidad y la libertad de los sujetos que son objeto del tráfico, y, además, a diferencia del segundo, la trata no va dirigida en exclusividad contra personas extranjeras, si no en términos generales y tengan que ver o no con la delincuencia organizada[17]. Esta diferencia se sustenta, principalmente, en que en la migración clandestina se velará con carácter predominante por el control de los flujos migratorios. No obstante, si la conducta típica de la migración clandestina fuera llevada a cabo en los términos que se prevé el art. 177 bis, tendría que aplicarse obligatoriamente un concurso de delitos en virtud del apartado noveno del último artículo citado[18].

En cuanto al tipo básico, como hemos visto, la trata exige la concurrencia de medios tasados y una finalidad de explotación, no siendo así en la migración clandestina[19].

Por otro lado, otra diferencia, como se afirma arriba, es derivada de la naturaleza transnacional que tiene la migración clandestina o tráfico ilícito, que implica, obligatoriamente, la contravención de las normas de extranjería del Estado, mientras que el delito de trata admite su comisión dentro del Estado.

Sobre los bienes jurídicos protegidos de ambos delitos, en el período comprendido entre la LO 5/2010 y la reforma operada por LO 1/2015, la jurisprudencia entendió que los bienes jurídicos protegidos de ambos eran la libertad y la dignidad. El hecho de que se utilizase la expresión «tráfico ilegal de personas» en la redacción del art. 318 bis antes de la reforma de 2015 era una constante fuente de problemas de delimitación entre ambos. Es cierto, como se viene sosteniendo que el art. 318 bis se centra en la defensa de los intereses del Estado en cuanto al control de los flujos migratorios, sin embargo, no puede dejarse de lado la realidad subyacente a los propios flujos, teniendo que interpretarse también que quedan comprendidos la libertad y la dignidad de las víctimas cuando, de las circunstancias del hecho, no pueda entenderse que estamos ante un delito de trata de seres

17. Sobre ello, las STS 385/2012 de 10 de mayo, STS 1029/2012 de 21 de diciembre, STS 910/2013 de 3 de diciembre, STS 17/2014 de 28 de enero, STS 191/2015 de 9 de abril, STS 545/2015 de 28 de septiembre, STS 827/2015 de 15 de diciembre, STS 270/2016 de 5 de abril, STS 144/2018 de 22 de marzo, STS, 77/2019 de 29 de febrero, STS 396/2019 de 24 de julio, STS 422/2020 de 23 de julio o STS 324/2021 de 21 de abril, entre otras.
18. Del mismo parecer que Muñoz Conde, «la solución más correcta debería ser apreciar solamente este delito (trata de seres humanos) por ser ley especial y en principio más grave», lo que, además, evitaría las posibles penas desproporcionadas que, en virtud a lo previsto por el Código Penal, podrían tener lugar en la práctica. En MUÑOZ CONDE (2022), *Derecho Penal. Parte especial,* 24° edición, Valencia, p. 200.
19. Así lo manifiestan, entre otras, las STS 188/2016 de 4 de marzo o STS 420/2016 de 18 de mayo.

humanos en sí[20]. No obstante, superado todo ello con la reforma de 2015, la jurisprudencia pasa a replantearse lo que anteriormente elevó a doctrina, concluyendo, como decía, que el tipo básico del art. 318 bis pretende proteger el derecho de extranjería del Estado, y «solo en los supuestos agravados de puesta en peligro de la vida o la integridad del inmigrante, se atiende además al bien jurídico pregonado en la rúbrica del título, como "Delitos contra los derechos de los ciudadanos extranjeros"»[21].

Por otro lado, atendiendo al noveno punto del artículo 177 bis CP, cuando se materialice la concurrencia de ambos delitos, estaremos ante un concurso real de delitos[22]: «En todo caso, las penas previstas en este artículo se impondrán sin perjuicio de las que correspondan, en su caso, por el delito del artículo 318 bis de este Código y demás delitos efectivamente cometidos, incluidos los constitutivos de la correspondiente explotación». Por tanto, se afirma así que la concatenación de conductas no podrá resolverse por los principios establecidos en el art. 8 CP. Ello se confirma al asumir la diferenciación de los bienes jurídicos protegidos de ambos delitos, pues éstos tutelan distintos intereses, como ya se ha manifestado; asistiendo con la aparición en el cuerpo normativo del delito de trata de seres humanos, a una rebaja de las penas previstas en el art. 318 bis, como lógica consecuencia por asumir, desde entonces, un bien jurídico de menor categoría como sería el control de los flujos migratorios, a diferencia de lo que sucedía antes, cuando tutelaba bienes jurídicos que hoy están al amparo del art. 177 bis[23].

IV. DIFERENCIA ENTRE TRATA Y OTROS DELITOS

1. TRATA VERSUS ESCLAVITUD

Como en el caso de la trata, la esclavitud se eleva una violación de los derechos humanos más básicos que conllevan una deshumanización de la víctima hasta tal punto que sufre una mutación en cosa, privándole la propia identidad de persona. Igualmente, la situación parte del sometimiento y la dependencia respecto del sujeto activo, que nacen, como decía antes, de una importante situación de vulnerabilidad y necesidad. En efecto, la trata puede compartir con el resto de formas contemporáneas de esclavitud, el bien jurídico afectado. Aunque la situación es diferente.

20. STS 385/2012 de 10 de mayo, STS 1029/2012 de 21 de diciembre, STS 17/2014 de 28 de enero, STS 298/2015 de 13 de mayo.
21. STS 188/2016 de 4 de marzo, FJ 7º.
22. En relación, STS 807/2016 de 27 de octubre.
23. Sobre ello, STS 295/2016 de 4 de abril.

La trata puede absorber la esclavitud en su forma, aunque sin requerir la propiedad total de la persona. Precisamente este último término es lo que marca la identidad de la esclavitud: ejercer el poder de propiedad sobre alguien. La esclavitud requiere la captura, adquisición o disposición de una persona, así como las conductas concernientes a estos actos: adquisición de personas con fines de venderlas o intercambiarlas o cualquier acto relacionado con el comercio o transporte. En la trata, en cambio, no es necesario que estos elementos estén presentes, sino que basta con que el sujeto activo tenga el control o la influencia suficiente sobre la víctima. Esto es, la trata es un proceso que desemboca en la esclavitud pero en el que no es necesario consumar esa explotación extrema.

El Código Penal español no prevé una respuesta para todo ello, la esclavitud no tiene una regulación independiente, sino que, en el propio artículo 177 bis 1.a) que regula la trata de seres humanos, entiende que es una de las finalidades con las que cumplir la propia trata. Teniendo en cuenta la gravedad y frecuencia con la que la esclavitud se da en el mundo globalizado, esta evidente laguna legal conlleva la falta de una respuesta integral y homogénea capaz de aportar luz a la amplia casuística. Por lo que parece que, o bien el legislador permanece ajeno por no ser capaz de identificar la realidad social de esta situación, o bien, lo que es más grave, se mantiene al margen deliberadamente[24]. Lo que es evidente es que el art. 177 bis es incapaz de ofrecer un tratamiento adecuado de la esclavitud. Visto lo cual el enfoque parcial y sesgado al que es capaz de hacer frente, desampara la situación vital de las víctimas, pues la respuesta punitiva es alarmantemente insuficiente.

2. TRATA VERSUS PROSTITUCIÓN

En general, la trata es un delito que permite castigar el proceso en sí de sometimiento de la víctima desde el inicio —captación— hasta la final puesta a disposición de la víctima para la explotación para la que fue captada, sin necesidad de que tenga que materializarse esa explotación; por lo que la explotación extrema esta fuera de su ámbito de aplicación, a pesar de tener un origen o parte del camino similar. Esa explotación extrema se puede apreciar en los delitos de contexto sexual, mediante la conminación

24. Del mismo parecer, PÉREZ ALONSO (2022), «Propuesta de incriminación de los delitos de esclavitud, servidumbre y trabajo forzoso en el Código Penal español», *Revista Electrónica de Ciencia Penal y Criminología*, 24-07.

a la prostitución, por ejemplo. Cuando entran en conflicto, además de los bienes jurídicos antes expuestos, la indemnidad sexual de las víctimas.

En este caso, a diferencia de la esclavitud, la prostitución y explotación sexual sí está regulada en el Código Penal, en concreto, en el seno del Título VIII (Libro II), de los delitos contra la libertad sexual, en el Capítulo V. Sin embargo, la desproporción de penas en función a la gravedad de la lesión también es notable, pues el apartado primero del art. 187 prevé, para la prostitución involuntaria, una pena de prisión de dos a cinco años. Probablemente, sin entrar a valorar cuestiones sociales difícilmente tangibles, la cosificación de la mujer en la sociedad actual tiene algo que ver con la falta de concienciación respecto a la extrema gravedad que supone este tipo de explotación.

En concreto, el art. 187 CP, establece, a diferencia del delito de trata, la necesidad de que se cumpla el fin de ejercer o mantenerse en la prostitución. Recordemos que la trata no exigía ningún fin consumado, ni siquiera el sexual. No obstante, comparte con la trata el requerimiento de que la conducta del sujeto activo se lleve a cabo con «violencia, intimidación o engaño, o abusando de una situación de superioridad o de necesidad o vulnerabilidad de la víctima».

V. EL FIN DE EXPLOTACIÓN SEXUAL DESDE UNA PERSPECTIVA DE GÉNERO

La trata de seres humanos con fines de explotación sexual es, entre la violencia general de la trata, una de las vertientes más crueles del delito. Sin embargo, tampoco nos coge de sorpresa, pues es una manifestación más de la desigualdad de la mujer en la sociedad actual, constituyendo otra materialización de la violencia de género[25]. Esto, como fenómeno, está asumiendo recientemente relevancia, sobre todo por la falta de visibilización que antes tenía o, simplemente, porque no se percibía con la grave que merece; gracias, principalmente, a las medidas tomadas desde las instituciones e instancias internacionales (Unión Europea o Naciones Unidas, entre otros). Sin embargo, ha sido el feminismo social el que ha puesto de relieve que en los términos de este fenómeno concreto confluyen diversos elementos, como, por ejemplo, la predominancia del género masculino en las estructuras sociales[26]. Esto

25. Así lo expone el propio Ministerio de Igualdad en el «Plan integral de lucha contra la trata de seres humanos con fines de explotación sexual», 2010, pp. 9-10.

26. En este sentido, Iglesias Skulj determinaba: «la construcción hegemónica, producto del modelo heterosexista y patriarcal, influye en la determinación del estatus migratorio y

es así, incluso, en la consideración de la identificación del migrante con el hombre, dejando a la mujer un papel secundario, precisamente por la propia asimilación de que el primero es quien desarrolla la actividad económica[27] y está en el centro de la esfera pública, mientras que la mujer se identificaba con la «pasividad, la reproducción y el espacio privado»[28]. No obstante, esto está siendo superado por el fenómeno conocido como «feminización de la migración», mediante el que se asume la propensión cada vez más alta de las mujeres a migrar con la intención de acceder al mercado laboral en países extranjeros.

Las causas que posibilitan este tipo de trata no son desconocidas tampoco: la desigualdad y discriminación de la mujer, la feminización de la pobreza, la falta de educación, las condiciones laborales y de desempleo, así como la división sexual del trabajo, o, en general, la imposibilidad de acceder a recursos legítimos y lícitos, entre otras, pues también son causa cualquiera de las de la trata como fenómeno genérico.

Por ello, es prioritario abordar la cuestión desde una perspectiva de género. La cosificación de la mujer como negocio ha experimentado un auge en las últimas décadas, lo que tiene como consecuencia una mayor discriminación por razón de género. La propia Unión Europea se manifestaba en esta línea afirmando que existe una mayor predisposición de las mujeres a convertirse en víctimas de trata por la falta de educación y oportunidades profesionales.

En 2010, tras la reforma del Código Penal que incluía la trata como un delito autónomo en el art. 177 bis, el Ministerio de Igualdad creaba un Plan

---

en el diseño de las tecnologías de control. En tal sentido, los análisis contemporáneos de las migraciones femeninas se estructuran con categorías que tendencialmente dejan de coincidir con las racionalidades del paradigma de control actual. En IGLESIAS SKULJ (2011), "La protección de los derechos humanos en el ámbito de las políticas contra la trata de mujeres con fines de explotación sexual"», *Nova et Vetera,* 20(64), p. 122.

27. La trata con fines de explotación sexual tiene un claro componente de género ya históricamente, reconociéndose la diferenciación en una marcada división sexual del trabajo, que no solo categoriza la forma de captación y de explotación de hombres y mujeres, sino que también califica la idoneidad, por el mero hecho de tener un género u otro, para predisponerse como víctima de este tipo de trata. Siguiendo a GARCÍA CUESTA (2012), «La trata en España: Una interpretación de los Derechos Humanos en perspectiva de género», *Dilemata,* núm. 10, p. 48.

28. IGLESIAS SKULJ (2011), «La protección de los derechos humanos en el ámbito de las políticas contra la trata de mujeres con fines de explotación sexual», *Nova et Vetera,* 20(64), p. 122.

integral de lucha contra la trata de seres humanos con fines de explotación sexual. Lo que nace con la premisa de evitar la violación de derechos humanos mediante la explotación sexual de mujeres y niñas, no viene a transformar directamente la realidad, sino que propone una serie de medidas que garanticen una atención adecuada de las víctimas en consonancia con la ley vigente[29]. Así, se va a configurar en torno a cinco áreas de actuación: sensibilización, prevención e investigación; educación y formación; asistencia y protección a las víctimas; medidas legislativas y procedimentales; y, coordinación y cooperación.

La Decisión Marco 2002/629/JAI definía la explotación sexual como la que se hacía con fines de prostitución, espectáculos pornográficos o producción de este tipo de material, independientemente del consentimiento de la víctima. A ello, sumando lo dispuesto en la normativa española, podría añadirse el fin de exhibicionismo y provocación obscena de los art. 185 y 186 CP[30].

VI. LA CUESTIÓN DEL CONSENTIMIENTO Y LA EXENCIÓN DE PENA PARA LAS VÍCTIMAS

En la amplia casuística posible se incluye como cuestión altamente probable el hecho de que víctimas de trata aparentemente hayan dado su consentimiento o pueda parecerlo. Lo que, en muchas ocasiones puede ser la consecuencia de una crítica situación socioeconómica o de factores culturales, por ejemplo, los roles de género que soportan las mujeres en muchos países. Además, es probable que suceda que las víctimas tengan la certeza de haber dado su consentimiento para un determinado trabajo, y que, cuando éste deriva en explotación, asuman que esa determinación servía como consentimiento para los abusos posteriores, por lo que no se reconocen, en muchos casos, como víctimas a sí mismas. Por ello, lo determinante será interpretar y traducir la actuación e intención del posible sujeto activo, no si la víctima aceptó en alguna instancia el sometimiento. Parece evidente que, en el seno de los principios y valores de un Estado de Derecho, no se puede asumir que un consentimiento coaccionado anule la entidad de los derechos humanos

29. En este sentido, entre otros, MESTRE I MESTRE (2011), «La protección cuando se trata de trata en el Estado español», *Revista Interdisciplinar da Mobilidade Humana: REMHU*, Vol. 19, núm. 37, p. 34.
30. Siguiendo a SANTANA VEGA (2011), «El nuevo delito de trata de seres humanos (LO 5/2010, 22-6)», *Cuadernos de política criminal*, núm. 104, p. 97; HAVA GARCÍA (2006), «Trata de personas, prostitución y políticas migratorias», *Estudios Penales y Criminológicos*, núm. 26, pp. 81 y ss.

y los propios principios del ordenamiento, como la dignidad, la libertad o, en general, la protección social de todos los grupos sociales. En términos generales, y más en el caso de trata con fines de explotación sexual, desde este capítulo me posiciono del lado de quienes consideran que las víctimas explotadas que pasan a ser trabajadoras sexuales bajo estos términos, son incapaces, por las circunstancias descritas antes, de dar un consentimiento libre e informado.

La cuestión del consentimiento está regulada en el Código Penal. El apartado tercero del artículo 177 bis dispone que el consentimiento de la víctima en el delito de trata de seres humanos sea irrelevante. Esto tiene que ver con el párrafo que se incluyó en la reforma de 2015 y que hacía referencia a la posible existencia de una «situación de necesidad o vulnerabilidad» cuando el sujeto en cuestión no tiene otra opción —«real o aceptable»— que «someterse al abuso». Por tanto, para evitar que la víctima no otorgue su consentimiento bajo la presión que le impone la necesidad, el legislador invalida de raíz esta posibilidad.

Igualmente se pronuncia el Protocolo contra la Trata, que establece en su artículo 3 apartado b que «el consentimiento de una víctima de la trata de personas para la explotación prevista [...] será irrelevante cuando alguno de los medios establecidos en el subpárrafo (a) haya sido utilizado».

A modo de conclusión, habría que afirmar que, en primer lugar, el consentimiento ha de ser plenamente libre e informado. Y que, será irrelevante cuando se obtenga mediante la amenaza, la fuerza o cualquier otra forma de coerción, engaño, abuso de poder, posición de vulnerabilidad o mediante promesa o entrega de pago o beneficio. En segundo lugar, que, como decía antes, el foco tiene que permanecer inmóvil sobre los actos y la conducta del sujeto activo.

Por otro lado, como se mencionó en el análisis del tipo, existe una exención de pena para la víctima del delito de trata por las infracciones penales que hubiera podido cometer mientras estaba sometida a la trata. La naturaleza de esta exención puede recorrerse por dos vertientes: por un lado, considerar que se trata de una excusa absolutoria que solo va a afectar a quienes concurra, pues el resto de personas podrían denunciar libremente los hechos[31]; y, por otro lado, tomarla como una causa de justificación, sobre

31. CUGAT MAURI (2010), «La trata de seres humanos: la universalización del tráfico de personas y su disociación de las conductas infractoras de la política migratoria, arts. 177 bis, 313 y 318 bis», en Quintero Olivares (dir.), *La Reforma penal de 2010: Análisis y Comentarios*, Navarra, p. 163.

todo, como parte de la doctrina sostiene por «la injusticia que supondría castigar al que ayuda a defenderse a la víctima de trata, sobre todo, en situaciones de inminencia (tratante que da una paliza al explotado quien se defiende con ayuda de otra persona, ajena a la trata, pero que presencia los hechos)»[32].

Lo cierto es que la idea principal de esta inclusión en el tipo es derivada de la falta de acomodo que tenía en las eximentes de estado de necesidad, legítima defensa o miedo insuperable, y por tanto, salvar así los obstáculos para no hacer responsable a la víctima de los actos o conductas cuando no se encontraba en posesión de su propio carácter volitivo[33]. No obstante, para que pueda aplicarse la exención de la responsabilidad tendrán que sucederse una serie de requisitos:

Primero, que la participación en tales delitos haya sido consecuencia directa de la situación de violencia, intimidación, engaño o abuso a que haya sido sometida cuando estaba sometida a trata. Esta participación amplía la posibilidad de intervención no solo a la autoría directa, mediata o coautoría, sino también como partícipe, ya sea cooperador o inductor, en un hecho llevado a cabo por otro. Por otro lado, el hecho de que sea consecuencia directa significa que obligatoriamente la víctima tiene que encontrarse bajo el dominio del tratante.

Y segundo, que sea proporcional el delito a la situación, lo cual quiere decir que solo se ampararán en la exención los delitos cuya pena sea igual o inferior a la pena de la trata.

VII. LAS VÍCTIMAS DE TRATA EN EL PROCEDIMIENTO DE ASILO Y REFUGIO Y LA PROTECCIÓN FRENTE A LA EXPULSIÓN DEL TERRITORIO

El proyecto TRACKS (Identification of Trafficked Asylum Seekers» Special Needs) estudia y analiza la relación entre la trata de seres humanos y el derecho de asilo de sus víctimas partiendo de la base de la especial nece-

32. SANTANA VEGA (2011), «El nuevo delito de trata de seres humanos (LO 5/2010, 22-6)», *Cuadernos de política criminal*, núm. 104, p. 106.
33. Siguiendo a SANTANA VEGA (2011), «El nuevo delito de trata de seres humanos (LO 5/2010, 22-6)», *Cuadernos de política criminal*, núm. 104, p. 105. En la misma línea que la doctrina, según la Circular de la Fiscalía General del Estado 37/2010, de 23 de diciembre, «[...] dará lugar a la revisión de las sentencias condenatorias por delitos cometidos por las víctimas de trata cuando de los hechos declarados probados en la sentencia resulte que el delito se cometió en la situación de explotación».

sidad que tienen éstas. Surge el proyecto con la intención de proporcionar apoyo a las autoridades nacionales encargadas del asilo para cuestiones como la protección de las víctimas en sí, el acceso a la vivienda o el apoyo psicosocial, entre otros. En definitiva, para evitar que la especial vulnerabilidad afecte y determine la protección internacional que deben tener y para formalizar un apoyo individualizado e integral.

La idea del proyecto es servir como un canal seguro a través del cual las víctimas de trata puedan acceder a una protección internacional que consagre la garantía de los derechos básicos. Evidentemente han de gozar de apoyo social y jurídico y de unas condiciones de acogida particulares, que serán la base que sustentará la garantía de la protección internacional. No obstante, la cuestión es especialmente complicada por cuanto el proceso suele entrañar diversas dificultades: la especial vulnerabilidad que las caracteriza hace que muy pocas víctimas suelan solicitar asilo. Problemas como las dificultades para narrar una historia personal que generalmente suele estar influenciada por las propias redes de trata, el trauma de las experiencias vividas o la desconfianza de las autoridades, son cuestiones a salvar muy comunes. Además, hay que salvar también la trama que pueden articular las redes de trata para asegurarse, mediante el asilo, que las víctimas puedan quedarse de forma legal en el territorio y seguir operando a través de ellas. Por lo que se eleva cuestión fundamental abordar individualmente un sistema que genere vínculos de confianza, ese canal seguro que decía al principio del párrafo, para trabajar desde la credibilidad.

El marco jurídico del proyecto lo componen el Protocolo de Palermo, el Convenio del Consejo de Europa sobre la lucha contra la trata de seres humanos y la Convención y el Protocolo sobre el Estatuto de los Refugiados. Sin embargo, en España la trasposición aún no se ha realizado completamente, introduciendo una «tipificación limitada y selectiva del uso de servicios de las víctimas de la trata de seres humanos»[34]. En general, la mayoría de los países no ofrecen garantías procedimentales a las víctimas de trata, pero los que sí lo hacen suelen aplicar tres garantías: primero, realizar una entrevista personal que individualice el caso y así pueda dar prioridad, por esa necesidad que antes decía, a la demanda; segundo, la posibilidad de que esa entrevista sea realizada por una persona del mismo sexo que el demandante

34. Tal como se dispone en el Informe de la Comisión al Parlamento Europeo y al Consejo que evalúa la incidencia de la legislación nacional vigente que tipifica penalmente el uso de servicios que son objeto de explotación relacionada con la trata de seres humanos, en la prevención de la trata de seres humanos, de conformidad con el artículo 23, apartado 2, de la Directiva 2011/36/UE, 2016.

de asilo, de forma que ese canal seguro de comunicación para consagrar su protección sea lo más amable posible; y tercero, que la víctima pueda estar acompañada durante la entrevista[35]. No obstante, este último término vuelve a abrir la posibilidad de que el acompañamiento no sea desinteresado y que la coacción llegue hasta esos términos.

Respecto al procedimiento de asilo, las víctimas de trata tienen unas necesidades especiales que se identifican, en muchos casos, con términos ya enunciados antes. Principalmente, tienen la necesidad de establecer un canal de confianza para que ésta sea mutua respecto del sistema que les ha de proteger; por la situación de arribo y desconocimiento que suelen rodearles, necesitan recibir información y asistencia jurídica, y, en consecuencia, de ambos términos, necesitan que ese contacto a través del cual cuentan su situación, en forma de entrevista, sea asistido por especialistas como un psicólogo o un abogado, se establezca en un entorno acogedor.

Por todo ello, CEAR propone una serie de recomendaciones generales que sirvan a la mejora del sistema. Son las siguientes:

- Partir del respeto derivado de las obligaciones contraídas a raíz del art. 4 CEDH y del art. 10 del Convenio del Consejo de Europa sobre la forma de actuar para detectar a víctimas de trata en el proceso de garantizarles el asilo y la protección adecuada.
- Mejorar o, en caso de que no exista, establecer, el sistema por el que se recopilan los datos sobre víctimas de trata que se encuentran en fase de solicitud de protección internacional, para entender mejor la dimensión del fenómeno y poder adaptar la asistencia ofrecida.
- Estandarizar un sistema de formación para los profesionales del sistema de asilo para afrontar tanto los perfiles como las necesidades de los solicitantes de asilo.
- Garantizar la transparencia en la colaboración entre las partes.
- Asegurar el derecho a la identificación como víctima de trata del solicitante de asilo conforme al art. 14(5) del Convenio del Consejo de Europa.

35. Extraído del informe «Identificación de las necesidades especiales de solicitantes de asilo y víctimas de trata y respuesta a las mismas», de CEAR.

- Anticipar la materialización de los derechos de las víctimas de trata una vez se tengan indicios razonables de que se constituyen como tal; así como efectuar las garantías procedimentales.
- Ofrecer condiciones de acogida acordes a las necesidades de las víctimas de trata solicitantes de asilo.

La Directiva 2013/33/UE, de 26 de junio de 2013, sobre procedimientos aplicables a los Estados miembros pone en disposición a los mismos de las garantías procedimentales que pueden resultar necesarias para las víctimas de trata solicitantes de asilo que tienen necesidades especiales. Éstas son:

- Eximir de los procedimientos que, por la forma en que se desarrollan, no puedan satisfacer las necesidades de los demandantes vulnerables de asilo.
- Primar la necesidad de garantías procedimentales especiales del demandante en el examen de solicitud de asilo.
- En el hilo de lo antes expuesto, garantizar que las entrevistas personales se desarrollen en unas condiciones óptimas que generen la confianza suficiente como para que el demandante exprese su particular situación. Y, en ese sentido, garantizar igualmente que la persona que realice la entrevista se encuentra capacitada para ello, entre otras cosas, por razón de formación.

Sin embargo, a pesar de que el art. 21 de la Directiva mencionada y el art. 46 de la Ley 12/2009, reguladora del derecho de asilo y de la protección subsidiaria, sobre asilo y refugio en España; reconocen a las víctimas de trata como solicitantes de asilo con necesidades especiales, no se ha desarrollado aun un reglamento que lo sustente. No obstante, España dispone de instrumentos para la protección de las víctimas de trata, que son, principalmente, el Protocolo marco de protección de las víctimas de trata de seres humanos y la Ley 12/2009 que acabo de citar.

El Protocolo indica la forma de proceder desde que se detectan indicios razonables de que una persona puede ser víctima de un delito de trata. Así, establece que una vez detectado el caso, se deberá realizar la entrevista en un entorno seguro y comprensible. Por su parte, para completar la escena, la Ley 12/2009 establece una serie de medidas para satisfacer las garantías que han de ofrecerse: así, deberá disponerse asistencia jurídica en caso de que se demande, cuya presencia se extiende a todas las fases del procedimiento; y tendrán derecho a intérprete en caso de que no entiendan el español, idioma en el que se desarrollará el procedimiento y la entrevista.

Asimismo, el Protocolo establece que «cuando en la instrucción de un expediente de solicitud de protección internacional se aprecien indicios de que la persona solicitante pudiera ser víctima de trata de seres humanos, la Oficina de Asilo y Refugio lo pondrá en conocimiento de la Sección de Asilo de la Comisaría General de Extranjería y Fronteras a fin de que esta lo comunique a la unidad policial competente para su identificación, por si pudiera ser de aplicación lo establecido en el artículo 59 bis de la Ley Orgánica 4/2000, sobre derechos y libertades de los extranjeros en España y su integración social» (de acuerdo con lo establecido en el artículo 10 del Convenio del Consejo de Europa sobre la lucha contra la trata de seres humanos —Convenio de Varsovia—). Esto es, se le informa de la posibilidad de acogerse a un período de restablecimiento y reflexión de, al menos, noventa días. Lo que, además, supondrá la no incoación de un expediente sancionador por su situación de irregularidad administrativa, así como la suspensión del mismo o de cualquier medida de expulsión o devolución en caso de haberse iniciado el proceso. Durante ese período se va a garantizar a la víctima la asistencia y protección adecuada (para lo que la Oficina de Asilo y Refugio pone en conocimiento de la situación al Ministerio de Empleo y Seguridad Social, encargado de la acogida e integración de los solicitantes de protección internacional o asilo); y, una vez terminado, se atenderá a la decisión de la víctima sobre su deseo de volver al país de procedencia o la solicitud de autorización de residencia en España por motivos excepcionales, sea esto para servir a su cooperación en la investigación abierta o la interposición de acciones penales, o sea en función de su situación personal.

Por otro lado, en esa necesidad de protección de las víctimas, es normal que, generalmente necesiten protección internacional. Lo que pueden obtener, también, como refugiados. Para los dos principales textos de referencia —Convención de Ginebra sobre el Estatuto de los Refugiados de 1951 y el Protocolo de Nueva York sobre el Estatuto de los Refugiados de 1967—, un refugiado es quien estando fuera de su país de origen o residencia habitual sin posibilidad de retornar por sentir un temor fundado a sufrir una persecución por motivos de raza, religión, género, nacionalidad, pertenencia a minorías o grupos sociales, por las opiniones políticas, etc. Concepción que tiene dos partes fundamentales sobre las que gira el reconocimiento de la condición de refugiado, que son, la persecución y la ausencia de protección[36]. No obstante, bajo esta definición, no todas las víctimas de trata son refugiados, pues dependerá de las circunstancias. En cualquier caso, es especialmente relevante en algunas situaciones: cuando la víctima ha sido sometida a trata en el extranjero y busca protección internacional como refugiado en el Estado en el cual se encuentra; cuando la víctima ha sido sometida a trata dentro de su propio país y huye al extranjero en busca de protección internacional; o cuando las personas, que sin haber sido nunca víctimas, temen convertirse en ellas en su país de origen y huyen al extranjero a buscar protección internacional.

Evidentemente, con la condición de asilado o refugiado, al menos a corto plazo, desaparece la opción de repatriar a la víctima. Sin embargo, en cuanto a la expulsión de las víctimas de trata, la cuestión no es tan clara.

Existe la posibilidad de que, en el contexto de la trata, una víctima lleve a cabo la comisión de algún delito, lo que, en suma, podría derivar en un motivo de expulsión del territorio español cuando se hallase dentro. Aunque la situación no es fácil de aclarar, lo que sí es claro es que habría que tener en cuenta para ello el respeto de los Derechos Humanos y las garantías individuales.

El art. 89.4 CP establece una excepción absoluta a la imperatividad de la expulsión de extranjeros en tanto que la misma ha de ser proporcionada[37]. En concreto, el tenor literal del apartado es el siguiente: «No procederá la sustitución cuando, a la vista de las circunstancias del hecho y las personales del autor, en particular su arraigo en España, la expulsión resulte proporcionada». Si bien, el arraigo en el delito de trata no va a ser en ningún caso un motivo, básicamente por su inexistencia, no parece que sea proporcionada la consecuencia jurídica en tanto la persona a expulsar ha sido víctima en el país de origen de un delito de trata. Es más, con esta excepción absoluta, lo que se pretendía era integrar en el Código Penal español, tanto la jurisprudencia nacional, como la normativa internacional y la jurisprudencia del Tribunal Europeo de Derechos Humanos, pues ya en el Preámbulo de la Reforma operada por LO 1/2015 CP, se justificaba esta inclusión como la necesidad de la proporcionalidad en tanto la búsqueda de un juicio equilibrado entre la eficacia de la norma y el respeto de los derechos individuales.

36. En esta línea, MORGADES GIL (2008), Els drets humans com a motor de l'evolució del régim internacional de protección dels refugiats.
37. Sobre ello, MARTÍNEZ MUÑOZ (2023), Aproximación crítica a la expulsión de extranjeros. El Derecho Penal como herramienta de la política migratoria, Navarra, pp. 147 y ss.

En efecto, el precepto fundamental adaptado a la cuestión es el artículo 3 del CEDH. El cual hace referencia a la prohibición absoluta de expulsión cuando ésta ponga en riesgo la integridad o la vida, al margen de las circunstancias del sujeto[38]. Parece evidente que ser víctima de un delito de trata, cuanto menos, pone en peligro la integridad de la víctima. Esta limitación a la expulsión opera de forma absoluta y automática.

No obstante, la expulsión por la irregularidad administrativa de la situación de la víctima de trata debería ser operada por la Ley de Extranjería y no por el Código Penal, salvo en la situación antes expuesta. Ahora bien, ya el artículo 2 LOEX consagra en su apartado h) que, en lo relativo a la política migratoria, «todas las Administraciones Públicas basarán el ejercicio de sus competencias vinculadas con la inmigración en el respeto a los siguientes principios: [...] h) la persecución de la trata de seres humanos». Efectivamente, en este sentido, el art. 59bis LOEX, relativo a las víctimas de trata, establece que, «cuando estimen que existen motivos razonables para creer que una persona extranjera en situación irregular ha sido víctima de trata de seres humanos, informarán a la persona interesada sobre las previsiones del presente artículo y elevarán a la autoridad competente para su resolución la oportuna propuesta sobre la concesión de un período de restablecimiento y reflexión». Posteriormente, las autoridades competentes llevarán a cabo una valoración individualizada para determinar una posible ampliación del plazo de ese período de restablecimiento.

Por su parte, el Real Decreto 557/2011, de 20 de abril, por el que se aprueba el Reglamento de la Ley Orgánica 4/2000, sobre derechos y libertades de los extranjeros en España y su integración social, tras su reforma por Ley Orgánica 2/2009; establece en el artículo 165 la extinción de la autorización de residencia temporal, lo que, para el caso, en su materialización práctica, es una invitación a salir del territorio, o lo que es lo mismo, una expulsión encubierta. Así, establece que la vigencia de la autorización de residencia temporal se extinguirá sin necesidad de pronunciamiento administrativo cuando haya transcurrido el plazo estimado o «Por venir obligado el residente extranjero a la renovación extraordinaria de la autorización, en virtud de lo dispuesto por las autoridades competentes en estados de excepción o de sitio, de acuerdo con lo dispuesto en el artículo 24 de la Ley Orgánica 4/1981, de 1 de junio, reguladora de los estados de alarma, excepción y sitio». Además, cuando la autorización dependa de la colaboración de la víctima de trata en la investigación del delito, se extinguirá la autorización

38. Así se exponía, entre otras, en el fundamento jurídico cuarto de la STS 791/2010, de 28 de septiembre.

de residencia cuando: «a) Cuando una resolución judicial determine que la denuncia es fraudulenta o infundada, o en caso de fraude en la cooperación. b) Cuando desaparezcan las circunstancias que sirvieron de base para su concesión. c) Cuando su titular reanude de forma activa, voluntaria y por iniciativa propia, las relaciones con los presuntos autores del delito. d) Cuando su titular deje de cooperar». Con lo cual, parece el legislador indicarnos que la protección de la situación vital de una víctima de trata puede ser sujeta a condición y no imperante por la propia razón de ser de los Derechos Humanos.

1. EXCURSO: VÍCTIMAS DE TRATA SOLICITANTES DE ASILO EN EL ANTEPROYECTO DE LEY ORGÁNICA INTEGRAL CONTRA LA TRATA Y LA EXPLOTACIÓN DE SERES HUMANOS

Lo primero es que el art. 48 del Anteproyecto de Ley impone la compatibilidad del procedimiento de asilo con la identificación como víctima de trata. No obstante, como parte de la doctrina afirma[39], la mera mención no es suficiente para garantizar el acceso de las víctimas de trata a su derecho.

Como anteriormente se ha expuesto y según la Directiva 2013/32/UE, de 26 de junio, del Parlamento Europeo y del Consejo, sobre procedimientos comunes para la concesión o la retirada de la protección internacional; las autoridades competentes tendrán la obligación de imponer garantías especiales suficientes para el procedimiento de asilo en el caso de víctimas de trata. Esto mismo establece el art. 46 de la Ley 12/2009, de 30 de octubre, reguladora del derecho de asilo y de la protección subsidiaria, no obstante, el tenor literal del artículo dice que tendrán un «tratamiento diferenciado», pero no qué significa eso, lo cual como ha puesto de manifiesto tanto la doctrina[40], como el Defensor del Pueblo[41], deja, ante la inconcreción, un muy amplio margen de maniobra y actuación a la administración.

El Anteproyecto, a pesar de estar ante la oportunidad de hacerlo, no establece de qué forma se van a identificar esas necesidades especiales ni

---

39. Entre otros, DIEZ VELASCO (2023), «La protección de personas víctimas de trata en el Anteproyecto de Ley Orgánica integral contra la trata y la explotación de seres humanos: el caso de la infancia y las personas solicitantes de asilo», *IgualdadES*, 8, pp. 141 y ss.
40. Sobre ello, JIMENEZ ROMERO (2020), «Protección internacional y trata de seres humanos», en Huesca González / López-Ruiz / Quicios García (coords.), *Seguridad ciudadana, desviación social y sistema judicial*, Madrid, p. 32.
41. Defensor del Pueblo (2016), La trata de seres humanos en España: víctimas invisibles, Madrid.

cómo serán cubiertas tanto nacional como internacionalmente. Lo que sí es seguro es que la falta de concreción de la que se habla es derivada de la falta de trasposición de las directivas en materia de asilo.

En consecuencia, del mar de dudas que se plantea como escenario, según la European Union Asylum Agency, serán las autoridades las que tengan que identificar activamente las necesidades específicas de protección en los casos de trata[42].

VIII. CONCLUSIONES

En primer lugar, en una suerte de secuencia cronológica, parece que el legislador está más preocupado porque las víctimas de trata no lleguen a España que por la propia protección de los bienes jurídicos que portan, o, en general, por el aseguramiento de los Derechos Humanos. Entre otras cuestiones, eso tiene como consecuencia que la trata se castigue con una pena de prisión bastante más elevada —prisión de cinco a ocho años— que la prostitución forzada —prisión de dos a cinco años—, y qué decir de la esclavitud que ni siquiera tiene regulación propia[43]. Como sostiene parte de la doctrina, la política de la UE está orientada al control de fronteras, condicionando la protección de los derechos y las garantías de las posibles víctimas a la «denuncia significativa»[44]. Desde la década de los noventa, la política migratoria común europea ha insistido en controlar los flujos migratorios y las fronteras, lo que la ha llevado, en su obsesión por minimizar el tráfico ilícito, a confundirlo con la trata.

Todo ello sucede porque la cuestión se entiende en clave migratoria, o más bien en clave de restricción migratoria. Utilizando la fuerza penal —una vez más— como la herramienta de la trata o la migración ilegal, para el control de los flujos migratorios.

42. Así lo han expuesto, entre otros, DÍEZ VELASCO / TORRES LÓPEZ (2022), *Informe de análisis de la situación de las víctimas de trata de personas en necesidad de protección internacional en España*, Madrid, pp. 30 y ss.; BARRIO LEMA / CASTAÑO REYERO / DIEZ VELASCO (2019), *Colectivos vulnerables en el sistema de asilo: una aproximación a las necesidades de la infancia, personas LGTBI+ y víctimas de trata,* Madrid, pp. 23 y ss.

43. Sobre ello, PÉREZ ALONSO (2022), «Propuesta de incriminación de los delitos de esclavitud, servidumbre y trabajo forzoso en el Código Penal español», *Revista Electrónica de Ciencia Penal y Criminología,* 24-07.

44. MESTRE I MESTRE (2011), «La protección cuando se trata de trata en el Estado español», *Revista Interdisciplinar da Mobilidade Humana: REMHU,* Vol. 19, núm. 37, p. 30. Del mismo parecer, MARTÍNEZ MUÑOZ (2023), *Aproximación crítica a la expulsión de extranjeros. El Derecho Penal como herramienta de la política migratoria,* Navarra.

No es de extrañar, en el contexto de las medidas adoptadas en el seno de la Europa fortaleza, que la orientación que tienen éstas tengan algunas intenciones ocultas más allá de la propia que aquí se trata. En este sentido, podría afirmarse que la supuesta tutela de las víctimas y la premisa de respeto de los Derechos Humanos no son más que un trampantojo para identificar a posibles infractores de la normativa en materia de migración, así como el control social de los migrantes[45].

En segundo lugar, enlazado con lo anterior, parte de la complejidad de la normativa existente de trata en España como eje principal el carácter trafiquista respecto de las migraciones internacionales, que criminaliza toda migración no consentida o autorizada por el Estado de recepción, en la línea de lo expuesto en la primera conclusión. Esto supone que se criminalice toda migración autónoma reconduciéndola a la noción de tráfico[46], esto es, toda la migración que no sea autorizada por el país receptor será rechazada y considerada tráfico.

En tercer lugar, una de las principales críticas al escenario que supone la trata en España es la dejadez del propio del Estado, que mantiene una posición insuficiente respecto a la gravedad del asunto, ya sea por falta de regulación o por la insuficiencia de la misma. Cuestión que se materializa, por ejemplo, en la falta de concreción de las necesidades especiales que han de rodear el proceso cuando se detectan a las víctimas de trata por la falta de trasposición de la normativa internacional. Por lo que lo necesario sería articular una respuesta capaz, específica, integral y en proporción, como ya sucede en muchos países del entorno de la Unión Europea e iberoamericanos. Habría que seguir la línea de Naciones Unidas en su informe de 2020, donde invita a los Estados a analizar y debatir sobre la trata como realidad global y sus causas y consecuencias. Conminando a los mismos a elaborar un nuevo instrumento jurídico internacional que acabe con la vulnerabilidad estructural derivada de la inacción y la falta de adaptación de las medidas presentes a las distintas formas de explotaciones actuales. Por tanto, es cierto que existe una real necesidad de intervención penal efectiva, pero que sea derivada, principalmente, del art. 4 Convenio Europeo de Derechos Humanos[47].

45. Sobre ello, ASKOLA (2012), Legal responses to trafficking in women for sexual exploitation in the European Union.

46. Sobre ello, del mismo parecer, entre otros, AZIZE VARGAS (2004), «Empujar fronteras: mujeres y migración internacional desde América Latina», en Osborne (ed.), *Trabajadoras del sexo. Derechos, migraciones y tráfico en el s.XXI,* Barcelona.

47. Promueve la penalización y persecución, entre otros, de la trata de seres humanos, que, si bien se encuentra regulada, podría entenderse que la incongruencia de la pena respecto a la gravedad del delito hace que se convierta en una persecución inútil.

En cuarto lugar, al hilo de lo anterior, el proceso de asilo de una víctima de trata es un proceso especial, precisamente, por la propia especialidad de la situación. Sin embargo, no todas las políticas legislativas dirigidas a ello son capaces de asegurar la protección de los derechos básicos de los que son portadores. De hecho, con la respuesta que el legislador ofrece, parece indicarnos que la protección de la vida de las víctimas de trata va a estar generalmente sujeta a condición. Teniendo en cuenta que llegan al Estado receptor sufriendo un delito, lo más lógico sería establecer un entorno seguro en él capaz de protegerle y servir de sustento de los Derechos Humanos. Sin embargo, lo que sucede es que se le concede un período de restablecimiento de un mínimo de noventa días con una serie de beneficios (no incoación de un expediente sancionador por su situación de irregularidad administrativa o suspensión del mismo o de cualquier otra medida de expulsión o devolución cuyo proceso se hubiese iniciado) a cuyo fin se atenderá a la solicitud de autorización de residencia en España solo por motivos excepcionales, como son, cooperar en la investigación o interponer acciones penales.

IX. BIBLIOGRAFÍA

ALLAIN (2017), «Conceptualización legal de las formas contemporáneas de esclavitud», en El Derecho ante las formas contemporáneas de esclavitud, en Pérez Alonso (Dir.), Valencia.

ALONSO ÁLAMO (2007), «¿Protección penal de la dignidad? A propósito de los delitos relativos a la prostitución y a la trata de personas para la explotación sexual», Revista Penal, núm. 19.

ASKOLA (2012), Legal responses to trafficking in women for sexual exploitation in the European Union.

AZIZE VARGAS (2004), «Empujar fronteras: mujeres y migración internacional desde América Latina», en Osborne (ed.), Trabajadoras del sexo. Derechos, migraciones y tráfico en el s.XXI, Barcelona.

BALES (2004), «Disposable People: New Slavery in the Global Economy», Berkeley: University of California Press.

BARRIO LEMA / CASTAÑO REYERO / DIEZ VELASCO (2019), Colectivos vulnerables en el sistema de asilo: una aproximación a las necesidades de la infancia, personas LGTBI+ y víctimas de trata, Madrid.

BOZA MARTÍNEZ / DONAIRE VILLA / MOYA MALAPEIRA (2012), La Nueva Regulación de la Inmigración y la Extranjería en España: Régimen jurídico tras la LO/2009, el Real Decreto 557/2011 y la Ley 12/2009, Valencia.

CUGAT MAURI (2010), «La trata de seres humanos: la universalización del tráfico de personas y su disociación de las conductas infractoras de la política migratoria, arts. 177 bis, 313 y 318 bis», en Quintero Olivares (dir.), La Reforma penal de 2010: Análisis y Comentarios, Navarra.

DAUNIS RODRÍGUEZ (2009), El Derecho Penal como herramienta de la política migratoria, Granada.

DAUNIS RODRÍGUEZ (2013), El delito de trata de seres humanos, Valencia, 2013.

DEFENSOR DEL PUEBLO (2016), La trata de seres humanos en España: víctimas invisibles, Madrid.

DÍEZ VELASCO / TORRES LÓPEZ (2022), Informe de análisis de la situación de las víctimas de trata de personas en necesidad de protección internacional en España, Madrid.

DIEZ VELASCO (2023), «La protección de personas víctimas de trata en el Anteproyecto de Ley Orgánica integral contra la trata y la explotación de seres humanos: el caso de la infancia y las personas solicitantes de asilo», IgualdadES, 8.

GARCÍA ARÁN (2006), Trata de personas y explotación sexual, Granada.

GARCÍA CUESTA (2012), «La trata en España: Una interpretación de los Derechos Humanos en perspectiva de género», Dilemata, núm. 10.

GUISASOLA LERMA (2019), «Formas contemporáneas de esclavitud y trata de seres humanos: una perspectiva de género», Estudios Penales y Criminológicos, núm. 39.

HAVA GARCÍA (2006), «Trata de personas, prostitución y políticas migratorias», Estudios Penales y Criminológicos, núm. 26.

IGLESIAS SKULJ (2011), «La protección de los derechos humanos en el ámbito de las políticas contra la trata de mujeres con fines de explotación sexual», Nova et Vetera, 20(64).

JIMENEZ ROMERO (2020), «Protección internacional y trata de seres humanos», en Huesca González / López-Ruiz / Quicios García (coords.), Seguridad ciudadana, desviación social y sistema judicial, Madrid.

MARTÍNEZ ESCAMILLA (2007), La inmigración como delito. Un análisis político-criminal, dogmático y constitucional del tipo básico del art. 318 bis CP, Barcelona.

MARTÍNEZ MUÑOZ (2023), Aproximación crítica a la expulsión de extranjeros. El Derecho Penal como herramienta de la política migratoria, Navarra.

MESTRE I MESTRE (2011), «La protección cuando se trata de trata en el Estado español», Revista Interdisciplinar da Mobilidade Humana: REMHU, Vol. 19, núm. 37.

MORGADES GIL (2008), Els drets humans com a motor de l'evolució del régim internacional de protección dels refugiats.

MORGADES GIL (2015), «La política de asilo en España en el contexto europeo: cambios recientes y perspectivas de desarrollo normativo», en Anuario CIDOB de la inmigración, núm. 2015.

MUÑOZ CONDE (2022), Derecho Penal. Parte especial, 24° edición, Valencia.

ORTEGA GÓMEZ (2009), «La trata de seres humanos en el Derecho de la Unión Europea», en Badia Martí / Pigrau i Solé / Olesti Rayo, La Unión Europea antes de los retos de nuestro tiempo. Homenaje a la profesora Victoria Abellán Honrubia, volumen II, Madrid.

PÉREZ ALONSO (2021), «El bien jurídico protegido en el delito de trata de seres humanos», Liber Amicorum al Profesor José Miguel Zugaldía Espinar, Valencia.

PÉREZ ALONSO (2022), «Propuesta de incriminación de los delitos de esclavitud, servidumbre y trabajo forzoso en el Código Penal español», Revista Electrónica de Ciencia Penal y Criminología, 24-07.

POMARES CINTAS (2011), «El delito de trata de seres humanos con finalidad de explotación laboral», Revista Electrónica de Ciencia Penal y Criminología, núm. 13-15.

QUERALT JIMÉNEZ (2010), Derecho Penal español, Parte especial, 6ª edición.

SANTANA VEGA (2011), «El nuevo delito de trata de seres humanos (LO 5/2010, 22-6)», Cuadernos de política criminal, núm. 104.

SOLANA RUIZ (2011), «La trata de seres humanos con fines de explotación sexual: análisis conceptual e histórico», en García Castaño / Kressova (Coords.), Actas del I Congreso Internacional sobre Migraciones en Andalucía, Granada.

VILLACAMPA ESTIARTE (2010), «El delito de trata de personas: análisis del nuevo artículo 177 bis CP desde la óptica del cumplimiento de compromisos internacionales de incriminación», Anuario da Facultade de Dereito da Universidade da Coruña, Núm. 14.

VILLACAMPA ESTIARTE (2011), El delito de trata de seres humanos. Una incriminación dictada desde el Derecho Internacional, Pamplona.

VILLACAMPA ESTIARTE (2013), «La moderna esclavitud y su relevancia jurídico-penal», Revista de Derecho Penal y Criminología, núm. 10.

Guía de uso

¡ENHORABUENA!

ACABAS DE ADQUIRIR UNA OBRA QUE **INCLUYE LA VERSIÓN ELECTRÓNICA.**
APROVÉCHATE DE TODAS LAS FUNCIONALIDADES.

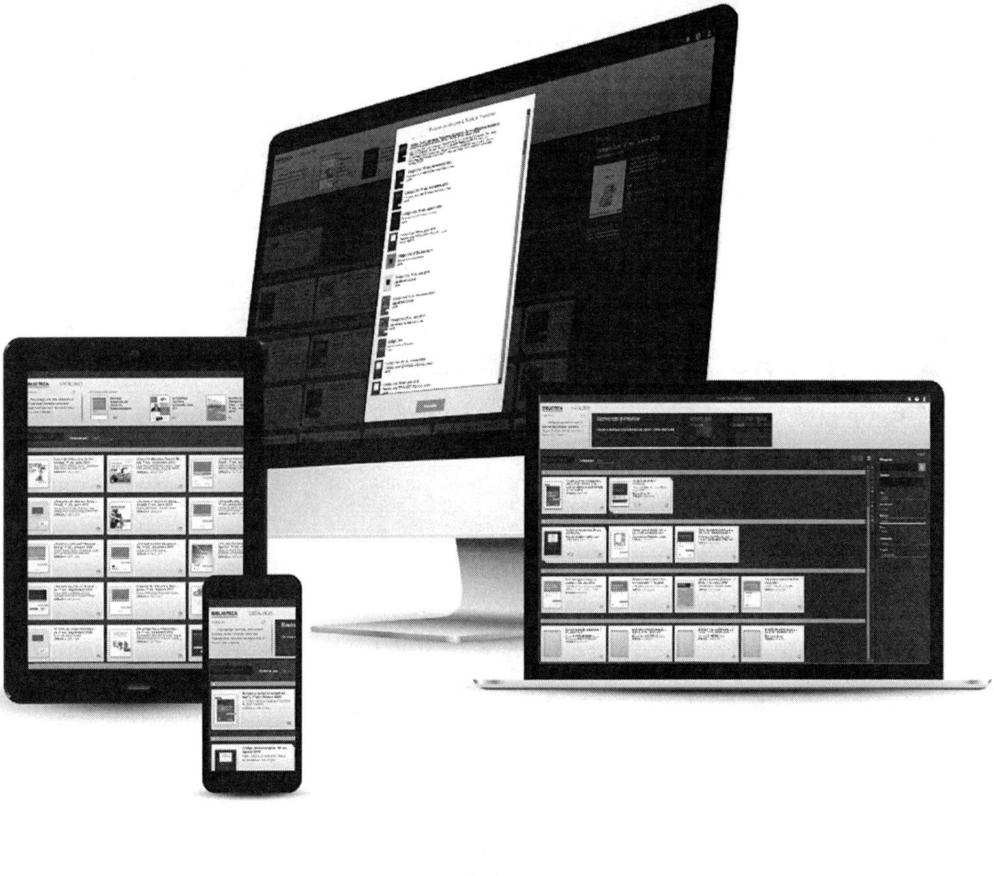

ACCESO INTERACTIVO A LOS MEJORES LIBROS JURÍDICOS

ARANZADI

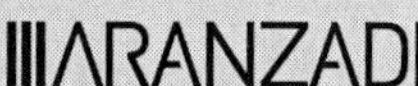

FUNCIONALIDADES

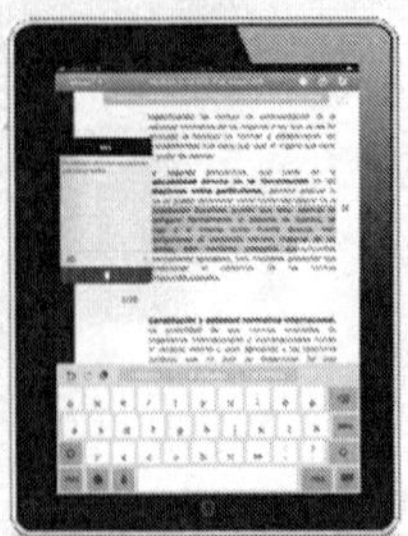

SELECCIONA Y DESTACA TEXTOS

Crea anotaciones y escoge los colores para organizar tus notas y subrayados.

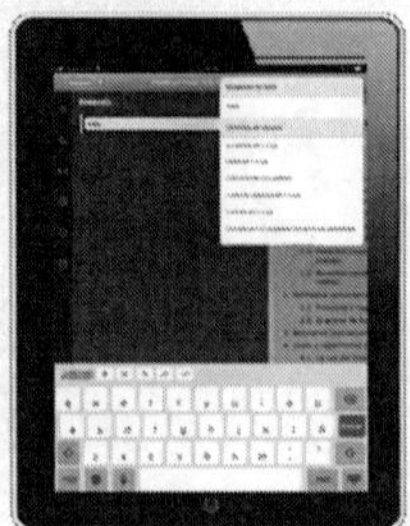

USA EL TESAURO PARA ENCONTRAR INFORMACIÓN

Al comenzar a escribir un término, aparecerán las distintas coincidencias del índice del Tesauro relacionadas con el término buscado.

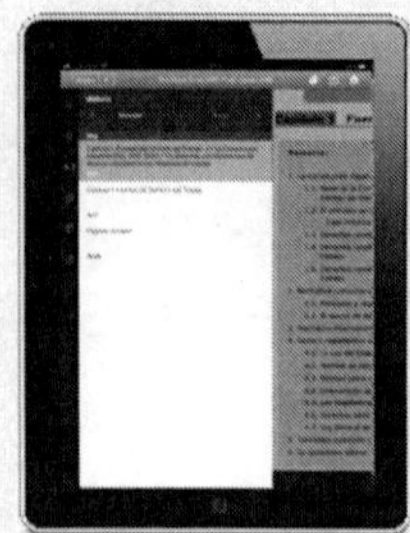

HISTÓRICO DE NAVEGACIÓN

Vuelve a las páginas por las que ya has navegado.

ORDENAR

Ordena tu biblioteca por: Título (orden alfabético), tipo (libros y revistas), editorial, jurisdicción o área del Derecho.

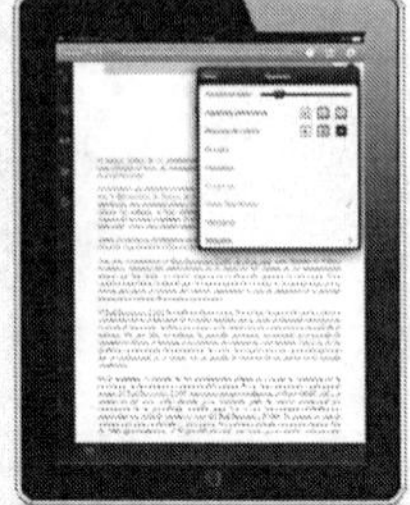

CONFIGURACIÓN Y PREFERENCIAS

Escoge la apariencia de tus libros y revistas cambiando la fuente del texto, el tamaño de los caracteres, el espaciado entre líneas o la relación de colores.

MARCADORES DE PÁGINA

Crea un marcador de página en el libro tocando en el icono de Marcador de página situado en el extremo superior derecho de la página.

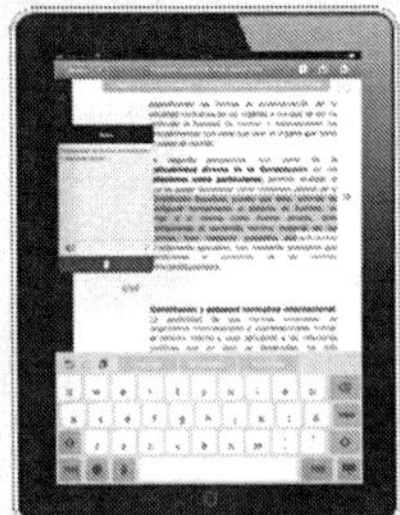

BÚSQUEDA EN LA BIBLIOTECA

Busca en todos tus libros y obtén resultados con los libros y revistas donde los términos fueron encontrados y las veces que aparecen en cada obra.

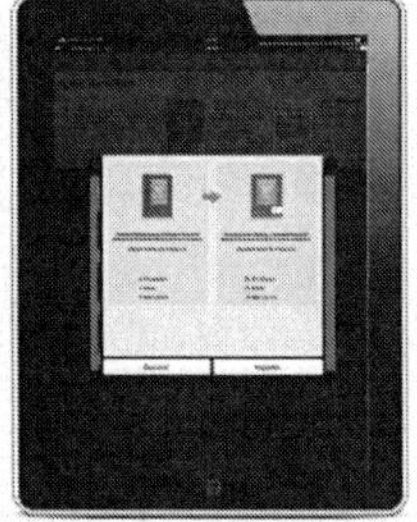

IMPORTACIÓN DE ANOTACIONES A UNA NUEVA EDICIÓN

Transfiere todas sus anotaciones y marcadores de manera automática a través de esta funcionalidad.

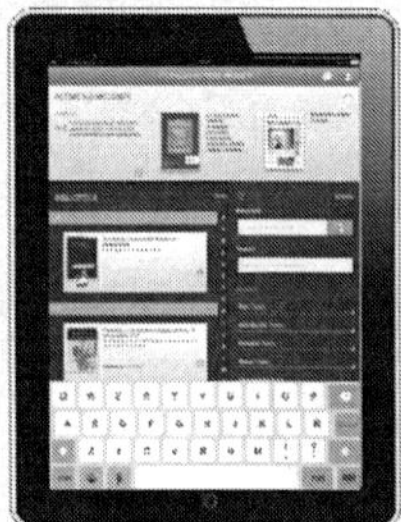

SUMARIO NAVEGABLE

Sumario con accesos directos al contenido.